C000151816

Die Lehre Des Württembergischen Theosophen
Johann Michael Hahn
by W. F. Stroh

Copyright © 2019 by HardPress

Address:
HardPress
8345 NW 66TH ST #2561
MIAMI FL 33166-2626
USA
Email: info@hardpress.net

WIDENER

HN TLJE .

87577.100

HARVARD COLLEGE LIBRARY

FROM THE
George Schünemann Jackson
FUND
FOR THE PURCHASE OF BOOKS ON
SOCIAL WELFARE & MORAL PHILOSOPHY
✳
GIVEN IN HONOR OF HIS PARENTS, THEIR SIMPLICITY
SINCERITY AND FEARLESSNESS

M. Rolf.

Die Lehre

des württembergischen Theosophen

Johann Michael Hahn,

systematisch entwickelt

und

in Auszügen aus seinen Schriften dargestellt

von

W. F. Stroh,

Pfarrer in Grömbach.

***

Stuttgart, 1859.

Druck und Verlag von J. F. Steinkopf.

W. Roth.

HARVARD
NIVERSITY
LIBRARY
JUL 8 1963

Vorwort.

Das vorliegende Buch verdankt seine Entstehung zunächst der Anregung des ehrwürdigen und weisen Aeltesten der michelianischen Gemeinschaft, J. G. Kolb, und des fleißigen und verdienten Biographen und Wiederauferweckers Arnolds und Oetingers, Karl Chr. E. Ehmann, welche beide dem Verfasser die freundliche Aufforderung und nöthige Ermunterung zu dieser wissenschaftlichen Bearbeitung der Hahn'schen Schriften gegeben haben. Wenn nun das Buch mit einer systematischen, durch die eigenen, unveränderten Worte Hahns belegten Darstellung der Lehre desselben hervortritt, so hofft es vor Allem dem ausgesprochenen Wunsche des hochbegnadigten Urhebers dieser theosophisch-biblischen Schöpfungs- und Heilslehre zu entsprechen. Es ist eine auf innerlichen wie auf äußerlichen Gründen beruhende Eigenthümlichkeit der Schriften J. M. Hahns, daß sie die reichen Schätze seiner Gedanken und Lehren nirgends in zusammenhängender Darstellung, vielmehr in zerstückelter und zerstreuter Weise bunt durcheinander geworfen geben. Hahn selbst war, sich dessen nicht blos wohl bewußt, „sintemal" — wie er sich Syst. S. 285 ausdrückt — „er nicht nach Art der Gelehrten jedesmal schreiben kann, und seine Sache nicht nach der Ordnung, wie es seyn sollte, auf einander

1*

folgt;" sondern er hielt es auch gar nicht für seinen Beruf, diese Eigenthümlichkeit, als ob sie ein Mangel wäre, zu verbessern. „Wenn du" — sagt er Syst. S. 472 f. — „dem Geist Gottes die Wahl nicht lassen kannst, was er geben und was er erinnerlich machen will, so kann es doch ich, und ich will sonst Nichts. Ganz und gar nicht will ich mich zerquälen mit Eintheilungen in Fächer und Rubriken; denn da müßte die Sache in meiner Gewalt seyn, und ich müßte sie heben und halten, und damit nach Belieben schalten und walten können. Aber bei einem solchen künstlichen Umtrieb würde mir der edelste Schatz entgehen und das reinste, hellste Licht entfliehen. Das mag ich nicht. Das ist die Weise der Vernunftgelehrten, aber nicht die meine; sondern wie mich der Geist Gottes erinnert an Etwas, das er mir längst gegeben, licht und lebendig gemacht hat, und wie er mir neuerdings gibt und mittheilt, mich also je länger je mehr in alle Wahrheit leitet, so gebe ich es wieder, und so will er's haben und dabei bleibt es mir wohl." — Gleichwohl lag ihm der Wunsch nicht ferne, daß sein „Stückwerk" zu einem Ganzen möchte zusammengesetzt werden, und er spricht die Hoffnung aus, daß dieß geschehen werde; nur sollte es der Fügung des HErrn überlassen bleiben. „Immer" — sagt er Syst. 355 — „muß man wieder abbrechen, wenn Einem immer wieder einfällt, man schreibe ja nur einen Brief. Auch wird man gar zu viel gestört und unterbrochen, nicht allein durch Umstände und Begebenheiten, sondern auch durch Leibes- und Geistes- oder Seelenschwäche; darum muß man sich mit Stückwerken begnügen lassen. Und ach! hätte man nur die alle, so viel man haben sollte, die Zeit würde schon kommen, wo sie sollten alle zu einem Ganzen zusammengesetzt werden." — „Was also zusammengehört" — schreibt er S. 394 — „mag

ein Anderer zusammentragen, wenn der HErr es ihn heißen
wird; wo nicht, so ist es auch nicht nothwendig."

Diese Nothwendigkeit aber dürfte schon um eines wirklichen
Bedürfnisses der Wissenschaft willen nicht zu bezweifeln seyn;
eines Bedürfnisses, welchem das vorliegende Buch gerecht
zu werden wünscht. Es muß nämlich von entschiedenem
wissenschaftlichem Interesse seyn, über die Lehre eines Mannes,
der von dem HErrn der Gemeinde berufen war, der Ur-
heber und Träger einer so großen, über sein Vaterland und
dessen Nachbarschaft sich erstreckenden geistigen Bewegung
und religiösen Lebens zu seyn, eine authentische und wissen-
schaftlich klare Darstellung zu haben, was bis jetzt nicht der
Fall gewesen ist, indem die wenigen vorhandenen Schilde-
rungen theils an Unvollständigkeit leiden, theils an dem
Mangel eines tieferen, liebenden Eingehens in den Geist
J. M. Hahns. Sodann wenn unter die edelsten und nö-
thigsten Bestrebungen auf dem Gebiete der Theologie und
Kirche diejenigen gehören, welche mehr und mehr der Theosophie Raum zu schaffen suchen, deren Prinzip das πίστει
νοεῖν, Hebr. 11, 3., und deren Frucht die ἐπίγνωσις des-
jenigen Geheimnisses ist, in welchem verborgen liegen alle
Schätze der Weisheit und der Erkenntniß, Kol. 2, 2. 3.,
dann darf fürwahr das auf den tiefsten Schriftideen ruhende,
allumfassende und durchleuchtete System des württembergischen Theosophen J. M. Hahn nicht verborgen bleiben,
sondern den Anspruch auf Beachtung erheben, als ein System, das zur Förderung eines tiefen, lebendigen und ganzen
Schriftverständnisses überhaupt und zur Erläuterung und
Ergänzung der Böhme'schen und Oetinger'schen Gedanken insbesondere von größtem Werthe ist. Dabei hofft aber dasselbe
in der vorliegenden Gestalt auch den zahlreichen Gliedern der
michelianischen Gemeinschaft selbst zur Freude und Förderung

zu gereichen. Sie werden es als Fleisch von ihrem Fleisch
und Bein von ihrem Bein erkennen, und als die da wissen,
wie viel zum Wachsthum des inwendigen Menschen an der
erleuchteten, die Wahrheit im Zusammenschluß des Geistes
erfassenden Erkenntniß gelegen ist, es lieb gewinnen als eine
dienliche Handreichung zur lebendigen Erkenntniß des HErrn
der Herrlichkeit; es wird ihrer Vielen ein erwünschtes Mittel
seyn, an der Klarheit und Nüchternheit ihres edlen Vor-
gängers in der Nachfolge Christi ihre eigenen Gedanken
und Gesinnungen zu stärken, zu reguliren und zu fördern.

Den Charakter des Buches anlangend, so steht die
Lehre Hahns in völliger, ungetrübter Objektivität da, sie
steht und redet für sich selbst, und wird zu Allen, welche
Wahrheit und Klarheit suchen, nicht vergeblich reden.

So seien denn dem HErrn, der bis hieher Gnade gegeben, die Wege dieser Schrift befohlen; Er segne Eingang
und Ausgang derselben an allen Orten zur Offenbarung
Seines herrlichen Namens!

Grömbach, am Schluß des Kirchenjahres 1858.

W. F. Stroh, Pfarrer.

J. M. Hahn's Lebens-Abriß.

Johann Michael Hahn wurde den 2. Februar 1758 in dem württembergischen evangelischen Pfarrdorfe Altdorf bei Böblingen von bäuerlichen Eltern geboren. Er genoß bis zu seiner Confirmation im vierzehnten Lebensjahre nur den dürftigen Unterricht der Volksschule dieses Orts, und lernte dann auf das Verlangen seines Vaters das seiner Neigung wenig entsprechende Mezgergewerbe. Darauf arbeitete er wieder auf dem väterlichen Gute.

Während er um seiner schönen leiblichen und geistigen Anlagen willen von seinen Jugendgenossen sehr geliebt und gesucht wurde, arbeitete andererseits in seinem Innern die Gnade Gottes, der ihn zu einem höheren und edleren Ziel bestimmt hatte, auf eine gründliche Erweckung und Bekehrung hin. Er wurde bei allen weltlichen Unterhaltungen von großer Gewissensunruhe gequält, und fühlte dagegen einen unwiderstehlichen Trieb in sich nach Heiligkeit und Erkenntniß der Wahrheit. Dadurch kam er in den tiefsten, mehrere Jahre, besonders von 1774 bis 1777, andauernden innern Kampf, und erfuhr die schwersten Anfechtungen und Herzensnöthen, durch welche er aber auch für eine außerordentliche Begnadigung und Erleuchtung des heiligen Geistes zubereitet wurde. Diese wurde ihm auf dem Felde, wo er mit einer ländlichen Arbeit beschäftigt war, zu Theil, und war für ihn der Anfang eines neuen, seligen und von der Welt ganz abgeschiedenen Lebens.

Durch die harte Behandlung von Seiten seines Vaters, dessen irdischen Planen mit seinem Sohne diese Richtung desselben gar nicht entsprach, wurde er veranlaßt, die Heimath zu

verlaſſen, und hielt ſich zuerſt in dem benachbarten Dorfe Döf=
ſingen und ſpäter bei dem gottesfürchtigen Separatiſten Herrn
von Leining auf dem Jhinger Hofe auf. Dieſer einſichtsvolle
Mann, welcher das beſondere Werk Gottes in Hahn erkannte,
vermochte deſſen Vater, daß er ſeinen Sohn wieder nach Hauſe
nahm und ihm volle Freiheit ließ. Und damit begann bei Hahn,
vom Jahre 1780 an, eine neue Epoche.

Im elterlichen Hauſe nun nicht mehr beunruhigt, führte
er ein ſtilles, ascetiſches Leben mit großem Ernſt in Verläug=
nung, Betrachtung und Gebet, und empfing auf ſeine kindliche
Bitte eine zweite Erleuchtung, welche ſieben Wochen lang an=
hielt, und worin ihm der Blick des Geiſtes in die innerſte Ge=
burt der Natur, wie in die Tiefe und Weite des göttlichen
Heilsplanes in Chriſto eröffnet wurde. Er war in dieſer Zeit
oft ſo im Geiſt hingenommen und beſchäftigt, daß es die Kräfte
des Leibes kaum zu ertragen vermochten.

Was Hahn in dieſer Erleuchtungsperiode geſchrieben hat,
hat er zwar ſpäter ſelbſt wieder vernichtet; aber in ſeinen geiſt=
vollen Reden, die er nun in den Privatverſammlungen über die
Geheimniſſe Gottes zu halten anfing, trat die ihm geſchenkte
Gabe Chriſti um ſo heller an's Licht und eröffnete ihm durch
die Aufmerkſamkeit, die ſie weithin erweckte, einen großen Wir=
kungskreis, in welchem er theils durch mündliche Zeugniſſe, die
er in den Verſammlungen ablegte, theils durch ſchriftliche Ab=
faſſung von Briefen, Liedern und Betrachtungen, welche unter
ſeinen Freunden nah und fern circulirten, eine geſegnete Thätig=
keit zur Pflanzung und Ausbreitung chriſtlicher Erkenntniß und
gottſeligen Lebens entwickelte.

Eben dieſe ſegensreiche Thätigkeit war es aber, durch welche
ſich nun die Verfolgung von einer neuen Seite gegen ihn erhob,
indem dieſelbe unter ſeinen geiſtlichen Mitarbeitern im Kirchen=
amte einen ſehr lebhaften Eifer erregte. Er wurde von geiſt=
lichen und weltlichen Behörden, Pfarrämtern, Kirchenconventen
und gemeinſchaftlichen Oberämtern einmal über das andere zur
Verantwortung gezogen, und mußte ſich ſogar vor dem evange=
liſchen Conſiſtorium perſönlich ſtellen. Hier aber fand er in
Carl Heinrich Rieger einen wahrhaft geiſtlichen Richter und

Berather. Nachdem er schon einmal, um der wider ihn ent=
standenen Aufregung die Nahrung zu entziehen, auf den Rath
und mit Empfehlungen des Pfarrers Philipp Matthäus
Hahn in Echterdingen eine Reise in die Schweiz und dann
wieder mit dem Grafen Seckendorf nach Oberzenn und Nürn=
berg gemacht hatte, ließ er sich nun auch noch durch den Rath
wohlmeinender Brüder in Calw dazu bewegen, daß er das Re=
den in den Erbauungsstunden gänzlich unterließ. Allein bald
durch einen Traum belehrt, daß der HErr seinen Knechten ihr
Pfund dazu anvertraue, daß sie damit als seine treuen Haus=
halter wuchern, nicht aber im Schweißtuch es behalten sollen,
stand er von der Befolgung des Raths der Brüder wieder ab
und begann unter der Leitung der himmlischen Weisheit seine
erfolgreiche Wirksamkeit auf's Neue. Während er in derselben
durch Verfolgung von Seiten der geistlichen Aemter öfters ge=
stört wurde, durfte er jedesmal von dem weltlichen Oberamt, an
welches er durch jene eingeliefert wurde, eine sehr humane Be=
handlung erfahren.

Da er keine Lust hatte, nach dem Tode seines Vaters die
landwirthschaftliche Arbeit fortzusetzen, begab er sich in seinem
30. Jahre nach Sindlingen und erlernte dort in den Jahren
1788 und 1789 die Verfertigung von Wanduhren, in der Ab=
sicht, neben diesem stillen Gewerbe seinem geistlichen Hauptberufe
zu leben. Nach seiner Rückkehr in das väterliche Haus machte
er auch einen Besuch bei den Mennoniten in Eppingen im
Großherzogthum Baden, deren Lehrvortrag ihn aber nicht be=
friedigte, und nahm sodann, weil er seine Schriften immer im
Original an seine Freunde abschickte, eine arme, kränkliche
Schwester zu sich, die mit ihrer fertigen Hand alle die Briefe,
die er in den Jahren 1789—1794 über biblische Texte und
geistliche Erfahrungen geschrieben hat, nebst vielen von ihm ver=
faßten Liedern copirte.

Als ihm nach dem Tode seines Vaters einiges Vermögen
zugefallen war, verließ er im Jahr 1794 seinen Geburtsort
Altdorf für immer und zog nach Sindlingen, wo ihm auf dem
dortigen Schloßgut die Herzogin Franziska eine Zufluchtsstätte
gewährte, in welcher er ungestört leben und neben der Besorgung

der Geschäfte eines Drittelmaiers seine umfassende geistliche Wirk=
samkeit in Rede und Schrift fortsetzen konnte. Im Jahr 1803
erbaute er sich hier in Gemeinschaft mit einigen Brüdern ein
eigenes Haus, welches er bis zu seinem Tode bewohnte.

Sowohl die Zahl der Besucher, als seine in= und aus=
ländische Correspondenz vermehrte sich mit der Zeit so sehr, daß
er nicht blos zur Betreibung eines irdischen Gewerbes keine Zeit
mehr hatte, sondern auch die Unterstützung von Brüdern, welche
seine Schriften copiren und ordnen mußten, nöthig hatte. Diese
Hilfe wurde ihm besonders durch seine zwei Herzensbrüder,
Martin Schäfer von Unterjettingen und Anton Egeler
von Nebringen, zu Theil.

Nach einer Krankheit, an welcher er im Jahr 1813 neun
Wochen darnieder gelegen war, schrieb er auf das Verlangen
eines seiner Freunde, um das Ganze seiner Lehre und Erkennt=
niß vollständig zu geben, die 17 Briefe von der ersten Offen=
barung Gottes als ein System seiner Gedanken und Herzblatt
seiner sämmtlichen Schriften.

Bis in's Jahr 1818 setzte Hahn, unter immer drückender
werdenden körperlichen Leiden, seine Arbeit mit Reden in den
Erbauungsstunden, die von weit her besucht wurden, und mit
Abfassung von Briefen, Liedern und biblischen Betrachtungen,
fort. Im Jahr 1818, unter den um jene Zeit in Württem=
berg herrschenden separatistischen Bewegungen, gegen welche die
eben so nüchterne als einflußreiche Gesinnung Hahns einen
schätzenswerthen Damm bildete, war er viel mit dem Plane be=
schäftigt, eine religiöse Gemeinde zu gründen. Die Verwirk=
lichung dieses Planes durch die Anlegung der Gemeinde Korn=
thal erlebte er nicht mehr.

Schon um Weihnachten 1818 ward er durch Anstrengung
der Brust in den Erbauungsstunden und durch Kummer über
die Krankheit zweier Hausgeschwister sehr angegriffen. Mit der
Ahnung einer nahen Veränderung stand er am Morgen des
16. Januars 1819 vom Gebet auf und äußerte: „Jetzt weiß
ich gewiß, daß in Zeit von vierzehn Tagen mein Wunsch er=
füllt wird." In der Nacht auf den 17. überfiel ihn ein Reißen
im Fuß und ein heftiges Fieber, das ein fortwährendes

Schlummern mit Betäubung zur Folge hatte. Durch ärztliche
Hilfe wurde zwar der Kopf von der Betäubung wieder frei,
aber die Hitze stieg den Abend des 18. wieder so, daß man auf
den folgenden Tag sein Ende erwarten mußte und ihn darauf
aufmerksam machte. So ernst er nun aber auch durch diese
Nachricht von der Nähe des Todes gestimmt wurde, also daß
er von jetzt an keinen Augenblick mehr schlummerte, im klaren
Bewußtsein von der Wichtigkeit der bevorstehenden Veränderung,
so war er doch sehr gefaßt im Glauben, und hier, wie in seiner ganzen Krankheit, einfältig und gelassen und überließ sich
kindlich und getrost seinem HErrn. Auch seine Gemeinschaft,
die er vor seinem Tode noch mit besseren Anstalten hätte mögen
versorgt wissen, konnte er bald dem Haupt der Gemeine glau-
bensvoll übergeben. Am 20. traf er in kurzen Reden noch
seine letzten Verordnungen, namentlich auch in Betreff des Drucks
seiner Schriften; wurde immer heiterer und lieblicher; bezeugte,
wie der Heiland alle seine Sünden weggenommen und ihn so
außerordentlich erquickt habe, daß er ganz getrost sei, und gab
seine Freundlichkeit und Dankbarkeit gegen diejenigen zu erkennen,
die ihn so liebevoll verpflegten. In dieser heiteren Stimmung,
mit klarem Bewußtseyn, lag er bis zu seinem Ende; seine Augen blieben aufwärts gerichtet, seine Lippen bewegten sich stille,
wie eines Betenden. So schied sein Geist sanft und ruhig aus
dieser Welt den 20. Januar 1819, Abends 7 Uhr, im 61. Jahre
seines Alters. Die heitere Klarheit seines Geistes ließ ihren
freundlichen Schein noch aus dem Antlitze des Todten leuchten,
und als die Leiche zu Grabe getragen wurde, brach die Sonne
aus dem finstern Regengewölke und der siebenfarbige Friedens-
bogen des HErrn wölbte sich über der Grabesstätte, welche die
Wanderhütte des der Auferstehung entgegen eilenden Gottes-
pilgers aufnahm.

Ueber seine innere Entwicklung äußert sich Hahn selbst
III. Col. 9 ff. folgendermaßen: „Frühzeitig hat Gottes Gnade
an mir gearbeitet, früh mich gesucht, gelockt und gezogen. Schon
im dreizehnten und vierzehnten Lebensjahr meines Daseyns fühlte
ich das starke, kräftige Gotteswirken, ob ich es schon nicht kannte.
Aber auch von dort an waren drei Hauptfeinde auf mich auf-

merkſam, und gaben ſich alle erſinnliche Mühe: Augenluſt, des Fleiſches und der Sinnen Luſt regten ſich und ſuchten mir in tauſenderlei Geſtalten reizbar zu werden. Allein je mehr ſie ſich beſtrebten, je mehr war mir Keuſchheit und Jungfrauſchaft, Reinigkeit und ein unbefleckt Leben vorzüglich wichtig; daher ich früh an meinen Schöpfer gedachte, weil er noch früher an mich gedachte. Und obgleich meine wohlgebildete Geſtalt und nach morgenländiſcher Art blühende Natur viele Liebhaber fand, gab es doch die göttliche Weisheit nicht zu, daß ich wäre gefeſſelt und eigentlich verderbet worden, obſchon auch das Schöne und Vortreffliche Eindruck auf mich machte. Indeſſen kam es aber doch erſt zu einer gründlichen Erweckung und noch mächtigeren Gnadenarbeit Gottes bei mir in dem achtzehnten und neunzehnten Jahr. Da wurde es erſt ganz entſchieden, daß ich Gottes ſeyn und bleiben wollte. Nur nahm ich Anſtand, ob ich nicht zu lange gewartet hätte, ob mich Gott auch wohl noch würde an= nehmen, da er mich vorher ſo oft gewollt, geſucht und gelockt, und ich mich doch eigentlich nie ganz und recht ergeben, ſondern oft auch in eiteln Dingen mich ergötzt hatte; worauf aber die Unruhe im Gewiſſen immer zulegte, bis ich mich ganz ergab und nun dachter es iſt die Frage, ob dich Gott auch noch will; wenn du nur nicht ſchon verſtockt und verworfen biſt! Von da an blieb ich bei drei Jahr in der abſcheulichſten, finſterſten Höllenqual, weil ich dachte, von nun an ſollte ſich gar nichts Ungöttliches mehr regen und bewegen. Da aber das Böſe noch heftiger ſich regte, gerieth ich in die größte Dunkelheit, daß ich dachte, ich ſei die unſeligſte und unglücklichſte Creatur auf Er= ben. Unter derſelben Zeit hatte ich bei allem ernſten Gottesgeſuch doch hunderttauſend Zweifel und war voller Ungewißheit und Unglauben.

„Von meiner zarten Jugend an konnte ich Nichts ohne Bedacht laſſen; ein feuriges, oft quälendes Gottſuchen war in mir; denn ich wollte wiſſen, wie Gott, wo Gott, was Gott und wer Gott ſei? Ich dachte, ich ſuchte, ich las die Schrift, ich forſchte im Gewiſſen und im Buche der Natur; konnte aber nicht in's Reine kommen, wie Gott allwiſſend und allgegenwärtig ſeyn könnte. Die Begierde ward je länger je ſtärker, Ihn zu kennen und zu finden, und wenn ich immer kein Genüge fand, sank ich in größere Zweifel zurück, und dann durfte sich nur ein Sündengefühl dazu gesellen, so war ich fast dem Verzweifeln nahe und dachte oft: Ach, daß ich doch ein Daseyn haben muß! Wie unglücklich bin ich doch, daß ich bin! Ach, warum kann ich doch nicht auch nicht seyn! — In diesem Zustand blieb ich noch einige Jahre hindurch (und wenn ich die früheren auch dazu rechne, da es auch in Etwas schon also war, könnte ich sieben Jahre herausbringen, allein ich will nur drei bis vier rechnen), bis endlich meine Seele wirklich erleuchtet ward.

„Zum ersten Mal hielt die Erleuchtung bei drei Stunden an, und da sie einige Zeit hernach wieder kam, dauerte es bei sieben Wochen fast ununterbrochen und so kam es hernach oft wieder. Hieraus ist nun klar, daß ich Gott gefunden und daß meine Fragen beantwortet wurden; denn ich sahe in die innerste Geburt und allen Dingen in's Herz, und mir war, als wäre auf einmal die Erde zum Himmel geworden und als ob ich die Allenthalbenheit Gottes schauete; mein Herz war gleich der aus= gedehnten Ewigkeit, darinnen sich Gott offenbart. Und da ich vorher an den wichtigsten Schriftstellen am meisten Vergnügen fand, und die auch am meisten Gedanken und Verlangen nach Gott erweckten, ward ich auch über dieselben am allergründ= lichsten erleuchtet und belehrt. Daher rührt es auch, daß ich so gerne von den tiefsten Gotteswahrheiten schreibe, denn meine Seele lebt je länger je mehr darinnen.

„Frühe habe ich also an meinen Schöpfer gedacht, weil Er noch früher an mich dachte, und mich zog und lockte, suchte und endlich fand. Denn seine vorlaufende Gnade arbeitete so merk= lich und kräftig an mir, als ob sie nur mit mir allein zu thun hätte; ich wurde überredet und folgte endlich schwach, und o, wie oft habe ich indessen gedacht: Ach, daß ich früher und auch treulicher gefolgt hätte! Was würde die Gnade zu ihrem Lob aus dir gemacht haben! Ganz ist es ihr mit dir nicht gelungen, obgleich auch nicht ganz mißrathen!"

Im Vorhergehenden bezeichnet Hahn die Quelle, aus wel= cher seine Erkenntniß und Lehre geflossen ist.

Die Unmittelbarkeit derselben weist er in einem Schreiben an einen Gelehrten XII, I. 574 ff. mit Folgendem nach:

„Es ist wahr, daß ich recht frühzeitig bin erweckt worden, und zwar so, daß meine gründliche, tiefe Erweckung etwas Sonderbares geheißen werden kann; das muß ich zum Preise Gottes nicht verhehlen. Das soll ich und das darf ich auch nicht. Daß ich also auch wahrhaftig und reell erleuchtet worden bin, muß ich bekennen. — — Es ist nicht zu viel gesagt, wenn ich sage, es sei mir am Ende meines langwierigen, harten Bußkampfes und dunkeln, beschwerlichen Weges endlich das Lebenslicht angebrochen und die Sonne der Lichtwelt aufgegangen. Denn es war lange finster auf der Tiefe, nämlich auf dem Chaos meiner qualvollen Herzens-Confusion, bis göttliche Bewegung es durch das Wort Galgal wendete und das Licht aus der Finsterniß hervorbrachte, und einen lichthellen geborenen Schein in die Centralkräfte meiner Seele gab. In dieser Erleuchtung, die mir das erste Mal gar etwas Neues und Fremdes war, glaubte ich dann freilich aus dem Tod in's Leben, aus der Hölle in das Paradies Gottes versetzt zu seyn, und weil mir dann in dieser anhaltenden centralischen Schau und tiefen Eröffnung der innersten Sinnen alle möglichen Fragen von Gott, von Christo, vom Geiste Gottes, nämlich wie, wo und was der dreieinige Gott sei, und wie Alles von Ihm herkomme und in Ihm bestehe und durch Ihn wiederbracht werde, von seinem Plan und Vorsatz und dergleichen Mysterien auf Einmal beantwortet wurden, so daß alle vorher gehabte Zweifel verschwanden, so war ich in der That centralisch erleuchtet, und weil dieß gar zu unmittelbar geschah (denn ich war mit nichts dergleichen im Geringsten bekannt), so kann ich mit Recht dieß eine unmittelbare Erkenntniß Gottes nennen; denn sie geschahe durch den Geist des HErrn, und was durch den Geist unmittelbar geschieht, das ist gegeben von Gott. Daß ich es aber auch von erleuchteten Menschen als bestätiget haben möchte, fügte es Gott, daß ich von Amts wegen zu Herrn Consistorialrath und Hofprediger Rieger in Stuttgart in's Verhör mußte, der mir dann erst sagte, was und von wem mein Pfund sei, und was ich zu thun hätte, um es recht anzulegen, welches auch geschah.

Und also bin ich bekannt worden; denn das göttliche centralische
Licht ging von derselben Zeit in meiner Seele nicht unter, ob
es gleich oft kürzere, oft längere Zeit von dem Gemüthsgewölke
mir verdeckt seyn kann. Just aber zu der Zeit, da es sich wie=
der zeigt, und entweder kürzer oder anhaltender, tiefer und heller,
oder etwas schneller und trüber sich zeigt, kann ich Etwas sagen
von den Geheimnissen, von denen Sie mich gefragt haben.
Außer diesem aber nicht; denn ich befinde von Anfang an, daß
dieses mitgetheilte Gnadenlicht nicht in meiner Macht und Ver=
wahrung liegt und ich damit thun und machen kann, was ich
will. Sondern es liegt in Verwahrung Dessen, der es gab,
und in mir drinnen licht oder dunkel machen, herausbrechen lassen
oder zurückziehen kann. Also erkennen Sie, daß ich bald viel,
bald wenig sehe und erkenne, bald Etwas und bald gar Nichts
kann, und im Grunde betrachtet gar Nichts bin und kann, und
nur zu erharren habe, was mir gegeben wird und was ich zu
thun befehligt werde. So wie es mir also immer gegeben wird,
kann ich wieder geben und dienen, weiter aber nicht; denn was
ich weiter thue, ist nur vom Nachschein gethan und hat nicht
dieselbe Verwandlungskraft, wie es seyn sollte. — — Ich habe
den HErrn der Herrlichkeit erkannt, und seine Gottmenschheit,
sein Plan, sein Herz und die Kraft seines Blutes und Geistes
ist mir nicht verborgen; ich erkenne seine Herzensgesinnung und
erfahre stets Etwas von den Kräften, durch die Er sich Alles
unterwerfen und alles gottwidrige Wesen in allen Schöpfungs=
reichen unterthan machen wird; ich erkenne Ihn als das A und
O, als den Anfang und das Ende, als den Ersten und den
Letzten, welcher die erste Ursache des Daseyns aller Dinge ist,
um dessentwillen alle Dinge sind, und durch den alle Dinge sind,
in dem sie alle ihr Seyn und Bestehen haben, durch den sie
alle mit Gott versöhnet seyn, durch dessen Krafttinctur, als den
Alles verwandelnden Stein mit sieben Augen, sie auch alle in
Gottes Natur sollen verwandelt, fixe, geist=leiblich und unsterb=
lich sollen gemacht werden in den dazu abgefaßten Ewigkeiten
und Weltzeiten, bis Alles herwiederbracht sei, was in Ihm zu=
sammen bestanden hat. Aber, wie oben gesagt, dieß Alles weiß
und erkenne ich nur, wenn und wie lange Er will und so viel

Er mag, und weiter will ich auch nicht, und sollte ich gleich Nichts geben können dem, der doch Viel bei mir zu finden glaubt. Ich schäme mich alsdann billig, weil nur in mir die Ursachen liegen, warum ich manchmal Nichts sehe und erkenne, selten aber in dem, der Etwas will. — Niemal habe ich den HErrn oder einen seiner Gottesgesandten oder beß Etwas persönlich gesehen oder gesprochen; auch war ich nie entzückt, daß ich so Etwas gesehen oder gesprochen hätte; auch hatte ich nie ein solch Gesichte, oder Traum-Vision, oder Offenbarung, sondern was ich erkenne und weiß, ist mir auf obgedachte Weise mitgetheilt worden, nicht schlafend, sondern wach, nicht entzückt, sondern im Leibe gegenwärtig, wissend, wo ich gewesen, also blos centralisch und von innen heraus erleuchtet, daß gleichsam aus der schwarzdicken, mitternächtigen Wolke meiner verdorbenen Menschennatur von innen zuerst ein elektrisches Feuerlicht zu sehen war, und in demselben eine Geburtsquelle, ein vierfaches Rad, da das Eine von diesem nicht anders erschien, als wenn es aus vier Lebdingen bestünde. In diesem wunderbaren Rade erblickte ich das Original der Menschheit und also die Herrlichkeit des HErrn, und noch tiefer die Kräfte der Aktion und Reaktion. Hier erkannte ich also den Ursprung und Anfang aller Kreatur, und aus dem Centro, darein mein Geist versetzt war, sahe ich die auseinander sich wendenden und sich entwickelnden Schöpfungsstufen und Abstufungen aller Welten und Geschöpfgattungen, und also auch die Schöpfungsleiter der himmlischen und irdischen Menschheit Jesu, als die untere und obere Kreissprosse, und was dergleichen wichtige Dinge noch mehr seyn mögen."

Auch über die Eigenthümlichkeit seiner Lehre, zumal im Verhältniß zu Jakob Böhme, äußert sich Hahn in demselben Briefe (XII. I. 579 f.) in folgender Weise:

„Sie fragten mich ferner, was von Jakob Böhmen zu halten sei? Ich sage: recht viel ist von ihm zu halten. Diesen theuren Gottesmann lernte ich, Gott sei Dank! nicht eher kennen, als es für mich gut war. Denn ich sollte vor meiner centralischen Erleuchtung mit keinem Menschen von der Art bekannt seyn, auf daß nichts Verhinderliches von seinem System durch meine Vernunftbegriffe möchte dem Geist drein getragen

und vermengt werden, weil ich das System meiner Erkenntniß
sollte unmittelbar von Gottes Geist haben, wie er, Böhm, das
seine. Und ob wir öfters einerlei Worte haben, so haben wir
doch nicht einerlei Verstand und Sinn. Oft aber haben wir auch
Zerschiedenheit in Wörtern und doch einerlei Sinn und Verstand.
Das thut aber nichts. Denn ob der deutsche Lutheraner zum Brod
Brod und zum Wasser Wasser sagt, und der deutsche Katholik sagt
es auch also, sind sie darum wohl in diesem, aber nicht in Allem
einig. Der Unterschied dünkt mich zwischen Beiden groß; denn
Böhm war mehr erleuchtet, wie hätte sonst derselbe Alles so
anatomiren und zergliedern können, welches bis zur Genüge ge=
schehen, so daß es allzu elementisch klinget und Anlaß genommen
werden könnte zur Naturalisterei, nämlich durch die Speculation
der Vernunft ohne Gottes Licht. Hingegen ich vermag nicht,
eine Sache so speciell und zergliedert zu beschreiben; denn meine
Erkenntniß und centralische Schau ist mehr originalisch=genera=
lische Schau; d. h. sie fangt sich in der Herrlichkeit der Offen=
barung Gottes an und endet sich in der in den Geist erhöhten
Gottmenschheit des HErrn, wie schon gesagt, vom A und O,
vom Anfang und Ende, vom Ersten und Letzten, und von den
Entwicklungen und Enthüllungen der höheren und niederen, der
innerlichen und äußerlichen Geschöpfskreise und Geschöpfsgattungen
und dergleichen, und ich hätte lange die Geduld nicht, also aus=
führlich zu schreiben und so helle darzulegen. Ich rathe dem=
nach sehr einem solchen forschenden Geist, wie Sie sind, den
Böhm zu lesen; denn bei mir ist selten Etwas zu haben, und
wenn man Etwas haben kann, so ist es oft so kurz, daß hin=
tendrein des Fragens mehr ist, als zuvor. Es ist auch in
meinen Briefen immer wie darauf gebitten, allein mir ist nicht
weiter befohlen. Hiemit haben Sie meine Gedanken von Böhm.
Ich halte diesen Mann hoch und theuer in dem, was er aus
der centralischen Schau geschrieben hat, glaube aber doch lange
nicht Alles, denn er hat auch Vieles nicht aus der Centralschau,
sondern aus Vernunftschlüssen geschrieben, so wie auch ich der=
gleichen schon oft gethan habe. Gott verzeihe es mir, wenn ich
nicht immer bemerkt habe: Dieß und Jenes ist nur wahrschein=
lich oder vermuthlich, oder: ich schließe so und so. Das sollte

von solchen Schreibern stets beobachtet werden, um der einfäl=
tigen Seelen willen. Jakob Böhm will Nichts vom tausend=
jährigen Reich, Nichts von der ersten Auferstehung, Nichts von
der Wiederbringung aller Dinge wissen, welches doch so klar in
der Schrift stehet. Er streitet sogar mit denen, die schon zu
seiner Zeit diese herrlichen Wahrheiten erkannt und behauptet
haben. Das zeigt an, daß er dieß nicht aus der centralischen
Schau geschrieben, sondern aus philosophischen Vernunftschlüssen,
und daß hierin sein Geist dem Geist Christi nicht unterthan
war, und daß er überhaupt zu seiner Zeit in den Plan Gottes
noch nicht so deutlich sahe, wie in die Schöpfung des geoffen=
barten Gottes; es sollte vielleicht zu seiner Zeit nicht seyn." *)

Was endlich seine Schriften betrifft, in welchen er seine
Erkenntniß niedergelegt hat, so wurden sie von seinen Freunden
bald nach seinem Tode herausgegeben und sind nach dem im
XIII. Bd. S. V ff. gegebenen Verzeichnisse folgende:

I. Bd. Lebenslauf des Verfassers; Lieder über die Berg=
prebigt Jesu; Lieder von der Versöhnung, von der
göttlichen Weisheit, auf die Festtage, vom mensch=
lichen Gewissen.

II. Bd. Briefe über die Apostelgeschichte, über die Epistel
an die Galater und Judä; Briefe und Lieder
über 2. Petri und Jakobi.

III. Bd. Briefe und Lieder über 2. Korinther, Ephesers, Ko=

---

*) Böhme an Paul Kaym, I. 28., sagt selbst: „Die erste Auf=
erstehung der Todten zum tausendjährigen Sabbath, davon in Apocal.
20, 4 f. stehet, ist mir auch nicht genug erkannt, wie daß es damit
bewandt seyn mag, weil sonst die Schrift Nichts davon meldet, und
Christus, sowohl seine Apostel, dessen in anderen Wegen nicht ge=
dacht, als nur Johannes in seiner Offenbarung; ob das tausend
solarische Jahr seyn werden, oder wie es damit bewandt sei? Weil
ich's aber nicht habe ergriffen, so lasse ich's meinem Gott und denen,
so etwan Gott solches möchte zu erkennen geben, bis mir die Augen
dessen Wesens, so es Gott gefiele, möchten eröffnet werden: denn
es sind Geheimnisse, und ist dem Menschen ohne Gottes Befehl
und Licht nicht darmit zu schließen. So aber Jemand dessen von
Gott Erkenntniß und Erleuchtung hätte, möchte ich mich wohl lehren
lassen, so ich dessen im Licht der Natur möchte Grund haben.

loffer, Philipper, 1. u. 2. Thessalonicher, 2. u. 3.
Johannis.

IV. Bd. Briefe und Lieder über 1. u. 2. Timotheum, Titum,
Philemon, Hebräer.

V. Bd. Briefe und Lieder über die Offenbarung Johannis
von 1815, und Sendschreiben über dieselbe von
den Jahren 1790—1792.

VI. Bd. Betrachtungen und Lieder über die Psalmen.

VII. Bd. Betrachtungen auf alle Tage des Jahres über
Römer, 1. Petri, 1. Johannis und einzelne biblische Texte.

VIII. Bd. Betrachtungen auf alle Tage des Jahres über einzelne alt- und neutestamentliche Texte und das
Hohelied.

IX. Bd. Betrachtungen, Gebete und Lieder auf die Sonn-,
Fest- und Feiertage über 1. Korinther und Jesaja
53—55., nebst Anhang von Gebeten und Liedern.

X. Bd. Sammlung von auserlesenen geistlichen Gesängen.
Zweiter Liederband.

XI. Bd. Sendbriefe über einzelne Kapitel aus dem Alten
Testament und den vier Evangelisten, und Antworten auf Fragen über Herzenserfahrungen.

XII. Bd. Sendbriefe über alt- und neutestamentliche Kapitel,
und Antworten auf Fragen über Herzenserfahrungen. Briefe über das Hohelied und einige
Lieder. Verfassungsconcept einer wahren Gemeine
vom Jahr 1817.

XIII. Bd. Sendschreiben und Lieder an Freunde der Wahrheit
als Antworten auf ihre Fragen.

XIV. Bd. Sammlung von auserlesenen geistlichen Gesängen.
Erster Liederband.

XV. Bd. Briefe von der ersten Offenbarung Gottes oder das
System seiner Gedanken.

2*

J. M. Hahn's Lehre.

Erster Theil.

Die Offenbarung der Herrlichkeit Gottes.

Erster Abschnitt.

Die Offenbarung der Herrlichkeit Gottes
in Gott selbst, oder die Lehre von der ursprünglichen und urbildlichen Herrlichkeit Gottes.

Selbstoffenbarung Gottes.

§ 1.

Die Möglichkeit der Erkenntniß Gottes ist durch die Offenbarung des Geistes Gottes und Jesu Christi gegeben, und beginnt da, wo Gott selbst aus seiner ungründlichen Verborgenheit in eine Offenbarung seiner selbst heraustritt.

„„Gott ist allein sich selbst bekannt; aber wie ein Mensch wissen kann, was in dem Menschen, so der Geist Gottes, was in Gott; wer ihn hat, hat ein Auge im ewigen Wort. 1. 309. B. 2. 5.

So Jemand des Geistes Gottes theilhaftig ist, also Geist vom Geist gezeuget ist, kann der Geist aus Gott ihm die Tiefen der Gottesgeheimnisse und deren allerheiligste und tiefste Geburt offenbaren, und so er es thut, so hat die Seele gewiß die centralische Erleuchtung empfangen. III. Kol. 64.

Der Geist kann Alles entdecken und offenbaren, was in und vor Gott ist, wie und wo er will. Denn der Geist erforschet alle Dinge, auch die Tiefen Gottes. Er kann forschen auf den innersten Urquell der Kräfte Gottes, als auf die tiefste Geburtsquelle wirkender und leidender, väterlicher und mütterlicher Kräfte und Eigenschaften, die sich aus den ungründlichen Tiefen in einen Grund seiner selbst einführen, als A und O im Anfang und Ende. Aber tiefer soll freilich kein Geist forschen und gründen, sonst raubt er sich die Seligkeit. III. Kol. 63.

Ob wir schon unsern Geist nicht dämpfen, noch in seinem Forschen stören oder zurückschrecken werden, so werden wir doch auch nicht in den unerforschlichen Untiefen des Ungrunds umschwärmen, noch das auszugründen uns bestreben, was in den Unendlichkeiten, wie auch in den Unanfänglichkeiten verborgen; wir werden weder dem Vorweltlichen, noch dem Nachweltlichen, oder dem, was seyn wird, wenn Gott Alles in Allem ist, nachspüren; sondern eben dem Geist folgen, dem es gegeben ist, zu wissen, was ihm von Gott gegeben ist, und mit Ihm oder in Kraft desselben forschen in die höchst edlen Gottes- und Weisheitstiefen. Denn wir haben es zur Genüge erfahren im Forschen des Geistes, den wir aus Gott haben, daß es ihm Genuß und Seligkeit ist, so lange er forscht, soviel als er soll. Kommt aber der eigene Geist mit in's Spiel und will aus Vorwitz tiefer gründen, so geht Einfalt und edles Geistesauge nicht mit, und der uns nährende Muttergeist forscht nicht mit uns; darum verliert sich Wonne, Seligkeit und Sonne, und das reine Gottfühlen und Gottgenießen. IV. Hebr. 32.

Ueber den Raum des Lichts, wo sich im A und O der Anfang und das Ende in dem Ersten und Letzten offenbart hat, wollen wir nicht hinaus, aber tief gebückt in denselben hineinzuschauen, wollen wir uns nicht nehmen lassen. IV. Hebr. 33.

Ferne sei es von mir, mich zu verweilen im magischen Hungergrund des Ungrundes, welcher für eine Creatur mit ewiger Hungerbegierde keine Nahrung hat, sintemalen da nicht erkannt und gefühlt wird das allerfreuende und allbelebende Lebenslicht. IV. Hebr. 59.

§ 2.

Gott, außer aller Creatur, in sich selbst betrachtet, ist in einer beständigen Bewegung und Geburtsoffenbarung begriffen, vermöge der er sich aus dem verborgenen Ungrund in einen lichten Urgrund einführt, und so sich selbst aus sich ſelbſt in ſich ſelbſt offenbart. Dieß iſt die Offenbarung der Herrlichkeit Gottes in ſich ſelbſt oder die Zeugung des Sohnes aus dem Vater.

„„Außer dem Raume der Geſchöpflichkeiten ſind die unerforſchlichen Tiefen des Ungrundes, in welchen die Kräfte und Gotteseigenſchaften ſich in einen Grund einführen, zu ſeiner ſelbſt Offenbarung in ſeiner göttlichen Ewigkeit oder in dem Lichtraum der Herrlichkeit im Saron der göttlichen Freiheit. III. Eph. 216.

Wenn das Wort, das im Anfang war, ſogar Gott ſelbſt war, als Gott bei Gott, ſo können wir nicht anders denken, als: Gott macht ſich ſelbſt aus ſich ſelbſt, durch ſich ſelbſt, in ſich ſelbſt, und das um ſeiner ſelbſt willen, offenbar in Wort und Herrlichkeit. Dieſe Offenbarung der Geburt aber geſchiehet ohne Anfang und Ende, in der göttlichen Ewigkeit, im Lichtraum der Herrlichkeit und Unzugänglichkeit, wenn ſich Gott darinnen aus der unendlichen Ungründlichkeit, aus den Untiefen ſeiner Gottesalldurchdringlichkeit und Allenthalbenheit in einen Grund einführet, und zu ſeiner Selbſtoffenbarung im Wort und Licht des Lebens faſſet und gleichſam begränzet, doch ſo, daß der geborene Gott in Allem und durch Alles ſein kann, unberührlich ohne alle Aus oder Einſchließlichkeit. IV. Hebr. 52. 53.

Die eigentliche Geburtsoffenbarung Gottes iſt ohne Anfang und ohne Ende, und iſt ſelbſt der Anfang und das Ende. Sie iſt in dem Allerinnerſten des Lichtraumes, der unzugänglich iſt. Syſt. 59.

Es ſind nicht zwei Götter in zwei Perſönlichkeiten, ſondern der zeugende und gebärende Kräftenquell iſt Vater, und der Geborene iſt Sohn. IV. Hebr. 53.

Der Geoffenbarte iſt ohne Anfang und Ende gezeugt und geboren, ſelbſten der Anfang und das Ende, offenbart in ſich ſelbſt, aus ſich ſelbſt und durch ſich ſelbſt. Der ſich Offenbarende iſt Vater, iſt derſelbige einzige Gott der mancherlei Kräfte; und der Geoffenbarte iſt eingeborener Sohn der Kräfte und iſt eben derſelbe. III. Eph. 71.

§ 3.

Es ist hienach in Gott zu betrachten: 1) die ungründliche göttliche Geburtsquelle, als der Vater; 2) der göttliche Geburtsprozeß, als die Zeugung des Sohnes aus dem Vater; 3) die urgründliche oder ursprüngliche Herrlichkeit Gottes, als der eingeborene Sohn.

„„Anders betrachten wir Gott in der heiligsten Scheue und Ehrfurcht außer aller Natur und Creatur im Ungrund der ewigen Freiheit, und anders in der Offenbarung der allerheiligsten anbetungswürdigen Dreieinigkeit im unzugänglichen Lichtraum ihrer Gottesherrlichkeit. Syst. 315.

1. Der Vater, als die ungründliche göttliche Geburtsquelle.

§ 4.

Gott im Ungrunde ist eine rein geistige Potenz, ein unwesentlicher, in sich selbst verborgener, unerreichbarer Geist der Ewigkeit, oder das reine Chaos.

„„Gott ist ein gränzenloser, unräumlicher, unfaßlicher, unberührlicher, ungeborener, ewig verborgener Geist, außer seiner göttlichen Offenbarung betrachtet. Dieser ist es, was wir Vater nennen, und auch in der Schrift Vater genennet wird. VI. Pf. 1168.

Außer dem Sohn ist die Gottheit ein ewiger Geist, der nicht erreicht werden kann. Syst. 338.

Der Vater der Herrlichkeit ist der Geist des Ungrundes, das unfaßliche und ungründliche Wesen, wie es betrachtet wird ohne Anfang und ohne Ende. III. Eph. 118.

Gott ist ein Geist, nemlich ein geistiges, allgegenwärtiges, allwirksames Wesen, nicht persönlich, leibhaft, räumlich, taftlich und greiflich; nur in dem eingeborenen Sohn, der in den Centralkräften seines Schooßes, in dem Lichtraum seiner göttlichen Ewigkeit offenbar, sonst in seinen ewigen Kräften ein unergründliches unfaßliches Wesen. III. Kol. 121. 122.

Gott kann man in Zeit und Ewigkeit nur in seiner Offenbarung sehen. Denn die Gottheit ist Geist. IV. Tim. 120 f.

Gott ift Geift, dieß ift der Vater, der ein Geift ift
nach den Worten unfers HErrn, der an feinen Ort und an
feine Stelle gebunden ift, noch gebunden werden kann: ein
Geift, der fich nirgend ein- noch ausbannen läßt, den Nichts
faffen, halten, einfchränken, meffen oder ergreifen kann. Die-
fes allgegenwärtige, anbetungswürdige Wefen ift in Allem
und durch Alles mit feiner ewigen Kraft und Göttlichkeit,
überall ganz ungetheilt und ungetrennt in feinen Kräften
und Eigenfchaften, kann fich offenbaren, wann und wo und
wie es will, in der Centralkraft, in der es den Herzensfohn
offenbart, als fich felbft in feiner göttlichen Ewigkeit. Dieß
ift alfo in der allerheiligften Quelle der gebärenden Offenbarung derfelbe Vater und Gott, den ich anbete in der
Kraft aller feiner Kräfte 2c. III. Eph. 203.

Diefer Ungrund, aus dem fich Gott offenbart, heißt das
reine Chaos. V. Off. 797.

§ 5.

Im göttlichen Ungrunde ift eine Fülle von leidenden und
wirkenden Kräften; vornämlich find aber drei Central- oder
Schooskräfte, A, O und U, welche die Dreieinigkeit Gottes
im Ungrunde feiner Freiheit bilden.

„„Gott ift ein Geift der Ewigkeit im Ungrunde der göttlichen Freiheit. Und unter diefem Geift der Ewigkeit find
mancherlei wirkende und leidende Kräfte zu verftehen. Syft. 337.

Es find mancherlei Kräfte und ift doch nur Ein Gott.
So find nun die mancherlei Gotteskräfte und Eigenfchaften
ein aus wirkenden und leidenden Kräften vereinigter Quell-
bronn, ein ewiger Geift, oder Geift der Ewigkeit, ohne Anfang, ohne Raum, ohne Zeit, unfaßlich, unbegreiflich, unberührlich und unergründlich. IV. Hebr. 564.

Es find mancherlei Kräfte der allerheiligften Gottheit, aber
es ift nur Eine Gottheit, die fich in denfelben und aus denfelben offenbaret, aber nur in dem allerinnerften und allerheiligften Lichtsraum der Unzugänglichkeit, im ftillen weiten
Saron der göttlichen Ewigkeit. Denn diefelben mancherlei
Kräfte der einzigen wahren Gottheit find verfchiedener Arten
und Eigenfchaften, find agirend und reagirend, find aus-

dehnend und zusammenziehend, zeugend und gebärend. Unter den mancherlei Kräften sind zu betrachten Central- und Schooskräfte, weil sich der Ungrund in denselben in einen Urgrund zu seiner Selbstoffenbarung fassen konnte und wollte, und ist der Geoffenbarte in drei Gestalten aus und in drei Centralkräften, der anbetungswürdige Jehova, der Eingeborene in den mütterlich-väterlichen Schooskräften, wie Joh. 1. 18. schreibt. III. Eph. 70.

Gott offenbart sich aus den Tiefen seiner Verborgenheiten als A und O, in der heiligsten Quelle seiner Kräfte und Eigenschaften, sonderlich in den Central- und Schooskräften seiner Allvermögenheit. IV. Hebr. 73.

A, O und U, diese drei Centralkräfte sind nichts anders als die anbetungswürdige Dreiheit, wie sie gedacht wird außer Natur und Creatur, ohne Raum und Gränze, ohne alle Offenbarung und Faßlichkeit, als ein Geist der Ewigkeit. V. Off. 150.

Wir erkennen eine Dreieinheit in den Kräften und Eigenschaften des sich Offenbarenden, Zeugenden und Gebärenden, wie in dem Geoffenbarten, Gezeugten und Geborenen; denn sonst wäre ja nicht Ein Gott, der sich selbst offenbart in sich selbst, aus sich selbst, durch sich selbst. IV. Hebr. 552.

Außer aller Natur im Ungrunde ist das allerheiligste Wesen A, O, U, also Dreiheit in Einheit. A ist die erste Bewegung im O, um des U willen, O schließt um und ein Alles, und ist die zweite Centralkraft. Syst. 351.

§ 6.

Unter diesen Schooskräften des Vaters ist das A die zeugende, schöpferisch wirkende Aktionskraft, das O die empfangende, in sich fassende Reaktionskraft, das U aber die erste lusterweckende Ursache und bewegende Kraft des göttlichen Willens zur Selbstoffenbarung.

„„Schon in dem allerheiligsten ursprünglichen Quellrade der Kräfte und Eigenschaften Gottes erkennen wir eine dreimal heilige Dreieinigkeit; denn nach unserem Erkennen sind es Kräfte der Aktion und Reaktionskräfte des Bewegens und

Anziehens, aber auch eine sanfte Kraft der Veranlassung und freien Lust zur Willensbewegung. Darum so sich das A bewegt als die Aktionskraft, und das Rad drehet sich nur halb um, so ist ein V, und so es sich ganz ummendet, so ist's ein O, aber das V ist die erste Ursache, daß die Gottheit aus ihren verborgenen unendlichen Tiefen sich offenbaren will. IV. Hebr. 566.

Gott wollte in seinen Eigenschaften offenbar seyn, ein U im A und O mag die erste Ursache seyn; die heiligste, reinste, ausgedehnteste Liebe-Lichtsluft, diese im Ursprung und Anfang im Wort des Lebens, im Licht des Lebens, diese Herrlichkeit, Eins mit dem Wort, war in dem geoffenbarten Gott mit offenbar. IV. Hebr. 551 f.

A, O, U sind die Centralkräfte des Gebärenden, und also auch des zeugenden Geburtsquells. Das U ist das Wohlgefallen des Willens Gottes, weil sich Gott um sein selbst willen offenbart. A sind die zeugenden, wirkenden Aktionskräfte, und O sind die mütterlich-artigen, anziehenden Geburtskräfte; denn was zeugen kann, ist väterlicher, und was gebären kann, ist mütterlicher Art. Wenn sich also das A als die bewegende Kraft beweget, so ist das der ewige Wille, und das A stehet also umgedreht als V. Darum ist das U die Ursache des Wohlgefallens des Willens in den ungründlichen Tiefen, der sich aus sich selbst durch sich selbst und in sich selbst, blos um sein selbst willen, im Lichtraum seiner Herrlichkeit, ohne Anfang und ohne Ende als Anfang und Ende offenbart, in A und O um des V, als um seiner selbst willen. III. Eph. 216 f.

Die allerheiligste Quellgeburt göttlicher Offenbarung ist A, O, U, und A ist die Aktionskraft, welche die ganze Geburtsquelle bewegt, darum heißt es A oder der Anfang und das O ist die Reaktionskraft, oder die Kraft des Anzugs, und der leibähnliche Umschluß des Rades der seelenähnlichen Geburtsquelle. In A und O offenbart sich die Kraft der Ausdehnung als eine edle Lichtsluft, als ein U — die erste Lusturfache des Daseyns aller sichtbaren und unsichtbaren Dinge; darum heißt es U und erste Ursache. II. Petr. 177 f.

Im ersten erstaunenden Tiefblick sehen wir A und O; und wenn das Drehen dieses allerheiligsten Geburtsrades sich wendet, so ist das A ein U, und das U ist die Ursache der Bewegung, nicht die wirkende, sondern die lusterweckende zur Bewegung, zur Aktion in dem O als der Kraft der Reaktion. Und es ist darum das U nicht das A, sondern es sind zwei Kräfte, und mit dem O drei Kräfte. Syst. 315.

Er nennt sich selbst das A und das O! Das A nennen wir die Kraft der Aktion, oder Bewegung; und das O die Kraft der Reaktion oder Kraft der Anziehung und Infassung, also A und O! Da nun aber in diesen anbetungswürdigen Gotteskräften eine freiwillige Willenslust ist, sich aus sich selbst, in sich selbst und durch sich selbst zu offenbaren in drei Gestalten und Kraftfarben, so nennen wir diese lusterweckende Kraft das U im A und O. Denn wie sich das A drehet und umwendet, ist es ein U, also ist es A, O, U! Syst 191.

§ 7.

Diese Schooskräfte, als wirkend oder zeugend und leidend oder gebärend, bilden die göttliche Geburts- und Offenbarungsquelle, und sind, als in einer beständigen Circularbewegung begriffen, das göttliche Geburts- und Seelenrad, welches die drei oberen Kräfte des Willens, Verstandes und Gedächtnisses, und die fünf unteren des Gesichts, Gehörs, Geruchs, Geschmacks und Gefühls in der Einheit des Gemüthes umfaßt. cfr. § 61.

„„Der unanfänglichen und unendlichen, allgegenwärtigen und allwirksamen Kräfte und Eigenschaften sind sieben. Sie sind das allerheiligste Geburtsrad oder Geburtsquell in dem Lichtraum der Unzugänglichkeit Gottes, und offenbaren sich selbst in dieser göttlichen Ewigkeit als A und O. Syst. 114.

Im Ungrunde ist der Zeugungs- und Geburtsquell aller wirkenden und leidenden, zeugenden und gebärenden Central- und Schooskräfte des allerheiligsten Lebensquells und Geburtsrades, in dem, aus dem und durch welches sich Gott in seiner Herrlichkeit offenbart in Dreiheit und Einheit. Syst. 319.

Wenn wir in tiefer Ehrfurcht und Anbetung die Gottheit zu betrachten und zu erkennen gewürdigt werden, wie sie sich außer aller Natur und Creatur in ihrem Ungrunde zu erkennen giebt, so ist es nach der heiligen Schrift also: die Gottheit ist ein Geist; und dieser Geist der Ewigkeit ist eine Geburtsquelle aus unterschiedlichen oder unterschiedlich wirkenden Kräften. Alle diese Kräfte sind einem Rade, einem siebenfachen Radequell ähnlich nach Ezech. 1. Die allerheiligsten und allerseligsten Geburts- und Zeugungs-Quells-Kräfte sind wirkend und leidend, sind an- und einziehend, einfassend und wieder ausdehnend, sind sich selbst offenbarend in ihren Centralkräften. Oder, in ihrem Schoose offenbart sich im allerheiligsten Lichtraum die Gottheit selbst, und was sie offenbart, das ist sie selbst. Denn jene Centralkräfte sind der Schoos des zeugenden Vaters und der gebärenden Mutter, und ist doch weder Vater noch Mutter, sondern wirkende, bewegende, anziehende und einfassende Kraft oder Kräfte. Das, was sich offenbart, ist Gott im Ungrunde, und der geoffenbart wird, ist ebenderselbe, der sich zur selbsteigenen Offenbarung in einen Grund einführt. Syst. 350.

Der Geburtsquell aber ist nicht getheilt oder getrennt, sondern er ist ein einiger, ja nur Ein Rad und Thronquell der Kräfte und Eigenschaften der dreieinigen Gottheit. III. Eph. 217.

Niemand stoße sich, daß wir das Lebensrad der Kräfte der Gottheit ein Seelenrad, eine Seele nennen. Denn die menschliche Seele ist ein Thron Gottes und Gottes-Bild nach allen Theilen und im Ganzen. V. Off. 783.

Gott hat sich in Dreiheit geoffenbart und ist doch in sich selbst die ewige Einheit. Die menschliche Seele hat drei Kräfte, und diese sind im Gemüthe Eins. Das Gemüth ist Etwas, worin man eine Sache sehen, hören und fühlen, schmecken, erkennen und unterscheiden kann, ob man das, was man gesehen hat, will. Vom Gemüth bekommt es der Verstand zum Prüfen. Ist's nun gut, so bleibt's im Gedächtniß, wie es gesehen oder erkannt worden. Da fährt nun der Wille aus, und das Rad wird getrieben, und der ausgehende Wille zeucht das, was er will und versteht, wie ers im Gemüth erkannt und im Gedächtniß behalten hat, im Willenstrieb und Begehrenszug durch den Verstand in das Gedächtniß herein, das Rad ist im Lauf und Gang und das Gewollte muß geboren werden, und das Bild auf dem Rad oder Thron der Seele sitzen. Da muß dann eben das Bild geboren werden, welches gewollt wurde. Nun verstehe es auch recht: Gott, der dreieinige, erkennt und sieht sich selbst in all seinen Kräften und Geistern. Und wie er sich selber sieht, erkennt, fühlt, hört und schmeckt im ewigen Gemüthe, da er Eins ist, siehe, so versteht er sich auch und Alles in ihm, und ist ihm Nichts verborgen. Weil er sich nun als gut versteht, so will er sich auch. Daburch bringt er sich als das Rad der Dreiheit, das im ewigen Gemüthe Eines ist, in's Bewegen, in den Gang. VIII. 1. 4.

Wir reden von Gott, wie er in sich selbst war vor seiner Offenbarung. Da war er einer menschlichen Seele gleich ohne Leib. Gleich wie nun die Seele aus drei oberen und fünf unteren Kräften besteht, da nämlich Verstand, Wille und Gedächtniß, als drei Räder, im Gemüthe, als im vierten, nur Eines sind, und gleichwie die vier inneren Sinne, als vier Kräfte oder Thiere im Thron, im Gemüth, welches eigentlich das fünfte ist, nur Eines sind, und also nur eine einige Seele ausmachen, mit oberen und unteren Kräften, also merke: die drei oberen Kräfte bedeuten den dreieinigen Gott, welcher im ewigen Gemüthe in sich selber Einer ist. Das Gemüth sind die inneren Sinne, da das Gemüth selber das fünfte ist. Nun hat der dreieinige Gott im ewigen Gemüthe, das er selber überall war, sich selbst gesehen, gehört, gefühlt, geschmeckt, gerochen aufs Allerlieblichste, Angenehmste und Schönste, und das Alles im Gemüth, als im ganzen Rade. Nun da er sich aber offenbaren und einen Leib haben will, worin' er, als die Seele, als die Dreiheit in Einheit seyn kann, siehe, so kann es nicht anders seyn, als so, weil das Gemüth obere und untere Kräfte in Eins zusammenfaßt. Wenn sich nun Gott im ewigen Gemüth wohlthuend fühlt, schön ersieht, lieblich hört, angenehm schmeckt, und köstlich riecht, so verstehet er sich, weiß und erkennt sich im Verstande, und so vergißt er sich nicht, sondern behält sich im Gedächtniß. Darum will er sich, oder faßt in sich selbst einen Willen zur Offenbarung, und bewegt das ganze Rad der Dreiheit, als sich selbst, aus sich selbst. VIII. I. 7 f.

2. Der göttliche Geburtsproceß als die Zeugung des Sohnes aus dem Vater.

§ 8.

Aus dieſer Geburtsquelle gebiert der Vater den Sohn als ſeine Herrlichkeit, indem der ewige Wille in dem Verlangen, ſich in Licht und Freiheit zu offenbaren, zuerſt ſich ſelbſt zuſammenzieht und füllt, wodurch die finſtere Feuersnatur entſteht, aus welcher er ſodann durch die Hitze der Begierde, die darin keine Ruhe findet, in die Flamme des Lichtes und der Herrlichkeit ausbricht.

„„Der Geiſt der Ewigkeit hungert nach Freiheit und Herrlichkeit im Licht, und da er ſich in allen ſeinen Lebenseigenſchaften und Weisheitsarten offenbaren will um ſeiner Weisheit willen, muß er im Anziehen der wirkenden Kraft ſich im Geburtsrade mit dem Gewollten ſelbſt füllen. Das verurſacht dem anziehenden Willen eine Art von Finſterniß, Unruhe und Dunkelheit. Er ſieht aber in ſich ſchon die Freiheit, Herrlichkeit und Licht in der Weisheit, um deren willen der Wille anzieht, und bricht in dieſelbe Lichtgeburt aus, als in ſeine Herrlichkeit. V. Off. 791 f.

Sein Wille will und macht ſich voll, weil Gott geoffenbart ſeyn ſoll im Licht, als Licht und Leben; doch, iſt der Will durch's Wollen voll, ſo iſt ihm nicht darinnen wohl, will ſich in Freiheit geben; geht als ein Licht in Freiheit aus, macht lauter Licht ſein herrlich Haus. II. Jak. 310.

Gott, als er im ewigen Willen ſich ſelbſt zu ſeiner Offenbarung gebären wollte, iſt als Feuer der Vaterseigenſchaft noch unſichtbar vor ſeiner Offenbarung, bricht aber aus als Feuer in Flamme und Licht, vom ſtarken Einziehen und ſich begehrenden Zug des Willens. Das geborne Flammlicht iſt der geoffenbarte Gott, der Sohn; die Urſache zum Feuer iſt der Wille. Das Feuer iſt der Vater des Lichts; das Licht, der Glanz vom Feuer, iſt der Sohn, das geoffenbarte Herz Gottes; das Feuer muß Weſen haben, und dieß gibt ihm der Wille. VIII. 1. 83.

Gott, der sich selbst wollte zur Offenbarung, und sonst Nichts wollen konnte, weil außer ihm Nichts war, hat durch das Wollen mit dem Sich-selbst-Begehren und Einziehen in den Willen sich zum Feuer gemacht, welches aus der Schärfe des Eingezogenen sich Wesen machte, darin es brennen und leuchten könnte, wie ja Gott sich wesentlich offenbaren wollte. Und dieß Feuer oder der Wille der Wesen zum Feuer will und gibt sich selbst ein Wesen, schwängert dieß vom Willen gezeugte Feuer und gebiert und offenbart sich in Licht und Flamme. Nun dieß vom zeugenden Willen und gebärenden Feuer geborne und geoffenbarte flammende Licht ist der eingeborne Sohn oder das geoffenbarte Herz der Gottheit, der geoffenbarte Gott. **VIII. I. 89 f.**

Gott wollte sich offenbaren, und indem er sich wollte, so bekam er sich selbst, wie er sich wollte. Da er nun sich selbst immer mehr wollte und einzog, so wurde der sich zur Offenbarung begehrende Wille scharf und hitzig, und ward Ursache zum Feuer, und der Wille und das Feuerleben zeugten Feuer und gebaren Licht. Und sind diese beiden: der ungeoffenbarte Gott, der sich offenbaren wollte, und Ursache zum zeugenden Feuer gab und der, so geboren und geoffenbart ist als Feuer und Licht — diese beiden sind nur Ein Gott, doch der Erste, der Zeugende, ist der Vater des Zweiten. **VIII. I. 90 f.**

§. 9.

Dasjenige, was den göttlichen Willen zur Selbstoffenbarung erregt, ist die göttliche Vernünftigkeit oder unwesentliche Weisheit, welche wesentlich seyn will, und das zu Offenbarende Gott als ein Auge der Ewigkeit lusterweckend vorspielt und vorspiegelt.

„„Die göttliche Vernünftigkeit oder unwesentliche Weisheit, um deren willen Gott sich in sich liebte, und selbst offenbarte, die ihn dazu veranlaßte und bewog, war das weibliche niedere Theil der dreieinigen Gottheitskräfte, die auf eine mannigfaltige Art lusterweckend und lieblich spielte und alle Kräfte durchleuchtete und erregte, Alles angab und darstellte. **VII. Petr. 231.**

Die göttliche Vernünftigkeit oder unwesentliche Weisheit stellte Gott Alles dar; denn sie wollte wesentlich werden und auf mancherlei Art offenbar seyn. ibid.

Wenn von der unwesentlichen Weisheit die Rede ist, so wird göttliche Vernünftigkeit oder das niedere Theil seiner Eigenschaften und Kräfte verstanden, und in Betracht als männlich und weiblich ist sie das weibliche oder jungfräuliche Theil, Eins mit dem Männlichen. VII. Petr. 239.

Die unwesentliche Weisheit bewirkte, bewegte, belustigte den unwesentlichen Gott in den obern Kräften mit ihren untern, die Eins mit einander sind, daß er um ihretwillen sich wesentlich machte und sein wesentliches Wort und dessen Weisheit aus seines Geistes Kräften zeugte. VII. Petr. 259.

Es ist die ewige Weisheit oder das ewige göttliche Gemüth weder der Vater, noch der Sohn, noch der Geist; sondern sie ist das Auge oder der Spiegel der Ewigkeit, darin Gott sich und alle Dinge sieht. Sie ist das Rad der drei Räder, gleichwie Verstand, Wille und Gedächtniß drei Räder und doch nur Eins im Gemüth als dem vierten sind. VIII. I. 3.

Der dreieinige, unanfängliche, ewig lebende Gott sah immer nur sich selbst im ewigen Gemüthe, welches er auch selber ist, worin er in seinen ewigen, göttlichen Kräften Eins ist, als dreieinig zu betrachten im göttlichen Gemüthe, als im vierten Rade, da doch nicht vier, sondern nur drei, wie auch drei obere Kräfte in der menschlichen Seele sind und sind im Gemüthe Eins. Und dieß Gemüth ist ein Bild vom ewigen göttlichen Gemüthe und deutet die göttliche Weisheit an, worin Gott Alles sah, nämlich alle Wesen, die er aus sich machen und offenbaren wollte. VIII. I. 215.

§. 10.

Indem nun der göttliche Wille das in der Weisheit Erblickte will, setzt er zur Gebärung des Gewollten das ganze göttliche Seelenrad in seinen oberen Kräften in Bewegung, bis durch die Erhitzung das Feuer und aus diesem, als aus der zeugenden Vatereigenschaft, das Licht geboren wird, der Sohn, der Gott selber ist.

„„Der große Gott, ehe er sich aus sich und durch sich selbst offenbarte, war zu vergleichen einer Seele ohne Leib, ohne Leiblichkeit und äußere Sinnlichkeit, also einer Seele ohne äußeres Leben im Blute. — Eine solche Seele ohne Leiblichkeit besteht in Verstand, Wille und Gedächtniß, und bedeutet in der ungeoffenbarten Gottheit: Vater, Sohn und Geist. Dieser dreieinige Gott fühlt sich, sieht, hört, schmeckt und riecht sich selber, da nichts als nur er ist, im ewigen Gemüthe, da jene fünf innern Sinne das Gemüth sind, und das Gemüth selber das fünfte ist. Und die drei obern Seelenkräfte, Wille, Verstand und Gedächtniß sind als drei Räder im Gemüth, dem vierten Rade, Eins und also nur Ein Rad, eine einige Seele. Wie sich Gott nun im ewigen Gemüthe als göttlich gut findet, so versteht und erkennt er sich als gut im göttlichen Verstande und will sich im Willen, oder faßt sich in sich selbst im Willen zur Offenbarung aus sich und durch sich selbst. Und weil er sein Wollen als gut erkennt, so behält er das Bild zur Sich-selbst-offenbarung im Gedächtniß, und der heilige Wille treibt das ganze göttliche Geburtsrad an, das Bild im Gedächtniß zu erlangen; darum zeucht er dasselbe im Gemüth mit dem Willen durch den Verstand in das Gedächtniß herein, bis durch's scharfe Einziehen das Rad erhitzt wird und in Flammen kommt. Da wird dann aus dem Feuer, als aus der zeugenden Vatereigenschaft, das Licht geboren — der Sohn, das ewige Wort, welches Gott selbst ist. Joh. 1, 1.   VIII. I. 31 f.

Die drei oberen Kräfte der Seele sind im Gemüthe, in der vierten Hauptkraft und sind unsichtbar. Nun den dreieinigen Gott, ehe er sich offenbarte, stelle dir eben auch so vor. Vater, Sohn und Geist sind Verstand, Wille und Gedächtniß, und diese sind Eins im ewigen Gemüthe, in dem ganzen unsichtbaren Wesen der Gottheit, worin Gott Alles sah, ehe er sich offenbaren wollte. Der Wille ist der Vater, der Verstand und das Gedächtniß sind der Sohn und der heilige Geist. Nun sich Gott als Vater mit dem ewigen Verstande sieht und versteht im ewigen Gemüthe, so versteht er den Sohn und mit dem ewigen Willen will er ihn zur Offenbarung im Gedächtniß haben. Darum zeucht er mit dem ewigen Willen sich selbst als den Sohn durch den Ver-

3 *

ſtand in das Gedächtniß herein, und iſt dann im Geburtsrade der göttlichen Kräfte der Sohn als der geoffenbarte
Gott geboren. Vor dieſer göttlichen Offenbarung kann man
entweder Gott nicht Vater, Sohn und Geiſt nennen, oder
iſt vor dieſer Jeder der Vater, Jeder der Sohn, Jeder der
Geiſt; oder Jeder der Verſtand, Jeder der Wille, Jeder das
Gedächtniß, und alſo war und iſt die heilige Dreieinigkeit
im göttlichen Gemüthe die ewige Einheit. Denn was wir hier
ſagten, iſt nur ein Gleichniß; es muß aber noch gar anders
verſtanden werden. VIII. I. 214.

Als Gott von den niederen Kräften, in den oberen ſich
zu offenbaren, veranlaßt wurde, und der Rath der Weisheit,
als des weiblichen Theils, aus war, ſo fieng der Wille, als
der Vater, an, das Rad zu drehen, und Alles, was im niedern Theil, in der Weisheit, war, durch den ausgehenden
Geiſt, als den Verſtand, in den Sohn, in das Gedächtniß,
hereinzuziehen, da doch keiner hier weder Vater, noch Sohn,
noch Geiſt iſt. So wurde das weſentliche Wort und die
weſentliche Weisheit gezeugt und geboren. VII. Petr. 233.

Die Zeugung oder Offenbarung Gottes nahm alſo den
Anfang: was der HErr in Vorgeſtalt ſah, in allen Kräften, das verſtund er als gut in allen denſelben; und nahm
Urſache, ſich zu wollen. Alſo der ewige Wille fing an ſich
zu offenbaren und das Rad der ewigen Geburt in Gang
zu bringen; der begehrende Wille ging in alle Kräfte aus
und zog durch Begehrung das, was er geſehen und nun
wollte, durch den Verſtand als gut in das Gedächtniß herein und zwar ſo lange, bis der begehrende Wille angefüllt
war und in eine Flamme gerieth durch das ſcharfe Begehren,
ſo daß es im ganzen Rade als Licht und Feuer ausbrach.
Da war dann Gott als Jaspis-Licht und Sardis-Feuer geoffenbart. Und dieſer aus des dreieinigen Gottes Kräften
geoffenbarte Gott iſt eben derſelbe Gott, und kein anderer,
und hat ſich ſelbſt um ſeines niederen Theils willen geoffenbart, ſo daß der geoffenbarte Gott das Bild des unſichtbaren
Gottes iſt. VIII. III. 355 f.

Johannes ſagt: Gott iſt die Liebe; und wiederum: Gott
iſt ein Licht. Alſo iſt Gott ein Liebelichtsweſen; in dem
Weſen der Weisheit und Herrlichkeit iſt Gott das Liebelicht.

Ohne Licht wäre Gott nicht Liebe, und ohne der Liebe Kraft und Leben nicht Licht. Das Leben ist wirkend und feuriger Kraft und Qualität und gebieret Licht, indem aus des Feuers Flamme Geist, und aus dem Geist Wasser und aus dem Wasser Wesen wird. Wenn nämlich das Wasser als ein Oel in das Feuer sinket, so wird das Feuer milde, lieblich und freundlich, und das Sinken ist die Demuth, daraus wird Liebe geboren, als des Lichtes Kraft oder Wurzel oder Feuer. Dieß merke in Gott also: der unwesentliche Gott, als das A und das O, der im Anfang und Ende Alles in sich selbst, durch sich selbst, um sein selbst willen offenbar seyn will, der ist gleich einem Rade, das vier Räder sind. Das A sind die Alles wirkenden Kräfte der Dreiheit, wie sie ohne Offenbarung verstanden werden im O. Das O ist das vierte Rad mit fünf niederen Kräften, und das fünfte dieser fünf ist das Innerste aller Räder, und das ist im O das Lusterweckende. Was die andern vier niederen Kräfte sehen, hören, riechen, schmecken, in sich selber als dem O, das wird in der innersten fünften, niedern Kraft des O, als des vierten Rades, gefühlt, und geht in diesem Lustgefühl alsbald das Um auf. Das A der drei wirkenden Hauptkräfte, als die unwesentliche Dreiheit, will sich um sein selbst willen, als um des O willen, offenbaren im Anfang und Ende, und das ist's auch, darum er das A ist und heißet. Da nun das A will nach dem Wirkenden gehen der andern vier Kräfte, und sonderlich um des fünften willen, so ziehet das erste Rad, das im Wirbel das andere ist, Alles aus dem vierten, durch das dritte in das Innerste, das das zweite ist, hinein; und diese zweite Hauptkraft ist näheſtens, so zu sagen, um die innerste Kraft, als die Lust im O, die fünfte Kraft des O. Das O ist die unwesentliche Weisheit Gottes, des unwesentlichen Gottes, und dieser ist das A. Dieß ist das Rad der sieben Ewigkeits- und Allmachtsgeister, das starke Lebensband und Geburtsrad, um des willen Alles ist, betrachtet als das O, aus welchem und von welchem Alles ist als dem A. — Da nun das zweite Rad, offenbar zu seyn um des vierten willen, zeucht als ein begehrendes Feuer mit Macht, so ist das ausgehende Begehren schon ein Anderes, als der Wille. Der Wille ist eine Eröffnung, und das Begehren ist der Verstand

als das dritte Rad, und beide sind das Ziehen des Begehrten und Verstandenen und bringen es in das erste Rad,
nächstens an der Lust der fünften Kraft des vierten Rades,
und ist doch nur Alles Ein Rad, ein zusammenwirkendes
Band aller Geister und keines das erste, andere und dritte,
niedere, obere oder untere; nur muß es also gestellet werden.
Nur ist das gewiß, daß die drei Räder nicht um des vierten, aber das vierte um der drei willen, nicht das A um
des O, sondern das O um des A willen ist. Merke, denn
das in das innerste Rad Gebrachte, nahe bei dem Allerinnersten als der Lust, ist eine Erfüllung des Rades, das das
zweite ist im Wirbel, und die Erfüllung ist ein Chaos, ein
Unausgewickeltes und Unauseinandergegangenes, Ungeform-
tes, Ungemachtes und Ungebildetes, und ist eine Finsterniß
und sozusagen noch nicht des Willens Lust aus der Lust.
Doch merke weiter: das O mit der innersten Kraft, als dem
Gefühl, ist die Lust und ein unwesentliches, idealisches Licht,
ein erweckendes und das A reizendes Centralfeuer und das
A ist das zweite wirkende Centralfeuer und ist das Leben
und unwesentlich Feuer. Das erste Centralfeuer will wesentlich seyn, als das O ein wesentlich Licht mit dem Anfang
als dessen Ende, und das A will auch wesentliches Feuerleben seyn in dem Anfang. Darum, obschon die in dem innern Hauptrade, als dem zweiten, gezogene Finsterniß, das,
was das Rad erfüllet, eine Unlust des Rades und der beiden Centralfeuer ist, so ist es doch das Gewollte, Begehrte
und Gezogene und ist das Rechte; und das Gefundene ist
doch schon das, was gewollt wird, woraus die Lust und das,
was eigentlich gewollt wird, kommt. Darum wirken die zwei
Centralfeuer unwesentlich, bis aus der Finsterniß oder aus
der in das zweite und innerste Rad eingezogenen Fülle oder
Chaos das Feuer, das wesentliche Feuer, das große Leben
entspringt, als aus einer so gar sehnenden Begierde. Da
nun dieß Feuer, als ein wesentliches Feuer, als der Anfang
des A im ganzen Rade des O brennt, und doch noch in
diesem Betracht eine Qual ist, so ist auch die allerinnerste
Kraft noch nicht ihrer gewollten Art theilhaftig. Darum
gehet durch das Immer-Laufen des Rades aus dem Anfang,
als dem großen Feuerleben, das Ende, als das Licht auf;

und das ist nicht anders möglich, als daß mit dem Feuer aus
der leidenden Lust, als dem allerinnersten Centralfeuer sich dem
zweiten Centralfeuer gebende, gehet sammt dem A als das O
ein in den Anfang und das Ende und das im ganzen Rade und
ist das aus dem Feuer und Licht Ausgehende im Rade als im
A und O der Geist als das sanfte Leben. Und aus diesem
wird in dem Rade des A und O das Oel und ist das Lebenswasser, die Demuth, und sinket in das Rad, das nahe an
dem Innersten ist, darin die Fülle ist als das Chaos. In
diesem Oel brennet das Lebensfeuer wesentlich, und aus diesem gehet somit dem Geist immer das Licht auf und ist dieß
die Dreiheit, das Liebelicht- und Herrlichkeits-Wesen, das
Einfallende und Einsinkende in die Demuth, in dem wirket
die Kraft des Lebens, und ist jetzt die Liebe als ein mildes
Feuer, das sein Gewolltes hat. Die Lust ist jetzt das Licht
und hat das A und das O, was es gewollt, den Anfang
und das Ende, und ist der Anfang und das Ende die Dreiheit, der geoffenbarte Gott und das in 3 Hauptgestalten im
Rade, als Feuer in Sardisgestalt, roth, und als Licht in
Jaspisgestalt, weiß, und dieß ist Wort und Weisheit im
Wesen der Herrlichkeit; und dann drittens als Sapphirgestalt, blau, gleich einer Kristallkugel, darin sich in der hell-
blauen alle andern Farben zeigen; und dieß ist die allein
anbetungswürdige Dreiheit in der Einheit der Herrlichkeit
in der Freiheit. IX. 1. 714 ff.

§. 11.

Der Ort, in welchem dieser göttliche Geburts- und Of-
fenbarungsproceß geschieht, ist der Lichtraum der Herrlichkeit
oder der mit dem Reichthum des Ungrundes erfüllte Urgrund.
Derselbe wird eben durch die göttliche Geburt selbst geboren
und ist deßhalb so ewig und unanfänglich, als der Ungrund.

„„Der ewige unanfängliche und unendliche Ungrund Jehova führte und führt sich immer in den Raum, in den Urgrund, in den Anfang, in das eingeborne Wort, und dessen
Weisheit ein, gebiert sich immer, macht sich offenbar und
sein eingebornes Wort heißt Er, der Geoffenbarte. VII.
Röm. 67.

Die eigentliche Geburtsoffenbarung Gottes ist ohne Anfang und ohne Ende in dem Allerinnersten des Lichtraums,
der unzugänglich ist, da Niemand zukommen kann. Dieser
Lichtraum ist aber in Allem und durch Alles, unbetastlich,
unberührlich, jungfräulich, von Nichts ein- und ausgeschlossen, von Nichts gefaßt oder gehalten, ohne Raum oder Zeit,
alldurchdringlich, tief innig in seiner Lichtskraft. Gott in
demselben ist noch inniger und reiner, als sein Lichthaus und
Lichtskleid. So allgegenwärtig also die allwirksamen Kraft-
wirkungen und Eigenschaften Gottes sind, so allgegenwärtig
sind auch im ganzen Schöpfungsraum die Offenbarungen
des Dreieinigen tiefst-innig, ja allerinwendigst, allerheiligst.
So ist die Offenbarung Gottes in ihm selbst und aus sich
selbst. Syst. 59 f.

Der unerschöpfliche und unermeßliche Reichthum Gottes
ist Reichthum der Herrlichkeit, womit er sie, seine Herrlichkeit, als den Urgrund seines Ungrundes erfüllet, aus den
unergründlichen Tiefen, damit durch sie alle Creatur, die
durch sie geschaffen ist, erfüllt werden kann. III. Eph. 206.

Ungrund und Urgrund sind beide gleich ewig und unanfänglich. III. Eph. 212.

Kräfte, welche niemals schliefen, treten aus verborgnen
Tiefen, fassend sich im Lichtesraum. V. Off. 140.

3. Der eingeborne Sohn, als die ursprüngliche und urbildliche Herrlichkeit Gottes.

§. 12.

Der durch den göttlichen Geburtsproceß aus sich selbst
und in sich selbst geoffenbarte Gott ist der eingeborne Sohn,
das Ebenbild und Wort des Vaters.

„„Gott offenbart sich selbst in den Kräften des Ursprungs
aus dem Ungrund im Urgrund, und seine Offenbarung ist
er selbst in Licht, Liebe und Geist, Dreiheit in Einheit seiner
Herrlichkeit. Diese Herrlichkeit ist Wort und Weisheit, ist
der Ein- und Erstgeborne. III. Cor. 47.

Der Geoffenbarte heißt Sohn, weil zeugende Vaters-
und gebärende Mutterkräfte, die da sind A und O und sind

Schoos- und Centralkräfte, ihn offenbaren. **IV. Hebr. 93.**
Da er aber ohne Anfang und ohne Ende in diesen centralischen Schooskräften ist und bleibet, so ist es ja klar, daß
er selbst der Anfang und das Ende ist in dem A und O,
und daß er also Beides selbst ist. Und so ist's ja begreiflich, daß nie ein anderer Sohn in diesen anbetungswürdigen, allerheiligsten Schoos- und Centralkräften geboren werden kann, und daß folglich der Eingeborne Eingeborner ist
und bleibt, und nicht seines Gleichen haben kann und wird.
S. 94.

Der Sohn ist des unsichtbaren Gottes Ebenbild, nämlich
deß, der ein Geist der Ewigkeit ist im Ungrunde der göttlichen Freiheit **Syst. 337.** Der Geoffenbarte in dem Lichtraum seiner göttlichen Ewigkeit ist einer und eben derselben
Art, Natur und Eigenschaften mit dem sich Offenbarenden.
— So ist demnach der Eingeborne die Herrlichkeit des Vaters und ist sein Ebenbild, das Ebenbild seines geistigen
unsichtbaren Wesens, folglich Wort und Weisheit, nach aller
Kräften Art und Allvermögenheit. **III. Eph. 71.**

Der im Lichtraum der Herrlichkeit geoffenbarte Gott, der
Gezeugte und Geborne ist Eines Willens und Wesens mit
dem, der sich offenbart, weil er kein anderer ist, der sich offenbart, als der, welcher offenbart wird. **IV. Hebr. 93.**

Was Gott ist in seinen ungründlichen, unerforschlichen
Tiefen, das ist er als geoffenbart in seinem Schoos- und
Herzenssohn im weiten Saron seiner Gottesewigkeit. **III.
Col. 122.**

Alles, was der Vater ist, das ist auch der Sohn, gleich
ewig, gleich heilig, gleich allmächtig, und ist der Gebärende
nicht älter, als der Geborne, nicht größer und nicht stärker,
nicht allmächtiger noch majestätischer. **Syst. 325.** Der Sohn
ist purer Gott und ganz Ebenbild Gottes. **S. 337.**

Der Eingeborne ist die Herrlichkeit Gottes aus allen
Gottes- und Vaterskräften mit allen Gottesvollkommenheiten,
Weisheitsarten und Tugenden, mit seiner Natur und seinem
Wesen begabt. **Syst. 92.**

Wenn unsere Seele, die ja eine redende Seele ist, ihr
Innerstes, ihre Gedanken offenbaren will, so geschieht das
durch Sprechen oder Reden. — Wenn nun der Ungründ-

liche ſich in einen Grund faſſet, ſo iſt das Gefaſſete des
Ungrundes der Urgrund, und dieß iſt alſo das Wort des
Lebens, in dem Lichtraum geoffenbart, ganz Ebenbild des
Unſichtbaren. Nicht aus ſich hinausgeſprochenes Wort, ſon-
dern Wort des Lebens, in den Centralkräften. IV. Hebr. 61. 78.

Es iſt der Menſch eine redende Seele, geſchaffen nach
Gottes Bild. So wie nun die menſchliche Seele Hölle und
Himmel in ihren Worten durch die Zunge offenbaren kann,
wenn ſie entweder von der Hölle entzündet iſt oder vom
Geiſt des Liebelichts getrieben wird, eben alſo kann ſich Gott
aus ſeinen Verborgenheiten durch ſeine eigenen Lebenskräfte
und auch nur aus denſelben offenbaren in ſeinem Lebenswort und das iſt der Anfang und das Ende, aus dem A
und O um des U willen. Syſt. 325 f.

§ 13.

Während aber Gott im Ungrunde ein unweſentlicher, in
ſich ſelbſt verborgener Geiſt, und geiſtiges Chaos iſt, iſt er
in dem eingeborenen und ebenbildlichen Sohn, als in ſeiner
Herrlichkeit, ein weſentlicher, offenbarer und ſeliger Gott.
cfr. § 4.

„„Der Sohn iſt in drei Geſtalten der aus dem reinen
Chaos ſich ſelbſt offenbarende Gott im extractiſch-quinteſſen-
tialiſchen Weſen und Leben. V. Off. 797.

Gott iſt ein gränzenloſer, unräumlicher, unfaßlicher, unberührlicher, ungeborener, ewig verborgener Geiſt, außer
ſeiner göttlichen Offenbarung betrachtet. Dieſer iſt es, was
wir Vater nennen; — allein ſeine Offenbarung in ſeinem
Namen Jehova iſt den himmliſch-geiſtlichen Creaturen ſichtlich und genießbar, als in ſeiner Herrlichkeit offenbar.
VI. Pf. 1168 f.

Im Lichtraum ſeiner Unzugänglichkeit, im weiten Saron
der allerheiligſten Himmelsweite offenbart ſich das allein heilige, allein anbetungswürdige Licht in ſeiner Herrlichkeit.
Das unbegränzte Licht begränzte ſich; das Ungeborne gebiert
ſich, das Unfaßliche macht ſich faßlich, macht ſich gleichſam
räumlich, macht ſich durch ſeine Ausgänge immer faßlicher,
räumlicher, begreiflicher und zugänglicher; es gebiert ſich zu

einem väterlichen und mütterlichen Geburtsgrund und Quell, in dem Alles zusammen besteht, aus dem sich Alles offenbaren kann, von dem nichts Unvollkommenes ans Licht treten kann, weil es der Quell aller Vollkommenheit ist. II. Jaf. 323.

Der Sohn — ist die Herrlichkeit Gottes, überall vom Vater in dem Schoose seiner Centralkraft geboren, er ist das geborene Licht vom ungeborenen Lichte, er ist die Centralkraft der Herrlichkeit. Dieses centralische Lebenslicht ist aller Seligen Wonne, selbst die Seligkeit und Freudenwonne aller Gotteskräfte, die es in ihrem Schoose immer und ohne Unterlaß gebiert, als das ewige Eins.   II. Petr. 189.

Gott, um sich zu offenbaren, hat von Ewigkeit sich selbst bewegt in seinen göttlich-zeugenden und gebärenden Kräften und Eigenschaften, und hat sich zu einem Feuer gemacht, aus welchem das Licht, der Sohn, geboren ist, in welchem sich das Feuer mildert und sänftigt; darum er auch das, Gott selbst beseligende, erquickende Liebelicht des göttlichen Feuerlebens oder das Liebeherz der Gottheit ist. VIII. I. 269.

Das Wort ist das Lebenslicht. Wenn es nur Lebenskraft wäre ohne Licht, so wäre es sich selber Qual und Pein, und könnte nicht bestehen. Aber Licht ist des Lebens Erquickung, Freude und Ruhe.   V. Off. 780.

§ 14.

Die Herrlichkeit ist daher, als die Begränzung und Leiblichkeit Gottes, ebensosehr der Thron der seligen Ruhe als der wirkenden Offenbarung Gottes.   cfr. § 25.

„„Da der Sohn Gottes ein Wort der allerheiligsten Seele der Kräfte Gottes ist, so ist tief zu betrachten ein Raum, eine Begränzung im Lichtraum der Ewigkeit in Herrlichkeit. Syst. 326.

Im Sohn allein ist die Gottheit leibhaft, die außer ihm ein ewiger Geist ist, der nicht erreicht werden kann.   Syst. 338.   Er ist Gott und Gottesleiblichkeit.   S. 212.

Gott wollte sich in seinen Ausgängen begränzend, begreiflich, und betastlich machen. Der erste Ausgang ist die himmlische Menschheit oder Gott in Menschengestalt, geboren von dem Ungeborenen.   Syst. 516.

Aus Vater und Sohn in seiner Feuer- und Lichtstinktur geht Geist aus, das ist der heilige Geist, die wahrhaftig belebende Luft; und ihre erste Geburt, ihr erster Ausfluß ist Lebenswasser und wird ihn immer wieder einsenken der Vereinigung mit der Feuer- und Lichtsnatur des Vaters, Sohnes und Geistes, himmlisch, ja göttlich Fleisch und Blut oder Herrlichkeit Gottes, göttliche Leiblichkeit und im höchsten Verstand jungfräuliche Erde. XI. I. 348.

Die lichtfeurigen Wasser verdicken sich, im Gleichniß zu reden, zu einer reinen jungfräulichen Erde, und diese nennen wir die heilige jungfräuliche Gottesleiblichkeit des geoffenbarten Gottes. — Der Ausfluß des Geistes Gottes mit wirkenden und leidenden, mit zeugenden und gebärenden, nehmenden und gebenden, zusammenziehenden und sich ausdehnenden Kräften beseelt und erfüllt, ist das gläserne Meer, und ist dasselbe feuerlichte Geistwasser, daraus die göttliche Leiblichkeit oder die jungfräuliche Erde wird. Syst. 54 f.

Dieses allerheiligste Wesen ist göttliche Leiblichkeit, oder Wesenheit von dem Ausgange der ewigen Ausgänge Gottes und seines Schöpfungsgeistes, sind lichtfeurige Wasser, und feuermäßiges Lichtwesen, ausgegangen in der allerheiligsten gedoppelten Tincturkraft der göttlichen Kräfte, in dem Eingeborenen gefaßt und in der ewigen Liebelichtskraft wieder ausgedehnt. Syst. 50. 523.

Die Herrlichkeit ist Gottes Leib, worin Gott ruht und wirkt. I. 269, 19. Sie ist der Kraftleiß Gottes, der schafft, gebiert, formt, wirkt und macht. I. 278, 11.

Der Sohn ist Gottes Herrlichkeit; Gott selber hat alle reine Lust, in seiner Herrlichkeit zu wohnen, zu ruhen und zu wirken. Sie ist die jungfräuliche Leiblichkeit, und das allerheiligste Wirkungs-Gefäß der göttlichen Kräfte, sowie unser menschlicher Leib das Wirkungs-Gefäß unserer Seelenkräfte ist. II. Petr. 151.

Stellet Euch unter dem Thron Gottes nichts Anderes vor, als die Kräfte und Eigenschaften der Gottesoffenbarung im Lichtraum. IV. Hebr. 571.

Wir erkennen, daß sich Gott in seinen eigenen Kräften des Thronquells offenbart in allen Originalien von Lebenseigenschaften und Weisheitsarten, und mit Schriftworten zu sagen: Im Anfang war das Wort, d. i. der Anfang selbst. Das Wort aber ist Gott selbst, der Gott, der sich als das Wort des Lebens offenbart. Alle Gotteskräfte sind und wirken in diesem Wort des Lebens mit allen Eigenschaften und Arten der Weisheit. Syst. 324.

Die Herrlichkeit Gottes ist auch die Ruhe Gottes. Die Zoa oder lebendige Wesen am Throne Gottes, als Abbildungen der Kräfte Gottes, ja sogar wesentliche Originalbilder seiner ewigen vier ersten Eigenschaften, haben weder Tag noch Nacht Ruhe, und sind in ewiger immerwährender Bewegung, und genießen nur in der Leiblichkeit der Herrlichkeit ein wirkendes Ruhen. Apoc. 4, 8. IV. Hebr. 174.

Der Leib der Herrlichkeit ist Gottes Sabbath. V. Off. 855.

Der Sohn ist die Herrlichkeit des Vaters, an der Gott ewig seine Herzenslust hat, in der er mit aller Wirkung seiner Kräfte ewig seine Ruhe hat und findet. Syst. 327. III. Cor. 47.

§ 15.

Ebenso ist die unwesentliche Dreieinigkeit des göttlichen Ungrundes (§ 5) in der Herrlichkeit des Sohnes wesentlich; aber nicht als dreifache Persönlichkeit, sondern als Einheit dreifacher Offenbarung, als Vater, Sohn und Geist.

„„Der gezeugte und geborene Sohn ist der geoffenbarte Gott Jehova, in drei Kraftgestalten, und sind doch nicht zwei liebe, heilige, ja dreimal heilige Dreieinigkeiten, sondern nur Eine; die Eine im Ungrunde, in ihren Kräften betrachtet, und eben dieselbe in der Offenbarung ihres unzugänglichen Lichtraumes. Syst. 325.

Der Gott, der im Ungrunde im A, O, U sich selbst offenbart, wird nach der Schrift in drei Gestalten geoffenbart, nämlich in Jaspis-, Sardis- und Sapphir-Gestalt. Dieß ist der anbetungswürdige Jehova in seiner Herrlichkeit, und sind doch nicht zwei Dreieinigkeiten, sondern nur Eine, zuerst betrachtet im Ungrunde, und dann im Lichtsraum ihrer Offenbarung; keine vor oder nach der andern, sondern gleich, ohne Anfang und ohne Ende. Syst. 351.

Ich (der Sohn) bin die erste Ursache der Erweckung des Wohlgefallens Gottes; um meinetwillen ist, was ist, und weil ich das bin, darum bin ich im A und O das U oder Um, also die erste, Wohlgefallen oder Lust erweckende Ursache aller Dinge. Ich bin das A, die erste wirkende Ursache, die allertiefste, innerste, ursprünglichste Aktionskraft, durch welche Alles, was ist, Wesen, Leben, Daseyn, Form und Gestalt hat. Ich bin das O, die anziehende und einfassende, allerursprünglichste Kraft, die allertiefste, allerheiligste Reactionskraft, wenn sie die väterlich-mütterliche Kraft in ihrem Lichtsraum, in ihrer göttlichen Ewigkeit offenbaren will, in Dreiheit, und aus einem Ungrund in einen Urgrund einführen mag. Dieser Urgrund bin ich. V. Off. 116.

Es sind in der einigen Gottheit wirkende und leidende, zeugende und gebärende, sich selbst offenbarende Kräfte, durch welche Gott als die ewige Einheit sich durch sich selbst aus sieben Kräften in drei Gestalten offenbart, und sich immer wieder in sich selbst einführt, als in die ewige Einheit: da der Vater als der unsichtbare Gott sich selber immer gebären will, zur Offenbarung, und indem er sich will, so will er sich offenbaren als den Geist, und gebiert also den geoffenbarten Gott als sich selber, und dieser geoffenbarte Gott ist der Sohn, das Herz Gottes; aus diesem gehet der Geist, als die dritte Gestalt der sich offenbarenden Gottheit, ohne Unterlaß aus. So offenbart sich Gott in Dreiheit und bleibt immer in sich selber die Einheit. VIII. I. 186.

So ist nun der Begehrer der Vater, der Begehrte der Geist, und der Geborene, der vom scharfen, einziehenden Begehren im göttlichen Geburtsrade offenbart wird als Feuer und Licht, ist der Sohn, und diese Offenbarung in Dreiheit ist und bleibt in sich die ewige Einheit. Denn der, so sich will und gewollt wird und sich offenbart, ist eben derselbe und sonst keiner, und ist ein einiger HErr JEsus Jehova, das Herz der Gottheit, der geoffenbarte Gott, und dieser wird ohne Unterlaß geboren vom Begehrenden und Begehrten. VIII. I. 209 f.

Die heilige Dreieinigkeit ist nur Einer, ein einiger HErr; und was die Mehrheit der Zeugen in der Dreieinigkeit betrifft, das sind mir nicht unterschiedliche Personen, aber Offenbarungen der Herrlichkeit. Syst. 91.

JEsus Jehova ist der geoffenbarte Gott, und zwar der

in drei Gestalten, nicht aber in drei Personen Gezeugte und
Geborene, und Dreieinige, der Anfang und das Ende, auch
der Erste und der Letzte, der in und aus den selbsteigenen
Kräften und Eigenschaften des A und O geoffenbarte Gott
in Menschengestalt. Syst. 337.

Vater, Sohn und Geist sind Eins; was des Vaters ist,
ist auch des Sohnes, und was des Sohnes ist, auch des
Vaters. Syst. 352.

Die heilige Dreieinigkeit offenbarte sich in einer Einheit;
Dieß war und ist die Geburt der Gottheit im unzugänglichen Lichtraum. Syst. 92.

Die Gottheit ist nur in Christo leibhaft und persönlich.
Ein erleuchteter Bibelchrist glaubt, daß Gott sei; glaubt,
daß er einig sei im Wesen, und dreifaltig in seiner Offen-
barung. Wenn er sagen soll: Dreifaltig in Person, so kann
er es nicht mit Ruhe und Ueberzeugung, weil die heilige
Schrift wohl Vieles von der heiligen, anbetungswürdigen
Dreieinigkeit enthält und schreibt, aber nicht von dreifacher
Persönlichkeit, sondern dreifacher Offenbarung. Das, was
von drei Persönlichkeiten für Grund angegeben wird, scheint
mir nicht genug gottgeziemend. . Man hat sich nicht mehrere
Bilder Gottes, sondern nur Eine Persönlichkeit in dreifacher
Gestalt und Offenbarung vorzustellen. IV. Hebr. 543—545.

§ 16.

Die Herrlichkeit nemlich, in der sich Gott offenbart, ist
die Einheit dreier Kraftgestalten oder Kraftfarben, Sardis,
Jaspis und Sapphir. In der rothen Sardisfarbe ist die dem
A des Ungrundes entsprechende Natur des Vaters, in der
weißen Jaspisfarbe die Natur des Sohnes, welche dem O
entspricht, und in der blauen Sapphirfarbe die dem U entsprechende Natur des Geistes offenbar. cfr. § 6.

„„Der dreimalheilige Gott ist in drei Gestalten offenbar.
Des Vaters Natur und Eigenschaft in feuriger Sardis-
Gestalt; die Eigenschaft des Sohnes in lichtheller Jaspis-
Gestalt; und des heiligen Geistes Natur in lichthellblauer
Sapphir-Gestalt. Dieß sind die drei Kraft-Gestalten der
heiligen Dreieinigkeit. Syst. 324.

Den in seinem Lichtsraum geoffenbarten Gott, wie ihn Johannes (Apoc. 4, 3.) auf seinem Thron in drei Gestalten gesehen, nennen wir den geoffenbarten Gott, und seine Sardis-Gestalt offenbart des Vaters Natur und Eigenschaft; die Gestalt des Jaspis den Sohn, und die des Sapphirs den heiligen Geist. Sardis ist roth, Jaspis licht und weiß, und Sapphir licht- und himmelblau, wie die lichtfeurigen Wasser und lichtwäßrigen Feuer. Das Geoffenbarte der anbetungswürdigen Gottheit in seinem Lichtsraum ist das Wort des Lebens in seiner Herrlichkeit. Syst. 351.

Der geoffenbarte Gott im Lichtraum seiner Majestät ist Wort und Weisheit oder Herrlichkeit, ist Jehova, offenbar in drei Kraft-Gestalten: nämlich in Sardis (rother)-Gestalt ist offenbar die Aktionskraft, in Jaspis (weißer)-Gestalt die Anziehungs- oder Mutterkraft; in Sapphir (blauer)-Gestalt ist offenbar die lusterweckende Kraft des U, zum Ursprung und Uranfang mit freier Willensbewegung sich zu fassen, zu offenbaren, als heilige Dreiheit in der Einheit, also daß dieselbe Dreieinheit ist in der Offenbarung, was sie in ihren ungründlichen Tiefen ist: nur Ein Gott, ein Einiger HErr. IV. Hebr. 566 f.

Des Vaters Natur ist offenbar in der Sardis-, und des Sohnes in der Jaspis-, und des heiligen Geistes in der Sapphir-Gestalt, und diese drei in der Einheit der Herrlichkeit Gottes, der himmlischen urbildlichen Menschheit. VI. Pf. 1169.

§ 17.

Die Natur des Vaters ist das verzehrende Feuer; die des Sohnes das sanfte Liebelicht; die aus Feuer und Licht ausgehende Natur des Geistes ist das wallende göttliche Leben der Dreieinigkeit.

„„Die heilige jungfräuliche Gottleiblichkeit steht in drei Gestalten. Denn wenn wir die Natur und Eigenschaft des Vaters feurig Sardis — ähnlich sich offenbarend aus den Kräften des Ursprungs und ersten Eigenschaften betrachten, so haben wir das Recht, die Eigenschaft und Natur des Sohnes in der Gestalt des Jaspis aus den andern Eigenschaften, die lichtsliebeartig sind, zu betrachten. Und da aus diesen ausgehet der heilige Geist, so wird seine Offenbarung billig in der hell- und himmelblauen Gestalt des Sapphirs betrachtet. Denn sowie aus Feuer und Licht wahrhaftige Luft geboren wird, so gehet der Geist Gottes aus der Feuers- und Lichts-Natur des Vaters und Sohnes als der heilige Geist aus. Syst. S. 54.

Das allerheiligste Feuer der Vatersnatur ist die Kraft der Aktion in der Reaktionskraft, die Eigenschaft des Sohnes ist Licht, und des heiligen Geistes Natur ist das ausfließende Wesen in der Herrlichkeit, d. h. die lichtfeurigen Lebenswasser, welche die Kräfte und Wesen der sie gebärenden Dreiheit in sich haben. Syst. 334. III. Col. 125 f.

Die Natur Gottes ist also zu betrachten: des Vaters Natur in Feuers-, des Sohnes in Lichts- und des heiligen Geistes Natur in Geistluft - Gestalt. So wie nun aus Feuer Licht, aus Licht Luft, aus Luft Wasser geboren wird, so geht Gottes Geist aus Vater und Sohn in Kraft der lichtfeurigen Lebens- und Lichtstinctur aus. Daher ist sein dreieiniger Kraftausfluß reines, mit Feuerlicht gemengtes Lebenswasser, und ist also das durchsichtige Feuerlebens-Wassermeer, darin die sieben Geister Gottes, die Kräfte Gottes wirken, nämlich die wirkenden und leidenden, die activen und anziehenden Kräfte des dreieinigen Gottes zu seiner Selbstoffenbarung in allen Geschöpfsgattungen, V. Off. 157 f.

Der Vater ist ein strenges, eifriges Wesen, ein verzehrend Feuer; wenn wir Gott betrachten als Licht und Liebe, als einen Barmherzigen, Gnädigen und Huldvollen, so betrachten wir die Gottheit des Sohnes Gottes. Syst. 360. Die Qualität und Geburt des Feuersprincipii ist des Vaters Natur; die Herrlichkeit des Lichtsprincipii des Sohnes Eigenschaft. S. 386.

Wenn du den lichtblauen Himmel betrachtest, so siehest du die lichtfeurigen oberen Wasser in Sapphirgestalt; könntest du mit Gottes- und Geistes-Augen sehen in die Tiefen der Urmutter, in den Urquell der allerinnersten Geburt, so solltest du an dessen Statt das Meer, das lauter lichtfeurige Geist-Wasser hat, sehen — als reines ursprüngliches Wesen in der Leiblichkeit göttlicher Herrlichkeit. III. Col. 126.

Der Wille ist die Ursache des Feuers im Geburtsrade der Dreiheit; das Feuer ist die Ursache, und der Vater des Lichts und dieß Licht ist der Sohn, aus des Vaters Wesen geboren. VIII. I. 5.

Aus dem Sohne gehet der Geist aus und bleibt doch innen. VIII. I. 5. Und diese Gestalt aller drei Gestalten im Thron ist durcheinander spielend mit feurigen Wassern und wässrigen Feuern. V. Off. 791.

§ 18.

Auch die Weisheit, welche (§ 9) im Ungrunde noch unwesentlich, durch ihren Spiegel den Offenbarungswillen Gottes erweckte, wird im Sohn, als dem geoffenbarten Gott, wesentlich, und theilt dem ausgehenden Geist die siebenfache Fülle der Lebenseigenschaften und Weisheitsarten mit. cfr. § 25.

„„Aus dem Licht geht Geist aus, aus dem Geist wird Lebenswasser, wie aus der Luft Wasser wird. Aber ehe der Geist Lebenswasser wird, oder indem er es im Glanze des Lichts wird, so ist der Glanz vom Licht nicht das Licht selber, auch nicht das Geistwasser, sondern der Lichtglanz, der ausstrahlet, und im Ausstrahlen Mutter des Wassers wird. Das ist die ewige Weisheit, und weder der Sohn, noch der Geist, sondern der Glanz vom Licht, nämlich vom eingeborenen Sohn. In dem Glanz, d. i. in der Weisheit, nimmt der Geist sieben Arten und Eigenschaften an im Ausgang, und davon heißt es Prov. 9, 1.: „Die Weisheit bauete ihr Haus und hieb sieben Säulen." Die sieben Säulen sind die sieben göttlichen Eigenschaften; das Lebenswasser ist nicht nur von einerlei Art und Farbe, wie das irdische, sondern siebenerlei. VIII. I. 9.

Gleichwie das Licht ein Wesen, ein austheilendes Kraftwesen ist, so auch die Weisheit, der Glanz des Lichts, theilt sieben Arten des Lichts dem ausgehenden Geiste mit. VIII. I. 12.

Die Weisheit ist großen Adels. Ihr Lichtwesen ist bei Gott und Gott hat sie lieb. Sie ist der heimliche Rath in Erkenntniß Gottes und eine Angeberin seiner Werke. Wie

sie diese formen will, so werden sie, weil sie die Mutter
aller Arten und Eigenschaften ist.   VIII. I. 13.

Die Weisheit ist die Mutter, in welcher der aus Gott
mit dem Sprechen ausgebende Lebensgeist wesentliche Arten
annimmt. Das Wesen bringt er aus dem Wort des Lebens,
die sieben Eigenschaften nimmt er in dem Glanz vom Licht
in der Weisheit an, und wird also Lebenswasser von ihm
geboren, und das Eine Reinelement. VIII. I. 22.

Wenn von der wesentlichen Weisheit die Rede ist, so
wird das weibliche Theil des geoffenbarten wesentlichen Gottes darunter verstanden, da das wesentliche Wort unter dem
männlichen verstanden wird.   Und wenn von Feuer und
Licht die Rede ist, so ist sie das Licht, und das Wort das
Feuer; wenn von Licht und Leben die Rede ist, so ist sie
das Licht, und das Wort das Leben. Und sind diese zwei
nur Eins, und zwar der wesentliche Gott, von dem unwesentlichen gezeugt und geboren, nach dessen unsichtbarem
wesentlichem Wollen. Und wie um der unwesentlichen Weisheit willen, welche wollte im Wesen offenbar, und in ihrer
Mannigfaltigkeit erkannt werden, Alles in's Wesen gekommen
ist, also ist in der wesentlichen Alles geschaffen worden wesentlich durch die sieben Geister zu derselben, weil sie sich in
Alles miteinbildete, nicht als eine Mutter. — Als wesentlich
bildet sie sich mit ein, als eine Braut des Worts, als Ein
Bild mit demselben; welche nicht nur unwesentlich bleiben,
sondern leiblich werden und geistleiblich gebären will, indem
sie vom Worte Geist und Leben empfangen will. VII.
Petr. 239 f.

Da die wesentliche Weisheit, welche ist göttliche Vernünftigkeit, oder der Lichtglanz und Schein des wesentlichen
Lichts, vom Feuer geboren, gar wonnesam leuchtete im Feuerleben ihres Mannes, mit dem sie Eines, gleichwie die untern
und obern Seelenkräfte nur Eine Seele sind, so gingen vom
männlichen Feuerleben des Worts, als aus allen Kräften
des unsichtbaren Gottes, die sieben Geisterkräfte Gottes aus
und als Geist in die hellleuchtende Weisheit ein, machten
sich allda leiblich und wesentlich, zogen wesentliche Kraftfarben
an, und so wurden in ihrem Ausgang und immerwährenden
Trieb alle Dinge gemacht, so daß das Wort das Leben

4 *

aller Dinge, aber ſonderlich das Licht der Menſchen wurde.
VIII. III. 357 f.

§ 19.

Da die zeugenden Aktions- und die empfangenden Reaktionskräfte des Ungrundes (§ 6) in der Herrlichkeit des
Eingeborenen weſentlich offenbar ſind, ſo iſt dieſelbe eine
männliche Jungfrau, deren männlicher Theil das Wort, deren
weiblicher die Weisheit iſt.

„„Gott hat ſich ſichtbar gemacht, und nun hat der Baum
aller unſichtbaren ſieben Kräfte Gottes um der achten willen
eine ſolche Frucht aus ſeinem unſichtbaren Weſen in's Weſentliche getrieben, welche Frucht heißt das Wort, durch
welches Alles gemacht und ohne welches Nichts gemacht
worden iſt, in welchem war das Leben und zwar aller Lebenden. Dieſer ſichtbare Gott, dieſe edle Frucht, hat den Samen alles Lebens und Lichts in ſich; ſie iſt Mann und
Weib, Feuer und Licht, ein Wort, ein ſichtbarer Gott, Ein
Bild und doch dreieinig. Und iſt nun in dieſem Alles zu-
ſammengefaßt und kommt Alles aus ihm her. Da wird
dann zuerſt die Weisheit, um welcher willen Gott ſich offenbarte, weſentlich, und ſie iſt ſo zu ſagen das Weib, das
ſichtbare weſentliche Theil der unſichtbaren Kräfte Gottes.
Aber freilich iſt das männliche noch eher — nämlich im
Feuer verſtanden — in dem Rade der Kräfte entſpringend,
ſo daß erſt das Licht, als das weibliche Theil, das männliche umgibt, und heißt alſo zuſammen das Wort oder der
ſichtbare Gott, von dem unſichtbaren gezeugt. Und durch
dieß Wort, als Mann und Weib, ward, wie geſagt, Alles
gemacht und ausgeboren. Denn das Männliche hat alle
oberen Kräfte zum Leben, deren drei ſind, und in den andern leiblich, weiblich, ſichtlich, greiflich und taſtlich iſt —
doch keinem armen Erdenwurm. Nun iſt der große Gott
geoffenbart als Feuer und Licht, als Jaſpis und Sardis,
als Mann und Weib. VIII. III. 356 f.

Gott hat ſich aus dem Ungrund in den Grund geführt.
Dieſer Grund iſt das Wort und ſeine Weisheit, Eins in
Zwei, als Feuer und Licht, als Mann und Weib. VII. Petr. 242.

Das Wort und Licht des Lebens iſt zeugend und gebärend, d. h. mit solchen kraftmagischen Kräften zu betrachten, daß in ihm der Kraftstoff sich fassen, anziehen und einfassen kann zu lauter reinen Wesen. **V. Off. 153.**

Alle Gotteskräfte sind und wirken im Wort des Lebens mit allen Arten und Eigenschaften der Weisheit. Mithin sind in ihm alle väterlichen und mütterlichen Kräfte tinkturialisch, männlich, jungfräulich. **Syst. 324.**

In Gott sind die Tinkturen nicht getrennt, sondern vereinigt: in Gottes Kräften außer aller Natur und Creatur im Ungrund; auch in dem geoffenbarten Gott nicht, wie er sich in seinem Lichtraum in drei Gestalten offenbart. **Syst. 328.**

Die Weisheit ist Herrlichkeit, sie die Weisheit Jungfrau, und die Herrlichkeit ist Mutter. Gott, nämlich der Geoffenbarte, der Eingeborne, hat Vater- und Mutter-Eigenschaften. **Syst. 49.**

Der Geoffenbarte ist einer und derselben Art, Natur und Eigenschaften mit dem sich Offenbarenden: so ist er denn gedoppelter Tinktur, männlich jungfräulich. Er ist also Wort und Weisheit. **III. Eph. 71.**

Die Herrlichkeit Gottes und himmlische Menschheit ist in dem Raum der Gottesewigkeit Alles das, was Gott in seinen unergründlichen Tiefen ist; sie ist also erfüllt mit allem Wesen aller Lebenseigenschaften und Weisheitsarten, mit allem Schöpfungsvermögen an Wesen und Kräften. **III. Kol. 123.**

§ 20.

Diese urgründliche und ursprüngliche Herrlichkeit Gottes ist die urbildliche himmlische Menschheit, deren Abbild der zum Bilde Gottes geschaffene Mensch war.

„„Der Sohn ist die himmlische vorweltliche Menschheit; diese ist das Urbild der Menschheit. **III. Eph. 77.**

Indem wir von einem Urbilde der Menschheit reden, so fragt sich: welches dann dieß sei? darauf wird gesagt, daß es Niemand seyn kann, als Gott selbst, offenbar in seiner Herrlichkeit, in der innersten Geburt. War aber der Mensch das Ebenbild und Nachbild, so war ja Gott das Urbild und Vorbild. Folglich ist er, der Eingeborene, auch urbildliche, himmlische und vorweltliche Menschheit, folglich das

Sambild der Kraftwesen in seiner Leibhaftigkeit oder vielmehr aufgeschlossene Wesenheit. Nur macht euch keine Idee
nach der Beschwerlichkeit unserer Persönlichkeit. Denn die
geborene Herrlichkeit kann sich in eine Persönlichkeit zusammenziehen, kann sich aber auch im ganzen Schöpfungsraume
ausdehnen und alle Geister unberührlich, jungfräulich durchgehen. Sie kann sich offenbaren, wann und wie sie will,
denn die allwirksamen Kräfte erfüllen Himmel und Erde.
Sie ist allgegenwärtige Gottheit als Vater, Sohn und auch
als heiliger Geist. III. Eph. 219.

Die Alles erfüllende himmlische Menschheit ist die Einheit der allerheiligsten Dreiheit, und diese Einheit ist durch
Alles unberührlich. III. Eph. 121.

Gott wollte sich in seinen Ausgängen begränzend, begreiflich und betastlich machen. Der erste Ausgang ist die himmlische Menschheit, oder Gott in Menschengestalt, geboren von
dem Ungeborenen. Syst. 516.

Zweiter Abschnitt.

Die Offenbarung der Herrlichkeit in der Creatur, oder die Lehre von der geschöpflichen Herrlichkeit.

---

1. Die Herrlichkeit des eingeborenen Sohnes, als der Ursprung der Creatur.

§ 21.

Der Eingeborene ist zugleich der Erstgeborene aller Creatur, d. h. Anfang und Ursprung der Creatur.

„„Das anbetungswürdige Ebenbild des unsichtbaren ewigen Geistes Gottes ist der eingeborene Sohn, in dem Schoos der Centralkräfte gezeugt und geboren. Er ist aber nicht allein eingeborener Sohn, sondern auch erstgeborener; das hat aber folgenden Verstand: Er ist als Eingeborener auf Seiten der Gottheit betrachtet purer Gott und ganz Ebenbild Gottes; andererseits gegen der Schöpfung und den Creaturen zu betrachten als das ewige Wort, durch welches Alles gemacht, ja sogar, aus welchem und um welches willen Alles gemacht ist, ist er auch die väterliche Urmutter und der Ursprung alles Geschöpfs. Syst. 337.

Die himmlische Menschheit ist nicht nur der Ursprung, sondern auch der Anfang der Creaturen Gottes; sie ist die Urmutter Aller, da in ihr Alles zusammenbestanden; sie ist aber auch oberste und erste Creatur in der Geschöpfsreihe; sie ist einerseits Gott und Gottesleiblichkeit, und andererseits Mutterstoff und Urcreatur, also Urmutter alles geschaffenen Wesens. Syst. 212.

Er ist, als der Creatur Ursprung und Mutter, Gott selbst als Wort und Weisheit; aber als die erste Creatur, himmlische Menschheit, ist er die Universal-Creatur, in der Alles zusammenbestanden, und geordnet gewesen, wie unter ein Haupt. Was wir also Creatur nennen, ist nichts Anderes, als der Creatur Anfang. II. Jak. 326. 327.

Eingeborener und Erstgeborener ist Einer, nur ist der Unterschied zu observiren, daß er als Erstgeborener ist das Sambild, die Urmutter des Creaturstoffs oder reines Urwesens, das Mütterliche, Jungfräuliche der leidenden Tinktur, Weisheit und Herrlichkeit Gottes. III. Col. 124.

Wenn wir ihn betrachten als Urmutter und denken, in ihm wäre der heilige Universalstoff der Gottescreatürlichkeit, so machte er also in der Reihe des Creatürlichen den Anfang und wäre mithin Ursprung und Anfang der Creatur Gottes zugleich, folglich in seiner Universalmenschheit und himmlischen Menschheit, die freilich den Schöpfungsraum erfüllen kann, der Erstgeborene. IV. Hebr. 95.

§ 22.

Da der Sohn der wesentliche Urgrund (§ 19) aller ungründlichen Gotteskräfte ist, so liegt in ihm, als in einer gefaßten Central- und Lebensquelle, die reale Potenz aller geschaffenen Dinge.

„„Wenn Gott durch sein geborenes Wort spricht, so ist sein Sprechen im Wort aus allen seinen Kräften und Eigenschaften ein Bewegen, und das in leidenden und wirkenden Kräften. Also in dem Wort des Lebens war Alles zur Offenbarung und Schöpfung gefaßt; in ihm, diesem Wort und geoffenbarten Gott war, als in einer gefaßten Central- und Lebensquelle, das Leben aller lebendigen Geschöpfsgattungen, die Lebenseigenschaften aller Arten von Leben und Weisheitsarten. Syst. 327.

Alle Gotteskräfte sind und wirken im Wort des Lebens mit allen Eigenschaften und Arten der Weisheit. Mithin sind in ihm alle väterlichen und mütterlichen Kräfte tinkturialisch, männlich, jungfräulich. — Das Verbum Dei ist das Kraft- und Centralwort, in dem Alles ist und besteht, aus welchem, durch welches und zu welchem alle Dinge sind, weil es alle Kräfte des Gottes, der sich offenbart, selbst hat und enthält, väterliche und mütterliche, nehmende und gebende, anziehende und ausdehnende, einschließende und offenbarende. Syst. 324. 326.

Im Lichtraum seiner Unzugänglichkeit offenbart sich das allein heilige, allein anbetungswürdige Licht in seiner Herrlichkeit — es gebiert sich zu einem väterlichen und mütterlichen Geburtsgrund und Quell, in dem Alles zusammen besteht, aus dem sich Alles offenbaren kann. II. Jak. 323.

Es ist nicht ungeziemend, wenn wir sagen, das Leidende der Herrlichkeit, das Anziehende und Einfassende ist Sambild aller reinen Wesen, aller Weisheitsarten und Lebenseigenschaften, ist also Wort und Weisheit und Gottes Herrlichkeit und himmlische vorweltliche Menschheit, und da sie ist die Mutter des reinen Creaturstoffs, wird genugsam zu begreifen gegeben, wie in ihm oder in ihr, nämlich in Wort und Weisheit, himmlischer Menschheit, Alles zusammenbestanden, wie sie Ursprung und Anfang der Creatur zugleich ist, denn wenn sie den reinen Samstoff der Creatürlichkeit in sich faßt, hat sie ja in sich den Creaturanfang. III. Eph. 121.

Der geoffenbarte Gott ist keines andern Wesens, auch keiner andern Natur, als der sich Offenbarende; er ist also Gott bei Gott, mithin Wort, Weisheit und Herrlichkeit, voller väterlicher und mütterlicher Kräfte, voller Lebenseigenschaften und Weisheitsarten. Dieser Urgrund des Ungrundes ist also mit aller Fülle der Wesen von Geschöpfsgattungen erfüllt, und ist also der, aus welchem, durch welchen und zu welchem alle Dinge sind. III. Eph. 217. 218.

In Wort und Weisheit sind alle Lebenseigenschaften und Kräfte des Lebens, sammt allen Arten der Weisheit, die in verschiedenen Geschöpfsgattungen geoffenbart sind. Deßwegen ist er der Ursprung aller Dinge, das heilige Sambild aller Wesen. IV. Hebr. 55 f.

Das Wesen der erschaffenen Dinge ist älter, als die Dinge selbst. Syst. 74. Wo waren sie denn, die Essentien und Wesen, daraus die Creaturen geschaffen sind, wenn sie von des Willens Gottes wegen waren? wo waren sie denn? Antwort: In dem, aus welchem alle Dinge sind, und durch den sie gefaßt sind; also von der ewigen allmächtigen Magia, im Wort des Lebens. in dem geoffenbarten Jehova, in dem, der in dem Schoos und Centralkräften das A und O, der eingeborne Sohn ist. Syst. 48 f.

Wenn der Eingeborne immer und ewig der Einziggeborne ist und bleibt, so können alle Andern nicht geborne Söhne Gottes seyn, müssen also alle Engel und Erzengel geschaffene und nicht geborne Söhne Gottes genannt werden; folglich, wenn sie geschaffen sind, kann sie Gott nicht aus etwas fremdem Wesen geschaffen haben, und wo sollte denn eben dasselbe Wesen anderswo hergekommen seyn, als aus dem geoffenbarten Gott Jehovah? IV. Hebr. 94.

Wenn Alles durch's Lebenswort ist, was da ist, so ist es ja die kraftvolle Infassung aller Arten, Wesen und Kräfte, so sind dann alle Geschöpfsgattungen mit allen Lebenseigenschaften durch dasselbe gemacht, so daß immer eine vorschwebende Weisheitsart eine vorherrschende Kraft der Kräfte in einer besondern Eigenschaft offenbart. IV. Hebr. 75.

Warum heißt das Wort ein Wort des Lebens? Wort ist das Geborne, und Leben ist das Gebärende. Das Rad der ewigen Geburt ist ein Seelenrad, und die Geburt desselben ist ein Wort, und ist also dasselbe ein Wort des Lebens. Und da nun dasselbe Rad des Lebens lauter Lebenskräfte ist, kann es nicht Anderes, als lauter Leben zeugen und gebären, und es kann nicht anders seyn, das Wort muß alle Eigenschaften des Lebens haben und selbst lauter Leben und Lebenskraft seyn. V. Off. 781.

§ 23.

Ebenso ist es die wesentliche Weisheit des Sohnes, in welcher die Idee aller zu schaffenden Dinge lag, und durch deren Spiel der geoffenbarte Gott die lusterweckende Anregung zur Schöpfung empfing. cfr. § 18.

„„Gleichwie die unwesentliche Weisheit den unwesentlichen Gott bewirkte, bewegte, belustigte in den obern Kräften mit ihren untern, die Eins mit einander sind, daß er um ihretwillen sich wesentlich machte, und sein wesentliches Wort und dessen Weisheit aus seines Geistes Kräften zeugte, also be-

luſtigte und bewirkte die weſentliche Weisheit das Wort, den
im Weſen offenbaren Gott als Wort, daß es viele und
mancherlei Geſchöpfe ſchuf, und ſich und ſie in Alles miteinbildete. VII. Petr. 259.

Gott wollte nicht aus Nothwendigkeit, ſondern um der
freien Weisheitsluſt willen, die Alles vorſpielte, ſich offenbaren in vielen Kreiſen und Welten, in vielen Geſchöpfen
und Geſchöpfsgattungen. V. Off. 797.

Wenn Alles, was das Seyn hat, ſolches aus Wort und
Weisheit, als dem Urſprung und Anfang, hat, und auch
durch daſſelbe und zu demſelben hat, ſo muß es ja das Ge-
neral- und Urbild des Ganzen, als ein Mutter- und Sambild des ganzen Alls um des U willen, das da iſt die Urſache der Offenbarung, in ſich begreifen. III. Eph. 72.

Das U, die Herrlichkeit des Einen, den man in Dreiheit
ſah erſcheinen, das war die himmliſche Menſchheit; in deren
ſel'gen Krafttinkturen erblickte Gott die Creaturen; denn dieß
war die Jungfrau-Weisheit. I. 272, 7.

§ 24.

Hienach iſt die Creatur nicht aus Nichts, ſondern aus
der Herrlichkeit Gottes geſchaffen; aber geſchaffen und nicht
geboren.

„„Aus Gott ſind alle Dinge, die eines reinen, heiligen
Urſprungs ſind, die unverderbt ſind; nicht als ob die böſen
nicht auch in Etwas aus ihm wären; aber nicht geboren
ſind die Welten und Creaturen, ſondern geſchaffen. Syſt. 50.

Wenn ſich der Schöpfer offenbaren will, in reinen, un-
verderbten Weſen, in einer Lichtwelt, ſo nimmt er Weſen
und Leben nicht anderswo her, als aus ſich: denn was ſollte
ſonſt ſeyn, als er? V. Off. 157.

Wenn ſich Gott faſſen will, in vielen Geſchöpfen offenbar zu ſeyn, wo ſoll er den Geſchöpfsſtoff anders herneh-
men, als aus ſich ſelber? So er nun das will, ſo muß
man begreiflicherweiſe einen väterlichen Muttergrund annehmen, aus welchem die reinen Lichtsgeſchöpfe magiſch hervor-
gegangen ſind. V. Off. 177.

Aus dem eingeborenen Sohn iſt Alles, was iſt, was

eines guten Ursprungs ist; denn er ist selbst der Ursprung
aller Dinge; er ist ja die Herrlichkeit selbst. Nun mußt du
merken, daß, wenn wir schon den eingebornen Sohn Gottes
eine väterliche Urmutter nennen, und auch einen urväter-
lichen Vater, so sind doch auch die unsichtbaren Dinge, Welten und Creaturen nicht geboren, sondern geschaffen; darum
heißt der Sohn Gottes der Eingeborne. Syst. 49.

Obschon aus den göttlichen Eigenschaften und Kräften
alle Vater- und Mutterschaft den Ursprung hat, Eph. 3, 15.,
sind doch auch alle Creaturen, auch in dem Ueberhimmlischen
nur geschaffene Wesen, obgleich göttlichen Geschlechts; sind
aber aus Ihm, durch Ihn und zu Ihm, aus der ewigen
Geburtsquelle, durch das Wort, den Eingeborenen. III.
Eph. 204.

§ 25.

Der Schöpfungsstoff selbst, woraus die Creatur gemacht
ist, ist die Leiblichkeit oder ewige Natur Gottes (§. 14.), d. h.
der dreieinige Kraftausfluß, in welchem die sieben Geister
Gottes wirken. (§ 18.)

„„Wenn wir alle Wesen und Geschöpfsgattungen nicht
als gezeugt und geboren, sondern als durch's Wort des Lebens geschaffen betrachten, so müssen wir die lichtfeurigen
Geistwasser vor Augen haben, als Kraftausflüsse der dreieinigen Gottheit, und annehmen, daß aus solchen Ausflüssen
alle guten Wesen Anfangs geschaffen seyen. III. Eph. 218.

Da sich Gott in der äußeren Weltschöpfung offenbaren
wollte, nahm er die Schöpfungskräfte zu Werkzeugen an,
als die Eigenschaften der ewigen Natur, deren Centralkraft
aber ist das ewige Wort, durch welches Alles geschaffen ist.
Syst. 72.

Der wesentliche Urstoff reiner Creatürlichkeit ist in der
leidenden Jungfräulichkeit des Eingeborenen. Denn wenn
aus der, im eingeborenen Centralschooß und Herzenssohn geoffenbarten Dreiheit in drei Gestalten ausgehet der göttliche
Kraftgeist, so gehet er nicht aus der Leiblichkeit der jungfräulichen Herrlichkeit hinaus, und wird also der lichtfeurige,
tinkturialische Lebenswasserstoff, jungfräuliche Leiblichkeit und
Wesenheit und die ist himmlische Menschheit. III. Col. 122 f.

Gleichwie von Feuer und Licht eine Luft ausgehet, also gehet vom Vater und Sohn der heilige Geist aus; gleichwie aber der helle Himmel das lichtfeurige Oberwasserlicht und hellblau ist, also ist das, noch viel reinere, lichtfeurige Lebenswasser, das der heilige Geist, der als ein sanfter Odem aus Vater und Sohn ausgehet, mit allen lichtfeurigen Kräften und Eigenschaften gebiert: aus diesen lichtfeurigen, geistigen Wesen sind die unsichtbaren Dinge und höheren Wesen geschaffen. III. Ephef. 222.

Der dreieinige Kraftausfluß ist reines, mit Feuerlicht gemengtes Lebenswasser und ist also das durchsichtige Feuerlebenswassermeer, darin die sieben Geister Gottes, die Kräfte Gottes wirken, nämlich die wirkenden und leidenden, die activen und anziehenden Kräfte des dreieinigen Gottes, zu seiner selbst Offenbarung in allen Geschöpfsgattungen. V. Off. 157 f.

Die sieben Geister sind Kraftausflüsse Gottes, durch welche Alles in's Daseyn und Werden gekommen, durch welche auch Alles im Seyn erhalten wird, was aus dem Wort des Lebens und der Herrlichkeit Gottes Anfang und Ursprung hat. V. Off. 155.

Es gibt sieben Eigenschaften oder Grundkräfte, sowohl in der zeitlichen als ewigen Natur, mittelst welcher außer Gott Alles was da ist, sein Daseyn empfangen hat. Ihre Wirkungsweise besteht darin, daß sie nach den Gesetzen ihrer Natur in den Potentialstoffen des hervorzubringenden Gegenstandes reagirende Eigenschaften erwecken, theils um dadurch ein bewegliches Creaturleben nach der zu Grund liegenden Idee des bildenden Geistes hervorzubringen, theils die unleiblichen Lebensstoffe substantiell zu machen, oder gleichsam zu figiren, damit sich das geistliche Leben mittelst seiner Unterlage erhalten, nähren und fortpflanzen könne. Denn es ist der unveränderliche Wille Gottes, daß Alles, was in ihm unsichtbar und geistlich ist, leiblich dargestellt werde. Der erste Naturgeist ertheilt dem Schöpfungsstoffe die herbe, anziehende, und der zweite die bittere, ausdehnende oder zurückstoßende Grundkraft, welche demnach selbst in der ewigen Natur gegründet sind, und die innersten Triebfedern der Geister- und Körperwelt ausmachen, ja das Prin-

cipium alles erschaffenen Creaturlebens darstellen. Die anziehende Grundkraft ist der Ursprung aller Materie, und
aller Leiblichkeit; die zurückstoßende aller Auflösung, Verfei-
nerung und Geistlichkeit. Wenn beide gleich stark wirken,
so entsteht die Circularbewegung, Angst, jenes ringende Rad
der Natur, Jac. 3. 5. als die dritte Eigenschaft des Schö-
pfungsstoffes, welche die Bärmutter alles Creaturlebens genannt werden kann, weil von hier nur noch ein kleiner
Schritt zur völligen Geburt des Kindes ist. Denn mittelst
der Wirkungen des vierten Geistes, Feuer, entsteht in dem
Mittelpunkt des obigen Naturrades eine blitzende Durchkreuzung, welche das Naturleben vollends im Zusammenhange
erzeugt, das in den folgenden Wirkungsperioden des fünften: Licht, süßes Oel, und des sechsten: Mercur völlig ausgebildet, und durch die Kraft des siebenten: Paradiesleib
beständhaltend gemacht wird. Wie nun Mercur den Hall
und Schall in lebendigen und leblosen Dingen, oder eigentlich das Sprechen bedeutet, da gleichsam der Geist in Freude
lautbar ausspricht, erkenntlich macht und offenbart, was er
aus den vorhergehenden Wirkungsarten und Kräften, besonders aus der fünften Eigenschaft, als aus dem süßen Oel,
Licht und Liebewesen gefaßt hat; so stellt die siebente Eigenschaft das Paradies oder den Paradiesleib vollendet dar,
und ist die Einfassung aller vorhergehenden sechs Eigenschaften und Kräfte, worin sie ihre wahre Ruhe und Temperatur
haben, als in dem vollendeten Ruhetempel der Herrlichkeit.
In dem sich durchkreuzenden Blitze der vierten Natureigenschaft geschieht es, daß sich das unzugängliche Licht der Gottheit dem Geschöpfe mittheilt oder sich ihm auch wieder ent-
zieht. Die drei ersten Natureigenschaften sind Engeln und
Menschen gleich eigen; denn aus ihnen besteht sowohl die
Seele der Engel, als der Menschen, aber in der vierten Eigenschaft ist das Scheideziel zwischen böse und gut, Licht
und Finsterniß, Leben und Tod, zwischen welchen die Freiheit in der Mitte ist, um dieses oder jenes wählen zu können.
Böse heißt das aus den drei ersten Natureigenschaften bestehende Leben aller freien Geschöpfe, insofern solches blos
in seinem Eigenen betrachtet wird, und von dem Leben aus
Gott entfremdet ist. Gut ist allein der allgenugsame Gott,

welcher sich in seinem Sohne. den Geschöpfen als ein Licht mittheilt, das Leben und Unsterblichkeit besitzt, und die creatürliche Finsterniß ebenfalls in Licht, Leben und Güte verwandelt. Alles dieses geschieht am Kreuze; denn das Lebenscentrum stellt, wie gesagt, im Innersten einen sich durchkreuzenden Lichtstrahl vor, aus dessen Mittelpunkte, so lange das Geschöpf in der göttlichen Ordnung stehet, das Licht der Gottheit hervorströmt, und den an sich finstern Lebensgrund erleuchtet. Syst. S. 523—526. Zu bemerken ist noch: was oben von den sieben Eigenschaften gesagt wurde, muß nicht so successiv, wie es die menschliche Sprache zu beschreiben genöthigt ist, betrachtet werden. Denn alle diese Wirkungen geschehen in Einem und demselben Augenblicke, auch gehen sie nicht außer einander vor, wie es bei ihrer Schilderung das Ansehen hat, sondern sie existiren als Kräfte, Dinge, welche geistlich, folglich im höchsten Grade penetrabel sind, in einander oder Einer im Andern, ohne sich aus der Stelle zu verdrängen. Syst. 527. Sie wirken als ein Geburtsrad gemeinschaftlich, und kann keine ohne die andere sich offenbaren. Syst. 80.

Bemerkung: Der erste Naturgeist ist der geistliche Hunger nach Etwas, welcher zusammenzieht; ist also in sich ziehend, sich selbst einschließend, beschattend, macht Einheit, Materie, Leiblichkeit. Gewicht, Finsterniß, ist rauh, hart, voll, herb, ist Ursache zur Finsterniß; Feuersprincip.

Der zweite ist der geistliche Hunger und Trieb aus dem Etwas in das Nichts, aus der Eingeschlossenheit in die Freiheit, ist ausdehnend, ausbreitend, verdünnend, gibt Bewegung, Geist, fliegendes Leben, Freiheit und Vielheit. Ist Ursache zum Licht; Lichtsprincip.

Der dritte ist das Angstrad der Geburt Jac. 3, 6. Röm. 8, 19 f. nämlich die Circularbewegung, welche aus den beiden einander entgegengesetzten Begierden entsteht, als das Ringen der beiden ersten Geister zur Geburt des Lebens, dessen Bärmutter der dritte Geist ist, sammt den Geburtswehen.

Der vierte: das von den zwei ersten durch den dritten Geist geborne Leben, in welchem Beides, das Sehnen des ersten Geistes nach Natur und Wesen, und das Sehnen des zweiten Geistes nach Licht und Freiheit sich durchkreuzt und zur Geburt kommt, so daß Eines zur Ursache des Andern, und dieses zur Grundlage für jenes wird, d. h. durch die Begierde, sich im Licht zu offenbaren, entsteht mittelst des ersten Geistes die Finsterniß oder das Feuer, das hungernde Wesen der vierten Naturgestalt; aus diesem Feuer aber entzündet sich mittelst des zweiten Geistes das Licht in der vierten Naturgestalt und durchdringt und durchkreuzt jenes finstere Wesen: das Feuer gebiert das Licht, das Licht durchleuchtet und durchwohnt das Feuer. In dieser vierten Naturgestalt eröffnet sich also Beides; 1) das Feuer oder Naturleben, 2) das Licht oder göttliche Leben. Hier ist daher das Scheideziel, wo Finsterniß und Licht, Gott und Natur oder Creatur sich entweder von einander scheiden und trennen, oder sich mit einander vereinigen, so daß die Natur zur Offenbarungsstätte des gött= lichen Lichts wird. Hier ist's, wo die Natur und Creatur etwas von Gott getrenntes wird, während doch Gott in derselben ist, aber nicht sie selbst ist — wo die Herrlichkeit im Licht des Sohnes aus der Feuersnatur des Vaters geboren wird — wo Böses und Gutes, Liebe und Zorn, natürliches und geistliches Leben sich von einander scheiden — wo aus dem Tod der finstern Natur, welche vom Licht verschlun= gen wird, so daß sie nicht mehr in ihrem eigenen Princip leben kann, das wahre Leben entsteht, das ewige, selige Leben im Liebelicht — „wo sich die Lebensprincipien scheiden ist ein Kreuzzeichen in rechter Gestalt" I, 294, 10. „wenn sich im Blitze des Lebens, in dem kugel= förmigen Lebensrade ein kreuzartiges Gestaltwesen wahrnehmen läßt, so ist die Scheidung der Lebensanfänge." VI. Pf. 1439. •

Die fünfte Naturgestalt entsteht aus den drei ersten durch die vierte, und ist der sanfte, lichte Wassergeist, welcher das geistleibliche Wesen der ausfließenden göttlichen Liebe bildet. d. h. der Strom des Lebenswassers und Geistesöls. Indem nämlich in der vierten Natur= gestalt das Feuers= und das Lichtsprincip, die in der dritten mit ein= ander im Ringen waren, sich zur Geburt geschieden haben, geht nun in der fünften Gestalt das Licht in das finstere Feuer ein, und ver= einigt so das zusammenziehende Wesen des Feuergeistes mit der aus= dehnenden Kraft des Lichtgeistes. Da wird das begehrende Feuerleben mit dem süßen Licht erfüllt und gesättigt, und es entsteht eine sanfte, ölige, lichte Wesenheit, welche den Stock des Gewächses, den Grund zur Geistleiblichkeit bildet, in welcher die Natur Licht ist, und das Licht Wesen hat.

Der sechste Naturgeist ist der verständige, scheidende, tönende Luftgeist, welcher aus der fünften Gestalt entsteht, indem alle in dem Liebelichtswesen des fünften Geistes liegenden Kräfte Gottes sich von einander scheiden und dadurch empfindlich und erkennbar werden. Da entsteht das rege Leben im Fühlen, Sehen, Hören, Reden, Tönen, Verstand und Sinnen, indem der Geist in lautbarer Freude unter= scheidet und ausspricht, was er in den ersten Quellgeistern gefaßt hat. Dieß ist die höchste Stufe der Offenbarung dessen, was im Ungrund potentiell verborgen ist, zu welcher der Offenbarungswille Gottes sich aus einer Gestalt in die andere treibt.

Die siebente Naturgestalt ist die leibliche Zusammenfassung aller sechs Geister; das Wesen, worin die sechs Geister sich wirksam erweisen, und in einander aufsteigen, also die alle Geister Gottes in sich habende Herrlichkeit Gottes, die ewige Natur Gottes, oder der dreieinige Kraftausfluß, worin die sieben Geister Gottes wirken.

§ 26.

Wenn Gott durch seinen Willen die im Sohn gefaßten Kräfte in Bewegung setzt, so ist das das schöpferische Sprechen Gottes und wird also durch das Wort, den Sohn, die Creatur geschaffen.

„„Wenn Gott durch sein geborenes Wort spricht, so ist sein Sprechen im Wort aus allen seinen Kräften und Eigenschaften ein Bewegen und das in leidenden und wirkenden Kräften; und das, was er wirkt und spricht, schafft und macht durch sein Wort, das ist gut. Syst. 327.

Das Sprechen Gottes ist kein bloses Befehlen und Sprechen, sondern ein allmächtiges Wirken seiner Kraft durch sein Wort. III. Eph. 205.

§ 27.

Durch den Sohn ist Gott aller Dinge Grund und Leben, indem sie durch dieselben Kräfte des Worts im Bestehen erhalten werden, durch welche sie entstanden sind; daher der Sohn das ewige Lebensband bildet, das Schöpfer und Geschöpf auf unzertrennliche Weise verknüpft.

„„Die Eigenschaften und Kräfte des göttlichen Geburtsrades und Lebensquells wirken in allen Welten und Creaturen und schaffen sich Allem mit ein, oder sind vielmehr in Allem und durch Alles unberührlich, unbehältlich und uneingeschlossen. Darum ist Gott aller Dinge Grund und Leben, hält Alles im Seyn und Wesen, so daß auch der Apostel sagen darf: „In ihm leben, weben und sind wir, ja wir sind sogar seines Geschlechtes." Act. 17, 28. Syst. 51.

Gottes Kräfte beleben und erhalten Alles im Seyn; darum ist auch Er selbst in Allem und durch Alles und Alles ist gleichsam in ihm, und hat in ihm sein Bestehen. II. Act. 369.

In allen Geschöpfsgattungen sind des ewigen Worts Lebenseigenschaften, mehr oder weniger in dieser oder jener. Daher trägt Gott auch Alles und erhält im Seyn und Wesen durch sein kraft- und lebensvolles Schöpfungswort Alles ohne Ausnahme. Denn die Lebenswurzel aller ewigen Dinge, die im Wesen bleiben sollen, sind im schöpferischen Lebens-wort gewurzelt und gegründet. **IV.** Hebr. 55.

Die Herrlichkeit ist das Vereinigungsmittel zwischen Gott und der Creatur. Syst. 297. Der Sohn, von dem die sieben Geister Gottes ausgehen, ist der nächste an Gott als Crea-tur, und auch an der Creatur edelsten- Theilen ist er der Nächste; er ist die Mittel-Substanz, durch welche sich Gott seiner Creatur mittheilt. Syst. 264.

Gott ist nicht von den Dingen getrennt, die er geschaffen hat. Thoren sind es, die den Schöpfer und Erhalter der sichtbaren und unsichtbaren Dinge so weit weg von seinen Geschöpfen sich denken, da er doch Himmel und Erden erfüllt und sein ewiger, unvergänglicher Lebensgeist in allen ge-schaffenen Dingen ist. Syst. 183.

Gottes ewiger Lebensgeist ist in allen Geschöpfen, und er trägt und erhält im Seyn alle Dinge durch sein allkräf-tiges und allwirksames Lebenswort. Selbst der Satan hat kein Leben aus sich selbst und in sich selbst; er hat sein Leben und Bestehen im ewigen Wort, das ihn im Seyn erhält, ob er schon verkehrt ist; er kann sich doch nicht selber ganz vernichten. — So wenig die anbetungswürdige Einheit in's Nichtseyn zurückgehen kann, indem sie keinen Anfang und kein Ende hat, und selbst der Anfang und das Ende ist, ebensowenig kann eine Creatur in ein ewiges Nichtseyn zu-rückgerathen. Denn das Geschöpf mag noch so verkehrt und ausgeartet seyn', im ewigen Wort, im Wort der Leben und in seinen Lebenskräften und Lebenseigenschaften ist aller Dinge tiefste Lebenswurzel gegründet und gewurzelt. Syst. 60—62.

Was durch das Wort gemacht ist, das sind Individuali-täten; zwar abgetheilt, aber nicht der Wurzel nach von dem Wort der Wesen getrennt; sonst würden solche nicht im Seyn erhalten. Auch das, was sich im Abfall von seinem Lichtwesen getrennt hat, ist doch nach seinem innersten Seyn nicht getrennt. **IV.** Hebr. 78 f.

2. Die Creatur, als Spiegel der ursprünglichen Herrlichkeit.

§ 28.

Weil alle Dinge aus dem Sohn und durch denselben geschaffen sind (§§ 22—27.), so ist die Creatur eine Offenbarung der Herrlichkeit Gottes in der Weise, daß der Vater mittelst der sieben Geister Gottes seinen Sohn in allen Geschöpfen gebären will.

„„Ist es nun nicht also, daß der, Alles durchdringende, ewige Geist Gottes, dessen mancherlei Kräfte im ganzen Schöpfungsraum gegenwärtig sind, auch überall die Kraft der Herrlichkeit, als ihre Centralkraft möchte gebären, als die da ist ihre ewige Ruhe und die Ruhe aller geschaffenen, ihr ähnlichen Kräfte? II. Petr. 150.

Gott erfüllt den Urgrund seines Ungrundes mit dem Reichthum seiner Herrlichkeit aus den unergründlichen Tiefen, damit durch sie alle Creatur, die durch sie geschaffen ist, erfüllt werden kann. — Gott ist aller Dinge Grund und Leben. Aber Alles möchte er, was in seinem ewigen Geist lebt und im Seyn besteht, mit der Gnadenfülle seiner Herrlichkeit erfüllen. III. Eph. 206. 207.

Alle Arten der Weisheit und alle Lebenseigenschaften sind aus dem Sohn und durch ihn. Er ist die Einheit der Dreiheit; er ist das alleinige Eins und macht alle Creaturen zu einem Etwas; außer ihm sind alle Creaturen Nullen und Nichts! das Eins macht sie alle zum Etwas. Syst. 339.

Der Sohn ists, um deß willen alle Dinge sind, und durch den alle Dinge sind und zu dem alle Dinge sind. Er ist der rechtmäßige Erbherr vom ganzen Schöpfungsall; denn es ist Alles zu ihm und auf ihn geschaffen. Syst. 45 f.

§ 29.

Das Eigenthümliche dieser geschöpflichen Herrlichkeit besteht einerseits darin, daß sie eine unendlich begränztere und darum körperlichere ist, als die ursprüngliche Herrlichkeit; daher die geschöpfliche Herrlichkeit Geistleiblichkeit ist. cfr. § 14.

„„Anders iſt die Gottesoffenbarung in dem Lichtraum ſeiner Herrlichkeit, da er ſich durch Zeugung und Geburt in ſeinem Eingebornen, im Centralſchooſe ſeiner Kräfte und Eigenſchaften, als Jehova in drei Hauptgeſtalten offenbart. Anders aber iſt die Offenbarung Gottes in der Engel-, Geiſt- und Lichtwelt, da ſich die Gottheit begränzet. Syſt. 59.

Wenn der Sohn Gottes ein Wort der allerheiligſten Seele der Kräfte Gottes genannt wird und auch iſt, ſo iſt tief zu betrachten ein Raum, eine Begränzung im Lichtraum der Ewigkeit in Herrlichkeit. Und wenn alſo Gott durch das Wort des Lebens oder derer Leben in Licht und Leben ſich offenbaren will aus ſich, durch ſich und zu ſich in vielen Creaturen, ſichtbaren und unſichtbaren, Engeln und Menſchen und andern Geſchöpfen, ſo müſſen die Worte aus dem Univerſalwort, die Creaturen, die er ſchaffen will, noch weit, unendlich weit verſchieden, vielmal begränzter ſeyn. Syſt. 326 f.

Es iſt der unveränderliche Wille Gottes, daß Alles, was in ihm unſichtbar und geiſtlich iſt, leiblich dargeſtellt werde. Syſt 523 f.

Der Zweck der Abſichten Gottes bei der Schöpfung iſt die Geiſtleiblichkeit. I. Lebensl. 127.

Vollendung der Schöpfung iſt Aehnlichkeit der Herrlich- keit, in Vollkommenheit der Geiſtleiblichkeit und Unzerſtörlich- keit. IV. Hebr. 406.

§ 30.

Andererſeits ſpiegelt ſich in der Schöpfung der Reichthum der göttlichen Herrlichkeit in ſeiner Mannigfaltigkeit und Ver- ſchiedenheit der Kräfte und Eigenſchaften, ſofern dieſe in den einzelnen geſchaffenen Dingen, mit Ausnahme des Menſchen (cfr. § 64.) nicht zumal, ſondern einzeln und partiell geoffen- bart ſind, ſo daß nur die Geſammtheit der Creaturen die Summe der Gotteskräfte und Weisheitsarten repräſentirt.

„„Schaue hinein in den Spiegel, und betrachte im Sicht- baren das Unſichtbare! Sieheſt du nicht, daß nebſt andern Kräften der Natur abſonderlich zu betrachten ſind zwei Cen- tralkräfte: die Kraft der Bewegung und die Kraft des An- zugs? Sieheſt du nicht, daß das Rad des Werdens, das

aus verschiedenen Kräften besteht, auch diese zwei Centralkräfte hat? Siehest du nicht in allen Werken der Schöpfung
Gottes eben dieselben Kräfte? und haben nicht alle Creaturen
den Charakter des Wirkenden und Leidenden, des Männlichen und Weiblichen? Siehest du solches nicht allein im
Thierreiche, so ist es doch auch im Pflanzen- und Blumen-
reiche das Nämliche, ja sogar im astralischen und Mineral-
reich wird das wahrgenommen. Syst. 176 f.

Trägt nicht Alles das Bild der anbetungswürdigen Dreieinigkeit in verschiedenen Lebenseigenschaften und Weisheitsarten? Sind nicht die Eigenschaften der zeitlichen Natur ein
werkzeugliches Schöpfungsrad, in welchem und durch welches
die Eigenschaften der ewigen Natur wirken, welche das Rad
des Werdens sind, weil Gott selber durch dieses Verbum
fiat wirkt? Haben nicht alle natürlichen Dinge ihr Daseyn
vom Uebernatürlichen und also alles sinnliche Sichtbare vom
Uebersinnlichen, Unsichtbaren? Aus einem Salze, aus einer
sulphurisch-ölichten Seele und einem geistig mercurialischen
Wesen bestehen sie, die sichtbaren, obgleich in auflöslichem
Wesen, und tragen gewissermaßen das Bild der Herrlichkeit
Gottes in verschiedenen Graden. Syst. 177 f.

Die Schöpfung ist das große Buch mit sieben Siegeln
versiegelt, inwendig und auswendig vollgeschrieben. (Apoc.
5, 1.) Das große Buch ist die Schöpfung mit allen Creaturen. Das inwendig Geschriebene deutet die unsichtbaren
Creaturen und Welten an, und das auswendig Geschriebene
die sichtbaren Geschöpfe ohne alle Ausnahme. Alle Creaturen im
Sichtbaren und Unsichtbaren sind Charaktere und Buchstaben.
Die Einheit, Jehova JEsus, ist das, was wir Vocal nennen,
und das andere sind die Creaturen. Wer das ABC recht
kann, der kann lesen und Sylben zusammensetzen. Wer an
des Buchstabens Signatur den Charakter des Reichs der
Unsichtbarkeit versteht, und das Herrschende der Kräfte und
Eigenschaften Gottes daran erkennt, der ist ein rechter und
fertiger Leser, er ist ein eigentlich erleuchteter Mensch. Syst.
62 f. V. Off. 174.

Mein Leser! Lies mit allem Bedacht und Nachdenken in
dem großen Naturbuch; laß dir das Lamm die Siegel desselben erbrechen. Wenn der Löwe aus dem Stamm Juda

alle Feinde überwunden hat, wird es geschehen. Dann wirst
du die Gefühls- und Geistessprache verstehen lernen; dann
wirst du sehen, wie das ewige Wort in einem jeden Ding
spricht, und am Geruch, Farbe, Gestalt, Stimme und Hall
erkennen, ob es sich in Zorn oder Liebe, in welchem mehr
oder weniger, offenbare; ob es mehr oder weniger in der
Harmonie oder Disharmonie stehe. Auf diese Weise wirst
du in gar kurzer Zeit gelehrter werden, als deine Lehrer
sind. VI. Pf. 321.

Gott hat sich in sehr vielen Geschöpfsgattungen nach
allen seinen Eigenschaften und nach allen Arten seiner Weisheit geoffenbart, und will in seinen Geschöpfen geoffenbart
das Alles seyn, was er in seinen unergründlichen Gottestiefen in seiner Verborgenheit war. III. Eph. 211 f.

Gott offenbart sich in seinen Welten und Geschöpfen. Er
ist ein allwirksames, allgegenwärtiges Wesen, und seine allwirksamen Kräfte und Eigenschaften wirken in Allem und
durch Alles allgegenwärtig, nur sehr verschieden in ihrer
Offenbarung Syst. 58.

Obgleich das Wort und seine Weisheit sich auch den
andern Creaturen — außer dem Menschen — eingeschaffen,
so war es doch nur mit Einer Art und Eigenschaft des Lebens und Lichts aus Wort und Weisheit. In ihnen sind
daher die Weisheitsarten und Schönheiten mit den darin
wirkenden Kräften und Eigenschaften nur theilweise. Syst.
225. 105.

Von den verschiedenen Creaturen hat jede Eine Weisheitsart in verschiedenen Tinkturen; und diese ist der Creatur
nach Eigenschaft der Leben, sowie es der Geist offenbart, ins
Bild gegeben. Alle Dinge, sie seien himmlisch, englisch, höllisch, haben deßhalb ihren bestimmten Charakter. Daher wird
das Innere, der unsichtbare Geist und Vater des Dings
offenbar als der Inwohner des Hauses; jeder Geist baut
sich sein Haus und offenbart sich durch dasselbe. I. 273.
20. 21. 27.

Alle Geschöpfsgattungen mit allen Lebenseigenschaften sind
durch das Wort gemacht, so daß immer eine vorschwebende
Weisheitsart eine vorherrschende Kraft der Kräfte in einer
besondern Eigenschaft offenbart. Nichts aber ist einfach oder

monadisch, obgleich nur der Mensch Ebenbild Gottes, folglich ein kleines Ganzes des großen Ganzen ist. IV. Hebr. 75.

§ 31.

Vermöge dieser Mannigfaltigkeit der in den Creaturen
geoffenbarten Kräfte und Eigenschaften besteht eine Vielheit
von Geschöpfen, Gattungen und Welten, welche Gott unberührt durchwohnt und durchwirkt.

„„Gott hat sich durch den Eingebornen in vielen Welten, Ausgängen, Geschöpfen und Geschlechtergattungen geoffenbart.   Syst. 92.

Gott offenbart sich anders in der himmlischen, anders in
der höllischen und anders in der irdischen Welt. II. Act. 362.

Es sind mancherlei Kräfte, aber es ist Ein Gott, der
sich aus und in denselben offenbart. Aber alle seine Kräfte
sind ein einiges Lebensrad, und dieses ist der Geist der
Ewigkeit in Allem und durch Alles, in dem Himmel himmlisch, in der Hölle höllisch und in der irdischen Welt irdisch
offenbar.   V. Off. 855.

Die Offenbarung Gottes ist anders im Himmel, anders
in der Hölle; im Himmel als Licht und Liebe, in der Hölle
als zorniges, eifriges Wesen.   Denn in der Hölle offenbart
sich Gott nicht in allen sieben Eigenschaften und Kräften,
sondern nur in den vier ersten Eigenschaften sind die höllischen und verdammten Creaturen. Anders wirken sie in dem
Wesen der Engel, anders in den Menschen, und wieder anders in den blos vegetirenden Substanzen, ohne doch ihre
Centralähnlichkeit, folglich auch ohne das Vermögen zu verlieren, auf eben der Leiter wieder hinaufzusteigen, auf der
sie bis zum gegenwärtigen Punkt herabgestiegen sind, wenn
solches nach dem Plane ihres Urhebers einst nöthig werden
sollte.   Syst. 527.

Die himmlische Menschheit geht durch alle Kreise und
Räume ungehalten, unbefleckt und unberührt.   Syst. 516.

Unser Anbetungswürdiger ist überall gegenwärtig und ist
Centralquell aller Dinge, die er wollte und machte; trägt
und hält, was im Wesen seyn soll; ist die Einheit, die Alles
zu einem Etwas macht, ohne welche Alles Null und Nichts

wäre. Er ist also der Urpunkt im ganzen Schöpfungsraum und in der großen Quadratur der Höhe, Tiefe, Breite und Länge, überall gleich ganz und ungetheilt; denn er ist aller Dinge Grund und Leben. Er kann durch Donner und Bliß, durch Hagelsteine, durch Wind und Wetter reden und predigen. Er kann, so er will, auch dem Esel den Mund öffnen. 4 Mos. 22, 28. IV. Hebr. 124 f.

§ 32.

Es sind aber die verschiedenen Geschöpfsarten nicht gleich nahe an Gott, obgleich er in allen wirkt. Vielmehr bildet die Vielheit der Geschöpfe eine Schöpfungsleiter, an welcher sich Gott durch verschiedene Stufen und Geburten aus dem Innersten bis in das Aeußerste herauswendet und wirkt.

„„Der Vater der Vollkommenheit, von dem alle guten und vollkommenen Gaben kommen, ist droben oder drinnen; am höchsten droben oder am tiefsten drinnen. Es ist die allerinnerste und allererste Vaterskraft, und der allerheiligste uranfänglichste, tiefste und reinste Mutterquell; von ihm aus sind der Geburtsquellen, Schöpfungskräfte abstufungsweise in immer näheren Kreisen noch viele, da auch unterschöpferische oder werkzeugliche Schöpfungskräfte in ihren Sphären und Kreisen mitwirken durch die Bewegung der allerinnersten Kraft. II. Jak. 324.

Auch die Himmel sind, von der allerheiligsten Quelle an, Abstufungen der Geburten an der großen Schöpfungsleiter im großen Schöpfungsbuche. Es geht vom Alleräußersten bis in's Allerinnerste. III. Eph. 75.

Gottes Sprechen ist Bewegen, und die Kraft der göttlichen Ursprungskräfte wirkt auch in der Natur, und die Naturkräfte sind werkzeugliche Kräfte, wodurch der Schöpfer wirkt. VI. Pf. 406. 1450.

Solltet ihr das Sichtbare und Unsichtbare soweit von einander wegsetzen und doch wissen, daß Gott Himmel und Erde mit seiner Allgegenwart erfüllet? und eine Seele im Leibe habt, die ihr noch nie gesehen habt, aber täglich fühlet, die eure sichtbare Creatürlichkeit durchwohnt und durchlebt? Das hieße sich so sehr an Ort, Zeit und Raum gebunden

und zu wenig begriffen von den, sich von innen heraus entwickelnden Geburtsstufen. Es greift Alles ineinander, nicht
wie in einer Maschine, da ein Rad das andere treibt, sondern so, daß immer ein höheres Leben, eine edlere Seele
die andere belebt und beseelt, und also der geistige, ja der
allergeistigste Centralquell bis in das Allerleibhafteste heraus-
wirkt durch Mittel-Substanzen und Stufen-Geburten. IV.
Tit. 275 f.

§ 33.

Die Schöpfungsleiter enthält nach der Zahl der Welten
siebenmal sieben Stufen; in Betreff der Geburten aber, welche
sich von der innersten Offenbarung Gottes bis in die äußerste
abstufen, sind es zehn Stufen oder Zahlen.

„„Es sind an der Leiter bis in's Gloriewesen der Einheit Gottes 49 Stufen. Denn es gibt sieben Lichtswelten,
sieben Engelwelten, sieben Paradieswelten, sieben Feuerwelten, sieben Geisterwelten, sieben Planetenwelten in unserm
Sonnensystem; und zuletzt sieben finstere Höllen- und Abgrundswelten. An dieser Leiter und Weltenstufe von unten
hinauf sind die höllischen Abgrundswelten die ersten; dann
sind es zweitens die sieben Natur- und Planetenwelten;
drittens sind es die sieben Gerichts- und Geisterwelten; hernach sind es viertens die sieben Feuerwelten; hernach fünf-
tens die sieben Paradieswelten; nach diesen zum sechsten die
sieben Engelwelten; und dann siebentens die sieben Lichtwelten,
und siebenmal sieben ist 49. Auf dieser Leiter oben ist Gott
in seiner Ewigkeit, im leeren Raum, dahin wir sollen kommen, welchen Gott in seinem Rath uns Menschen vorbe-
halten hat. In diesem leeren Raum ist die Blume in seinem
Saron, welche ist die himmlische Menschheit, das Obere der
Leiter. Syst. 515. 517 f.

Wenn wir an der Schnürcumferenz-Leiter vom Aeußern
in's Innre dringen, wie es denn einem Geiste aus Gott
möglich ist, so erkennen wir die auf- und absteigenden, hinein
oder heraus sich befindenden Geburten, nach ihren verfeiner-
ten oder vermengteren Graden und Ordnungen, und an den
Gränzen der Natürlichkeit und Sinnlichkeit fähet dann begreiflich Uebernatürlichkeit und Uebersinnlichkeit an, und wenn

die Naturgrade der Siebenzahl durchgangen sind nach ihren
Eigenschaften, so ist das Scheideziel des Sichtbaren und Unsichtbaren die achte Geburtszahl: Feuer der Natur, Feuer,
Engel, Schwert um das Paradies, und die neunte Zahl
die Licht-, Geist-, Paradies- und Tinkturwelt. Weiter hinein
gegen dem Centrum ist der allerheiligste Centralquell, der
Thron der Majestät, der Geburtsquell alles Gottesvermö-
gens, der heiligen Schoos- und Centralkräfte, der Eingeborene, der ohne Unterlaß geboren wird. IV. Hebr. 377.

Der Lichtsraum ist das wahre Allerheiligste der Offenbarung Gottes in Dreiheit und Einheit, als das A und O,
aus den Kräften des ewigen Geistes. Dieß verstehet in
der Kronen- oder Zehn-Zahl. Nun ist aber herauswärts zu
denken die edle neunte Zahl: da ist das gläserne Meer, das
Wirkungsgefäß der sieben Geister. Das nenne ich am Offenbarungstempel Gottes das Heilige vor dem Allerheiligsten.
Das ist die Offenbarung Gottes in der Lichtswelt. Das
ist die Tinkturwelt, das Paradies mit seinen Vorhöfen, und
alle Lichtswohnungen, in allen ihren Auf- und Abstufungen.
Dazu rechne ich auch, in Abstufung betrachtet, das Brunnenthal, den Ort der Freiheit und Abrahams Schoos. cfr. § 314.
Dieß ist also das Heilige. Die achte Zahl ist das Feuer
der Natur; da ist der Engel, über das Feuer Gewalt habend, mit seinem Cherubsschwert in Abstufung abwärts um
das Paradies herumgelagert. Gott ist aber in seinem Allerheiligsten, in der Zehenzahl, in Allem und durch Alles, in
aller Natur und Creatur alldurchdringlich, ungehalten, ungebunden, jungfräulich und unberührlich, sowie auch das Heilige seines Tempels, nämlich die neunte Zahl, durch und in
Allem ist, nur nicht in Allem offenbar. So ist auch die
achte Zahl noch, nämlich das elektrische Feuerlicht, durch
Alles und in aller Natur und Creatur, weil ohne dasselbe
Nichts in der Naturwelt seyn und bestehen kann. Dieß ist
also die Scheidewand zwischen dem Heiligen und dem Vorhof der Natur, also die Scheidewand zwischen dem Sichtbaren und Unsichtbaren, daher es Beides sichtbar und unsichtbar ist und seyn kann. Denn in Blitzen und andern
Entzündungen und elektrischen Reibungen kann es sich offenbaren, kann aber auch unsichtbar bleiben ohne besondere

Bewegungen in der Natur und Creatur. Nach dem Bis-
herigen also wäre alles Sichtbare, Alles, was in der siebenten
Zahl der sieben Natureigenschaften steht, was durch diese
werkzeuglichen Schöpfungskräfte gemacht und gebildet ist, was
durch ewige Naturgesetze, von ewigen Geisteskräften in den
Naturkräften, nach Naturgesetzen wirkt und besteht, so lange
und wie Gott, der Schöpfer, es bestimmt hat: kurz Sterne
und Elemente und was wir unter Natur und Creatur verstehen und begreifen sollen, was im großen Schöpfungsbuch
außerhalb geschrieben steht, was also entweder Charakter der
himmlischen Licht- oder der höllischen Feuerwelt ist — das
Alles ist Vorhof des Himmels. V. Off. 478 ff.

Durch die sieben Eigenschaften der zeitlichen Natur besteht in der darin wirkenden Kraft des ewigen Worts das
Sichtbare; die achte Zahl ist Feuer der Natur und ist
Scheideziel zwischen dem Reich der Sichtbarkeit und dem
unsichtbaren Reiche. Was reiner, inniger ist, als das elektrische Feuerlicht, das ist einer höheren Geburt, ist Paradies
und Tinkturleib; in der heiligen Zehen- oder Kronenzahl
ist Majestät und Herrlichkeit. Die lichthelle, elektrische,
feuerlichte Wolke ist die achte Zahl der Natureigenschaften;
diese achte Zahl ist um die neunte, als um das Paradies,
wie eine feste Mauer, und inniger, um eine Geburt und
Zahl tiefer, ist die dreieinige Majestät und Herrlichkeit Gottes.
11. Act. 13. 14 f.

§ 34.

In formeller Beziehung ist die Schöpfungsleiter, an der
Gott durch alle Geburten und Stufen die Creatur bis in's
Aeußerste durchwohnt und durchwirkt (§ 32.) als eine Schnürcumferenz zu denken, vermöge der die Schöpfungskreise eine
Spirallinie bilden, an welcher sich Gott aus dem Innersten
in's Aeußerste heraus- und aus dem Aeußersten in's Innerste
zurückwendet.

„„Es sind die Stufen der Schöpfungsleiter nicht nach
Art der Leiter, sondern nach Art der Zirkelkreise und ist doch
mehr einer Schnürcumferenz, als einer Circumferenz zu vergleichen. Denn es wirken die Kräfte des Allvaters von

innen heraus bis in's Alleräußerste, aus-dem Unräumlichen in's begränzte Unsichtbare, und durch dieses in's Sichtbare, Aeußere unseres Sonnensystems. Gottes Wirkungen gehen aber wieder von dem Alleräußersten rein in's Allerinnerste; denn im Hineinwenden bleibt Jedes in seiner Mutter, woraus es gekommen, wie im Herauswenden aus dem Innersten. Syst. 515 f.

Gott kann sich offenbaren, wann und wo und so oft es ihm beliebt. Ist er doch allgegenwärtig; erfüllet doch der Ein- und Erstgeborene Himmel und Erde. Ist nicht an der eigentlichen Himmelsleiter die himmlische Menschheit das Oberste und Innerste der Gottesoffenbarung in der göttlichen Ewigkeit seines Lichtraums? und die äußere natürliche Menschheit, ist sie nicht der Schöpfungsbeschluß und das Aeußerste, Unterste an der Leiter? Kann sich Gott nicht herauskehren in das Alleräußerste, und wieder in's Allerinnerste hineinwenden? Ist nicht diese Leiter eine wahre Schnürcumferenz der Geburten? Kann denn nicht das Innerste zum Aeußersten, und das Aeußerste zum Innersten sich machen? Dieß bedenket; so begreifet ihr etwas von Gottes Reden, Offenbarungen und Erscheinungen. Er braucht weder Auf- noch Abfahrens, kann sich allgegenwärtig herauswenden, wo und wann er will, nach Wohlgefallen. IV. Hebr. 124.

Bemerk. Schnürcumferenz bedeutet die spiralförmige Kreislinie, und kommt von Pf. 19, 5.: „Ihre Schnur gehet aus in alle Lande"; Circumferenz bezeichnet die concentrischen Kreise.

§ 35.

Da alles Geschöpf durch das ewige Lebensband mit dem Schöpfer unzertrennlich verbunden ist (§ 27.) und mittelst der Schöpfungsleiter die unsichtbaren und ewigen Kräfte auch den sichtbaren zeitlichen Dingen zu Grunde liegen (§ 34.), so haben auch diese ein bleibendes Wesen, während ihre Gestalt vergänglich ist.

„„Die Schöpfung der unsichtbaren Creaturen ist aus einem ewigen Wesen und aus einer ewigen Natur; und die Schöpfung der sichtbaren Creaturen ist aus einem sichtbaren

Wesen, welches einen zeitlichen Anfang seiner Sichtbarkeit hat, aber doch ein Ausfluß ewiger Wesen ist. Syst. 74.

Die Kraft Gottes in der Natur ist ewig und unanfänglich; aber ihre Wirkung in der Ewigkeit ist ewig und in der Natur hat ihre Wirkung einen zeitlichen Anfang und wird mit der Zeit in der Natur ein Ende nehmen. Aber alsdann wird eben dieselbe Kraft einen ewigen Anfang nehmen; ja sie hat denselben im Reich der Unsichtbarkeit wirklich genommen und längst genommen. Denn nur die Gestalt dieser Welt wird vergehen; es wird also das eigentliche wahre Wesen dieser Welt bleiben. Denn es wirket eine ewige Kraft im Wesen, daher das Wesen in Tinkturgestalten bleibt. Denn die Gestalt der vergänglichen Dinge, die nur zeitliche Kräfte hat, begann im Fall. Syst. 181.

Alles tritt vom Schauplatz dieser Welt ab, die Menschen, die Thiere, die Bäume, und alles Zeitliche. Aber die Kraft, die Alles schafft und erhält, bleibt immer und bringt immer wieder Neues in den nämlichen Gestalten hervor. Aber die Tinkturleiber der Vorgewesenen sind nicht mehr in der Zeit, aber in der Ewigkeit. Es hat also nur die Gestalt dieser Welt einen zeitlichen Anfang und wird ein zeitliches Ende nehmen; das Wesen aber nicht. Syst. 182.

Alles verfeinert sich, wenn es scheint zu sterben und umzukommen; es tritt immer in ein höheres, edleres und besseres Wesen und das Tinktur- und Bestandwesen der Dinge bleibt und scheidet im Sterben sich vom Sterblichen. V. Off. 852.

Alles Zeitliche hat aus dem Ewigen seinen Ursprung, nur der Fall und die Trennung vom Lebenslicht hat das, was zeitlich heißt, erweckt und hervorgebracht. Und da es ist ein falsches Wesen, aus Unordnung entsprungen, hat es in sich den Tod und das Todesgift, das sich zu seinem Ziele treibt, und dieser verkehrte Trieb in dem verkehrten Schattenwesen ist Geist der Auflösung und ist der eigentliche Tod. So denn nun ein kreatürliches Wesen mehr ein Schattenals ein Körperwesen ist, und das ist es ja, wenn es nicht in lichts-tinkturialischer Wesenheit erscheint, wie sollte es in solch einer Wesenheit bestehen können? IV. Hebr. 425.

§ 36.

Wenn Gott mittelst aller sieben Geister in einer Creatur nach seinem ewigen Vaters- und Schöpferswillen sich offenbaren kann, (§§ 28 und 25.) so ist es eine Offenbarung im Prinzip des Lichts und der Liebe. Wenn aber im Scheideziel der vierten Eigenschaft eine Creatur sich von diesem Lichtswillen Gottes abbricht, und im Feuer- oder Naturleben der vier ersten Eigenschaften stehen bleibt, so entsteht das Böse und wird der Zorn Gottes in der Creatur offenbar.

„„Gott wirket in Liebe und Licht, oder aber im Zorn und Grimm. Syst. 59.

Anders ist die Offenbarung Gottes im Himmel, anders in der Hölle. Im Himmel in Liebe und Licht, in der Hölle aber als zorniges eifriges Wesen. Denn in der Hölle offenbart sich Gott nicht in allen sieben Kräften seiner Gotteseigenschaften, sonst wäre auch Licht und Liebe in der Hölle offenbar. Aber nur in den vier ersten Eigenschaften und Kräften sind die höllischen und verdammten Creaturen, also durchaus unselig, qualvoll. Syst. 60.

Gott offenbart sich nicht nur in zwei Welten verschieden in der Unsichtbarkeit, sondern auch in den sichtbaren Dingen. Die äußere Welt ist aus zwei unsichtbaren Welten, aus böse und gut. Manche Dinge sind mehr böser, aber auch manche besserer Art. Gott offenbart sich in manchen in Liebe und Gnade, in manchen in Ungnade und Zorn. Syst. 61.

Gottes Herrlichkeit ist in der ganzen Schöpfung allgegenwärtig. Wie könnten denn sonst ihrer zwei nebeneinander liegen, sitzen oder stehen, der Eine voll Licht, der Andere voll Finsterniß? Der Eine in Höllenpein, der Andere voll seligen Gottes- und Friedensgefühls? Ist's nicht klar, daß, wenn der Eine voll Gottesruhe und Trost, und der Andere voll der heißen Höllenqual ist, daß Gott allenthalben ist und sich aller Orten in Liebe und Zorn offenbaren kann? IV. Hebr. 178.

Gott offenbart sich im Licht als Liebe und im Feuer als zorniger Gott, aber nur da, wo das Lichtleben nicht das herrschende ist, wo das Feuerleben die Oberhand hat, wo

Unordnung und aus Unordnung entstandene fremdartige Dinge die Creatur entstellt haben und noch entstellen. Denn Alles, was in Gott, aus Gott und durch Gott nicht Wesen, Leben und Daseyn hat, das ist fremdartig, ist böse, ist also aus Fall und Unordnung entstanden. V. Off. 154.

Die Centralkräfte Gottes sind im ganzen Schöpfungsraum, sowohl im Sichtbaren als Unsichtbaren, höchst wirksam und in immerwährender Bewegung. Da aber verkehrte, disharmonische Creaturen, die nicht wollen, wie Gott im Allerinnersten will, nicht dem Liebes- und Lichtsplan Gottes gemäß drein wirken, so entsteht daraus das Böse, das sich offenbart. II. Jak. 325.

Außer Gott im Licht ist Nichts als sein verborgener Zorn, in den vier ersten Eigenschaften verborgen, aber nicht als Zorn; das wird er erst, wenn ihn eine Creatur, die anders will, als Gott will, offenbart. Eine anders wollende Magia kann die Kräfte der vier ersten Eigenschaften perturbiren, daß sie sich in derselben Creatur als Zorn offenbaren. Syst. 120.

Die Magia der scharfen strengen Magia des Geistes der Ewigkeit ist anziehend im ganzen All und will aber nichts, als Licht offenbaren. Erst, wenn sie eine Mittelsubstanz findet, die sich anders offenbaren will, und die sich anders faßt, in einem andern Grunde, wirkt sie auch anders durch dieselbe. Syst. 99.

Der Zorn Gottes wäre ewig verborgen geblieben, wenn er keine Bewegursache zur Offenbarung bekommen hätte V. Off. 337.

In Gott, der ein Licht und die wesentliche Liebe ist, ist kein Zorn. Gott als Gott im Licht kann nicht zornig seyn. Und doch ist ein Zorn Gottes; aber diesen suche nicht in Gott, sondern in Natur und Creatur. Der Schöpfer hat ihn aber in beide nicht gethan, sondern Satan hat ihn in sich erweckt und in den Menschen, in Natur und Creatur gebracht. VI. Pf. 492.

§ 37.

Der Zorn Gottes in der Creatur ist theils ein gottwidriges Eigenheitsleben, theils eine vermöge der göttlichen Strafgerechtigkeit in diesem wirkende Verkehrtheit, Confusion und Verderben oder Fluch.

„„Das verdorbene, verkehrte, gottwidrige Wesen und Leben hat nicht Ursprung in Gott und aus Gott, ob es auch in der Eigenschaft seines durch die Sünde und den Abfall erregten Zorns eine Zeitlang ist und besteht. Es ist anfänglich und ist endlich; es hat eine anfängliche Mittelsubstanz im geoffenbarten Zorn Gottes und muß sein Ende finden. Syst. 320.

Der Zorn Gottes in der Creatur ist einestheils Herauskehrung der Dinge, Verbleichen des Bildes Gottes und Paradieses, anderntheils Verkehrtheit, Confusion und Fluch. I. 269. 4. 5. 6.

Das Wesen des Bösen ist eigentlich kein Wesen, es sind nur Gestalten der verkehrten Kräfte, es sind außer Ordnung gebrachte Dinge, und ein unreifes, durcheinandergeworfenes Gemeng und finster Chaos. VI. Pf. 1414.

Das gottwidrige Eigenheitsleben ist es, was Gott mit zurückstoßendem Grimm ansieht, und dieses verkehrte Leben hat als ein Prinzipium in Satan seinen Anfang und sein Ende, es wirket Sünde und Tod, und geht auf Zerstörung los. Wenn nun der Mensch gesündigt hat, so hat ihn der Zorn Gottes dazu getrieben, verstehe, sofern er in der Creatur als Zorn Gottes ist. Er ist, insoferne man ihn nicht als Zorn betrachtet, eine erstaunliche geizgierige Magia. Wenn sie nach dem Lichtsplan will, ist sie gut; will sie anders, so kann sie das Böseste werden. Wenn nun also eine Seele, die in Gottes Kräften lebt, dieselben Kräfte verkehrt, so weckt sie den Zorn Gottes. — Gottes Zorn darf nicht von außen hinein auf den Menschen wirken, sondern er ist ja in dem Menschen, und Satan, der im Zorn Gottes, als in seinem Element, lebt, hat in der finstern Quelle des Sündengesetzes Sünde gewirkt und Sünde ist das Verderben. Je mehr sie treibt, je mehr verderbt sie und bringt dem Tode Frucht. Indem aber der sündigende Mensch durch's Sündigen die Natur und Creaturen mißbraucht hat, so wird die göttliche Gerechtigkeit wider ihn. Daher wird der in Natur und Creatur erregte Zorn Gottes wider den Sünder und sein verkehrtes Leben, und darf sich an dem Sünder rächen. VI. Pf. 492 f.

§ 38.

Alles böse, im Zorn Gottes stehende Wesen kann vermöge seiner Natur und seines Ursprungs nicht bestehen, sondern muß, nachdem es der Weisheit Gottes zur Offenbarung des Guten gedienet hat, aufhören, wie es angefangen hat.

„„Alles gottwidrige Wesen und Leben kann und soll nicht bestehen. Denn es mag seyn, was es will und wie es will, so ist es kein eigentliches Wesen und Leben; es hat seinen Grund im Fall und der Fall in der verkehrten, gottwidrigen Magia, welche Hölle und den Zorn Gottes geoffenbart hat. Alles dieß kann wohl einen ewigen, aber keinen unendlichen Bestand haben, sonst würde ja Gott nicht Alles in Allen. So duldet also Gott das Böse auf bestimmte Zeiten, daß es Ursache aller seiner Eigenschaften und Verborgenheiten werden muß und er seinen Plan nach dem Rath seines Willens ausführe. Syst. 123.

Die bösen Charaktere des Zorns Gottes und ihre monstrosische Gestalt und Herzensverkehrtheit hat einen Anfang und muß endlich ein Ende nehmen. — Jetzt hält es Gott noch auf, und weiß das Böse zu einer Förderung zu gebrauchen für das Gute. Jetzt muß die Finsterniß eine Ursache werden zur helleren Lichtsoffenbarung und muß das Gute in's Wachsen treiben. Syst. 306. 307.

Alles Wesen des Teufels und der Hölle ist nur falschmagisches Scheinwesen, folglich vergängliches und zerstörliches Wesen, das in Gott keinen Anfang hat, folglich ein Ende nehmen muß und nehmen wird. Denn es können nicht zwei Schöpfer seyn, und auch nicht zwei bleibende Wesen und Gestalten der Dinge, weil sonst im ewigen Ungrund zweierlei Kräfte und zwei verschiedene Lebensquellen seyn müßten, was nur zu denken schrecklich wäre. Wer auf diese Gräuelgedanken käme, müßte die Eigenschaften der ewigen Natur nicht kennen, also nicht verstehen, wie in den vier ersten Eigenschaften, ausgeschlossen von den drei andern, auch selbst der Satan seine Lebenswurzel habe und ob er wollte, nicht in's ewige Nichtsseyn zurückkehren kann. Denn er ist Creatur und bleibt Creatur, ein armes Geschöpf in seinem gefallenen Zustand, ein Affe, der im Zorn Gottes

Alles nachgaukelt; ein Betrogener, deſſen Sache in lauter
Betrug geführt, deſſen Hervorgebrachtes Gaukelgeſtalt und
Scheinweſen iſt. V. Off. 493.

Gott kann aus böſen Dingen Gutes hervorbringen.
Freilich ſind das keine Nothwendigkeiten; aber Gott kann
aus freiem Willen und nach ſeinem Wohlgefallen ſich ſolcher
Dinge bedienen als Urſachen zur Offenbarung ſeiner allver-
mögenden Gotteskraft und höchſten Herrlichkeit. V. Off. 847.

Das Böſe iſt nicht böſe, ſo es zum Ganzen gehört und
in ſeinen Grad geordnet bleibt, es iſt nur eine Urſache der
Offenbarung des Guten. VI. Pſ. 1412.

Die Finſterniß iſt des Lichtes Träger, und das Licht
kann ſich darauf abſchatten. Wo das Licht noch nicht herr-
ſchet, da muß die Finſterniß noch ſelber Urſache dazu werden. VI. Pſ. 1017.

3. Die drei Schöpfungsreiche.

§ 39.

Da ſich Gott in der Creatur nach den zwei Principien
des Lichts und der Finſterniß offenbart (§ 36.), ſo theilt ſich
die ganze Schöpfung in drei Reiche oder Welten: 1. die
unſichtbare Lichtswelt, 2. die unſichtbare Finſternißwelt,
3. die ſichtbare, in beiden Principien zugleich ſtehende Welt,
welche aus Gut und Böſe zuſammengeſetzt iſt.

a. Die unſichtbare Lichtwelt.

§ 40.

Aus der ewigen Natur (§ 25.), in ihrem erſten Ausfluß
durch den heiligen Geiſt, alſo in der erſten Geburts- und
Offenbarungsſtufe der Schöpfungsleiter (§ 32.) hat Gott
die unſichtbare Lichtwelt geſchaffen. Die aus deren quinteſſen-
tialiſchen Kraftſtoffen geſchaffenen Bewohner derſelben ſind
Engel und Geiſter.

„„Die unſichtbaren Dinge, nämlich die Licht-, Geiſt- und
Engelwelt iſt aus dem heiligen Weſen der jungfräulichen

Paradieserde geschaffen, welche aus den lichtfeurigen Geist-
waffern, aus dem gläsernen Meer, entsprossen ist; und dieses
heilige Waffer ist ein Ausfluß des Geistes Gottes. Syst. 68.

Der erste Kraftausfluß ist gläsernes Meer, ist Grundstoff
zur Schöpfung, ist Schamajim, lichtfeurige Waffer voll Geist
und Lebenskräfte, mit allen Weisheitsarten verbunden. Und
aus diesen edeln, lichtfeurigen Geist- und Kraftstoffen schuf
Gott die Licht-, Feuer- und Geistwelten; aus den quintessentialischen Kraftstoffen die Engel und Geister. Syst. 50 f.

Die Engel sind allesammt nicht geborene, sondern geschaffene Söhne Gottes und Kinder der göttlichen Herrlichkeit.
IV. Hebr. 96.

§ 41.

Die Lichtsengel haben eine geistliche Leiblichkeit, auf
welche irdischer Raum und Zeit keine Anwendung findet.
(cfr. § 29.)

„„Aus der göttlichen Leiblichkeit sind in Tinktur- und
Geistleibern erschaffen Engel und Geister, Thronen und Herr-
schaften in der unsichtbaren Welt. Syst. 54.

Auch die Schöpfung der Engel und Geister ist zwar begränzt, aber sie sind doch nicht in Raum und Zeit eingeschlossen, wie wir uns Raum und Zeit vorstellen. Syst. 60.

Die Engel haben keine plumpen Elementarleiber, sondern
Leiber aus den lichtfeurigen Waffern und der jungfräulichen
Kräftenerde in der Tinkturwelt. Diese elastischen, reinen
Leiber sind durchdringend durch alle Poren und können durch
elementarische Körperlichkeiten weder aus- noch eingeschlossen
werden. Daran erkennen wir nicht allein die Behendigkeit
und Elasticität, sondern auch ihre Kraft und Vermögenheit.
IV. Hebr. 100.

§ 42.

Vermöge der Mannigfaltigkeit der Kräfte, Eigenschaften
und Gedanken des sich offenbarenden Schöpfers (§ 30.) findet
in der Natur der Engel eine Verschiedenheit der Arten, und
in ihrer Stellung zu einander eine Ueber- und Unterord-
nung Statt.

„„Die Engel sind nach den verschiedenen Eigenschaften
Gottes geartet und genaturt. IV. Hebr. 132.

6 *

Ihr wiſſet, daß alle Arten der Weisheit und alle Lebenseigenſchaften im Wort des Lebenslichts concentrirt ſind; Kräfte
der Aktion und Reaktion wirkten in Kraft des Unendlichen,
als A und O, durch Wort und Weisheit im Leibe der Gottesherrlichkeit und ſind lauter Gottesgedanken in verſchiedenen Arten, in verſchiedenen Offenbarungen der Lebenseigenſchaften, die Engel und Erzengel; daher es Cherubinen,
Seraphinen, Fürſtenthümer, Obrigkeiten und allerlei Arten
und Kräften unter ihnen gibt: alle im Weſen der Herrlichkeit vom Schöpfungsgeiſte durch's Wort, das im Anfang
war, gebildet und geſchaffen. IV. Hebr. 96.

Da Gott in dem Einen mehr als in dem Andern (ſeiner
Geſchöpfe) ſeyn kann und iſt, ſo muß eine Ordnung ſtattfinden, und eine mittelbare Einwirkung des Edlern in das
weniger Edle ſeyn, daß es auch veredelter und vervollkomm-
net werde. Darum ſollen wir bedenken, daß Gott ein Gott
der Ordnung iſt und daß in der überſinnlichen Welt ſelbſt
Ordnungen ſind. IV. Tit. 277.

§ 43.

So war Lucifer unter den Lichtsengeln ein Thronfürſt,
welcher als ein Abbild des Eingebornen (§ 22.) die centrale
Lebensquelle ſeines Kreiſes war.

„„Lucifer war ein Thronfürſt in der Gleichheit des Erſtgeborenen, aus allen Kräften ſeiner Mitengel und ſeines
ganzen Raums. Daher er die Sonne und ſeine ſieben Kräfte
oder Fürſtenengel die ſieben Planeten und die übrigen ſeiner
Engel die vielen unzählbaren Sterne bedeuten. Wie nun
die Sonne aller Sterne Kraft iſt und allen Kraft und
Schein gibt, alſo iſt Lucifer aller ſeiner Engel Kraft, und
er gab vor ſeinem Fall allen Kraft und Leben; er konnte
in alle wirken. Alſo iſt Lucifer geſchaffen nach der Gleichheit des Ein- und Erſtgeborenen. Dieſer iſt auch aus allen
Kräften des Vaters nicht geſchaffen ſondern geboren, und er
iſt ſelbſt die Kraft des Vaters und gibt allen Kräften des
Vaters Licht und Schein. Aus ihm allein gehen auch die
Lebenskräfte des Geiſtes aus, indem ſich der Vater aus-
ſpricht durch das Wort und aus dem Wort, und von dieſem

kommt Alles her. — So war Satan vor seinem Fall der König und die Sonne aller seiner Engel, aus all ihren besten Kräften geschaffen, daß sie alle von ihm regiert, beherrscht und belebt wurden. VIII. I. 17. 18. 21.

§ 44.

Als Geschöpf aber sollte Lucifer, um die Lichts- und Lebensquelle für sein Fürstenthum zu seyn, das Licht und Leben aus Gott empfangen und deßhalb mit seinem Gemüth in Gott und seiner Weisheit bleiben.

„„Weil nun Satan ein Geschöpf war, und die Gottheit ihr Licht, ihren Schein und Glanz als die Weisheit in ihn ergoß, und weil die Weisheit als eine schöne Braut in ihn und alle seine Kräfte hinein leuchtete, und er ein Licht vom Urlicht war; so hätte er als ein Geschöpf nur die Braut, die Weisheit als den Glanz der Gottheit lieben sollen im Gemüthe. Denn in seinem Gemüth leuchtete die Weisheit, als der Glanz Gottes; darin hätte er sich sollen sanft fühlen, so auch schön sehen, lieblich hören, angenehm riechen, und erquicklich schmecken. Das macht zusammen als die inneren fünf Sinne das Gemüth aus. Dieweil nun aber das Gemüth etwas Vergnügliches haben muß, so hatte Lucifer in seinem Gemüth den Glanz des göttlichen Lichts, die Weisheit. In dieser hätte er alle seine Gemüthskräfte sehen, erkennen und verstehen und also in dem reinen Element bleiben sollen, und das süße Lebenswasser, das durch die Weisheit siebenartig wird, im Ausgang des Lebensgeistes aus dem Wort, hätte er genießen sollen. Dieses Lebenswasser hätte ihm die Braut, die Weisheit, der Glanz des göttlichen Lichts, immer geboren und gegeben zur Nahrung und zum Wirken in alle seine Kräfte. In der Weisheit sollte er ein Licht geblieben seyn, und sein Lebens- und Kräftefeuer in ihrem Lichtsglanze temperirt und gesänftigt haben, so wäre Alles gut geblieben. VIII. I. 18.

§ 45.

Die guten Engel sind Diener Gottes selbst, Jesu Christi und der glaubigen Menschen.

„„Engel sind Bediente der götlichen Hofhaltung und wenn viele tausendmal Tausende die Aufwartung vor dem Throne der allerhöchsten Majestät haben, so haben Andere die Befehle des HErrn aller Herren gleichsam auswärtig im ganzen Schöpfungsgebiet zu vollziehen. Andere haben gemessene Befehle aus dem Innersten des Tempels der Herrlichkeit und Heiligkeit herauszubringen, und Andere empfangen diese Schaalen als gemessene Befehle. Diejenigen Engel, die solche Befehle ausführen, sind etwa in gewisser Maaße unter jene geordnet und können vielleicht Feuer- Wasser- oder Luftengel seyn; doch gibt es auch Engel der Gerechtigkeit und des Gerichts. IV. Hebr. 99.

Wer sollte es nicht wissen, daß es Engel gibt von verschiedener Ordnung, daß es Lichts- und Elementen-Engel, Feuer- Luft- und Wasser-Engel gibt? daß sie verschiedene Verrichtungen haben? Wer findet sie nicht überall, bei allen wichtigen Thaten und Wirkungen Gottes? IV. Hebr. 629.

Vom HErrn sind Engel gesetzt über die sieben Eigenschaften der zeitlichen Natur und wieder andere Engel über Luft, Feuer und Wasser, also eben auch über die Erde. V. Offenb. 495.

Wir glauben gewiß, daß es so viele Engel und Engelsgattungen gebe, als es auf unserer Erde Geschöpfe und Geschöpfsgattungen gibt. Wir glauben, daß jede Gattung ein besonder Amt und Beruf habe: es gibt Cherubim, und Seraphim, Fürstenthümer, Machten, Kräfte, Erzengel und Engel; Elementsengel über Wasser, Feuer, Erde und Luft; alle haben Bedienungen und Verrichtungen; alle haben Jesu gehuldigt und stehen ihm zu Dienst und Gebot. Sie, die Lichtsengel, sind allzumal dienstbare Geister, ausgesandt zum Dienst derer, die die Seligkeit ererben sollen. VI. Pf. 993 f.

Einem Kind Gottes ist ein Engel, oder mehrere beigegeben. II. Act. 256.

Die Engel nehmen sich der Kinder Gottes an, ehe diese sich bekehren. Sie sind dienstbare Geister; sie werden auch oft mit Leidwesen bei einer Gesellschaft seyn, wo noch ein unerrettetes Kind Gottes ist. Es haben nicht Alle, sondern nur die, welche die Seligkeit ererben sollen, einen außerordentlichen Schutz der Engel. Andere haben ihn auch von dem HErrn, nach dem Reiche der Allmacht; aber doch nicht so, wie die Erwählten. VII. Röm. 144.

§ 46.

Die Natur der Lichtsengel ist einer Erhöhung und Veredlung in der Geistleiblichkeit fähig, welche sie durch die Menschheit Christi erlangen wird.

„„Die Engel dienen mit Freuden dem HErrn, der auch sie noch höher adeln will und wird. IV. Hebr. 98.

Geistleiblichkeit ist das Ziel der neuen Schöpfung, wozu die Engel durch Christi Menschheit sollen gelangen. IV. Hebr. 126.

b. Die unsichtbare Finsternißwelt.

§ 47.

Die unsichtbare Finsternißwelt ist eine Offenbarung des Zornes Gottes. Da aber der Zorn Gottes nur durch eine Creatur und in einer Creatur erweckt werden kann (§ 36.), so ist sie nicht eine unmittelbare Schöpfung Gottes. Vielmehr ist sie durch den Fall des Lucifer (§ 43. 44.) hervorgerufen worden.

„„Gott ist Licht und Liebe, ein purer lauterer Lichts- und Lebensquell, eine Quellgeburt, die nichts Anderes als Licht und Liebe offenbaren kann. Sie kann nichts Anderes wollen oder wirken; der Plan und die Absicht ihrer selbsteigenen Offenbarung kann kein anderer seyn, weil sie sich sonst selbst verläugnen, selbst widersprechen, und ihrer Lichtnatur entgegen handeln müßte. — Gott ist Geist, ist Liebe und ist Licht, eine ewige, unwandelbare, lautere, pure Lichts- und Lebensquelle; das finstere Principium hat er nicht quellend und offenbar gemacht mit seinen Wundern; er hat es nur dem abgefallenen Engelfürsten zugelassen, es zu erforschen und alsdann zu offenbaren; aber aus sehr weisen Absichten, indem er solches auch zur Erreichung seines Zwecks zu wenden weiß, oder damals schon wußte. (cfr. § 38.) Er ist also nicht die Ursache der Offenbarung des Höllenreiches. II. Jak. 298. 296.

Die Offenbarung der Finsterniß ist eine Offenbarung des Zorns Gottes, welchen der abgefallene Engelfürst erweckt hat. ibid. 297.

Von der finstern höllischen Welt können wir nicht sagen, daß sie aus Gott sei, noch weniger, als wir das von der sichtbaren Welt sagen können; sondern der gefallene Thronengel hat's verderbt, was aus Gott war. Syst. 52.

§ 48.

Satans Fall besteht darin, daß er von Gott unabhängig seyn wollte und, indem er einen eigenen Willen faßte, seinen magischen Seelenwillen von Gott abriß.

„„Die Dinge, wie sie vor Lucifers Fall betrachtet werden, sind gut, aber nicht vollkommen gut, wie Gott. Denn sie sind nicht unversuchbar zum Bösen. Der Gott, der im Licht ist, hat sich aus der, zum Creaturstoff angezogenen und in die uranfängliche Magia gefaßten Finsterniß oder Begreiflichkeit in das Licht seiner Freiheit gewendet. Darum ist er Licht und seine Herrlichkeit ist sein Leib, seine Einheit, darein seine Dreiheit, die sich aus einer Einheit offenbart, eingehet. Dieß ist nun dem Plan seiner Weisheit, seinem Vorsatz gemäß und ist Ordnung. Nun hat er alle Dinge so geschaffen, daß in ihnen allen das Nämliche ist: Alle haben zum Wurzelgrund ihres Seyns in sich die unanfängliche und uranfängliche Magia und sind im Lichte der Freiheit Gottes offenbar. Alle sollen seine Herrlichkeit anbeten, und aus ihrer centralischen und Alles durchdringenden Lichtsquelle leben in aller Einfalt; und durch Erfahrungen und Genuß ihrer Vollkommenheiten auch zur Vollkommenheit ausreifen, daß in ihnen forthin kein Hineinforschen sei ihrer Entstehungskraft oder beim Forschen und Wissen keine Steiglichkeit, den Grund zu forçiren; denn ehe der Lucifer im Guten fest worden, hat er die Macht seines Entstehungsgrundes erforscht, nämlich die unanfängliche und uranfängliche Magia, und als ein Unverständiger und Unweiser, im Plan Gottes Unwissender, sich einer Macht angemaßet, die er nicht in Ordnung zu brauchen wußte; hat also damit dem Plan der Weisheit entgegen gewirkt, Gottes

Kräfte mißbraucht, und die Ordnung verkehrt, und also, da er aus' sich selbst seyn und bestehen, von sich selbst abhangen und leben wollte, das Böse erweckt und hier ist also der Ursprung des Bösen. **VI. Pf. 1413 f.**

Satan will, — das ist sein eigentlicher Fall — nicht von Gott dependiren und abhangen, sondern sein eigener Schöpfer und Macher seyn, aus sich selbst und durch sich selbst leben und bestehen. Und dieß kann nicht anders seyn, als er reiße seinen magischen Seelenwillen ganz von Gott ab und fasse einen eigenen Willen, in die Finsterniß und Lügen wider Gottes Plan und Lichtsordnung einzugehen. **Syst. 97 f.**

Satan zog in sich sein ganzes Verlangen; seine Tinktur ging in sich ein und so hat er umgewendet und ein eigener Gott zu seyn begehrt. **I. 267. 5.**

Er erhebt sich im Gemüth über die Weisheit (cfr. § 44.), und will die Gottheit selber in Eigenheit gebrauchen und beherrschen; er setzt sich Gott vor im Gemüthe, wie er außer Natur und Creatur ist und probirt seine Kräfte, und glaubt über dieselben zu herrschen und sie zu bemächtigen. **VIII. 1. 19.**

§ 49.

Dadurch, daß Satan einen eigenen Willen faßte, hat er sich zwar nicht vom ewigen Wort (§ 27.), wohl aber von dem Liebelichtsleben Gottes abgerissen und ist in die in den vier ersten Eigenschaften stehende Macht der Finsterniß (§ 36.) eingegangen und hat den Zorn Gottes erweckt.

„„Da nun der gefallene Thronengel anders will als Gott, kann er mit seiner Magia nicht in das Licht oder in die Wahrheit wollen, sondern er reißt seinen magischen Seelenwillen ganz von Gott ab und faßt einen eigenen Willen. Jetzt geht er in die vier ersten Eigenschaften der ewigen Natur ein, die allmächtig genug sind, ihn zu ergreifen, denn jetzt geht er in den Zorn Gottes ein, welcher auch offenbar seyn wollte, und wird gefaßt von demselben und zur ersten Mittelsubstanz der Offenbarung aller Lügen, Finsterniß und alles Höllenreiches bestimmt, welches Alles ewig verborgen blieben wäre, wenn Satan gewollt hätte, wie Gott will. Da er aber anders wollte, als Gott im Licht will, so faßte er in seiner finstern Seele ein anderes Begehren, und zog in die Centralkräfte derselben einen andern Stoff oder Grund-stoff, nämlich Lügen und Finsterniß zu seiner verkehrten Of-fenbarung. Syst. 97 f.

Da nun der Satan anders wollte, als Gott will, so mußte er sich auch in einem andern Grund fassen, und konnte sich doch nicht vom Wort des Lebens und vom Geist der Ewigkeit ganz abreißen, daß seine Lebenswurzel nicht in ihm wäre gewurzelt geblieben; so hat sich aber dennoch seine Seele, sein Lebensrad, seine Kraftquelle nicht ganz vom Schöpfungs-quell der Eigenschaften und Kräfte Gottes und seines ewigen Geistes losreißen können, noch losgerissen, sondern nur von der Offenbarung des Lichts und der Liebe, mithin nicht von den ersten, sondern von den letzten Eigenschaften der Kraft-wirkungen Gottes. Syst. 99 f.

Satan verließ die Weisheit und bekommt kein Lebens-wasser mehr, ein süßes Licht zu bleiben; darum wird er und alle seine Kräfte finster und bitter, und die Weisheit leuch-tet nimmer in ihm. Da entzündet er sein Lebensrad mit dem Zorn Gottes; in diesem ist, lebt und wirkt er als in seiner Mutter, und da gebiert er sich immer. — O was hätte sich Satan ersparen können, wenn er sich in der Weisheit mit dem Gemüthe ersehen, und mit dem Verstand dieselbe in ihren mancherlei Kräften erkannt und verstanden hätte, da er sie dann als die Mutter des Lebenswassers in sich ge-zogen hätte als das Lebenslicht und Wesen vom Wort, mit dem Willen durch den Verstand in das Gedächtniß; da wäre immer das Feuerleben mit dem Lebenslicht genährt und gesänftigt worden. Das Feuer ist das Leben. Das immer begehrende Lebensfeuer muß Lebenswasser zum Licht haben; sonst kann das Licht und die Seligkeit im Licht nicht be-stehen. Das Lebensfeuer wird sonst ein finsteres, sich selbst quälendes Wesen. Und so ist es dem Satan ergangen. Nun lebt, wirkt und ist er im Zorn Gottes. VIII. I. 19 f.

§ 50.

Mit diesem Zorn hat Satan sein ganzes Fürstenthum angezündet und vermöge der centralen Stellung, die er in demselben hatte (§ 43.), dessen ganzen Raum sammt seinen

Engeln in sein Verderben hineingezogen. Er ist in Folge davon mit seinen Engeln aus dem Licht geschieden und in das von ihm erweckte Reich der Finsterniß und Hölle verstoßen worden.

„„Der gefallene Thronengel hat's verderbt, was aus Gott war; er hat in seiner Abweichung von dem Licht des Lebens durch schändlichen Stolz den ganzen Raum seiner Behausung angesteckt mit dem Grimm des Zorns Gottes; denn er hat die vier ersten Eigenschaften der ewigen Natur perturbirt und herrschend gemacht. Syst. 52.

In der Schrift (Jud. 6.) heißt es: die bösen Geister oder Teufel haben ihre Lichtswohnung oder Lichtsbehausung nicht behalten und bewahrt, und seien um ihres Verhaltens willen aus dem Lichte verbannt und ausgestoßen. Das Licht habe sie gleichsam ausgespieen; darum seien sie von der Finsterniß des Grimmes Gottes verschlungen und ergriffen worden: die Finsterniß sei ihnen zum Element und zur Behausung worden; sie seien wie mit starken Ketten hinein verbannet und gebunden. Syst. 99.

Als die Engel, welche aus ihrem guten Zustand verfielen, sich von der Einheit und Herrlichkeit Gottes trennten, waren sie des Lichts der Herrlichkeit beraubt oder verlustig und in sofern Nichts. Wenn sie sich hätten vom ewigen Wort trennen können, wie von der Herrlichkeit des Urlichts, so wären sie auch gar keine Creaturen mehr gewesen. Da aber das nicht sein kann, sind sie ein Etwas in der Finsterniß, zur Offenbarung des Zorns Gottes und aller Wunder des Abgrundes, und werden also zum Gericht in ewigen Banden festgehalten, wie der Apostel Judas deutlich davon geschrieben hat. IV. Hebr. 98 f.

Satan ist aus der so herrlichen Lichts- und Liebegeburt gewichen. Licht und Liebe ist in ihm erloschen, Lügen und Lichtshaß offenbar worden in seiner Seele. Darum hat ihn auch die Offenbarung des Liebelichts in seiner ehemaligen Lichtsbehausung nicht mehr mögen oder wollen ertragen. Er war gut scheiden; denn er konnte das Licht nicht ertragen, und ihn konnte das Licht auch nicht dulden. Darum verließ er und behielt nicht seine Lichtswohnung mit allen den Seinen, die ihm anhiengen. Denn es ist unstreitig, daß er einen gewaltigen Einfluß auf sie hatte und noch hat. Daher war es ihnen wie ihm und ihm wie ihnen. Denn gleichwie die Aeste eines Baumes mit ihrer magisch ziehenden Kraft bis in die Wurzeln des Baumes wirken, und die Wurzeln wieder ihre Kraft in alle Aeste geben und ausdehnen, also war es auch mit Satan und seinen Anhängern. Sie wirkten auf ihn und er hinwiederum auf sie, und keines wollte sich vom andern trennen. Die Anziehungskraft kann nicht ohne die Einziehungskraft, nämlich ohne die Kraft des Einnehmens und Infassens, und diese kann nicht ohne jene seyn, und die genannten beiden Kräfte können nicht ohne die Kraft der Ausdehnung und Offenbarung seyn; (wie dieß überhaupt in den Zusammenwirkungen aller getheilten und doch zusammengehörigen Dingen wahrgenommen wird). Syst. 100 f.

§ 51.

Nun ist Satan der Fürst der höllischen Welt (cfr. § 43.), als die erste Mittelsubstanz, durch welche das Reich der Finsterniß sowohl aus der potentiellen Verborgenheit hervorgerufen worden ist, als auch fortwährend in seinem Bestand und Wirkung vermittelt und regiert wird.

„„Satan ist die allererste Mittelsubstanz, durch die der Zorn Gottes erweckt und herrschend wurde, und durch welche er auch wirkt und fortwirken wird, bis Alle, also auch der letzte Feind besiegt und überwunden seyn wird. Syst. 52.

Satan ist die erste Mittelsubstanz der Offenbarung des Zorns Gottes, weil er ihn erweckt hat und die erste Ursache der Offenbarung des Zorns Gottes ist. Es fließt also das, was in Belials Seele seinen Grund hat (hier meine ich den Drachen), aus in alle Finsternißliebhaber, in finsterer Tinkturkraft. Denn was der Lichts- und Liebeoffenbarung Gottes zuwider ist, das ist wider Wahrheit, wider Licht und Recht, kann also seinen Grund nur im ursprünglichsten Verkehrer haben, und aus dessen seinem eigenen Grund kommt alle Lüge, alle Verkehrtheit, aller Irrthum, alles Verderben, aller Tod und aller Jammer. III. Theff. 169.

Satan ist Charakter von dem Zorn; in ihm kann sich der Zorn offenbaren, in ihm findet der Zorn Gottes, das ewige Ergrimmen die Substanz, die er ganz und gar erfüllen kann. I. 267. 15.

Satan ist die erste Centralsubstanz alles Verderbens und aller Verkehrtheit und Gottwidrigkeit. Er ist also der Concentrirer der höllischen Tinktur, und wo er kann, verbreitet er diese. II. Petr. 150.

Die erste Mittelsubstanz in der Finsterniß, im Zorn Gottes ist der Satan, der Einheitscharakter des Zorns Gottes in aller Natur und Creatur, der aus der Phantasiewelt, seiner Verkehrtheit nach, den Ursprung nahm. Dieser wirkt mit seinen sieben drachischen Grundkräften auf seinen ganzen Stammbaum in alle seine Untergeordnete, und diese wirken abermal in Natur und Creatur und alle bösen Menschen, und diese wirken hinwiederum zurück in der Finsterniß bis in den Abgrund, dahin Alles kommen wird, weil es daher fließt. Syst. 305 f.

Was in der Schrift das eine Mal dem Zorn Gottes zugeschrieben wird, das wird ein ander Mal dem Satan zugeschrieben. Und daraus ist klar: daß sich der Zorn Gottes durch den Satan offenbart und durch diesen in den Kindern der Finsterniß. III. Kor. 50.

Man darf nicht denken, daß das Höllenreich so überwunden sei, daß es auch über die Kinder der Finsterniß keine Gewalt mehr habe und in den Kindern des Unglaubens nichts mehr vermöge. Denn daß JEsus gekommen ist, die Werke des Teufels zu zerstören, ist wohl wahr, und es ist auch geschehen und wird geschehen im Ganzen. Aber die satanische Höllenmacht wird nur nach und nach immer enger eingeschränkt und er einst vertilgt. Die Gewalt wird ihm nach und nach, und endlich ganz genommen. Alle Kinder des Lichts sind von der Obrigkeit der Finsterniß gerettet, aber in den Kindern des Unglaubens und der Finsterniß hat er noch sein Werk. II. Act. 400.

§ 52.

Das Reich des Satans ist sowohl in der unsichtbaren als in der sichtbaren Welt. In beiden hat er Anknüpfungs-

punkte und Vehikel, welche seinen Einfluß vermitteln; in beiden hat er seinen Wohnsitz.

„„Satan, ob er schon keinen bestandhaltenden Grund und
kein bestandhaltendes Wesen hat mit seinen widerrechtlichen,
dem Schöpfer widerwärtigen Nebeneinwirkungen und Offenbarungen der Höllenwunder, so hat er eben doch viele Macht
und Gewalt. Denn da er seine ursprüngliche Lebenswurzel
hat und sein geschöpflicher Ursprung die vier ersten Eigenschaften der ewigen Schöpfernatur sind, so kann er freilich
widerrechtliche Eingriffe thun in die zeitliche Natur und ihre
Natureigenschaften, jedoch mit Einschränkung. Durch zau-
berische Menschen kann er in falschmagischen Kräften wirken,
was er ohne diese nicht kann. Denn es fehlen ihm drei
Eigenschaften im Reiche der geoffenbarten Schöpfung. Diese
ersetzt er sich durch falschmagische Menschen, in deren Seelen
er frei wirken kann, wie in dem Reich der Höllen. Er hat
also nicht nur Werkzeuge und Abstufungen von Substanzen
in der unsichtbaren finstern Welt, sondern auch in der äußern
Welt. V. Off. 494.

Satan wirkt in finstern Creaturen, bewirket ihre Tinkturen und geistet lauter Lügen ein. Im Menschen selbst liegt
ein finsterer Grund, in den er mit seiner Gräueltinktur wirken kann. I. 267. 2. 10.

Daß die bösen Engel werkzeuglich geschäftig sind bei
Krankheiten, Unglücksfällen, Strafgerichten und Landplagen,
das ist aus vielen Stellen der heiligen Schrift zu erweisen.
Wenn der Zorn Gottes durch das Böse gereizt ist, und nun
in Strafgerichten sich offenbaren muß (cfr. § 37.), so ist
der Erzverbrecher und Erfinder alles Verderbens dabei mit-
wirksam, und findet seine Lust im Verderben, Würgen und
Umbringen. V. Off. 497. 494.

Seitdem der Satan aus den Himmelsrevieren verstoßen
ist, hat er seinen meisten Aufenthalt in den untern Luftre-
gionen. Daher das Elend, das sich auch in den Unordnungen der Elemente zeigt. III. Eph. 133.

Nun herrschen die bösen Geister in der Finsterniß dieser
Welt und im Luftkreis, aber die Sonne, ein offener Punkt
der Lichtwelt, ist ihnen sehr zum Verdruß, daher sie sich am

meisten in den Finsternissen der Nacht und in finstern Orten und Leibern aufhalten; besonders haben sie ihr Werk und Wesen in den Kindern des Unglaubens. Diese sind ihre Werkzeuge, wenn sie das Böse auswirken wollen auf Erden; durch diese offenbaren sie die List und Macht ihres höllischen Reiches. V. Off. 349.

§ 53.

Das Feuer des Zornes Gottes, welchen Satan erweckt hat und in welchem er seinen Bestand hat und herrscht, wird die Ursache zum Ende seines Reiches und zu seiner Wiederbringung durch Christum werden. (§ 38. cfr. § 359.)

„„Das Feuer des Zornes Gottes, mit dem Satan sein Lebensrad entzündet hat, und worin er, als in seiner Mutter lebt und wirkt, wird ihn, als den Widerwärtigen, endlich verzehren und vernichten, daß ihm nichts bleibt als die Seele, wie eine Seele, die ohne Leib und Blut ist. Da mag er dann seine Begierde in das Blut Christi setzen, sich solches durch den Glauben im Gemüth vorstellen, und verstehen in seinen einst erneuerten Kräften, und es alsdann mit dem Willen durch den Verstand in das Gedächtniß ziehen, und das so lange, bis Christus in ihm gestaltet wird als das göttliche Bild. Dann kann er Leiblichkeit bekommen im immerwährenden Anziehen des erneuernden Blutes Christi. Endlich bekommt er wieder Lebenswasser und Lebensfrüchte und kommt auf die neue Erde, wird da ein Unterthan, und wenn auch er im Bild Gottes vollendet ist, so wird Gott seyn Alles in Allen. VIII. I. 19.

Die im Zornfeuer Gottes schwebenden Geister haben keinen Leib. Aus dem Feuer kommt Luft, aus dieser Wasser, aus dem Wasser Erde oder Leiblichkeit. Die Geister aber sind allein im Feuer, und das gibt keine Wesen und keine Leiblichkeit; aus dem Wasser kann erst Leiblichkeit kommen. Darum muß Satan zuerst in die Luft, darnach auf die Erde, dann in den Abgrund und dann wieder auf die Erde, alsdann aber in den Feuersee, wenn er Alles versucht hat. Da mag er dann wählen und er wird gewiß noch die rechte Wahl treffen, und endlich noch des Blutes JEsu froh werden, das aus den vier Elementen das Eine, das Reinste und Beste, das Mark und Herz von Allem ist, welches Blut vom Feuer des ewigen Geistes geheiligt worden ist. Aus diesem wird er einst gern Leiblichkeit anziehen und sich helfen lassen. **VIII. I. 259. f.**

c. Die sichtbare Welt.

§ 54.

Die sichtbare Welt, welche Himmel und Erde in sich begreift, ist weder aus Nichts, noch aus Gott unmittelbar geschaffen, sondern stammt aus den beiden unsichtbaren Welten. (cfr. § 35.)

„„Wir verstehen unter dem Himmel und der Erde eben das, was zu unserem Sonnensystem gehört und in diesem Raum des planetischen Rades ist, darin jetzo die sieben Planeten, davon unsere Erde einer ist, um die Sonne geordnet sind. Syst. 74.

Gott hat die sichtbare Welt nicht aus Nichts, sondern aus zwei unsichtbaren Welten, aus einer guten und einer bösen geschaffen. Syst. 67.

Die sichtbare Welt mit ihren Creaturen ist nicht unmittelbar aus Gott oder aus dem Wort des Lebens, sondern, weil der Engelfall vorhergegangen in dem Schöpfungsraum der sichtbaren Welt, so ist sie aus zwei unsichtbaren Welten, aus der Lichts- und finstern Welt zusammengesetzt, also aus Böse und Gut bestehend. Syst. 48.

Alle Creaturen (der sichtbaren Welt) tragen und haben das Signum und den Charakter des Himmels oder der Hölle, oder aber mehr des Einen als des Andern.. Syst. 61.

Man merkt, daß die Dinge in dieser Welt aus Gut und Böse bestehen, und also aus vermischten Dingen zusammengesetzt sind, und daß solches nicht kann seinen Ursprung also aus Gott haben, daß mithin zwei unsichtbare Welten seyn müssen, aus denen die sichtbare Welt geschaffen worden. Syst. 47.

Aus was hat Gott die Welt erschaffen, und zwar alles Sichtbare, nämlich Himmel und Erden? Unser Glaubensartikel sagt: „Aus Nichts," und er hat auch Recht, wenn er versteht: aus nichts Sichtbarem. Wenn er aber durchaus ein Nichts versteht, so hat er nicht Recht; denn es ist nicht Alles ein Nichts, was nicht sichtbar ist; vielmehr sind die Dinge, die wir am seltensten sehen, ein Etwas, und die wir am meisten sehen, ein Schatten und Nichts. Denn nicht das eigentliche Wesen der Welt, welches wir am wenigsten sehen, vergeht, sondern die Gestalt der Welt. Syst. 72.

§ 55.

Der Schöpfungsraum, in welchem sich diese sichtbare Welt befindet, war zuvor ein Chaos, welches Satans Fall durch Anzündung des Zorns Gottes verursacht hatte. (cfr. § 50.)

„„In dem Schöpfungsraum der sichtbaren Welt ist der Engelfall vorhergegangen. Syst. 48.

Der Zorn Gottes wäre verborgen geblieben, wenn nicht Lucifer gefallen wäre, und dann wäre auch die Welt nicht, wie sie nun ist, und wäre nicht aus Böse und Gut geschaffen. Syst. 68.

Wahrscheinlich wäre die Welt mit ihren Creaturen nicht geschaffen, und also Gott nicht in drei Welten und Geburten offenbar worden, wenn der Fall des Teufels nicht erfolgt wäre. Doch war dieser nicht nothwendig zur Offenbarung aller Eigenschaften und Vollkommenheiten Gottes in und mit der äußern Welt V. Offenb. 846.

Gott, als der Schöpfer aller Dinge, hat von Anfang die Erde gegründet und die Himmel sind die Werke seiner Hände. Daß aber diese Gründung und Schöpfung von einer solchen Art ist, daß sie einer Bewegung des Geistes der Ewigkeit nöthig haben, folglich verändert werden müssen, beweiset klar genug, daß Etwas vorgegangen seyn müsse warum Himmel und Erde aus solchen Materien zusammengesetzt worden. Und ach! freilich muß in dem ganzen Sonnensystem Etwas vorgegangen seyn, das ein solches Unwesen hervorgebracht und Alles so sehr verunstaltet hat. Denn begreiflich kann solch Unwesen seinen Ursprung nicht aus Gott

haben, darum führet uns dieß auf den großen Engelfall. IV. Hebr. 103.

Es war in dieſem Raum ein Chaos, eine ungeſchiedene,
unauseinandergeſetzte Materie, ein Miſchmaſch, da Alles unter einander lag, Feuer, Waſſer, Erde und Luft, Unteres
und Oberes. Dieſes Chaos mag aber darum ſo finſter geweſen ſeyn, weil in dieſem Raume der Schöpfung Lucifer
ſeinen Abfall von ſeinem Urſprung, dem Anfang der Creatur Gottes, gemacht hat. Syſt. 74.

Finſter muß es auf der Tiefe des Chaos geweſen ſeyn,
aus welchem Gott die Erde und die Himmel geſchaffen hat
vor der Scheidung, und das darum, weil allem Erachten
nach der Fall Lucifers in dem Raum des Chaos geſchehen.
Es kann nicht anders ſeyn, als daß die Weſen des Reinelements ſind befleckt und unrein geworden; denn ihnen iſt
entzogen geweſen der Centralbrunn des Lichts und Lebens
(§ 43. u. 50.), als der Centralkanal fiel, nämlich Lucifer.
Es muß das Gute unwirkſam im Böſen, das ſich gleichſam
zum Faulen und Verweſen neigte, gelegen ſeyn, bis ſich Gott
zur Schöpfung und Scheidung bewegte in den Eigenſchaften
der ewigen Natur, daß der Geiſt Gottes über den Waſſern
ſchwebte. Syſt. 78.

Der Raum, in welchem Gott Himmel und Erde ſchuf,
iſt es, darin Lucifer fiel; durch ſeinen Fall iſt dieſer Raum
verderbt worden, weil er den Zorn Gottes in ſich und ſeinem
Raum erweckt hat. Es war ganz alles Licht der Herrlichkeit, die Sonne des Lebens, in ihre eigene Geburt gegangen und ob ſie ſchon das Chaos oder den ganzen Raum
durchdrang, ſo war ſie ihm doch unbegreiflich, unberührlich
und unfaßlich. Das Grobe und durch den Grimm Gottes
Erweckte und compakt Gemachte verdeckte alles Licht des
Lebens. Daher war Alles in Confuſion und Unordnung,
und ob es ſchon voll Leben und Kräfte der Beweglichkeit
war, ſo war es doch ein lichtloſer Raum; das Licht war
überherrſcht und wie verſchlungen, und war das ganze Chaos
eine feurige Wunderquelle, voll Hunger und Begierlichkeit,
ohne Leib, mit einem vom Zorn erwachten und verderbten
Durcheinanderweſen. VI. Pſ. 1101.

Als Satan gefallen war, ſo theilte ſich das Eine Reinelement in viere, und blieb doch in sich das Eine, das erhaltende Bestandwesen; nur daß das in dem Raum Satans durch dessen Fall Verderbte weiter ausgesprochen wurde durch das Schöpfungswort. Alles war dann da ineinander, Feuer, Wasser, Erde und Luft. VIII. I. 20.

§ 56.

Aus diesem Chaos hat Gott durch das schöpferische Wirken seines Geistes das zusammengehörige und durch Aktions- und Reaktionskräfte in einander wirkende System von Himmel und Erde gebildet, welches nun die sichtbare Welt ist.

„„Gott bewegte sich in dem gedachten Chaos und sein Bewegen war ein Sprechen des Schöpfungsrades der ewigen Eigenschaften, in den Eigenschaften der ewigen Natur. Diese machen durch's Sprechen die Scheidung in Himmel und Erde, so daß Himmel und Erde zwar Eins, ein zusammengehöriges System und doch geschieden waren; sie gehören aber zusammen, wie Mann und Weib. Syst. 75 f.

Die vom Himmel geschiedene, aber nicht getrennte Erde war wüste und leer, unfruchtbar und öde, und wäre also geblieben, wenn nichts weiter mit ihr vorgegangen wäre und ihr Mann, der Himmel, nicht auf sie gewirkt hätte. Denn von der eigentlichen Sonne, die in dem Chaos verborgen war, ist die Erde geschieden, wie der Mann von dem Weibe und beide gehören zusammen, wie Mann und Weib, und müssen sich mit einander conjungiren. Syst. 75. 76. 79.

Der Geist Gottes hat mit seinem Schweben nicht nur die Erdenmutter fruchtbar gemacht, sondern auch die Himmel oder luftwässerige Feuer; alle hat er mit dem Generationsvermögen versehen, beiden ihre Tinkturen gegeben, daß sie sich mit einander conjungiren und vermehren können. Die Erde und ihre Geburten haben eine magische reagirende Anziehungskraft, und die Schamajim mit ihren Kräften haben eine agirende, und sich mittheilende Kraft. Syst. 78 f.

Dieser Geist Gottes war aber nicht der heilige Geist; denn dieser geht nur aus der Gottmenschheit Jesu aus,

7 *

fondern es war der ruach elohim, der über Himmel und
Erde schwebende spiritus rector. Dieser besamete und befruchtete auch die Erde; zuerst aber die Wasserfeuer, aus
welchen die Erde entstanden. Und derselbe Geist ist es, der
noch jetzt in die luftwässrigen Feuer der Schamajim wirkt,
und durch diese auf die Erde. Er wirket aber auch in der
Erde und ihren Creaturen und macht das Untere zum Oberen und das Obere zum Untern. Denn er hat sich als ein
Lebensmerkur jederzeit gegeben und einen reinen Sulphur in
Alles gelegt; den multiplicirt und vermehrt er selber. Syst. 76.

§ 57.

Durch Compression des Chaos mittelst der anziehenden
Grundkraft wurde zuerst das Licht aus der Finsterniß geschieden und als dasjenige Medium zwischen Himmel und Erde
eingeschoben, welches in beiden ist und beide mit einander
vereinigt.

„„Gott wollte sich in dem chaotischen Raum zu einer
andern Schöpfung bewegen, die er im Spiegel seiner Weisheit erblickt hatte. Er zog also mit der ewigen Anziehungskraft das Chaos zusammen und siehe, er selbst konnte als
ein Licht von dem Angezogenen nicht gehalten, noch eingeschränkt werden; allein das Angezogene war Chaos im Umlauf der Kräfte des Schöpfungsrades d. h. in den Eigenschaften der ewigen Natur. Die centralische Kraft dieser
vereinigten Schöpfungsseele hat gefaßt das, was wir Erde
nennen, in die Magia des Anziehens, als ein leidendes
Theil; sie selbst aber ist derselben gegenüber gestanden mit
andern Kräften als das Centrum der Wirksamkeit. Hier
war nun das Chaos, mit einander genannt Himmel und
Erde, ein ganzes, aber noch unentwickeltes System. Im
immer näheren Zusammenzug hat sich aus dem ungeformten
Chaos der gefaßten Erde durch die Bewegung des ganzen
Rades im bewegenden Sprechen des ewigen Worts, innig
im Chaos, das Licht von der Finsterniß geschieden und dieses Licht ist das erste Licht, das Werk des ersten Tages,
das Licht dieser chaotischen Naturseele. Dieses war die
reinste und erste Offenbarung Gottes aus dem Chaos, und

darum gränzet es, seinem Adel nach, am nächsten an das Unsichtbare. Ohne dieses Licht ist die äußere Welt eine, im ewigen Bande belebte, aber qualvolle Feuerseele, ein wirbelförmiger Umlauf von entzündeten Kräften, nicht nur ein- sondern mehrfacher Art. VI. Pf. 1101 f.

Da sich das Licht scheidet von der Finsterniß, scheidet sich's beide in Erde und Himmel, als in Mann und Weib, in Eine Tinktur, und haben's beide in sich, kann aber keines ohne das andere sein Licht erwecken. Syst. 81.

Es hat sich aber das Licht in ein Mittelding zwischen Himmel und Erde geschieden aus dem Chaos, und es scheidet sich beständig und ist nicht ferne und weit weg, und kommt dem elektrischen Feuer nahe und findet sein Oel im Reinelement aus der Tinktur und ist gar ein edles und herrliches Ding. Denn es heißt: „und Gott, der das Licht durch sein Sprechen ausgeboren hat, sahe, daß das Licht gut war und scheidete das Licht von der Finsterniß.“ In uns Allen ist eine Leuchte des Lebens; wir haben alle eine Tinktur aus Herz und Hirn ausgehend und geht von uns doch nicht fort, ist und bleibt in uns und ist doch, wie die Sonne gegen der Erde ist, gegen unsern elementischen Leib. Syst. 81 f.

Dieses Licht hat Gott im ganzen Sonnensystem hervorgerufen und geschaffen, durch das Rad der ewigen Naturgeburt, aus einem Chaos bei der Scheidung und es ist dieses Licht noch durch das ganze System; aber die Sonne offenbart's, wie es der äußern Welt erträglich ist. Der Blitz offenbart's noch reiner; denn der ist das Reinste in der Natur, und nach ihm ist Paradies, Tinktur und Licht oder Lichttinktur und Paradies. (cfr. § 33. u. § 59.) Syst. 82.

§ 58.

Hierauf wurde das obere und untere Wasser getrennt und dadurch die Scheidung von Licht und Finsterniß, welche bisher nur mehr eine dynamische im Innern des Chaos war, zu einer äußeren und lokalen. Eben dadurch wurde die Erde zur Hervorbringung des Pflanzenlebens befähigt.

„„Bisher haben wir die Scheidung der Erde und des

Himmels, des Lichts und der Finsterniß betrachtet und gezeigt, wie der Geist Gottes, der spiritus rector, über beiden schwebe, weil doch Himmel und Erde noch nicht so aus-
und übereinander waren, wie jetzo. Denn die untern und
obern Wasser waren noch nicht geschieden, da er darüber
schwebte; und es war ein größerer Raum, den er überschwebte,
als der Himmel und die Erde noch einnahmen. Syst. 82.

Licht mußte aus der stärksten Impreſſion hervorbrechen,
und das war ein, im Raume des Syſtems ausgebreitetes,
dünnes Licht um die gefaßte Materie des Erdbodens her.
Noch war aber die ganze ewige Natur wirkſam um diese gefaßte Materie her im ganzen Syſtem, und weil das Chaos
noch alle Materien der Elementendinge, Feuer, Luft, Waſſer
und Erde in sich begriff, und nur das Licht geschieden war
von der Elementenmaterie, siehe, so erfolgte durch die zweite
Umwendung des Schöpfungsrades die zweite Scheidung von
Luft, Feuer und Wasser, vermiſcht mit reiner jungfräulicher
Erde. Dieses elektriſche Feuer und die reinen Waſſer mit
jungfräulicher Erde und reiner Luft waren die Schamajim
oder die Himmel; betrachte sie jetzt noch, ohne die Sterne,
um die Erde her ausgedehnt, und diese schon etwas ſichtbareren, greiflicheren und berührlicheren Dinge verdeckten dem
sichtbaren Auge, obwohl jetzt noch keines war, den Jehova
Gott, das reine Licht in seinem Lichtskleid. VI. Pſ. 1102 f.

Die oberen Waſſer ſchieden ſich von den untern durch
das Drehen des Schöpfungsrades als leichtere, dünnere Leben und geiſtvollere Dinge über ſich. Denn das centraliſche
Feuer wirkte so stark, daß es jene Waſſer mit elektriſchem Feuer
über sich trieb, wie auch das Licht über sich gestiegen war
und der Geist schon über dem Klumpen ſchwebte. Meines
Erachtens sind es ausgeborene feurige Geiſtwaſſer, die ſich
geschieden haben; ſind aber so alt, als ihre Mutter, dem
Wesen, aber nicht der Offenbarung nach und waren vor der
Scheidung Eins im Chaos. Die geschiedenen Feuerwaſſer
wurden Himmel genannt, und ſind die Ausdehnung über
der Erde. Das untere Waſſer wurde an ſondere Oerter
getrieben, und wurde Meer geheißen. Syſt. 83 f.

Die oberen Waſſer sind die jungfräulichen Feuerwaſſer,
die sich durch die ſtarke Beweglichkeit des Schöpfungsrades,

durch Kraft der höheren Gottesbewegung über sich geschieden von dem gröberen Elementarwesen. Es hatte sich aber Alles in unterschiedliche Sphären und Kreise geschieden, die nach der Schöpfung der Sterne (§ 59.) und Planeten, Planetenkreise genannt werden. VI. Pf. 1103.

Die vom Geist Gottes befruchtete Erde hat vermittelst ihres von eben demselben Geist befruchteten Mannes, des Himmels, (§ 56.) an dem dritten Schöpfungstage Gras und Kraut von sehr verschiedener Art hervorgebracht. Denn die in ihr wirkenden Eigenschaften der ewigen Natur haben es geboren nach Art und Form der Weisheit in unterschiedenen Arten (§ 23. 30.), wie auch nach Art der himmlischen Welt. Und es war dieses kein neues Wesen, sondern aus dem nun geschiedenen Chaos in Himmel und Erde. Syst. 84.

Das Land ist voller Begehren, durch die tief in den Pflanzen wirkende Reaktionskraft, daß sie magisch begierig, durch-centralisch Feuer mäßig entzündet, nach dem elektrischen Feuerlicht und den Lichtskräften begierig sind, und die Samen des Himmels zur Vermehrung faffen und alfo das Obere zum Unteren und das Untere zum Oberen werde. VI. Pf. 1106.

§ 59.

Die oberen Lichtwaffer wurden nun in befonderen Lichtskörpern concentrirt, welche, als Sonne, Mond und Sterne, nicht blos die Mittelsubstanzen bilden, durch die sich das Naturlicht und in ihm das Paradies der Erde und ihren Creaturen mittheilt, sondern sie dienen auch zur Einschränkung der Macht der Finsterniß.

„„Das Licht des erften Tages, das Gott von der Finsterniß geschieden hatte, war ein elektrisches Universallicht und Feuer in der äußern Welt und zwar, fo lange es nicht durch einen offenen Punkt der Lichtwelt in Bewegung gefetzt wurde, konnte es Nichts fruchtbar und alfo Nichts blühend und famenreich machen, bis am vierten Schöpfungstage die Strahlen der Lichtwelt, in der Sonne gefaffet, sich in das elektrische Feuerlicht ergoffen und mit concentrirter Kraft auf die Erde wirkten, weil sie in eine verhältnißmäßige

Entfernung gesetzt war von den verschiedenen Körpern um sie herum. IV. Tit. 257.

In Mitten der Schöpfungstage, oder vielmehr der Tage, die zu einer Woche gezählt werden, sind erst die Kräfte des Himmels in Sterne formirt und geschaffen worden und hat Gott die Sonne, und den Mond und die Sterne erschaffen. Durch die Sonne theilt sich die Paradieswelt der Erde und ihren Creaturen mit, braucht aber den Mond dazu, gleich- wie Jesus zur Mittheilung des Lebens und Lichtes sein Wort und Sakrament als Mittel braucht. Syst. 85.

Wie Jesus, der HErr, der Geist, die Sonne der innern Welt, die Mittelsubstanz ist, durch welche sich Gott dem Glauben mittheilt, als Geist und Lebenswasser, als himm- lisch Fleisch und Blut, gleichwie von ihm der heilige Geist ausgeht, also, daß wir Fleischmenschen in den Geist erhöht werden und unsterblich und unverweslich seien, — also gehet aus der Sonne der spiritus mundi, der spiritus rector aus als ein Lebensmerkur, und gibt sich durch den Mond, wel- cher die in den Geist erhöhte Menschheit aus Maria vor- stellt, als ein Merkurialwasser in Thau, Regen, Schnee und Schloßen. Und es ist die Sonne ein offener Punkt der Lichtwelt, und eine Mittelsubstanz, durch welche sich die Pa- radieswelt dem, was im Chaos geschaffen ist, natürlich und paradiesisch mittheilt. Syst. 77.

In diesem Sonnensystem sind sieben Welten, und die Sonne ist das Herz aller sieben; ein offener Punkt der Lichtwelt, der Naturgott der äußeren Welten. V. Off. 991.

Gott hat am ersten Schöpfungstage das Licht aus dem Chaos gerufen, und von der Finsterniß geschieden. Dieses Licht ist sein Kleid, das er an hat. Dieses Licht ist mei- ner Meinung nach das Ding, darinnen alle natürlichen Dinge ihre natürliche Lebenswurzel haben. Denn es ist ein elektrisch Feuerlicht. Was du Reineres sehen kannst, ist schon mehr als natürlich und elementisch, es ist Paradies und Tinktur. Dieses Licht aber ist es, aus dem Gott die Sonne concentrirt hat, ein schwach Bild seiner Herrlichkeit, ein Bild Christi, aus allen Kräften des Vaters geboren. Die Sterne sind lauter Naturkräfte, und die Kräfte der ewi- gen Natur haben sie in Ordnung gestellt. Das ewige Wort hat sie in seiner Beweglichkeit also gemacht. Das elektrisch astralische Feuerlicht ist ihre Seele; dieses aber beseelt die ewige Natur, das ewige Wort, das Alles trägt. VI. Pf. 325.

Gott gießt seine Güte aus sowohl in die Elemente, als in die in denselben lebenden, herrschenden und untergeordneten Creaturen und zwar durch den mittelsubstantialischen Brunnen der Gütigkeit in der Natur, die Sonne, die da ist der centralische Brunn des reinen Einen oder Fünftelelements. VI. Pf. 1417.

Schaue doch, wie in der Natur zwei Centralfeuer zusammenwirken, und sich mit einander einigen, auf daß sie Geburten gebären; ein Centralfeuer unter der Erde oder in der Erde, ein unterirdisches Feuer und alles Leben in den Wachsenden ist auch ein Feuer; die Sonne ist das andere Centralfeuer, die wirket von oben herunter und das unterirdische wirket von unten herauf und beide erwecken das Feuerleben in den Lebenden und Wachsenden. Wiewohl du eigentlich die Sonne nicht als ein Feuer anzusehen hast, denn sie entzündet sich erst durch den Herschuß in der dicken Luft. Sie ist als ein Weib des untern Feuers zu betrachten: denn das ist Leben und sie ist Licht, und sie gebären Wesen und Leiber aus lauter Leben und Licht; das bildet der Geist; so werden alle Wachsenden und Lebenden in, aus und auf der Erde gezeugt und geboren. IX. I. 271 f.

Die bösen Geister herrschen in der Finsterniß dieser Welt und in dem Luftkreis, aber die Sonne, ein offener Punkt der Lichtwelt, ist ihnen sehr zum Verdruß, daher sie sich am meisten in Finsternissen der Nacht und in finstern Orten und Leibern aufhalten. V. Off. 349.

§ 60.

Dadurch wurde die Erde zur Hervorbringung des höchsten irdischen Naturlebens, des seelisch-thierischen, befähigt.

„„Die Thiere haben nur ein natürliches Leben, und ihre Lebenswurzel ist in dem astralischen Reich gegründet: daher wurden auch die Opferthiere angezündet mit dem astralisch-elektrischen Feuer. Sie leben eben in dem animo mundi in dem Geist der großen Welt und sie sind organisirt in dem ewigen Worte, nicht nach dem Bild des Originals der

Weisheit Gottes; sie haben in unterschiedenen Arten nur Arten der Weisheit getheilt an sich (§ 23. 30.). Sie sind Elementgeschöpfe und leben im Sternen- und Elementen-Geist. Doch haben auch sie eine tiefere Lebenswurzel und ist der ewige Geist auch in der Wurzel ihres Lebens. (§ 27. 35.) Syst. 86.

Geistliches Leben haben die Thiere nicht, auch nicht alle Lebenseigenschaften beisammen, gleich dem Menschen; denn sie sind Elementgeschöpfe. Syst. 88.

Dritter Abschnitt.

Die Offenbarung der Herrlichkeit im Menschen, oder die Lehre von der ebenbildlichen Herrlichkeit.

1. Natur und Wesen des Menschen.

§ 61.

Die irdische Menschheit ist ein Abbild der himmlischen Menschheit (§ 20.). Daher ist dem Menschen das Ebenbild Gottes anerschaffen und die menschliche Seele wesentlich eine Geburts- und Lebensquelle, wie Gott selbst eine solche ist (§ 7.).

„„Die Dreiheit offenbart sich in Einheit, und das allermeist in Menschengestalt. Verstehe aber nicht Menschengestalt, wie sie jetzt ist nach dem Falle; sondern Menschengestalt, wie sie vor dem Fall war, und wie sie in der Wiedergeburt wieder werden wird. Denn nicht nach dem Fall-Bild, in Personen zertheilt, sind wir Menschen anfangs gemacht

worden. Das ist wenigstens nicht dem Leib nach Gottes
Gleichniß. Syst. 336.

Die anbetungswürdige Gottheit im Ein- und Erstgebornen ist Urbild und der Mensch ist Nachbild. III. Col. 126.

Der Mensch war vor seinem Fall ein wahres Ebenbild
der Gottheit, auch ein wahres Nachbild des Urbildes der
himmlischen vorweltlichen Menschheit. Syst. 353.

So wie das Rad der Kräfte und Eigenschaften Gottes
ist, so ist das Nachbild derselben, die menschliche Seele.
Syst. 115.

Das Geburtsrad der sieben Geister Gottes ist das Original der Seelen. Alle Seelenkräfte zusammen sind nur
Ein Rad. Ein jedes Principium oder Geburtsrad hat seine
zwei Centra oder Mittelpunkte: das Eine ist Leben, das
Andere Licht. Das Eine ist wirkend, das Andere leidend,
wenn es des Andern begehrt, und der Kreislauf aller Lebenskräfte des ganzen Rades geht aus dem Einen in's Eine,
bis sich ein niederes, ein organisches Leben offenbart im
Rade des Gebärens um des Einen willen in dem Einen.
V. Off. 749.

Es besteht die menschliche Seele aus unterschiedlichen
und mehrfachen Kräften, weil sie ein Bildniß Gottes ist und
just wie die allerheiligste Quellgeburt der göttlichen Offenbarung. Diese aber ist A, O, U, und A ist die Aktionskraft, welche die ganze Geburtsquelle bewegt; darum heißt
es A oder der Anfang, und das O ist die Reaktionskraft
oder die Kraft des Anzugs und der leibähnliche Umschluß
des Rades der seelenähnlichen Geburtsquelle. In A und
O offenbart sich die Kraft der Ausdehnung als eine edle
Lichtluft, als ein U. Dieß U ist in der allerheiligsten Gottesgeburt hochgelobet in Ewigkeit und ist die erste Lichtur-
sache des Daseyns aller sichtbaren und unsichtbaren Dinge
und Wesen. Darum heißt es U und erste Ursache. Ebenso
ist die menschliche Seele beschaffen; in dieser ist das U, die
Ausdehnungskraft, auch die erste Ursache der Sünde oder
der Gerechtigkeits- und Glaubenswerke. Denn sie bringt
das A oder die Aktionskraft in Bewegung in dem ganzen
Quell des reagirenden O. II. Petr. 177 f.

Da die Seele sieben Kräfte hat, in denen sich die Gott-

heit offenbaren kann, so ist das siebenfache Rad ein sieben=
facher Geburtsquell. (cfr. § 36.) Syst. 115.

Nach dem Innern ist Adam ganz das Bild Gottes ge=
wesen, da hatte er eine solche Seele mit drei oberen Kräf=
ten; diese waren das Bild der ungeoffenbarten Dreiheit;
und so auch mit fünf unteren Kräften, da das Gemüth selbst
die fünfte Kraft ist, und immer das innere Gesicht bedeuten
kann. In diesem Gemüth sind die vier andern innern
Sinne eigentlich fünf und sind doch mit dem Gemüth, als
dem fünften, zusammen nur Eines, nämlich zusammen das
ganze Gemüth. Das Gemüth ist das Haupt, da es doch
kein Haupt, sondern nur eine Hauptkraft ist. In diesem
Gemüth, darin sich fünf untere Kräfte vereinigen, sind die
drei obern Kräfte als drei Räder in dem vierten nur Ein
Rad, weil jene vier unteren Kräfte, deren fünfte Kraft das
Gemüth selbst ist, zusammen das vierte Rad sind, und ist
eigentlich zusammen nur Ein Rad, Ez. 1, 15. 16. nur Eine
Seele mit drei obern und fünf untern Kräften, nur Eine
göttliche Thronquelle. VIII. I. 22 f.

Es ist die menschliche Seele aus drei obern und fünf
untern Kräften bestehend. Die obern heißen: Verstand,
Wille und Gedächtniß, und diese drei Kräfte oder Räder
sind im Gemüth als im vierten Rade nur Eines. Ez. 1, 16.
Die untern Kräfte heißen das Gemüth oder die innern
Sinne, da man Etwas sehen, hören, fühlen, schmecken und
riechen kann ohne den Leib. Diese fünf sind mit dem Ge=
müth nicht sechs, sondern sie sind im Gemüth vier, und sind
zusammen das Gemüth selbst und gehen doch immer vier
aus und bringen Etwas dem fünften als dem Gemüth, ent=
weder das Gehör, oder das Gesicht und so fort. Das Ge=
müth ist das fünfte, alle zusammen sind das Gemüth, und
ist doch eigentlich das Gemüth das Haupt. Eines geht, die
Andern gehen alle mit, und das Eine oder das Andere kann
Etwas in's Gemüth bringen. Weil nun das Gemüth das
vierte Rad ist, in dem die obern drei Kräfte oder Räder
als im vierten Eines sind, so sind es nicht zwei, sondern
nur Eine Seele, und eigentlich Ein Rad, Ein Thron, nur
daß die vier innern Sinne Etwas in's fünfte, als in's Ge=
müth bringen können, entweder dieß oder jenes, nur daß

dieß also die Thiere im Thron, in der Seele sind, da im Gegentheil die äußeren Sinne (die leiblichen) die vier Thiere um den Thron sind, dessen fünftes der Leib selber ist. VIII. I. 6 f.

Eine solche Seele mit obern und untern Kräften kann ohne Leiblichkeit nicht sichtbar seyn. Soll sie sichtbar seyn, so muß sie auch äußere Sinne haben, und die fünf äußeren Sinne oder Sinnenkräfte und Organe machen miteinander Einen Leib aus, und sind also die vier äußern Sinne, Gesicht, Gehör, Geschmack und Geruch mit dem Gefühl im ganzen Leib Eines und ist also der Leib selber das fünfte, oder die fünfte Sinnenkraft, weil das Gefühl im ganzen Leibe ist und durch den ganzen Leib geht. VIII. I. 30.

Soll ich dir die Seele mit ihren Kräften beschreiben, so merke mich kurz: sie ist ein Geburts- und Thronrad; ihrer Kräfte sind viele, und doch zählen wir nur acht; denn Ezechiel sahe vier Thiere und ein vierfaches Rad, darinnen ein lebendiger Wind war. Die schwarze, dicke Wolke, darin er das sahe, ist unser äußerer Leib, und das lichthelle Feuer in der Wolke, das er zuerst sahe, ist das irdische elektrische Feuerleben der Seele; die vier Thiere sind die untern Kräfte der Seele, vier sind agirend und unruhig, das fünfte in der Mitte ist reagirend, anziehend und ein Centrum. Gesicht, Gehör, Geschmack und Geruch sind die agirenden, und das Gefühl ist das centralische, anziehende. Diese fünf sind Ein Rad, und machen mit drei obern Seelenkräften: Verstand, Wille und Gedächtniß ein vierfaches Rad mit einem Centro reagirender, anziehender, und mit einem Centro agirender, wirkender Kraft. Dieses Rad der Geburt ist zeitlich und ewig, und ist Gottes Geburtsrades Form, Gleichniß. Gestalt und Ausgeburt, kann Hölle und Himmel in sich ausgebären und in der äußern Welt offenbaren, je nachdem sich des Rades Centra vereinigen mit einer Weisheit himmlisch, höllisch oder irdisch. XI. I. 316 f.

§ 62.

Da der Mensch als eine vollständige, gottebenbildliche Lebens- und Geburtsquelle geschaffen wurde, so vereinigte er beide, die männlich-wirkenden Aktions- und die weiblich-leidenden Reaktionskräfte in sich (§ 6.) und war also in Einem Bilde eine männliche Jungfrau, gleich dem Ein- und Erstgeborenen (§ 19.).

„„Gott schuf nur Einen Menschen ungetheilt in beiden Tinkturen. Wenn der Schöpfer nur Einer, eine Dreieinigkeit ist, so ist der, den er schuf in seinem Bild, auch ein solcher, auch eine männliche Jungfrau in Einem Bilde. Es sollte sich gleicherweise das Bild Gottes, der Mensch, mit dem wirkenden Theil durch's Leidende offenbaren. Syst. 91.

Betrachte den Menschen vor dem Falle! Ein wahres Zwittergeschöpf, mit beiden Tinkturen begabt, nämlich der männlichen und weiblichen. Hier sahe Gott sein wahres Ebenbild, das Bild seiner Herrlichkeit. Syst. 178.

Gott schuf den Menschen ihm zum Bilde, zu seinem Bilde schuf er ihn; er schuf ihn aber zu einem Männlein und Fräulein. Unser Gott schuf also ein Männlein und Fräulein, — nicht in zwei Personen, da die Tinkturen wären getheilt gewesen. Denn das würde nicht ein Mensch nach Gottes Ebenbild gewesen seyn. In Gott sind die Tinkturen nicht getrennt, sondern vereinigt in Gottes Kräften außer aller Natur und Creatur im Ungrund; auch in dem geoffenbarten Gott nicht, wie er sich in seinem Lichtraum in drei Gestalten offenbart. So wäre also der Mensch durchaus nicht ein Ebenbild Gottes gewesen in getheilten Tinkturen und Lebenseigenschaften. Syst. 328.

Nicht in der Mehrzahl hat Gott den Menschen erschaffen, sondern nur Einen Menschen schuf er, aber dieser Eine war geschaffen zu seinem Ebenbilde. Er war also ebenso, wie das A und das O, der Seele nach, von gedoppelten, wirkenden und leidenden Kräften und, wie das Lichts- und Lebenswort, der Eingeborne Gottes, einer männlichen und jungfräulichen Art, Natur, Eigenschaft und Tinktur. Denn sonst wäre er nicht Ebenbild Gottes gewesen, nicht ein kleines Ganzes quintessentialisch ausgezogen aus dem großen Ganzen aller Welten Offenbarung gewesen. Aber das war er, und was in ihm war, das konnte zur Hälfte aus ihm genommen werden. II. Act. 370.

———

§ 63.

Die männlich wirkenden Kräfte sind aus der Feuersnatur und die weiblich leidenden aus der Lichtsnatur. Da nun das Feuer nur die Ursache und der Träger des Lichtes seyn soll, so sollten die oberen Lichtskräfte über die unteren Kräfte der Feuersnatur herrschen und sich durch diese offenbaren. (§ 69.)

„„Der Mensch war eine männliche Jungfrau mit beiden, der männlich-feurigen und der weiblich-lichtwässerigen Tinktur begabt. Syst. 258.

Der Mensch war Ein Bild, Mann und Weib, wirkend und leidend, Feuer und Licht; das Leben war sein Licht, das erhielt sein Leben, darein sollte er wirken. Syst. 225.

Das Fräulein war die Weisheit. Das Licht ist der geoffenbarte Gott, und der Glanz vom Licht ist die Weisheit, Adams Braut, das Fräulein. Denn Adam war von Innen und Außen das Bild des ungeoffenbarten Gottes und war nur Ein Bild, wie der geoffenbarte Gott selbst. VIII. I. 21.

Die Finsterniß, ein Träger des Lichts, war unter das Licht, das Licht unter den verständigen Geist, und der Geist unter die Herrlichkeit Gottes geordnet, und war ein Paradies-Mensch in der Harmonie der Kräfte Gottes. Syst. 93.

So wie der Mensch ist, hat Gott ihn nicht gemacht. Die Quelle des finstern Wesens war nicht herrschend in ihm; sie hatte nicht die Oberhand, sie war nur als Lichtträger und Docht vorhanden, daraus sich das Licht offenbaren könnte. II. Jak. 306.

Dem höheren Lebensprincipium muß die Finsterniß untergeordnet seyn und es tragen, daß es sich darauf abglänzen und abstrahlen kann. VI. Ps. 432.

In der Seele, als dem Ebenbild Gottes herrschen die obern Kräfte über die untern. Denn die obern sollen active und die untern passive seyn. Syst. 192.

In dem Menschen, als Ebenbild Gottes, waren alle Lebenseigenschaften und Weisheitsarten vereinigt; in ihm waren also alle unteren und oberen Kräfte und Wesen beisammen; durch ihn wirkte das Obere auf das Untere, und das Untere sollte durch ihn auf das Obere wirken. Syst. 178. 116.

§ 64.

Ebenso mußte sich der Mensch als dasjenige Geschöpf, in welchem sich Gott auf ebenbildliche Weise offenbaren wollte, von allen andern Geschöpfen dadurch unterscheiden, daß die göttlichen Kräfte und Eigenschaften, die in diesen nur vereinzelt und partiell geoffenbart sind (§ 30.), in ihm vereinigt und beisammen sind. So daß in dem Menschen, als dem Ebenbild des Sohnes (§ 61.), die Fülle der Gottheit ebenso auf geschöpflich=leibhaftige Weise wohnen sollte (§ 29.), wie sie in dem Sohne in ungeschaffener und unbegränzter Wesenheit aus der ungründlichen Verborgenheit in's Licht gestellt ist (§ 12. 13.).

„„Der Eingeborne ist die Herrlichkeit Gottes aus allen Gottes= und Vaterskräften mit allen Gottesvollkommenheiten, Weisheitsarten und Tugenden, mit seiner Natur und seinem Wesen begabt. Dieser ist der Ursprung und der Anfang der Creatur Gottes. Da nun Gott durch diesen Eingebornen in vielen Welten, Ausgängen, Geschöpfen und Geschlechtergattungen sich geoffenbart hatte, wollte er aus Allem eine Tempelhütte seiner Gottheit schaffen, in der er wohnen und wandeln, ruhen und wirken wollte, in der und durch die sich seine Herrlichkeit offenbaren könnte. Diese Hütte sollte die Herrlichkeit seiner Herrlichkeit seyn und ein Bild seiner Gottesherrlichkeit. Syst. 92.

So wie sich Gott im Wort des Lebens aus dem Ungrunde in einen Grund eingeführt, und in seiner göttlichen Ewigkeit geoffenbart hat, so hat er sich durch sein Wort geoffenbart in allen Lebenseigenschaften, aus allen Lebenskräften, in allen Weisheitsarten, und das specialiter in vielen Geschöpfsgattungen, Welten und Weltzeiten. Aber insonderheit am Schöpfungsbeschluß generaliter durch den Menschen, der sein Ebenbild und ein quintessentialischer Extractus aus allem Sichtbaren und Unsichtbaren war, folglich Ebenbild der ganzen geoffenbarten Gottheit in allen Welten, Naturen und Creaturen. Welches Ebenbild Gottes bestimmt war, Ebenbild der Herrlichkeit Gottes in der Lichtwelt zu seyn, d. h. in der Sinnenwelt Ruhetempel des Schöpfers zu seyn, wie

die Herrlichkeit Gottes in der übersinnlichen Welt. IV.
Hebr. 62.

Da Gott durch sein Wort viele Welten und Creaturen
geschaffen hatte, so wollte er auch ein Bild seines Gleichen
haben. Sollte nun das seyn, so mußte dasselbe Gleichniß
Gottes aus Allem geschaffen und quintessentialisch aus Allem
ausgezogen seyn; es mußten in demselben alle Kräfte und
Lebenseigenschaften seyn und wirken, die in den Geschaffenen
zerschieden sind und wirken. Das, was Gott also wollte,
erschuf er sich auch; denn er schuf den Menschen ihm zum
Bilde, zu seinem Bilde schuf er ihn. Syst. 328.

Die Seele hatte in ihr zusammen vereinigt alle Arten
der Weisheit, und alle Gestalten und Kräfte der Lebenseigen-
genschaften. Denn sie war ganz Bild Gottes, ganz Extrakt
aller seiner Offenbarung und förmlich ein kleines Ganzes
vom großen Ganzen, ein kleines All, ein wahrer Thronsitz
der Herrlichkeit des Allmächtigen, folglich der wahre Ruhe-
und Offenbarungstempel der anbetungswürdigen Gottheit.
Syst. 150.

Die Weisheit wollte in Alles mit eingebildet seyn, und
doch allein im Menschen als göttlichem Bildniß nach allen
ihren Mannigfaltigkeitsarten ganz. In diesem sollte Alles
beisammen und ganz seyn, was in den andern Geschöpfen
zertheilt und stückweise ist. Auch mehr denn die Engel nach
ihrer Art sollte der Mensch seyn. Denn dieselben würden
nicht drei Reiche in Einem Bilde darstellen, nicht sobald
geistleiblich werden, und nach der ganzen Ausführung des
Vorsatzes Gottes doch noch niederer am Haupte des geoffenbarten Gottes seyn, als der Mensch. VII. Petr. 232.

§ 65.

Diese ebenbildliche Herrlichkeit des Menschen bringt es
daher mit sich, daß derselbe am Schluß der ganzen Schöpfung
und als ein aus dieser — mittelst des alle Kräfte derselben
schöpferisch bewegenden Wortes — ausgezogener Microcosmus geschaffen ist.

„„Wann es ist, daß der Mensch ein Ebenbild Gottes
vor dem Fall war, so muß er gewesen seyn ein quintessen-

tialischer Extract aller Welten und aller Geburten, aller Geschlechter und Geschöpfsarten, und selbst ein Extract der göttlichen Wesen und Kräfte, in Offenbarung ausgeflossen, aus dem Eingeborenen, aus der göttlichen Herrlichkeit. Syst. 298.

:Der Mensch Adam war Auszug aus allen geschaffenen Dingen in der sichtbaren und unsichtbaren Welt. Er war quintessentialischet Extract aus allen untern und obern Kräften und Wirkungen, aus allen Lebenseigenschaften und Weisheitsarten. Er war bestimmt, als ein kleines Ganzes vom großen Ganzen, zum Ruhetempel der Herrlichkeit Gottes. Syst. 104 f.

Adam wurde geschaffen zu einer lebendigen Seele aus der Quintessenz, aus dem Kern und Mark aller sichtbaren und unsichtbaren Dinge, so daß er ein Auszug aus Allem war, ohne Ausnahme, vom Wesen aller Wesen nach dem Bilde Gottes, nach aller drei Welten Eigenschaften und derer Creaturen. Syst. 225.

Der Mensch ist nicht nur die kleine äußere Welt, sondern ein kleines Ganzes des ganzen Schöpfungsreiches. V. Off. 176.

Als Gott sprach: „lasset uns Menschen machen, ein Bild, das uns — in der Offenbarung dreier Welten — ganz ähnlich sei,‟ hatte er sich schon in drei Welten geoffenbart und wollte in dem Menschen, als in dem Tempel seiner Herrlichkeit ruhen. Und da Gottes Sprechen ein Bewegen, ein Wirken seiner Kräfte und Eigenschaften ist, so geht das Wort: „Lasset uns‟ alle Creaturen und Welten im ganzen Schöpfungsreiche an, und hatte also Alles etwas zu diesem Tempel der Herrlichkeit Gottes herzugeben, sollte er ganz Bild Gottes seyn und mit Recht genannt werden. Folglich ist der Mensch aus aller Gottesoffenbarung, aus allen Welten und Creaturen geschaffen. Syst. 56.

Als Gott der HErr sprach: „Lasset uns Menschen machen, ein Bild, das uns gleich sei,‟ so hat sich Alles im ganzen Schöpfungsraume Gottes, im Sichtbaren und Unsichtbaren bewegt; denn sprechen heißt bewegen. Durch dieses Bewegen sowohl der werkzeuglichen, theils formirenden und bildenden, theils schaffenden, als auch ursprünglichen, unmittelbar im Ursprung aller Dinge wirkenden Kräfte der Zeugung und Geburt, hat Alles etwas und zwar die Quintessenz extrahirt und gegeben zum Menschen und ihn organisiret nach seinem Urbild innerlich und nach Art aller dreier Welten. So war er dann ein kleines Ganzes des großen Ganzen und war das Herz desselben und also der König des Universums. VI. Pf. 228.

Die durch Mosen veranstaltete und verfertigte Hütte war gemacht aus verschiedenen Dingen aller Naturreiche, also aus dem Universalreiche der ganzen Natur; aus dem Mineral-, Animal-, Vegetal-, ja aus dem Astral-Reiche sind Dinge dazu gekommen — ebenso ist der Mensch aus dem großen ganzen Schöpfungsreiche ein quintessentialischer Extractus fein-organisirt und gebildet gewesen vor dem Fall. IV. Hebr. 375.

§ 66.

Hienach ist der Mensch aus allen drei Welten, der Lichts-, Feuer- und sichtbaren Welt (§ 39.) geschaffen und enthält seine Natur himmlische, höllische und irdische Kraft und Eigenschaft.

„„Mensch ist Mensch und ist Bild Gottes gewesen, aus allen dreien Welten extrahirt, concentrirt und aus quintessentialischen Dingen zusammengesetzt und organisirt. Syst. 429.

Alle Eigenschaften höllischer, himmlischer und irdischer Creaturen waren in Adam ganz und beisammen. Syst. 225.

Der Mensch ist auch aus der Hölle, und die Hölle ist in ihm. Syst. 57. 105.

Ich erstaune ob mir, als der kleinen Welt. Denn ich finde, wie auch Sonne, Mond und Sterne in mir sind, und daß ich mit der großen Welt gänzlich übereinkomme. VI. Pf. 1456.

§ 67.

Ebendeßhalb hat er auch nicht ein einfaches Leben, sondern ein dreifaches, nämlich die Seele aus dem Feuersprincip, den Geist aus dem Lichtsprincip und den Leib aus dem Principium der sichtbaren Welt.

„„Der Mensch ist kein monadisches, einfaches Wesen, wie ein Engel, er hat eine Seele aus untern und obern Kräften bestehend. II. Act. 348.

Je länger wir den Menschen betrachten, je mehr erkennen wir, daß er keine Monade, d. i. kein einfaches Ding sei; denn er verräth schon mit seiner unersättlichen Vielbegierde, daß er ein höheres Bedürfniß habe, folglich ein ewiges Feuerbegehren, das seinen Zweck nie hier erreichen kann; welches Begehren mit dem Erlangen und Haben steiget und zunimmt. IV. Hebr. 726.

Der Mensch hat eine ewige Seele, die aus zeitlichen und ewigen Kräften besteht. Daher hat er eben in dieser unsterblichen Seele ein Organ, darin ihn Gott, sein Schöpfer, durchgeben, berühren, belehren, bestrafen, beunruhigen und nachdenklich machen kann. Sonst wäre er ganz monadisch, einfach und thierisch. IV. Hebr. 727.

Der Mensch ist Gottes Bild, und ihm ist ein Odem der Leben, mehrerer Leben eingeblasen worden, folglich auch das geistliche Leben. Syst. 88.

Der Mensch hat ein dreifaches Leben, eines aus der ewigen Feuerwelt, und eines aus der ewigen Lichtwelt; das äußere Leben, das er aus der äußern Welt hat, ist das dritte. V. Off. 176.

Adam bestand, wie wir Alle, aus Leib, Seele und Geist. VIII. I. 15.

§ 68.

Das seelische Feuerleben bildete das Fundament, das geistliche Lichtsleben das herrschende Centrum und der Leib war ein paradiesischer, in welchem das äußere Reich vom Licht verschlungen war. (cfr. § 63.)

„„Der finstere Höllengrund im Menschen ist das Fundament seines Daseyns, weil die ersten Eigenschaften alle andern offenbaren. III. Theff. 168.

Das Fundamentalleben der Finsterniß ist im Menschen und ist zu einem Menschen erforderlich. II. Petr. 158.

Nachdem das Höllenreich offenbar war, hat Gott den Menschen zu seinem Bilde geschaffen, und ihm auch das Fundament der Hölle zum Träger und Docht des Lichts anerschaffen, doch daß das finstere Reich untergeordnet war. II. Jak. 296.

Der Sohn ist die Centralkraft der Herrlichkeit; dieses centralische Lebenslicht, welches die Seligkeit und Freudenwonne aller Gotteskräfte ist, die es in ihrem Schooße ohne Unterlaß gebiert als das ewige Eins, war vor dem Fall auch die selige Central- und Lichtskraft der menschlichen Seele. II. Petr. 189.

Der Eingeborne, als die Lichts und Lebensquelle, war sonderlich das Licht der Menschen, so daß des Wortes wesentliche Weisheit, als Licht, sich in den Menschen ganz, in andere Geschöpfe weniger eingebildet hatte. VII. Röm. 67.

Wie in dem Wort das Leben aller Lebenden war, und durch das göttliche Sprechen im Ausgang des Lebensgeistes Allen zu Theil wurde, so ward das Wort nicht nur allein im Ausgang des Geistes das Leben des Menschen, sondern das Leben wurde eigentlich das Licht der Menschen. Joh. 1, 4. Der Mensch wurde also ein Bild und Gleichniß Gottes, ganz herrlich, schön und rein. VIII. I. 15.

Adam war nicht gleich eine lebendige Seele. Er war noch kein Erdenmann, da das Leben des Worts und des Lichts noch das äußere Reich verschlungen hatte und dasselbe verborgen war. Da war der erste Mensch noch keine lebendige, seelische, thierische Seele. Das Wort und die Weisheit waren sein Leben, seine Kraft und seine Lichtsklarheit. VII. Petr. 254.

Adam hatte noch keinen solchen Leib, wie wir ihn jetzt haben, sondern wie wir in der Auferstehung haben werden, wenn wir ganz wiedergeboren sind. Adam hatte einen paradiesischen Leib. VIII. I. 15.

Adam hatte nicht allein einen vier-elementischen, sondern auch einen, in demselben qualificirenden, rein- und ein-elementischen paradiesischen Leib. Syst. 415.

Adam war ein paradiesischer Mensch, Mann und Weib in Einer Person, ehe ihn der Teufel vermittelst des Weltgeistes überwunden. Er hatte also das Paradiesleben herrschend in sich; die oberen Kräfte hatten an seinem Seelenrad die unteren verschlungen und unter dem Gehorsam. Und so war es auch an seinem Leibe: das paradiesische herrschte über das irdische Wesen. **XI. I. 321 f.**

§ 69.

Gleichwie in der urbildlichen himmlischen Menschheit die Weisheit das weibliche Princip ist, welches zur Offenbarung der in derselben liegenden Fülle sowohl die lusterweckende Anregung, als auch die ideelle Vorspiegelung des zu Offen=barenden darbietet, (§ 9. 18. 23. cfr. § 44.) — ebenso war auch dem ebenbildlichen Menschen die Weisheit zur Braut gegeben, mittelst welcher er sein Inneres herausstellen und die in ihm liegenden Potenzen realisiren, also wirken, zeugen und gebären sollte nach Gottes Wohlgefallen. (§ 62.)

„„Der Mensch bekam die göttliche himmlische Weisheit zur Braut, weil er das Bild Gottes war. Es war zwischen Gott und dem Menschen Nichts, als die Weisheit. Und wie Gott zu seiner siebenfachen Offenbarung die Weisheit vor seinem Thron hatte, ebenso wurde sie auch Adams Braut. Ihm ward die himmlische herrliche Jungfrau Sophia zum Vorwurf gegeben, als zur Braut, wenn er je gebären und sich ausbreiten wollte. In diese hätte sollen sein Gemüth einschauen; in ihr und durch sie hätte er sollen wollen zur Offenbarung. Diese hätte er sollen mit dem Verstand ver=stehen und erkennen, mit dem Willen wollen und mit dem Verstand in das Gedächtniß hereinziehen und sodann das Rad des Gemüths treiben, bis es das Leben und den gan=zen Leib entzündet hätte. Dann wären Geburten nach sei=nem, ja nach Gottes Gleichniß von und aus ihm gekommen und an ihm gewachsen, wie an einem Baum. **VIII. I. 15 f.**

Wie das ewige göttliche Gemüth sich in sich selber fühlte, sah, hörte, roch und schmeckte und Nichts als nur sich selber sehen, hören, schmecken, riechen und fühlen konnte, und also Nichts will, als sich selber erkennen, verstehen und wollen, also sollte Adam, der Gottes Bild war, und die Weisheit zur Braut hatte, aus der und mit der er Ein Bild, eine männliche Jungfrau war, in dieser nur mit dem Gemüth, mit allen Gemüthskräften sich sehen, hören, fühlen, schmecken, riechen, und mit dem Verstande verstehen und erkennen, und mit dem Willen wollen, und nur ihr Bild im Gedächtniß behalten. Und also nur seine Braut, die Weisheit, die Herrlichkeit Gottes, (als die Mutter der sieben Eigenschaften des Lebensgeistes aus dem Wort), nur diese hätte er als seinen einzigen Liebesvorwurf erkennen sollen, auf daß sie immer in ihm Lebenswasser gebären möchte, im Ausgang des Lebensgeistes aus dem Wort des Lebens. Nur in diese Weisheit, als in seinen Brautschatz, sollte er seine ganze Liebeslust und reinste Willensbegierde unaufhörlich eingeführt haben, und hätte sie mit ihren Lichts- und Lebensmittheilungen immer sollen anziehen, mit dem Willen durch den Verstand in das Gedächtniß herein; so wäre dann immerfort Lebenswasser und Lebensgeist in ihm geboren worden, und Adam wäre das Bild Gottes geblieben, ja er hätte als König der äußeren Welt in Alles gewirkt und als eine Sonne in alle Geschöpfe geschienen und der Lebensgeist aus Gott, aus dem Wort des Lebens, wäre mit der Weisheit immer durch's Wollen und magische Anziehen in ihn eingegangen und wäre also immer Lebenswasser in ihm geblieben und aus ihm ausgeflossen in alle Creaturen. VIII. 1. 23.

Hätte Adam immer seine Braut, den Lebensbaum, geistlich magisch ergriffen, so wären lauter Lebensfrüchte in ihm und aus ihm geboren worden. VIII. I. 24.

§ 70.

Die diesem herrlichen Stande des Menschen entsprechende Wohnung desselben war das Paradies, welches in den Geburtsstufen die neunte Zahl bildet (§ 33.) und durch die ganze Welt überall unberührlich und unsichtbar gegenwärtig ist. In diesem Paradies befand sich der Mensch vierzig Tage lang.

„„Während der vierzig Tage zwischen Auferstehung und Himmelfahrt war Christus im eigentlichen Gottesparadies, welches durch's ganze Sonnensystem unberührlich durch Alles ist, dem irdischen Auge ganz unsichtbar und verdeckt. Denn es ist in der neunten Zahl offenbar, und das Auge des Sterblichen siehet nur in die achte, wenn es blitzet. In dieſem Paradies war Adam vor ſeinem Falle, dem Geiſt und der Seele nach; es war in ihm offenbar und er konnte darein wirken. Denn er hatte nicht allein einen vierelementiſchen, ſondern auch einen in demſelben qualificirenden rein- und ein-elementiſchen paradieſiſchen Leib. Dieſen verlor er in ſeinem Schlaf, da er eine irdiſche Gehilfin verlangt, und ſo kam er auch um das Paradies. Hingegen Chriſtus ſtand aus ſeinem vierzigſtündigen Todesſchlaf auf im Geiſte und Paradiesleib, und war vierzig Tage noch auf Erden im Paradies. Vermuthlich war Adam vor ſeinem erſten Falle ſo lange darinnen. Syſt. 414 f.

Der Garten Eden war nur ein äußeres ſinnliches Bild von dem überſinnlichen himmliſchen Gottesparadies, das in Adams Gemüth, in ſeinen inneren geiſtlichen Sinnen offenbar war, ehe er irdiſch wurde. VIII. I. 27.

Bemerkung. Die paradieſiſche Wohnung des Menſchen iſt eben ſo ſehr dynamiſch als local zu verſtehen. Er war nicht blos im Paradies, ſondern das Paradies war auch in ihm. „Adam war der Menſch im Paradieſe, denn das Paradies war in ihm offenbar." Syſt. 519.

Paradies iſt uns innig nahe, ſeine Entfernung iſt Innigkeit nur. Wer es erblickte und alſo auch ſahe, ſahe zugleich auch die reine Tinktur, ein Fünftelelement, reine im Weſen, welches einſt Alles wird machen geneſen. Alſo das Paradies kann dich umgeben, und du kannſt dennoch im Höllenreich ſeyn; wird in den Seelen nur Gottes Geiſt leben, iſt er derſelben Regierer allein, ſo iſt das Paradies ihnen nicht ferne. Mithin iſt Räumlichkeit hie zu vergeſſen, wenn man die Sache will gründlich verſtehen. I. 301. 21 ff.

2. Beſtimmung des Menſchen.

§ 71.

Die der Natur des Menſchen (§ 61. 64.) entſprechende Beſtimmung deſſelben war, ein geſchöpflicher Offenbarungsthron und Ruhetempel Gottes zu ſeyn. (cfr. § 14.)

„„Der Geiſt der Ewigkeit will nicht allein für ſich außer aller Natur und Creatur im Lichtraum ſeiner Ewigkeit ſeine Herrlichkeit im Schooſe ſeiner Kräfte gebären, um in ihr zu ruhen durch ewiges Wirken, ſondern er will dieß in allen menschlichen Seelen auf ähnliche Weise, dieweil solche ein ähnliches kleines Ganzes werden sollen, und ihm einst gegenüber stehen, sein Bild fassen und wieder zurückglänzen. I. Lebensk. 125.

So wie Gott sich in dem Saron seiner Gottesewigkeit in seinem Lichtraum offenbart, als Licht und Liebe, ebenso wollte er in allen Seelenquellen sich offenbaren, so sie einig mit ihm wären, und wollten, wie und was er will. IV. Tim. 18.

So wie sich Gott aus sich selbst, in sich selbst offenbart, soll die Seele mit ihren Kräften durch Gottes Einfluß und Mitwirkung nur Gott in ihrem Seelen- und Lebensrade offenbaren, in seinen drei Herrlichkeitsgestalten. Syst. 115.

Die Seele, wenn sie nur Gott gewollt, gesucht, verlangt, begehrt, geliebt und geschätzt hätte, würde nur Gott in sich geboren haben in seinen drei Kraftgestalten, nur Gott hätte sie in sich geoffenbart so ganz und gar nach Gottes Aehnlichkeit. Syst. 131.

Im Menschen, als im Tempel seiner Herrlichkeit, wollte Gott ruhen. Syst. 56.

Er wollte eine Tempelhütte seiner Gottheit schaffen, in der er wohnen und wandeln, ruhen und wirken wollte, in der und durch die sich seine Herrlichkeit könnte offenbaren. Syst. 92.

§ 72.

Vermöge der in ihm vereinigten männlich-jungfräulichen Kräfte (§ 62.), sollte der Mensch mittelst der Weisheit (§ 69.) sich aus sich selbst vermehren und die Ebenbilder der göttlichen Herrlichkeit vervielfältigen.

„„Wenn der Mensch eine Herrlichkeit der Herrlichkeit Gottes hat seyn sollen, und die Herrlichkeit Gottes sich durch ihn hat offenbaren wollen, so hat er sollen Ebenbilder Gottes aus sich ausgebären und in sich erzeugen. Dazu hatte er zwei ungetrennte Tinkturen und das Generations-Vermögen. Syst. 94.

Kraft der edlen Braut der Weisheit Gottes und ihrer herrlichen Betrachtung sollte der Mensch sich geistlich-magisch vermehren und fortpflanzen, so daß eine Menge solcher ungetheilter Menschen aus ihm und durch ihn worden wären, vielleicht ebensoviele, als jetzo durch ihn, den Stammvater der seelischen Menschen, werden sollen. Syst. 106.

Wäre der Mensch in der Probe bestanden, so wäre Alles zu seiner Vollkommenheit und Unverweslichkeit geschritten, und er hätte Kinder nach seinem Bilde in sich gezeugt und aus sich geboren in Kraft und Trieb des Lebenslichtes nach Gottes Willen, mit dem sein Wille wäre Eins und als frei gewesen und nichts Anderes und Eigenes geworden, es wären Gottesbilder aus ihm getreten und hätten den Ort der gefallenen Engel eingenommen, jene vertrieben, und dann hätte Adam regiert und wäre der Himmel und sein Heer, mit der dazu gehörigen Erde, sein und der Seinigen Wohnort gewesen. Syst. 226 f.

§ 73.

In die neben und unter ihn gestellte Natur und Creatur der sichtbaren Welt sollte der Mensch, als Ebenbild und Offenbarungsquelle Gottes, priesterlich=vermittelnd und königlich= regierend einwirken durch magisch=geistliche Kraft.

„„Aller Geschöpfe Leben und Bestandwesen war im ewigen Wort, und sie wurden des Wesens und Lebens alle theilhaftig durch den mit dem Aussprechen des Worts ausgehenden siebenfachen Geist. Aber es war keines unter ihnen allen das Bild Gottes, es war kein König vorhanden. Darum gleichwie Satan vor seinem Fall der König und die Sonne aller seiner Engel war, aus all' ihren besten Kräften geschaffen, daß sie alle von ihm regiert, beherrscht und belebt wurden, also sprach Gott 1 Mos. 1, 25 f.: „Lasset uns aus all' diesen Geschöpfen und Elementen das Mark und das Herz, das Beste und die Kraft nehmen, und einen König über alle, von allen daraus machen, und zwar ein einig Bild, das uns gleich sei, das über alle herrsche und in alle wirke." Da schuf Gott den Menschen. VIII. I. 21.

Die Seele hatte in ihr zusammen vereinigt alle Arten der Weisheit und alle Gestalten und Kräfte der Lebenseigenschaften. Sie war folglich zum Herrschen über Alles im Sonnensystem bestimmt, und ihre magische Kraft konnte mit Gott allmächtige Dinge wirken. Denn sie war ganz Bild Gottes, ganz Extract aller seiner Offenbarung und förmlich ein kleines Ganzes vom großen Ganzen, ein kleines All, ein wahrer Thronsitz der Herrlichkeit des Allmächtigen. — Deßwegen konnte der Mensch auch auf Alles und in Alles wirken und es also erhöhen. Syst. 150. 2r1.

Adam war der König, das Haupt und Herz der Natur, als quintessentialische, extraktische und fein organisirte Person in Mann und Weib, mit der männlich-feurigen und weiblich-lichtwässrigen Tinktur begabt, und konnte in alle Natur und Creatur tinkturialisch und magisch einwirken, und nach seinen Gedanken die Tinktur der Natur und Creatur bilden, beherrschen, aber auch beleben. In alle Creaturen und Elemente konnte er als ein solcher Adam, als der Verständigste und Kräftigste herrschen. Sein Herrschen lief durch kein moralisches Gebieten, sondern durch ein nach seinen Gedanken die Magia der Natur lenkendes, magisches Seelengeschäft. Er war seinen Untergeordneten kein Verdruß, sein regierendes Einwirken war ein Lebenseinfluß von Licht- und Paradieswesen für den, der beherrscht und regiert wurde. Was die äußere Sonne der Natur als ein offener Punkt der Lichtwelt ist, das war Adam auch der Natur und Creatur in noch höherem Grade, als er Paradiesmensch im Garten Eden war; denn er war in der Temperatur des Ein- und Reineelements. Und wie der Strom des einfachen Reinelements in die vier Elemente fließet und sie segnet, also Adam die Natur und Creatur. Er war die Mittelsubstanz, durch welche Gott Licht und Leben auf die lebendigen Dinge in der Natur fließen ließ. Syst. 258 f.

Adam wäre, wenn er seine Begierde nur allein in seine Braut, in die göttliche Weisheit, gesetzt hätte, eben das gewesen, was die Sonne am Himmel ist. Diese gibt allen Sternen Kraft, Licht und Schein. So hätte Adam immer das Leben in sich geboren, wäre das Bild Gottes geblieben, und hätte in Gottes Kraft in alle lebendigen Dinge gewirkt und alle beim Leben erhalten. VIII. I. 24.

Du warest ein König, den nicht die Unterthanen ernähren mußten, sondern du warest deiner Unterthanen Lichts- und Lebensquell. Durch dich theilte sich Gott ihnen mit, nämlich das Wort des Lebens in der himmlischen Menschheit, nach deren Bild du in Herrlichkeit geschaffen warest! Syst. 262.

Adam sollte und konnte den Himmel in sich erwecken, und mit dem Paradiesleben das irdische Thierleben und dessen Eigenschaften in sich, in Thieren und Elementen beherrschen und regieren. Syst. 225 f.

§ 74.

Durch das priesterliche Regiment des Menschen sollte Natur und Creatur erhöhet und verklärt werden, und auch auf die Engel sollte sich sein fördernder Einfluß erstrecken.

„„Das Leben, nämlich das Wort, war das Licht des Menschen; es war nicht aller Creaturen ihr Licht, aber aller Leben nach dem innersten Grunde. Viele elementische Creaturen hatten das Wort nicht zum Licht vor dem Fall; aber sie hatten doch ein in dem Worte bestehendes, untergeordnetes Leben. Aber alle hätten sollen durch Adam in das Wurzelleben des Worts und in's Licht versetzt werden. V. Offenb. 782.

Adam war König der äußern Natur- und Elementar-Welt; er konnte in alle Elemente und Creaturen wirken und herrschen, und weil er ein Extract aller Lebenseigenschaften und Weisheitsarten, und das Ziel der äußern und innern, der sichtbaren und unsichtbaren Schöpfung war, und die Herrlichkeit Gottes, sein ganzer und lebendiger Tempel, darin er Beides, wirken und ruhen wollte, durch welche er alle seine Creaturen näher in seine Gottesnähe und Vereinigung bringen wollte; so war Adam, mit doppelter Tinktur begabt, in einem Stande, darin er durch sein Einwirken in Natur und Creatur, aus eben der Fülle, damit ihn Gott erfüllte, Leben und Unsterblichkeit zu bringen vermochte. Das Reactionsvermögen der Creatur hätte es angezogen durch sein Actionsvermögen. VI. Pf. 777 f.

Adam, als das Herz und Haupt der Natur und Creatur, nach seiner äußern Geburt aus dem äußern Principio, hat Allem mit seinem Einwirken sollen paradiesisch Leben und Wesen einführen; er war die Mittelsubstanz, durch welche Gott Alles erhöhen, unsterblich und unverweslich machen wollte oder gradweise erhöhen; wenigstens war Adam dazu bestimmt, und wäre immer fähiger geworden. Syst. 261.

Durch ihn wäre Alles zu seiner Vollkommenheit und Unverweslichkeit geschritten; da wäre den Thieren, die aus der halbguten und halbbösen Erde geschaffen worden, auch durch die Menschen Heil widerfahren. Diese hätten sie umgestaltet und unsterblich gemacht, und wären diese nicht dem Dienste der Eitelkeit unterworfen worden. Syst. 226.

Die Engel hatten Lust an dem Menschen, an dem schönen kleinen Paradies Gottes, und wären vermuthlich noch freiwillig unter ihn geordnet worden, und hätten einen vollkommenen Herrn an ihm gehabt; sie hätten vermuthlich von ihm und durch ihn gelernt, und sein Umgang wäre für sie ein seliges Vergnügen gewesen. Syst. 266.

3. Ursprüngliche Gerechtigkeit des Menschen.

§ 75.

Sowohl der Bestand der herrlichen Natur des Menschen (§ 61 f.), als die Möglichkeit seiner hohen Bestimmung (§ 71 f.), war davon abhängig, daß er, seinem geschöpflichen Charakter gemäß (§ 36.), in dem leidenden Verhältniß des Gehorsams gegen Gott blieb und seinen Willen weder in sich selbst, noch in die Creatur, sondern lediglich in Gott einführte in der Weisheit, seiner Braut. (§ 69.)

„„Adam hätte nicht, wie Gott, sich selber wollen sollen in den Creaturen. Gott kann Nichts erblicken, verstehen und wollen zu seiner Offenbarung, als nur sich selber. Aber Adam sollte nicht sich selbst in seinen erlangten Kräften beschauen, und sein Gemüth mit seiner Willenslust nicht in die Creatur wenden; denn diese kann ihn nicht nähren und stillen; er ist ja schon das Herz und der Extrakt von ihr. Vielmehr hätte er seine Begierde nur allein in seine Braut, in die göttliche Weisheit setzen und diese, als den Lebensbaum, geistlich-magisch ergreifen sollen. So hätte er immer das Leben in sich geboren, wäre das Bild Gottes geblieben, und hätte in Gottes Kraft in alle lebendige Dinge gewirkt. VIII. I. 21 f. 24.

In der menſchlichen Seele, als der gottebenbildlichen
Geburtsquelle iſt das U, die Ausdehnungskraft, auch die
erſte Urſache der Sünde oder der Gerechtigkeits- und Glaubenswerke; denn ſie bringt das A oder die Actionskraft in
Bewegung in dem ganzen Quell des reagirenden O, und
alſo iſt es ſich wohl vorzuſehen, daß dieß nicht aufſteigend
und ausdehnend werde, durch äußere Sinnlichkeiten, Bilder
und Geſtalten veranlaßt, wodurch das ganze Lebensrad, die
ganze Seelenquelle in Flammen geſetzt wird; entweder im
Zorn oder fleiſchlicher Luſt, Hochmuth oder Neid entzündet.
II. Petr. 178.

Darum ſoll der Menſch über der, in dem Rade der Seele
in den Centris der Lebensquelle aufſteigenden Luſt wachen,
und die Luſt am HErrn ſich das Herz einnehmen laſſen, daß
es ſich wie eine Lichtquelle der Ewigkeit ausdehnen möge.
II. Jak. 309.

Es kommt ganz auf der Seele Willen an; was und wo
der Etwas will, kann er das ganze Rad bewegen und das
erlangen, was er erwählt, daß die Seele mit ihrem kugel-
förmigen Umlauf in allen ihren Kräften entweder ein Thron
Gottes, oder ein Thron des Weltgeiſtes, oder gar ein Thron
des Fürſten der Finſterniß wird. V. Off. 788 f.

Da die Seele ſieben Kräfte hat und in denſelben die
Gottheit ſich offenbaren kann, wenn die Seele gottgelaſſen
eine Herrlichkeit Gottes iſt, ſo iſt das ſiebenfache Rad ein
ſiebenfacher Geburtsquell, Eins mit Gott, und will wie
Gott, und Gott offenbart ſich darinnen, darum ſoll die
Seele mit Gott wirken und Gottes Wirken offen ſeyn, und
aus Gott, mit Gott, nur Gott, nämlich Gottes Dreiheit in
Einheit offenbaren. Syſt. 115.

Die menſchliche Seele iſt Gottes Bild und Quellgeſetz
des Lebens vor dem Fall geweſen. Dieſe Quelle ſollte aus
Gott, vor Gott, durch Gott und mit Gott nur Gott offenbaren, nur Gottes Willen in Gottes Kraft thun, oder gott-
leidend Gott ſolches thun laſſen. Syſt. 121.

§ 76.

Dieſe Stellung des Menſchen zu Gott iſt ſeine urſprüng-

liche Gerechtigkeit oder das lebendige Gesetz Gottes im Menschen, als eine Aehnlichkeit Gottes. (cfr. § 36. 61.)

„„Wenn die Seele Eins mit Gott ist, und will wie
Gott und Gott offenbart sich darinnen, so ist alsdann das
Gesetz ursprünglich, Seelen- und Gotteskräften-Aehnlichkeit.
Syst. 115.

Das Gesetz, im Ursprung betrachtet, ist eine Aehnlichkeit
der Seele und noch mehr sogar der Kräfte und Eigenschaften
Gottes und seiner Offenbarung in sich selbst und aus sich
selbst. Demnach ist Gesetz Seelen- und Gottes-Offenbarung.
Syst. 115. 116.

Wenn die Seele will, was Gott will, und in Gott, mit
Gott und durch Gott zu Gott, zu seiner Ehre und Freude
lebt, ist sie dann nicht ein wahres Bild des Urgesetzes, nämlich Gottes? ist sie nicht Lichts- und Lebensgesetz? Und
welch ein Gesetz sollte ihr noch gegeben werden können? Sie
ist ja so gestellt und geboren, wie sie Gott will; lebendiges
Gesetz ist sie mit Einem Wort und nichts Anderes. Syst. 121 f.

Ein Leben, das wohlgeordnet ist, ist sich selber Gesetz;
und da ein solches Leben eine Quelle vielfacher, aber vereinigter, harmonischer Kräfte ist, hat es auch die Kenntniß
in sich, wie Actions- und Reactionskraft mit Recht zu gebrauchen; wie weit sich die Seele ausdehnen oder wie und
wo sie sich beschränken soll. IV. Hebr. 80.

J. M. Hahn's Lehre.

Zweiter Theil.

·

Der Verlust der Herrlichkeit.

Erster Abschnitt.

Der Sündenfall.

---

1. Die Versuchbarkeit des Menschen.

§ 77.

Die gottebenbildliche Natur des Menschen schließt die Möglichkeit, versucht zu werden und zu fallen, in sich, vermöge ihres mikrokosmischen Charakters einerseits, dessen sich jede der drei Welten zu ihrer Offenbarung zu bedienen begehrte; andererseits vermöge der persönlichen Willensfreiheit, sich jeder dieser Welten beliebig aufzuschließen.

„„Der Mensch ist versuchlich, weil er Mensch ist; er wäre aber nicht Mensch, wenn er nicht aus unterschiedenen Welten der Offenbarungen göttlicher Eigenschaften zusammengesetzt wäre. Er wäre entweder Engel oder Thier, wenn er nur aus der himmlischen oder aus der irdischen Welt allein geschaffen wäre, und wenn er einfach nur aus der höllischen Welt geschaffen wäre, so wäre er ein Teufel. Da er aber aus allen Welten ist, darum ist er Mensch. II. Petr. 157.

Eine jede Welt ist eine besondere Geburt, und eine jede Creatur in derselben hat ihre darein gehörigen und tauglichen Sinnlichkeiten und Organisationen. Adam hatte, weil er aus allen Welten der Gottesoffenbarung geschaffen war, also auch Sinnen für alle Welten und Geburten, damit er mit allen Welten inqualiren konnte. So aber das nicht gewesen wäre, wie hätte er versucht werden können? Er war also um deßwillen wirklich versuchlich; er war Paradies-

menſch, er konnte mit der Paradieswelt inqualiren und tink=
turiſiren; aber er war auch irdiſcher Menſch, und konnte
es auch mit der irdiſchen Welt, ſo er wollte.   Dieß ſollte
er aber nicht, dafern er wollte in der Herrlichkeit Gottes
bleiben.   II. Petr. 155.

Als Adam im Paradies ſtund als die Quinteſſenz aller
Dinge, ſo wollte nicht nur die hölliſche Welt mit ihren Ei=
genſchaften durch ihn offenbar werden und ſeyn, und der=
ſelben Creaturen weckten in ihm ihre Gleichheit auf, indem
ſie dieſelbe rügten in der ſtarken Willens= und Lebensmacht
der Ewigkeit in Adam.   Sondern es wollte auch ſein Lebens=
licht herrſchen und den Himmel offenbaren, welches Adam
hätte eigentlich thun ſollen.   Syſt. 226 f.

Der edle Menſch wurde natürlich vom Lügner und Erz=
feind des Lichts und Lebens beneidet und auf alle mögliche
Weiſe verſucht, und ſeine Verſuchung war wirklich möglich.
Denn der Menſch hatte auch einen Theil der hölliſchen Welt
an ſich, und weil er aus allen drei Welten geſchaffen war,
ſo hatte alſo auch der Verſucher von der Seite der finſtern
Welt eine Bahn in ihn.   Dieſe benützte er und verſuchte
den Menſchen und wollte, daß er auf die nämliche Weiſe
fallen ſollte, wie er gefallen war.   Syſt. 105.

Als jene zwei Welten (die hölliſche und himmliſche) mit
ihren Eigenſchaften ſehr in Adam geſtritten, ſo ſtritt die
äußere Thierwelt noch viel heftiger in ihm.   Syſt. 227.

Da die äußere Welt eine Ausgeburt zweier unſichtbarer
Welten iſt, einer böſen und einer guten, und beide die Of=
fenbarung ihrer Wunder allhier vorbringen wollen, ſo ſuchen
denn auch Beide Werkzeuge dazu auf, und der Menſch, aus
Allem zuſammengeſetzt, was in der ganzen Schöpfung Got=
tes iſt, hat auf Erden und in der Sinnennatur ſeines Glei=
chen nicht an Fähigkeiten, ein Werkzeug für beide zu ſeyn.
IV. Hebr. 753.

Der Menſch hatte Freiheit des Willens, weil er ſonſt
nicht Menſch geweſen wäre.   II. Petr. 155.

Die blödſinnige Vernunft ſagt: Er, der liebe Gott, hätte
lieber dem Menſchen die Wahl nicht gelaſſen, zu wählen,
was er will; oder hätte lieber das Böſe weggeſchafft, daß
er es nicht hätte wählen können, und bedenkt nicht, daß der

Mensch alsdann kein Mensch, sondern ein Weißnicht was?
etwa eine sonderbare Monade wäre gewesen. — Ein Mensch
ist ein Mensch, und besteht als ein kleines Ganzes aus dem
großen Ganzen; er mag sich also mit seiner anerschaffenen
Willenswahl hinwenden, wo er will, so wählt er Etwas, das
er schon ist. Wählt er Licht, so ist er Eins mit Gott
und wird selig im Licht, also in Gott selbst, welcher die
Liebe ist in seiner Lichtsoffenbarung. Wählt aber der Mensch
die Finsterniß aus Vorneigung, so wählt er den finstern
Höllengrund in ihm; denn das ist ja auch das Fundament
seines Daseyns. III. Theff. 167 f.

Du sprichst: ja wäre der Mensch in seinem ersten Stande
geblieben und nicht in Adam gefallen, dann wäre seine Seligkeit gewiß gewesen; Gott sollte dem Menschen keinen
freien Willen gelassen haben. Aber wenn du keinen freien
Willen hättest, so wärest du kein Mensch und du wärest also
nothwendig selig und hättest deine Seligkeit nicht mit Gott
gewählt und wärest nicht wie Gott, der auch Licht und Liebe
ist, weil er es so wählt zu seiner Offenbarung. II. Jak. 307.

2. Der Fall des Menschen.

a. Der sinnliche Charakter desselben.

§ 78.

Gott hat den Fall des Menschen nicht gewollt und nicht
verhindert; aber weil er ihn voraussah, schon bei der Schöpfung des Menschen gnädige Vorsorge dafür getroffen, daß
er keinen unheilbaren Charakter annehmen konnte.

„„Es ging, wie Gott zuvor sahe, aber nicht wollte, und
wie er es, als der zu helfen wußte, gehen ließ und so zu
sagen gehen lassen mußte, wollte er sich offenbaren um seiner unwesentlichen Weisheit willen, die sich Alles zu wiederbringen unternommen. Syst. 226.

(Wäre der Mensch nicht gefallen), so wäre dem Satan
und seinem Anhang ungeholfen geblieben, welches Gott auch
wußte und deßwegen Adam auch aus der Quintessenz der
irdischen Welt schuf, daß er nicht wie Satanas sollte fallen,

--

sondern, weil er ja fallen würde, in die Thierwelt fallen möchte und also durch JEsum Christum, als die Weisheit, ihm und jenem zu helfen wäre.   Syst. 227.

§ 79.

In Folge dieser göttlichen Vorsorge, die durch die Einpflanzung des irdischen Princips in die menschliche Natur getroffen wurde, nahm der Fall des Menschen, im Unterschied von dem in die höllische Feuerwelt gesunkenen Satan, seine Richtung in die Sinnlichkeit der sichtbaren Welt.

„„Satan wollte, daß Adam auf die nämliche Weise fallen sollte, wie er gefallen war. Allein da es ihm auf dieser Seite nicht gelingen wollte, so versuchte er es auf einer andern und erregte in ihm die niedersinnliche Thierlust. Syst. 105 f.

Da das Aktionsvermögen Adams noch im blühenden und gleichsam noch unreifen und unfesten Zustand war, so konnte sich die Finsterniß regen und durch Anreizen der finstern Höllentinktur, herauszutreten aus der Harmonie göttlicher Kräfte, veranlaßt werden. Diesem setzte sich Adam entgegen und hat insofern überwunden. Allein Satan steckte sich in und hinter den Weltgeist und griff Adam auf der schwächeren Seite an, und suchte ihn, wenn er ihn ja zu keinem Teufel machen konnte, zu einem Thiere, zu einem vernünftigen Thiere zu machen, und auf andere Art seine Kräfte aus der göttlichen Harmonie zu locken. Es gelang ihm leider! Denn durch das reizende Sinnenspiel des Weltgeistes wurde Adam herausgelockt in die Sinnlichkeit und Mannigfaltigkeit, und siehe! finstere Lust erwachte in seiner Seele durch Satans Einwirkung, daß sein magisches Feuerbrennen aus der in Gut und Böse stehenden Creatürlichkeit essen und darin sein Leben anzünden wollte.   VI. Pf. 778.

b. Die Stufen des Sündenfalls.

§ 80.

Dieser Fall des Menschen ist allmählig und stufenweise geschehen, und was Gen. 3. erzählt wird, ist nicht der ganze Fall, sondern nur die Vollendung und Ausgeburt desselben.

„„Es ist nicht der erste Fall gewesen durch den Apfel-
biß, sondern es hat die Sache einen andern Verstand, als
davon gelehret wird, wenn man es nur obenhin betrachtet.
Syst. 104.

Jetzt, da sie vom Baum des Erkenntnisses Gutes und
Böses aßen, wurden sie mit Sünden- und Todesgift inficirt
und fingen an zu sterben; jetzt war der Fall erst ausgeboren
und Adam hat das Fallen angefangen, da er noch Mann
und Weib war. Syst. 280.

Erste Stufe.
Die verkehrte Lust.

§ 81.

Die erste Stufe des Sündenfalls beginnt mit einer lüster-
nen Betrachtung der Sinnenwelt und besonders des sinnlichen
Zeugungsspiels, womit der Weltgeist ihn reizte, daß er aus
der Lichtwelt in die Sinnenwelt imaginirte und eine verkehrte
Lust faßte.

„„Als der Weltgeist in ihm, in seiner Vernunft spielte,
hätte er solches nicht sollen achten, sondern das Spiel seiner
blühenden Sophia betrachten im Paradies. Da er aber sich
erniedrigte, das Spiel des Weltgeistes zu betrachten, wollte
ihn der gleich in der äußern Welt zum Schweinhirten äußerer Sinnen machen. Und das geschahe auch. Denn er erniedrigte sich zur Knechtschaft der Sinnen, und fiel unter
die Herrschaft seines Knechts, der ihm untergeordnet war,
der es auch verlangte. Syst. 260.

Er muß das Spiel des Weltgeistes und das Zeugungs-
und Vermehrungsspiel der Thiere gesehen haben, und dadurch
inficirt worden seyn von der höllischen Tinktur. Syst. 279.

Da der Mensch alle Lebenseigenschaften und Weisheitsarten, welche andere Geschöpfe getheilt hatten, ganz in und
an sich hatte und begriff, konnte er auch Allen den eigentlichen wahren Namen, nach seiner Eigenschaft und Art, geben.
Da er nun in Betrachtung der Geschöpfe die Zertheilung
der Tinkturen in männlichen und weiblichen Geschöpfen wahr-

nahm, und allzulang dabei verweilte, benutzte der Versucher
die Gelegenheit und erregte in ihm die niedersinnliche Thierlust, auch ein Bild seinesgleichen zur Geschlechtsvermehrung
zu haben. Hier war er also schon von der edeln Braut der
Weisheit Gottes und ihrer herrlichen Betrachtung abgekehrt
und gewichen. Syst. 105 f.

Als der Mensch anfing, sich zu der äußern Thierwelt in
Etwas zu neigen, da er von seinem Lichtsartigen innerlich
weg und dann in's Aeußere nach den Thieren sah, da ging
der Fall an. Syst. 227.

Anstatt daß er über Alles herrschen sollte, fing er an, sich
an der äußern Sinnenwelt zu vergaffen, und vom Licht der
Weisheit und Wahrheit abzukommen, und so setzte er die
Kraftmagia seiner Seele in das Eitele. Und anstatt seinem
Herrschen gemäß mittheilend und ausfließend, Leben und
Unsterblichkeit mittheilend zu seyn, war er nicht mehr Kraft-
anziehend aus der Licht- und Kraftwelt, sondern anziehend
in der Sinnenwelt. Syst. 150 f.

Die wesentliche Weisheit Gottes war Adams Licht, und
das Wort der Weisheit war sein Leben. Das A und das
O war sein Lebens- und Seelenrad, sein Geburtsrad, das
Rad des Werdens, ein Bild des großen A und O, des
ewigen Lebensbandes der wirkenden und leidenden Kräfte.
Das Wort war Adams zweites Leben mit dem Weisheits-
licht. Dieses zweifache Leben in Adam lebte im Dritten; das
war statt der äußeren Luft der Geist der Dreiheit, der aus dem
geoffenbarten Gott ausgehende, Alles formende und im Lichtwesen bildende Geist. Diesen nahm Adam mit dem innern
Leben in sich, sammt dem Wesen der Weisheit und Herrlichkeit Gottes. Dieses wurde ihm zum Nahrungslicht, darin
sollte er verharren und in der Weisheit und dem Geiste bleiben
und das in ihm Verborgene und in dem Lichtleib Ver-
schlungene aus der äußeren Thierwelt regieren und beherrschen, und nicht lassen den Weltgeist, (den er nach dem
Aeußern auch in sich hauchte und zog), in sich bilden und
im Sinnenrade spielen; denn das war ja der Fall. Er
hätte sollen mit dem ersten Leben des A und O so lang
das Leben und Lichtswesen mit dem Geiste in sich nehmen,
bis er vollkommen Mann und Weib gewesen wäre, nicht

nur ganz nach dem Bild des Ganzen, sondern auch so groß
und völlig, wie ein Lichtsleib seyn sollte. Da er aber zu
bald mit dem Weisheitswesen, als dem Leidenden in sich,
sich vermehren wollte, da es noch zu jung und klein war,
und in der Weisheit mehr hätte wachsen sollen, da versagte
sich ihm die Weisheit und wollte sich nicht weiter und mehr
geben, als vorher, nach und nach groß zu werden; sie wollte
eine Gnadengabe bleiben und Adam war stolz und wollte
es aus Recht. Darum verlor er nach und nach das Lebenslichtswesen und den Geist der Dreiheit; dann wurde die in
ihm ringende äußere Welt Meister und das Thierreich fing
an in Adam zu herrschen, alle thierischen Lebenseigenschaften
wachten auf in ihm durch das Spiel des Weltgeistes, der
aller leidenden Arten Lust erweckte. Da nahm Adam, der
eben ein Weib wollte, der da wollte zeugen, der in Lust der
vielen Arten entzündet war und von keiner Thierart allein
konnte zufrieden gestellt werden, Alles das in sich und an
sich, was alle Thiere aus ihm hätten nehmen sollen und
daraus wurde ihm Blut. IX. I. 519 ff.

§ 82.

Diese Imagination zog die Sinnenwelt in das Gemüth
Adams herein, in welchem die Weisheit, seine Braut, als
Baum des Lebens stand, von dem er essen sollte (§ 69.),
und pflanzte in dem Paradies seines Gemüths innerlich neben
den Lebensbaum den Baum der Erkenntniß Gutes und Böses, aus welchen die Sinnenwelt zusammengesetzt ist. (§ 54.)

„„Der Mensch hätte nur allein die Weisheit, seine
Braut, erkennen und von ihr erkannt werden sollen, weil
sie, der Baum des Lebens, in dem Paradies seines Gemüths,
in den innern Sinnen stund. Aber weil Adam, der von
dem Irdischen, Vierelementischen, über das er herrschen sollte,
gereizt wurde und sich reizen ließ, nicht lauter auf seine
Braut schaute, so brachte er alsbald einen Baum der Erkenntniß Gutes und Böses in dem Paradies seines Gemüths
der innern Sinne zuwegen. VIII. I. 25.

§ 83.

Dadurch entstand in ihm ein Streit zwischen dem innern

Menschen, der von der Weisheit gezogen wurde und dem durch die äußere Welt gerügten äußern Menschen, welcher nach der Sinnlichkeit gelüstete. Dieser Streit dauerte vierzig Tage im innern Paradies.

„„Da stunden nun beide Bäume und war ein Streit in Adam. Der innere Mensch wollte vom Baum des Lebens essen, der äußere vom Baum des Erkenntnisses Gutes und Böses. VIII. I. 25.

Die Weisheit ließ es an Nichts ermangeln, dem Adam einzureden, und der Versucher wendete auch Alles an. Syst. 106.

Es war ein Kampf, denn es kämpften drei Welten in ihm. ibid. Fast vierzig Tage lang währte das Ringen, bis die unteren Kräfte die oberen besiegt, bis es dem Weltgeist völlig gelingen konnte. 1. 297. 3.

Vermuthlich ist der erste Adam neununddreißig Tage im Paradies bestanden und am vierzigsten Tage gefallen. II. Akt. 9.

Christus war vierzig Tage noch auf Erden im Paradies. Vermuthlich war Adam vor seinem ersten Falle so lange darinnen. Syst. 415.

§. 84.

Adam fiel, indem sein Wille aus der Concentration im Licht (§ 69. 75.) heraustrat und in die Vielheit der Begierden auseinander ging, wodurch er aus der Kraft des geistlichen Lichtlebens in die Schwäche des natürlichen Lebens hinabsank.

„„Es ist möglich, daß das edle Lebenslicht verlassen wird; denn der Mensch darf sich nur in die Sinnlichkeit von falscher Lust gereizet, herauswenden und kehren. II. Petr. 155.

Das Lebenslicht war vor dem Fall die selige Central- und Lichtskraft in der menschlichen Seele. Dieß Lebenslicht, diese selige Kraft, diese liebe Herrlichkeits-Mutter, hat sich im Falle des menschlichen Abweichens und Auskehrens in ihren eigenen Quellgrund verschlossen, und es würde keiner menschlichen Seele möglich gewesen seyn, diese Licht- und Kraftquelle wieder zu erreichen und zu öffnen, wenn nicht das Licht des Lebens selbst Mensch geworden wäre. II. Petr. 189.

Adam ließ sich überwinden, und wollte, wie die Thiere, sich zeugen und gebären. Da wendete sich das Rad seiner Seele um und Adam sah sich im Irdischen. Sein Sehen und Erkennen war nun aber nicht mehr, wie es seyn sollte; darum wollte er irdische Speise, und sich auch irdisch zeugen. Da zog er Finsterniß und Eitelkeit, Creatürlichkeit und Wesen des Todes in sich mit dem Willen in das Gedächtniß durch den verfinsterten Verstand, und das, was er wollte, behielt er bildlich im Gedächtniß. VIII. I. 25.

Als er das Spiel des Weltgeistes achtete, phantasirte ihm der Teufel auch Sinnenlust in fleischlicher Vermischung ein, und er vergaß seiner Sophia, und die — wie aus einem Centralpunkt von ihm ausgehenden Lichtstrahlen verdunkelten sich; die nach ihm begehrende Tinktur der Natur und Creatur ward gefangen und deren Entgegenfluß angezogen. Syst. 261.

Das Leben, welches vor dem Fall des Menschen Licht war, Joh. 1, 4. war es jetzt nicht mehr. Syst. 328.

Da er in die Sinnenwelt imaginirte und also herauskehrte, verließ er die Herrlichkeit Gottes, die von innen blieb; es erwachte in ihm sinnliche Lust, und dann auch grobsinnlicher Fleischestrieb. II. Petr. 155.

Es wachten alle Thiereseigenschaften in ihm auf und gingen so viele Arten Begierden von ihm aus, als Arten von Thieren geschaffen gewesen, so viele und vielerlei Begierden, als Thiersarten waren und so viel der Mensch Schweißlöcher am Leibe hat. Diese vielen Begierden gingen aus der Einheit des Willens Adams und seines Lebensanfangs; da riß er sich von Gott und ward sein Willensleben ein eigen Leben, und wollte, wie die Thiere, wie er an diesen sahe, nachdem er sich vom Lebenslicht wandte. Syst. 227 f.

Es gingen so viele Willensarten und magische Kräfte von Adams Seele, dem Sophienthron, aus, in unterschiedenen Tinkturarten, als Geschlechter und Geschöpfsgattungen sind und als sich Schweißlöcher am heiligen Leibe dessen eröffneten, der wieder bezahlen mußte. Syst. 260.

Sinnliche, seelische Kräfte verschlangen höhere, geistliche Kraft und Verstand; so ward der Abfall auf's Erste begangen, wie es den Söhnen der Weisheit bekannt. I. 297. 4.

§. 85.

Nun erlosch das Bild Gottes in ihm und die Macht der erwachten Begierden zog aus der sichtbaren Welt eine thierische Leiblichkeit zum äußeren Kleide an, das ihm der mitwirkende Schöpfungsgeist (§ 56.) bilden half.

„„Da wich die himmlische Jungfrau, die göttliche Weisheit, und Adam wurde von ihr verlassen, eben weil er mit seiner Willenslust sich von ihr abgekehrt hatte, und weil nun das süße Lebenswasser nimmer in ihn eindrang oder nicht mehr in ihm geboren werden konnte. Es verlosch das Bild Gottes oder verblich in ihm. — Und da er kein Lebenswasser mehr in sich zog, so fiel das Bild Gottes in Ohnmacht als leblos; weil ihm der Lebensgeist aus Gott kein Leben mehr geben konnte, so verlosch das Bild Gottes und Adam ward gleich einem Erdenkloß. Da wurde ihm dann in's Blut, das nun irdisch geworden war, wie das der Thiere, eine Seele, ein seelisch Leben, vom Geist der Welt, von der Luft, durch Gott eingeblasen, und dieß war dann ein thierisches Leben. VIII. I. 25 f.

Der Fall des Menschen bestand hauptsächlich auch in dem raubenden Anzug des grobelementischen Blutes und fremden, vielartigen Thierlebens in zerschiedenen Eigenschaften. Denn dadurch bekam Tod und Verwesung, Teufel und Hölle viel Einfluß in uns. III. Kol. 120.

Da geschah es, daß er mit seinen Willensbegierden, mit seinem Leben in sich zog im Garten das verderbte Wesen der Elemente, da sollte sein Feuer brennen in demselben. Da fing an herb und derb Thierblut in ihm zu entstehen, darein machte sich das Leben im Herzen, das wollte nun irdische Nahrung haben, sich in die ganze Person auszudehnen, wie in den Thieren. Da schlief Adam ein des Gottesbildes und war als wie todt. Syst. 228.

Jetzt fing die Finsterniß an, das Licht zu besiegen, und nun verließ Adam seine himmlische Mutter und Jungfrau Sophia im Grund, und also die Herrlichkeit Gottes. Jetzt erwachten alle Lebenseigenschaften, deren so viele waren in seiner natürlichen Seele, als Geschöpfsgattungen sind, und alle waren im ewigen Feuerquell entzündet, magisch feuer-

brennend, geizgierig. Und da er den Mangel der Herrlichkeit Gottes, weil er alle Arten der Weisheit in Einem Bilde
verlassen, spürte, so suchte er die Leiblichkeit in den geschiedenen Arten der Dinge außer ihm, und siehe! das, was
schon im Ausfluß aus ihm für die Creatur gestanden, und
sich mit der reagirenden Thierstinktur vereinigt hatte, zog
Adam an und raubte es der Thierwelt. Und weil das Schöpfungsrad im Wirken stund, und sich Adam damit vereinigte,
so wirkte es durch den werkzeuglichen Theil der unterschöpferischen Kräfte, und bildete dem Adam einen solchen Leib,
wie wir ihn Alle noch haben, wir arme Evakinder, einen
Leib mit Bauch und Gedärm, mit Schaamgliedern nach aller
Thiere Art. VI. Pf. 778 f.

Adam hat geraubt tinkturialisches Wesen, das aus ihm
der Creatur hätte zufließen sollen, indem er solches anzog
zu einem Kleid und Leibe, in dem sich unsere arme Seele
schämt. O Adam! was hast du gethan! Doch, wir klagen
dich nicht an, weil wir nicht an deiner Stelle gestanden sind,
und nicht wissen, was wir gethan hätten. Syst. 262.

Adam ward anziehend in der Sinnenwelt und raubte
seinen Unterthanen in der Sinnenwelt, was schon in der
Transmutations- und Verwandlungskraft an- und aufgefaßt
war, welches also schon mit dem Thiersinnlichen sich vermengt
hatte. Und solchergestalt ward er so thierähnlich gestaltet.
Denn der Schöpfungsgeist wirkte mit ihm gemeinschaftlich.
Also er wurde grobfleischlicher durch irdische, thierische, grob-
sinnliche Lust. Syst. 151.

Aus dem von der Creatur Angezogenen entstand durch
Bildung des unterschöpferischen Naturrades dem Adam ein
grobes Fleisch und dickes Blut, ein Leib mit Samen aus
dem Quintessentialgrund der Natur. Syst. 261.

§ 86.

Im Innern des Menschen aber fixirte sich das fleischliche
Verlangen so, daß er in sich ein magisches Bild des Weibes
schuf, das er haben wollte.

„„ Ob er gleich allen Thieren den Namen nach ihren
Eigenschaften gab, war er doch nicht mehr so genau mit der

göttlichen Sophia verbunden und mag keine Creatur an
Eigenschaften gefunden haben, die für ihn gewesen wäre, die
er hätte Mensch nennen können, wie fast er auch mag gesucht haben. Und doch war sein magisch Verlangen erstaun-
lich stark, und in seinem Gemüth war schon das Bild, das
er wollte. Syst. 279.

Weil er von der Weisheit Gottes, als seiner liebsten
Gespielin, gewichen war, und der Wunsch in ihm war, eine
äußere Gehülfin in Person um sich zu haben, so half weiter alles Einreden der Weisheit Gottes Nichts, ob sie es
schon an Nichts ermangeln ließ, sondern das Verlangen
Adams wurde fix, denn der Versucher wendete auch Alles
an, und Adam willigte in dieß. Syst. 106.

Adam wollte vor seinem Schlaf mit ganzer Begierde
immerfort das Bild, das er idealisch im Gemüth hatte.
VIII. I. 26.

Wollend schaffte sein ganzes Gemüth, eine Gehülfin für
sich zu erzwingen. I. 299, 15.

§ 87.

Weil die Natur des Menschen in die Sinnlichkeit herausgekehrt wurde, (§ 84. 85.) so veränderte sich ihr entsprechend auch der Wohnort desselben, indem er aus dem innern
Paradiese (§ 70.) in den Garten Eden versetzt wurde. Dieser war nur das sinnliche Bild des übersinnlichen Paradieses
und enthielt auch die beiden Bäume, die er in übersinnlicher
Weise im Gemüth hatte, (§ 82.) äußerlich im sinnlichen Bilde.

„„Weil Adam die Herrlichkeit Gottes und die göttliche
Weisheit, seine Braut', verlassen hatte, war er haußen in
der Sinnenwelt, II. Petr. 155. und das Paradies war verschlungen. I., 269. 12.

Der Garten Eden war nur ein äußeres, sinnliches Bild
von dem übersinnlichen, himmlischen Gottesparadies, das in
Adams Gemüth, in seinen inneren, geistlichen Sinnen offenbar war, ehe er irdisch wurde. Sobald er eine thierisch-
seelische, lebendige Seele wurde, von dem Geist und der
Luft der großen Welt, so saß er im Garten Eden und da
bekam er dann sein Weib. Und es waren die nämlichen

Bäume in diesem Garten, die Adam im Gemüth hatte: der
Baum des Lebens und der Baum des Erkenntnisses Gutes
und Böses. VIII. I. 27.

Zweite Stufe.
Die Scheidung in Mann und Weib.
§ 88.

Weil der Mensch von der Weisheit, die seine Braut und
Gespielin war, verlassen wurde, (§ 85.) so stand er nun im
Garten Eden allein da. Dieser Zustand des Alleinseyns war
aber nicht gut; denn durch die Herrschaft des Fleisches über
den Geist, die nun begonnen hatte, war die geistlich magische
Vermehrungskraft verloren, und eine seiner Sinnlichkeit entsprechende, äußere Gehülfin zum Bedürfniß geworden.

„„Es verlosch das Bild Gottes oder verblich in ihm.
Da sprach Gott: Es ist nun nicht gut, daß der Mensch
allein sei. Er war vorher nicht allein, weil die göttliche
Weisheit seine Braut war; aber da er sich von ihr abriß,
so war er dann allein, und darum sprach Gott 1 Mof. 2, 18:
„Es ist nicht gut, daß der Mensch allein sei." VIII. I. 25 f.

Da Adam in die Sinnenwelt imaginirte und also herauskehrte, verließ er die Herrlichkeit Gottes, die von innen
blieb; es erwachte in ihm sinnliche Lust und dann auch grobsinnlicher Fleischestrieb, und weil er die Herrlichkeit Gottes
und die göttliche Weisheit, seine Braut, verlassen hatte, war
er haußen in der Sinnenwelt, allein und ohne seines Gleichen, und das war dann freilich nicht mehr gut. II. Petr. 155.

Im Anfang war Alles sehr gut; es war auch gut, daß
Adam allein (ohne äußeres Weib) war, bis er eine Gehülfin, die
um ihn wäre, nothwendig haben mußte, sollte nicht sein Fall
ärger werden. Syst. 279. Wer weiß, was sonst aus ihm
geworden wäre! Syst. 106.

Ihm war eine äußere Gehülfin nothwendig, und es war
nicht mehr gut, daß er allein sei. Denn das Sinnliche
hatte das Uebersinnliche, Geistliche überwunden, und also
vollendete er im Fleisch, was im Geist angefangen, und mit
ihm abgesehen war. Syst. 151.

Adam war schon grob Fleisch und Blut, und das wurde er durch sein Rauben, da er Herz und Sinn, Gemüth und Willen von Gott abwandte und in seinem Gedächtniß sein Originalbild vergaß und ein anderes Bild faßte, das quintessentialisch = extraktisch hergezogen und aus ihm herausgestellt und organisirt werden mußte, wie es noch heutzutage ist, und zu fleischlicher Fortpflanzung und Geschlechtsvermehrung erfordert wird. Syst. 277 f.

Wenn der Mensch nicht mehr eine Herrlichkeit der Herrlichkeit Gottes seyn will; wenn er sich einen falschen Buhlen bethören läßt, so tritt er aus der Harmonie der Kräfte Gottes und verliert die Temperatur, das Paradies und die Sonne des Lebens. Nun ist es nicht gut, daß die Tinkturen beisammen bleiben; nun ist es gut, daß sie geschieden werden, und der Mensch seines Gleichen aus sich zur Gehülfin habe und damit sein Geschlecht vermehre. Da nun die Finsterniß über das Licht, der abgeneigte Wille über den Verstand, das Fleischliche über das Geistliche zu herrschen begann, konnte der Mensch keine Ebenbilder Gottes mehr zeugen und ausgebären, sondern wurde zum Stammvater seelischer Menschen geschaffen und bestimmt, dessen Geschlecht der lebendig machende Geist, Jesus, der Stammvater des geistlichen Lebens, wieder in's Paradies gebären muß. Syst. 94.

Damit die sinnliche Seele, welche von Sinnlichkeit gleichsam erfüllt war, sich nicht noch ärger verfehle, schuf Gott die Eva aus Adams Luftwesen. I. 299. 17.

§ 89.

Deßhalb schuf Gott das Weib zur Gehülfin des Mannes, während des vierzigstündigen Schlafes, in welchen Adam durch die Ermattung des Streites fiel (§ 83) und mittelst der Zertheilung der Tinkturen in Mann und Weib.

„„Gott ließ es zu, daß Adam in seinem Kampf (denn es kämpften drei Welten in ihm) in einen tiefen Schlaf fiel, welcher vermuthlich vierzig Stunden (so lange, als der andere Adam im Grabe gelegen), gedauert hat. In diesem Schlafe wurde Adam getheilt in zwei Personen, in getheilten Tinkturen, und dann in einen Garten gesetzt, den Moses

den Garten Eden nennt, mit ihr, seiner Eva, der Mutter
aller lebendigen Menschen; denn er, Adam, fand alle seine
Lust an ihr, und wußte seine Freude nicht genug zu bezeugen. Syst. 106 f.

Adam hat nach analogischem Schluß ungefähr vierzig
Stunden geschlafen, als er vom Weltgeist überwunden war,
und unter der Zeit ist ihm eine Eva, eine Gehülfin zu seiner Geschlechtsvermehrung geschaffen worden. Syst. 277.

Christus hat ungefähr vierzig Stunden im Grabe gelegen, und als Ueberwinder des Weltgeistes, des Teufels, des
Todes und der Sünde, ist er als Geist auferweckt worden.
Adam schlief ein, als Geist im Fleischwerden, und Christus
starb als Fleisch im Geistwerden und stund als Geist auf,
(verstehe es hier von den äußeren, menschlichen Leibern.)
Syst. 278.

Ueberwunden vom Weltgeist sinkt er in den Schlaf dahin,
und wird, wie er ist gewesen, und aus ihm wird eine ihm
ähnliche und ihm anständige Eva gemacht. Syst. 279.

Nicht in der Mehrzahl hat Gott den Menschen erschaffen, sondern nur Einen Menschen schuf er; aber dieser Eine
war geschaffen zu seinem Ebenbilde. Er war also ebenso,
wie das A und das O, der Seele nach, von gedoppelten
wirkenden und leidenden Kräften, und wie das Lichts- und
Lebenswort, der Eingeborne Gottes, einer männlichen und
jungfräulichen Art, Natur, Eigenschaft und Tinktur; denn
sonst wäre er nicht Ebenbild Gottes gewesen, nicht ein kleines Ganzes, quintessentialisch ausgezogen aus dem großen
Ganzen aller Welten Offenbarung. Aber das war er, und
was in ihm war, das konnte zur Hälfte aus ihm genommen werden. Diesem um der Abweichung willen getheilten
Menschen wurde also das Fortpflanzungsvermögen in getheilten Tinkturen anvertraut, und er wurde zum Stammvater aller seelischen Menschen, und das von ihm geschiedene
Weib zur Stammmutter aller lebendigen, seelischen Menschen
gemacht, und hat kein Mensch ein ander Herkommen. Von
dem Blute des Einen kommen sie Alle, die diese Erde
bewohnen. II. Akt. 370.

Aus diesem Grunde — dem Verlust des Lebenslichts —
wurde die Menschheit zertheilt in Mann und Weib. Die

Tinkturen wurden getrennt, und also auch die Kräfte und Eigenschaften in männlichen und weiblichen Personen. Welche Zertrennung wir arme Adamskinder wohl fühlen müssen, bis wir durch eine wahre Wiedergeburt des Lebenslichts wieder theilhaftig werden. Syst. 329.

Gott ließ einen tiefen Schlaf auf Adam fallen, in welchen Schlaf er, als ein vom Weltgeist Ueberwundener, in der Ohnmacht des verblichenen Bildes Gottes ganz ermattet dahin gesunken war. Und also entschlief er. Da nahm Gott eine seiner Rippen, oder eigentlich die Hälfte seiner Menschheit, die weibliche Tinktur aus ihm, und schuf ihm ein Weib daraus nach seinem Willen. Und weil er den Geist der großen Welt im Seelenrade jetzt wirksam in sich hatte, statt des Lebensgeistes aus Gott, so wachte er auf und sprach: Das ist nun einmal Bein von meinen Beinen, und Fleisch von meinem Fleische. 2c. VIII. I. 26.

§ 90.

Diese Bildung der geschlechtlich getrennten Personen geschah durch die Wirkung des Weltgeistes; aber auch Adam hat auf magische Weise vermöge seiner Begierde (§ 86.) an der Eva mitgeschaffen.

„„Weil das Schöpfungsrad im Wirken stund, und sich Adam damit vereinigte, so wirkte es durch den werkzeuglichen Theil der unterschöpferischen Kräfte, und bildete dem Adam einen thierischen Leib (§ 85.). Damit er aber ja haben möchte, was er eigentlicherweise wollte, denn er hatte das Zeugungsspiel der Thiere gesehen, und sich ein Bild seines Gleichen eingemodelt, siehe, so blieb das Schöpfungsrad in ihm und der Naturwelt so lange in Bewegung und im Schaffen, bis ihm aus seiner Seite heraus das halbe Theil der Menschheit drang, und das war sein Weib, die er wollte. VI. Ps. 779.

Er schlief mit einem Samenleib, eine Gehülfin verlangend, sich auf thierähnliche Weise zu vermehren, in einem imaginirenden, phantastischen Traum, und Gott machte ihm durch die unterschöpferischen, werkzeuglichen Schöpfungskräfte ein Weib, wie er verlangte und setzte sie mit ihm in den Edengarten. Syst. 261.

Eva ist ein magisches Kind Adams, denn seine Magia half es bilden; denn sie vereinigte sich mit den unterschöpferischen, werkzeuglichen Schöpfungskräften. Diese Eva aber ist aus seinem Fleisch und Gebein geschaffen worden durch die Eigenschaften der Natur und die Tinktur und paradies-weltischen Kräfte schieden auch die Tinkturen. Syst. 277.

Gott schuf Eva aus Adams Lustwesen durch des Schöpfers mitwirkenden Trieb. I. 299. 17. 18.

Sie wurden beide mit Zeugungsgliedern vom Weltgeist versehen, nämlich von den Natureigenschaften des irdischen Geburtsrades und der unterschöpferischen, werkzeuglichen Schöpfungskräfte. Die Sternregion versahe sie auch mit Bauch und Gedärm, als wir noch haben, wie ein anderes Thier. Syst. 279.

Dritte Stufe.
Die Uebertretung des Gebots.
§ 91.

Obgleich durch die verkehrte Lust und ihre Folgen (§. 81 f.) eine wesentliche Deterioration der Menschheit eingetreten war, so war der Zustand Adam's und Eva's doch, weil sie noch in der Einfalt standen, noch nicht von der Art, daß sie nicht wieder zur Gottähnlichkeit hätten kommen können.

„„Immer war der Fall noch nicht ganz ausgeboren. Wären Adam und Eva im Gehorsam geblieben, so hätte ihnen immer noch leicht geholfen werden mögen, und sie wären gewiß in ihrer Einfalt nach und nach wieder zur Gottähnlichkeit und Vollkommenheit kommen. Syst. 280.

Abermals war es nicht ganz gefehlt; noch hätte das Uebel gehoben werden und das Sterben, Verwesen und Umkommen verhütet werden können, wenn es nicht geschehen wäre, daß sich der Fall weiter entwickelt hätte durch den Ungehorsam und das Essen vom verbotenen Baum. Syst. 261 f.

Bisher hatte Adam Eva noch nicht erkannt: das geschahe erst außer dem Edensgarten. Syst. 281.

—

§ 92.

Insbesondere sollte ihnen das Essen vom Lebensbaum ein Mittel zur Erhöhung in die Unsterblichkeit werden, indem sich ihnen dadurch das Wort des Lebens mittheilen wollte. (cfr. § 87.)

„„Da der erste Adam fiel und Stammvater seelischer Menschen wurde, hatten sich schon die untern Kräfte, welche den obern untergeordnet seyn sollten, emporgeschwungen, so daß also das Sinnenleben über das Höhere, Uebersinnliche herrschend geworden; daher also Stoff der Verwesung und Sterblichkeit. Hätte er aber mit der Hälfte seiner Menschheit, mit seinem Weibe, nach dem Uebersinnlichen gehungert, und vom Baum des Lebens gegessen, er wäre, sammt seiner Hälfte, ganz Mensch und völlig unsterblich und unverweslich worden. III. Theß. 65.

So sie ihren Willen mit Gott vereinigt hätten, sollte gewiß das Wort des Lebens ihnen nach und nach wieder das Lebenslicht worden seyn, und durch das Essen vom Baum des Lebens sollte sich ihnen auch das Wort des Lebens mitgetheilt haben. Syst. 280.

Er sollte vom Lebensbaum essen, und das Blut, worin das Leben brannte, tingiren und unsterblich machen. Syst. 228.

Es wird ihm jetzt im Garten Eden der Baum des Lebens nicht besonders angerathen, auch nicht verboten, aber der Baum der Erkenntniß Gutes und Böses wurde ihm verboten, damit er von dem Lebensbaum essen und wieder ewig leben möchte. Ja, er und Eva hätten dann die Weisheit wieder bekommen, und sie hätten das Bild Gottes in sich geboren und wären verwandelt worden. Ihre Herrschaft wäre dann wieder über Alles gewesen, alle Creaturen wären durch sie zum Leben erhöht und unsterblich gemacht worden, Alles wäre in's Eine reine paradiesische Lebenselement verwandelt worden. VIII. I. 27.

§ 93.

Nur sollten sie an dem Verbot, vom Todesbaum zu essen, ihren Gehorsam erproben und die Versuchung überwinden.

Durch die Uebertretung dieses Verbots aber wurde der Fall und mit ihm das Verderben des Todes vollendet.

„„Es stand ihm noch eine Versuchung bevor, in der, wenn er bestanden wäre, er unsterblich geworden wäre, d. h. er war wirklich unsterblich und wäre in der Unsterblichkeit bestätigt worden. Da er aber nicht bestand, sondern sich von seinem Weibe, die durch die listige alte Schlange d. i. vom Satan durch eine natürliche Schlange versucht und zum Abfall und Ungehorsam verleitet und gebracht wurde, verführen ließ; so fiel er mit seinem Weibe auf die schrecklichste Weise in Sünde und Tod. Syst. 107.

Adam ward mit dem Weib in dem Garten Eden einquartirt und bekam Gebot, daß er nicht sollte vom Baum essen, der den Tod brächte dem Blute, darin das Lebensfeuer brannte. Syst. 228.

Dem Satan war es nicht genug, den Menschen nur so weit gefällt und erniedrigt zu haben; er sann auf ein Mittel, den Menschen in den Tod und in das Verderben zu ziehen. Und leider! es ist ihm gelungen, als er sie aus der Einfalt und aus dem Gehorsam herausgezaubert hat. Jetzt, da sie vom Baum des Erkenntnisses Gutes und Böses aßen, wurden sie mit Todes- und Sündengift inficirt, und fingen an zu sterben. Jetzt war der Fall erst ausgeboren. Syst. 280.

Satan, der ein Lügner und Mörder von Anfang ist, wollte auch die Herrschaft über die Menschen, und verlangte sie zu tödten. Darum verführte er durch seine Schalkheit die einfältige und kindliche Eva. Mit seiner Schlangenlist brachte er sie von der Einfalt ab und beraubte sie ihrer Unschuld und des Lebens. Ja! auch Adam, der im Stande der Unschuld im Garten Eden war, und noch nicht gezeugt hatte, ward auch verführt. Da sie nun vom verbotenen Baum gegessen hatten, sahen sie sogleich, daß sie nackend waren; sie waren nicht mehr kindlich und einfältig, sondern erkannten alsbald, daß sie einen thierischen und schrecklichen Leib hatten. Da sprach Gott: Nun muß Adam aus dem Garten getrieben werden, daß er nicht wieder vom Baum des Lebens Wesen der Unsterblichkeit esse, und lebe ewiglich in diesem thiersinnlichen Zustand, als Einer, der Gutes und Böses

weiß, und eine boshafte Seele hat mit einem thieriſchen
Leibe. Da ward Adam mit ſeinem Weibe aus dem Garten
getrieben, auf den Acker, auf das Feld, das um ſeinetwillen
verflucht wurde. VIII. I. 27 f.

§ 94.

Dieſer Fall wurde theils durch den gedankenloſen Vorwitz
des Weibes, theils durch die allzugroße Weiberliebe des Mannes herbeigeführt.

„„Das Weibliche war Luſt und hat geſchieden ſein Wollen in ein eigenes und hat zuerſt vom Baum gegeſſen und
den Mann verführt und alſo die Uebertretung ein- und ausgeführt. Syſt. 280.

Die herrſchende Sinnlichkeit hat in des Weibes eröffne-
ter Luſt ſich dem Unkrautſäer offen gehalten, und hat alſo
der Menſch Todes- und Verweſungsgift empfangen, welches
ſich leider auf die ganze Nachkommenſchaft forterbt, daß alſo
Tod und Verweſung Alle durchdringt. III. Theſſ. 65.

Eva war ein einfältiges, engelſchönes, wohlgebildetes,
aber freilich ſehr fürwitziges, jungfräuliches Kind, da ſie aus
den Händen des Schöpfers kam; freilich in ihrer Einfalt
nicht fähig, ſich ſelber zu regieren und zu bewahren. Dieß
iſt's, warum ſie auch das Gebot des Schöpfers empfing;
allein die Schlange profitirte ihr ungeſetztes, kindiſches, ein-
einfältiges Weſen und beſchwätzte ſie, und ſo ward ſie betrogen. III. Kor. 235.

Adam hatte natürlich ſein Weib allzu lieb; darum vergaß er das Gebot Gottes, und ſein Weib war auch zu
gleichgültig, zu oberflächlich, zu wenig nachdenkend, und zu
vorwitzig und neugierig. Darum brachte Eines das Andere
in den Fall und in das Verderben, worin alle ſeine Nachkommen nun liegen und ſchmachten. Syſt. 107.

Zweiter Abschnitt.

Die Herrschaft der Sünde zum Tode.

---

§ 95.

Seit dem ersten Sündenfall herrscht die Sünde in der Menschheit zum Tode als ein physisches Uebel, welches das moralische Uebel hervorruft und Tod und Verderben zur Folge hat.

„„Es sind zweierlei Uebel zu betrachten; das physicalische, angeborene Erbübel, und das aus demselben entspringende moralische, von Gottes Wort abweichende Uebel. XII. I. 6.

1. Die Sünde als physisches Uebel in der Menschheit.

§ 96.

Durch den beschriebenen Sündenfall ist die Herrschaft der Sünde und des Todes in der ganzen Menschheit begründet worden, sofern der Fall der Stammeltern den der Nachkommen potentiell in sich schließt, und durch Zeugung und Geburt actuell nach sich zieht und fortpflanzt.

„„Das physische Uebel steckt in allen Adamskindern. IV. Hebr. 453.

Nachdem Adam und Eva, die ersten Eltern, gefallen waren, pflanzten sie in ihren Nachkommen Sünde und Tod fort von Geschlecht zu Geschlecht. Denn so wie in einem Kern vom Apfel wieder ein Baum mit vielen Aepfeln samentlich ist, also ist die ganze Menschheit samentlich in Adam und Eva geweſen, und darum iſt auch Tod und Sünde in Allen und zu Allen durchgedrungen, dieweil ſie in Adam Alle geſündigt haben. Syſt. 108.

Leider hat der erſte Menſch, der Urvater und die Urmutter, die zu Einem Fleiſch verbunden waren, die ich alſo, wie auch die Schrift thut, nur Einen Menſchen nenne, leider hat er durch das Geſpräch mit der Schlange Sünde, und durch das Eſſen vom Baum des Erkenntniſſes Gutes und Böſes, Todesgift empfangen. Dadurch iſt er von der hölliſchen, teuſliſchen Tinktur angeſteckt und inficirt, in die Herrſchaft der Sünde und des Todes gerathen mit allen ſeinen Nachkommen, weil Sünde und Todesgift Allen ſamentlich mitgetheilt wurde. Und es herrſchte vom Falle an in Allen das untere niederſinnliche Leben der untern Kräfte über das obere Geiſtesleben der obern Seelenkräfte. III. Eph. 95.

In dem noch ungetheilten Adam ſind ſamentlich alle Seelen gefallen, ſintemal er der Stammvater aller ſeeliſchen Menſchen iſt, und Alle, die von ihm ab- und herſtammen, alle ſeine Natur und Eigenſchaft, Form und Beſchaffenheit haben. III. Kol. 178.

Weil Gott dem Menſchen das Fortpflanzungsvermögen anerſchaffen und anvertraut hat, ſo pflanzen ſich die gefallenen Seelen ſo fort und alle Nachkommen Adams werden in Sünden empfangen und geboren. Alle haben alſo das Sünden- und Todesgift in ſich. Syſt. 131 f.

Fleiſch kann nur fleiſchliche Menſchen erzeugen, fleiſchlicher Eigenſchaft, Art und Natur. I. 300. 5.

§ 97.

Die durch den Sündenfall verdorbene, mit Sünde und Tod behaftete menſchliche Natur pflanzt ſich durch Zeugung und Geburt fort, weil dieſe ſowohl formell als materiell eine ſündliche iſt.

„„Es iſt nicht allein jetzo das Fortpflanzungsvermögen, das der Schöpfer den Menſchen verliehen, ziemlich thieriſcher Art, ſo daß die Seele des Wiedergeborenen ſich deſſen ziemlich ſchämet, ſondern es iſt ſogar das Sünden- und Todesgift erblich, und kaum iſt aller der Jammer zu beſchreiben, der durch den Sündenfall entstanden ist, ja! der auch noch täglich entstehet. Syst. 108.

Wir sterben Alle in Adam; sobald wir gezeugt werden aus Adam, fangen wir an zu sterben: denn in dem Samen ist das Gift der Sünde und des Todes. Syst. 276 f.

Finsterer Stoff und Erbstaub, also Sündengesetz ist in Allen; denn Alle sind aus sündlichem Samen gezeugt, also in Sünden von der Mutter empfangen und vom Vater gezeugt. IV. Hebr. 116.

Ich habe mein verkehrt treibendes Wesen aus Mutterleib gebracht, eine übermäßige Portion finstern Erbstaubes wurde mir angeboren, denn ich bin aus sündlichem Samen gezeugt, schon da ist der Stoff zur Sünde treibend in mich gekommen, ja! er macht einen Theil meiner Menschheit aus. Ob er wohl von dir das Licht zu tragen bestimmt ist, so ist er eben doch treibende Finsterniß zum Tode. Und da sich das Generationsvermögen in meinen Eltern regte, und sie, sich fleischlich zu vermischen, sich zusammenthaten, so ist auch die Finsterniß über das Licht im Herrschen gestanden, und daher bin ich aus sündlichem Samen gezeugt, und meine Mutter hat mich in Sünden empfangen; auch die Eröffnung der Gebärmutter geschahe in finsterer Entzündung, da ich meinen Anfang nahm. VI. Psf. 610.

Unsere natürlichen Lebensanfänge, der Stoff unseres natürlichen Seyns, ist schon in der göttlichen Zorngerechtigkeit gesäet, und siehe! das Anfangnehmen geschiehet durch einen in dem Zorn Gottes herrschenden, tinkturialischen Zusammenfluß. Schon also im Samen ist Todesgift und herrschender Zorn Gottes, und in unsern natürlichen Lebens-Anfangs-Theilen ist Stoff des Todes und darin treibender Zorn Gottes. VI. Psf. 985 f.

§ 98.

Das physische Uebel in der menschlichen Natur besteht darin, daß die Prinzipien (§ 67.) zertrennt sind und die Ordnung der Kräfte verkehrt ist, indem die unteren nun über die oberen herrschen. (§ 63.)

„„Der Mensch ist Nachbild des Urbildes, hat aber ver-

loren die Herrlichkeit Gottes und Gottes Lebenslicht; ſo hat
denn ſeine auseinandergeſetzte Seele in ihren Kräften vor
der Zurechtbringung nicht die heilige Form des Offenbarungsthrons der Herrlichkeit Gottes, ob ſie wohl alle Kräfte
außer aller Ordnung hat.   Daher ihr eine Hauptverände-
rung bevorſtehet, wenn ihr ſoll geholfen werden.   Die oberen Kräfte des ewigen Seelentheils müſſen über die Unter-
kräfte der Sinnlichkeit und Zeitlichkeit herrſchen; denn ſo
hat's der Schöpfer beſtimmt und verordnet, und ſo iſt alſo
die Wiederumwendung der Seele unvermeidlich, dafern ſie
ſoll ſelig werden. III. Kor. 48.

Daß der Fall des Menſchen darin beſteht, daß die untern ſeeliſchen und ſinnlichen Kräfte über die oberen, aus
der ewigen Natur herſtammenden herrſchen, iſt bekannt
II. Act. 511.

Im Zuſtande des Falls von Natur ſtehen die Seelen
in umgekehrter Ordnung, mithin in wahrer Unordnung, indem die untern, niedern Seelenkräfte, die Niederſinnlichkeit,
über die obern Seelenkräfte, d. i. über die Ewigkeit herrſchen;
daß alſo das Ueberſinnliche in den ewigen Kräften eine Sel-
tenheit iſt, welches deutlich vom Falle zeugt, da ja das Gegentheil ſeyn ſollte.   II. Petr. 216.

Es iſt in dem Falle des Menſchen faſt Alles verdorben,
denn das Oberſte iſt zu unterſt, und das Unterſte der Seelenkräfte zu oberſt gekehrt worden.   Das ſeeliſche ſinnliche
Theil der aus Zeit und Ewigkeit zuſammengeſetzten Seele
herrſcht nun im Falle über das ewige, unſterbliche, geiſtigere
Theil, und das iſt der Fall. IV. Tit. 255.

Die Seele iſt in ihrem Fall ſatansähnlich geworden; ſie
iſt nun verkehrt, das Untere iſt zu oberſt und das Oberſte
ihrer edlen Kräfte iſt zu unterſt.   Sie iſt aus drei Welten
zuſammengeſetzt; das Reich der Finſterniß iſt in ihr das
Herrſchende geworden.   Syſt. 131.

§ 99.

Das Lebenslicht, welches das centrale herrſchende Princip
ſeyn ſollte (§ 68.), iſt erloſchen und wird nicht fortgepflanzt.
Daher der Mangel der Herrlichkeit Gottes und der geiſtliche
Tod. (cfr. §§ 84. 85).

„„Die Seele ist ein verarmter Halbgott auf Erden, sie hat ihren höchsten Schatz, die Tochter vom höchsten Allvater, die Weisheit, verloren. I. 274. 1. 4. 6.

Am meisten beraubte Adam sein Geschlecht, uns arme Nachkommen von ihm. Den Männern raubte er ihre Sophia, und die allvergnügende Lichtstinktur, die selige und seligmachende Jungfrau Gottes. Den Weibern raubte er ihren Mann, die männliche Feuerstinktur, und läßt ihnen einen Adam, der ihrer übel wartet und pflegt. Er raubte uns Menschen überhaupt das Licht des Lebens und den Paradiesleib, und setzte uns in großes Elend. Wir müssen uns gar arm und elendig behelfen, denn wir sind aller Dinge fast ganz beraubt, die uns Vergnügen machen könnten. Alles ist eitel und eine Verzehrung des Geistes, und wir haben eine leere und ausgestohlene Ewigkeit im Herzen. Syst. 267.

Das Bild Gottes, als das Licht, blieb im Menschen, aber nur in dem Seinen, in seinem eigenen Principium, als verschlungen, wie der Tag von der Nacht. Und weil die Seelenkräfte von der starken Finsterniß beherrscht und die innern Sinne verblendet sind, so kann der natürliche Mensch Nichts von dem Geist Gottes vernehmen und das Licht nicht ergreifen. Das Bild Gottes, als das Licht, scheinet im Menschen an einem dunklen Ort, bis durch die Wiedergeburt und neue Schöpfung das Licht aus der Finsterniß geschieden wird, und der Tag des Lichts aus Gott anbricht, und also der Morgenstern, Jesus Christus, das Licht des Lebens aufgeht in dem Herzen. So wird dann das Licht wieder erreicht. VIII. 1. 189 f.

Ein edles vortreffliches Theil fehlt der Seele; die Herrlichkeit Gottes ist dahin. I. 275, 23.

Das göttliche Leben liegt todt und unmächtig in der Seele. Syst. 220.

Was vom Fleisch gezeuget und geboren ist, das ist eben Fleisch, d. h. es hat eben fleischliche Art und Natur, fleischliche Sitten und Neigungen, denn Fleisch und Blut kann nur seines Gleichen hervorbringen. Demnach hat ein Kind von Vater und Mutter Leib und Seele, nicht aber Geist. Geist gehört zwar auch zur eigentlichen wahren Menschheit, aber Geist kommt nicht von der Menschheit und pflanzt sich

nicht durch die Menschheit mit fort; sondern nur das ist
Geist, was vom Geist gezeuget wird, und ist geistlicher Natur,
Art und Eigenschaft, kommt also vom Geist und durch den
Geist erst in den Menschen. I. Lebensl. S. 114 f.

§ 100.

Das Feuersprincip, welches nur das Fundament des Lebens seyn sollte (§ 68.), ist in der Seele herrschend geworden, und macht diese, weil die feurige Magia der Seele ohne
das nährende und erfüllende Lebenslicht ein unersättlicher
Hungergrund ist, zu einem ewigen, sich selbst quälenden und
verzehrenden Feuerwurm. (cfr. Mark. 9, 44.)

„„Die menschliche Seele ist ein Wurm und ein Feuer.
Ihr Wurm wird nicht sterben und ihr Feuer nicht verlöschen.
Es werden beide, Wurm und Feuer, nicht sterben und nicht
verlöschen können, weil ihr Bestandwesen ewig und zum Theil
unanfänglich ist, wie wir gleich beweisen werden. Die Seele
des natürlichen Menschen, wenn wir ihn ohne die Geburt aus
Gott betrachten, ist ein Feuerwurm. — Sie ist ein Feuer und
ein immer begehrendes und umlaufendes Feuerrad; ihr Wurzel-
und Bestehungsgrund ist aber zweifach: denn sie ist ein aus
Zeit und Ewigkeit zusammengesetztes Ding, sie ist also zeitlich und ewig, sterblich und unsterblich, wie ihr zweifacher
Wurzelgrund. Ihr ewiger Entstehungs- und Bestehungs-
oder Wurzelgrund ist ein ewig, ja unanfänglich Feuerrad,
und wir nennen es den ewigen Geist, in dessen Feuer sich
Jesus Gott geopfert hat. Aber eben dieser Geist der Ewigkeit ist es, der ein ewig Lichtleben, als seine Seligkeit und
Herrlichkeit in sich und aus sich gebieret; darum ist er Feuer
und Licht. Gott hat dem Menschen die Ewigkeit in's Herz
gegeben. Diese Ewigkeit steht gewurzelt in dem Geist der
Ewigkeit, und dieser unvergängliche Geist ist in Allen ohne
Ausnahme. Ist er aber im Menschen ohne den Geist der
Herrlichkeit aus Christo, so ist er dem natürlichen Menschen
ein quälendes Feuer; dieses Feuer aber unterhält der Mensch
mit elementischem Wesen, so lang es das zeitliche Theil der
Seele zulässet und doch wird oft die Unruhe aus dem ewigen Grunde so groß, daß nichts Elementisches zureichen will,

dieselbe zu stillen. Daraus entstehet oft Verzweiflung. Der
Seele ihr zeitlicher Entstehungs- und Wurzelgrund ist auch
ein Feuer, welches das astralische und centralische ist, aus
welchen das elektrische Feuer erzeugt wird. Diese zwei Feuer
haben ihren Grund und ihr Wurzelwesen aus zwei unsichtbaren Welten, aus einer guten und bösen; daher sind sie
auch also, und sind doch nur in der Ausgeburt bös oder
gut, je nachdem Creaturen dieselben hervorbringen. Jenes
Feuer aber ist nicht nur der menschlichen, sondern aller zeitlichen Seelen Lebensgrund und Lebenswurzel. Hiemit also
wäre bewiesen, daß die Seele ein Feuer ist, und wenn es
nicht genug ist an dem, was gesagt worden, so kann man
aus der Schrift noch mehr Beweise anführen, wie auch aus
der Physik. Als ein Feuer hat Ezechiel die Seele gesehen
nach Ezech. 1. Als ein Feuer wird sie auch in der Physik
erkannt; man verstehe aber kein gemein Feuer, mit welchem
man umgehen kann. Sie ist aber gewiß ein unauslöschli-
ches, ewiges Feuer nach ihrem ewigen Theil, und kann also
ihr Feuer nicht verlöschen, weder im Himmel, noch in der
Hölle, sonst hörte entweder der Geist der Ewigkeit oder die
Seele auf, zu seyn, welches doch nicht möglich ist und schrecklich zu gedenken wäre. Der Geist der Ewigkeit zündet die
Hölle an und das in Natur und Creatur. Ist eine Seele
ein Feuer im Feuer, und ist ohne das Lichtleben und Wesen
der Herrlichkeit Gottes, so ist sie in der Hölle, und martert
und quälet sich selber. Hat ihr Feuer das Wesen der Herrlichkeit aus Christo zur Feuersnahrung, so ist das ihre Seligkeit und Allgenugsamkeit. Des natürlichen Menschen
seine Seele ist ein Wurm, der nicht stirbt. Sie ist ein
Wurm, weil ihr Entstehungsgrund ein Wurm ist; dieser
aber ist das Verwesungsleben, das — Alles tödtende, Leiber und natürliche Wesen fressende Todesgift, er ist der
Geist der Auflösung und Zerstörung, und wird alle Gestalten der Dinge fressen und verzehren, die nicht aus
der göttlichen Herrlichkeit geflossen und in ein Wesen gegangen sind. Dieser Wurm ist keine Tinktur und ewig Bestandwesen, er ist ein Ungeheuer, aus der Phantasie und
Neid des Drachen hervorgebracht. Es wird dieser Wurm
sterben mit seiner Gestalt, wenn er alle Ungestalten ge-

freſſen hat, und wird alsdann ſelbſt keine Ungeſtalt und
Wurm mehr ſeyn; denn er wird alsdann ein ihn tödtendes
Lebensgift aus Chriſto erhalten, das wird ihn zum Leben
bringen. Aber dieſer Verweſungswurm und Todesgift iſt
uns Allen anerzeugt und angeboren, wie das Erbgift. Es iſt
vermuthlich Einerlei, das Todes- und Erbgift. Darum iſt
unſere Seele ein Wurm, darum ſind wir, ohne Gnade betrachtet, hungrig nach Sünde und Verweſung. Es iſt in
uns ein Treiben zur Zerſtörung und Verderbung oder Verweſung, und das iſt Tod und Todesgift. Dieſer Wurm
wird freſſen, bis er Nichts mehr zu freſſen hat — ganz bis auf
das Beſtandweſen der Seele aus der Ewigkeit. XI. II. 83 ff.

Das eigentliche nährende, der Seelenmagia genügende
Licht iſt die Herrlichkeit Gottes, in welcher alle Kräfte der
allerheiligſten Gottheit wirken und ruhen; die Allgenugſam-
keit Gottes ſelbſt, in welcher auch die Seele allein wahre
Ruhe und wahre Genüge finden kann, welche alle Bedürf-
niſſe der Seele und alles magiſche Verlangen ſättigen, und
auf rechtliche Weiſe nach göttlicher Art befriedigen kann.
II. Act. 511 f.

Das Leben war das Licht der Menſchen vor dem Fall,
und alſo iſt das Licht verloren, darum iſt das Leben ohne
das Licht ein peinliches Ding; das erfährt die erwachte
Seele gar wohl. IV. Hebr. 176.

Wenn ich die Menſchenſeele betrachte, welch ein immer-
ſuchendes, wünſchendes und verlangendes, hungriges, magi-
ſches Lebensrad, ja welch ein ſich ſelbſt quälender Feuerwurm ſie iſt, der ohne das Licht des Lebens zu haben, zu
keiner eigentlichen Ruhe kommen kann, ſo wundere ich mich
billig, daß ſo ſehr Wenige das Licht des Lebens recht ſuchen. Syſt. 312 f.

Kein unerwecktes Menſchenkind weiß und erfährt den
Mangel der Herrlichkeit Gottes; aber einer, der rechter Art
erweckt und von Gott gezogen iſt, der findet, was ihm fehlt;
der weiß, was es iſt um eine Seele, die das Lebenslicht
verloren hat. Welch ein ſich ſelbſt quälender, ſchrecklicher
Feuerwurm iſt die Seele ohne die Herrlichkeit Gottes, ohne
das Licht des Lebens! denn immer ſucht ſie in den Creaturen,
was nur in Gott, dem Urſprung, zu finden iſt. Sie ſucht

also und findet nicht, und kehrt sehr unruhig in sich selbst zurück, bis sie müde wird aller Dinge, und wieder in dem Lebenslicht sucht, was sie verloren hat. Syst. 329 f.

Wir haben gedoppelte Tinkturen, welche wirkend und leidend sind. Wenn wir denn nun gedoppelte Tinkturen haben, und unsere Seele ohnehin als Ebenbild des göttlichen Offenbarungsthrons voll wirkender und leidender Kräfte ist: wie sollte sie denn ruhen können außer Gottes Herrlichkeit? Muß denn nicht eben die Herrlichkeit in der menschlichen Seele geboren seyn, welche ohne Unterlaß in den Centralkräften Gottes geboren wird? Herrlichkeit Gottes ist Einheit, und der Plan Gottes von Ewigkeit war kein anderer, als Alles in Allen zu werden, Alles mit sich und seiner Herrlichkeit zu erfüllen. So können denn also unmöglich zwei Einheiten stattfinden, dieweil nur Eine das ganze All zu einem Etwas macht, und wenn zwei Einheiten wären, so müßten auch zwei ursprüngliche Geburtsquellen derselben existiren, welche dann nicht einerlei Art und Magia seyn könnten, sintemalen es sonst nur Eine im Ungrund und Ursprung seyn würde, wie sie es auch ist. Hieraus schließest du gerecht, daß, da Alles aus Einem, durch Einen und zu Einem ist, das, was nur in Einem ist, auch nur in demselbigen ewigen alleinigen Einen Leben, Wesen, Seyn und Bestehen, und nur in seiner geoffenbarten Lichtquelle und eingeborenen Herrlichkeit, Seligseyn und Ruhe finden mag. Wenn denn nun demnach nur Eine Lichtsmagia eine einzige Einheit erzeugen und gebären kann und will, die im Centralquell und in den Schooskräften derselben ursprünglichen Quelle ist und bleibet, und wenn diese anbetungswürdige Einheit überall in der ganzen Quadratur der ganzen Schöpfung allgegenwärtig ist, so können nicht zwei Urgründe aus Einem Ungrunde sich offenbaren, können auch nicht zwei Anfänge und Enden seyn, weil nur Ein A und O ist; mithin können nicht mehr als Eine Herrlichkeit Gottes seyn und nur Eine väterliche Mutterquelle aller wahren Lichtswesen. Und so können also auch nicht zwei Mittelsubstanzen des Lichts und Lebens seyn. Diesem nach also sind alle Magien verkehrt, unselig, unruhig und qualvoll, welche nicht Ein Wollen und Wirken mit Gott sind, es mögen seyn

Menſchen- oder Engelſeelen, und können ſich unmöglich eine wahre Ruhe erzeugen, weil die leere Ewigkeit der Seelen für die Einheit Gottes beſtimmt iſt und bleibet in alle Ewigkeit. IV. Hebr. 204 ff.

Betrachtet die Kraft und Macht der unſättigen Magia! Falle ſie hinein, auf was ſich dieſelbe immer wenden mag, ſei's Welt-, Geld- oder Creaturenliebe, ſei's Augen-, Fleiſches- oder andere Sinnenluſt, ſie kann nicht ſatt werden. II. Act. 510.

Der gewaltige Schlund, der hungrige Grund der Seele will Alles verſchlingen. I. 274. 10.

§ 101.

Nach dem äußeren Princip iſt der Menſch in eine grobe, thieriſche Leiblichkeit herausgekehrt, mit welcher er unter der Herrſchaft des Stern- und Elementengeiſtes ſteht und dem zeitlichen Tode verfällt. (cfr. § 68.)

„„Adam und Eva aßen wider Gottes Verbot vom Baum des Todes; darum wurden ſie grobes Leibs, mit Fleiſch, Bein und Därmen gleich den Thieren. Syſt. 228.

Wir fallen dem Sternen- und Elementen-Geiſt nach dem ſterblichen ſeeliſchen Theil in die Region durch die natürliche Zeugung und Geburt. Syſt. 277.

Der natürliche Tod iſt der äußere Weltgeiſt ſelber, in dem der Menſch lebt nach ſeiner äußeren Menſchheit. Dieſer iſt von keiner unendlichen Dauer. Es iſt dieſer Tod das Fleiſch des Menſchen. Den Tod hat der Menſch mit auf dieſe Welt gebracht, ſchon da er geboren wurde. Denn da ſein Fleiſch anfing zu werden, da bildete ſich Sünde und Tod ein mit dem Samen, aus dem er gezeugt wurde. Der Same war ſchon ſündlich und ſterblich, die Empfängniß war ſündlich und ſterblich (Pſ. 51, 7.) und ſeine Geburt iſt alſo eine Sünden- und Todesgeburt; ſein Leib ein Leib des Todes und zwar deßwegen ein Todesleib, weil er ein Sündenleib iſt. Sein Leib lebt aus der vierelementiſchen, zerbrechlichen Welt und beſteht aus derſelben. Das Gröbſte dieſer vier Elemente iſt die körperliche Welterde; und das iſt der Leib des natürlichen ſeeliſchen Menſchen. Wir haben dem

äußeren Menschen nach einen Tod in uns und außer uns;
von Natur sind wir im Tod gefangen; wir leben im Tod
und sind todt und sterben als todt. Der Tod, in dem wir
leben, tödtet uns, er ist begierig unserer Natur, als seiner Natur, unseres Lebens, als seines Lebens, und hungert darnach
und nimmt uns, was er uns gegeben, als das Seine. Wir
erben von Adam Beides, Sünde und Tod, im Fleische
nach der adamischen, jetzigen Geburt; wir fallen aber, nachdem das Naturleben seinen Lauf geendigt hat, und dasselbe abgelaufen ist, in unsere Mutter, die Erde, — und
die ist der erste Tod und ist dann ihres Eigenthums wieder theilhaftig und hat die abgefallene Blume wieder, als
die Erdpflanze, die sie hergestellt hatte von gleicher Art,
nämlich blühend und dem Tode Frucht tragend. Da hat
dann die Weltluft oder der Geist, aus dem er sein irdisch
Leben hatte, das Seine wieder an sich und in sich gezogen,
da seine Kräfte diesen Erdschollen nicht weiter zu beleben
vermochten, weil er selbst ein tödtendes Gift in sich hat;
und die Erde hat auch wieder das Ihre, als welche etwas
Verwesendes, Fressendes und Verderbendes in sich hat. Und
dieses ist der erste Tod, der alle natürliche Menschen trifft.
VIII. I. 226. f.

§ 102.

Durch diese Leiblichkeit findet der Feuerhunger der Seele
theils Befriedigung, theils Begränzung; beides verliert er
aber mit dem leiblichen Tode und wird dadurch zur furchtba-
ren Flamme der höllischen Qual und Pein.

„„Gemüth und Sinn, Affekte und Begierden gehen nach
dem Triebe der Natur nur zur Erhaltung des Thierleibs
und zur ergötzlichen, sinnlichen Vergnügung desselben. Damit stillt zwar der Mensch seine begehrenden, ihn quälenden
Begierlichkeiten, so lange er hier ist, mit zerstörlichem, ver-
weslichem, tödtlichem Ding der vier Elemente. Das aber
muß er im Tode verlassen, und brennet sein feuriges Begehren roh und ohne Wesen im andern Tode in der größten
Unmacht, in Ansehung des Guten. Syst. 220.

Hier in dieser Welt ist das Feuerrad der menschlichen

Seele mit der Allbegierlichkeit in den Schranken ihres De-
müthigungsleibs begränzt und mit dem Zaum der Ordnungen und Gesetze, in welchen die menschlichen Gesellschaften
zu bestehen angeordnet sind, umgeben. In diesem Demüthi-
gungsleibe findet die Seele doch immer Etwas von dem,
wornach sie gelüstet. Denn in dieser Elementarwelt ist
noch manche gute Gabe durch den gütigen Einfluß der
Sonne, als dem offenen Punkt der Lichtwelt. Aber laß
die Seele vom Leibe des Todes auswandern, ohne das Brod
des Lebens oder das Licht des Lebens gefunden zu haben,
dann wird der begehrende Feuerwurm sich erst recht quälen.
Denn Alles wird er wollen, und Nichts mehr wird er haben können. Deßwegen sagt Jesus dort: „Werdet ihr nicht
essen das Fleisch des Menschensohnes und trinken sein Blut,
so habt ihr kein Leben in euch." Denn das Leben ohne
Lebenslicht ist kein Leben, sondern eine pure Qual, ein sich
selbst quälendes Feuerrad, der grausame Feuerwurm, der
sich selbst fressen und verzehren muß, indem er sonst Nichts
hat und also immer hungrig in sich selbst zurückkehren und
seinen Hungergrund vermehren muß. I. Lebensl. 123 f.

Einst ein grausamer, feuriger, sich selbst quälender Feuerwurm, der sich selbst frisset und verzehret, wird sie seyn, die
von aller Leiblichkeit entblösete, durch den Tod beraubte
Seele, die kein Leben aus Gott, keine wahre Wesenheit aus
Christi Fleisch und Blut hat. Ein eigentliches vierfaches
Feuerrad wird sie seyn, das begehrend aus sich selbst ausgehet und wieder in sich selbst hungrig zurückkehren muß.
Denn die aus Zeit und Ewigkeit zusammengesetzte Seele besteht aus ewigen und zeitlichen Kräften, und die Leiblichkeit
ist das begränzende Wirkungsgefäß des Ewigen im Leiblichen. II. Act. 507.

Wandert die Seele aus der sterblichen Hütte, so gehet
begreiflich das, was sie suchte und liebte, das, in dem sie
wie in ihrem Element lebte, nicht mit. Aber die Seele erscheint dort in ihrer hie gehabten innern Form, dort offen-
barlich, und ist in ihrer Begierlichkeit und Bedürftigkeit un-
verändert. Darum ist sie ein in ihren Begierlichkeiten aus
sich ausgehendes, und wieder leer in sich zurückkehrendes, magisches Feuerrad ohne Leiblichkeit, das sich selbst verzehrt in den

mitgenommenen Schattengestalten, und innerlich ein sich selbst fressender Feuerwurm, wie sie unser Heiland Mark. 9. selber schrecklich geschildert hat. **IV. Tit. 261 f.**

Wenn die menschliche Seele ein Ebenbild der Kräfte Gottes und des Quellthrons seiner Gotteseigenschaften ist, wie sollte dieselbe denn Ruhe haben ohne ein erquickliches Lebenslicht? Denn es muß ja allerdings ein Qualfeuer seyn um ein finster magisches Feuerleben! Ist dieß nicht der Qualwurm, der sich, so er aus dem Leibe geschieden ist, selbst fortfressen wird, bis er sich ganz durchfressen hat, nach unsers Jesu Worten? (Mark. 9, 44.) Ist dieß nicht das finstere Feuerrad, das ewig begierig aus sich ausgehen, und ohne Sättigung in sich zurückkehren und also sich selbst bis auf die Kräfte verzehren wird? Kann denn Ruhe in einer solchen Seele seyn, frage ich? Ist doch Leiblichkeit, Wirkungsgefäß und Licht, des Feuers Speise! **IV. Hebr. 175.**

Das Lebensrad der Seele ist ohne göttlich Licht ein magischer Feuerquell, der sich nun in der Naturwelt in tausend und mehr Begierlichkeiten herumquält und in Geistesverzehrlichkeit seine Zeit zubringt. Und da der Mensch nicht nüchtern wird, das Licht des Lebens zu suchen, wie leider selten geschieht, so geht er durch den natürlichen Tod in den ewigen, allwo er Nichts mehr hat, und auch das natürliche Gute, das ihm ein kleiner Ersatz des Lebenslichts war, nicht mehr hat. So zündet sein magisches Feuer sich selber an, wie sein Leib vom Geist der Auflösung gefressen wird, und in diesem erbärmlichen Zustand nach dem Tode lebt er nur von mitgenommenen Gedankenbildern, die ihm zur großen Qual werden, denn jede Erinnerung ziehet zur Strafe Qual und Leid, Höllen- und Todesgift mit an. **VI. Pf. 980.**

§ 103.

Vermöge dieser Umkehrung des Seelenrades (§ 98.) ist die Seele, welche ihrer Natur nach eine Geburts- und Offenbarungsquelle ist (§ 61.), eine finstere und verkehrte Lebensquelle, in welcher das finstere Feuerleben als Sündentrieb oder Sündengesetz herrscht und als ererbter Schlangensame oder Erbstaub die eigentliche Erbsünde bildet.

„„Es gibt in uns ein Sündengeſet, und dieß iſt theils ewiger, theils zeitlicher Natur; dieß iſt die leidige Erbſünde, das Erbübel, das Sündengift; ja, es iſt kurz geſagt: Geburt, Grund und Fundament der Hölle! Daher auch das finſtere Feuerleben in uns iſt und eben dieſer verkehrte Lebensquell, der Alles verſchlingen, an ſich rauben, ziehen und reißen will; der die Mitgeſchöpfe um ſich her, ſowie ſeine eigene Geſchöpflichkeit ſündlich mißbrauchen, ruiniren, verderben, widerrechtlich beherrſchen, und auf alle Art beeinträchtigen will, ein ſataniſcher Sündenquell verkehrter, höllenähnlicher Greuelgeſetze. **IV. Hebr. 82.**

Das Höllen- und Sündengeſetz, das uns phyſiſch angezeugt und angeboren iſt, liegt und ſteckt in unſerer Natur, ob es gleich abgründlich und gewiſſer Art ewig iſt, weil es aus der finſtern Welt ſeinen Urſprung hat. In Kraft dieſer finſteren Geſetze hat der Satan ſein Werk in den Unglaubenskindern, ſintemal der finſtere Stoff die Höllengeſetze, als die ſieben Grundkräfte des Höllendrachen, enthält, die ſich enthüllen wollen zum Erſtling der Höllen und Ebenbilde des greulichen Drachen. Denn ſie formiren einen abgründlichen Geburtsquell, ein Rad von ſieben vereinigten Kräften, die in ſich hineinwärts das Drachenbild erzeugen, und gegen Allem herauswärts hölliſch handeln. Wer da nicht durch Gnade widerſteht, iſt ein Charakter der Hölle und ein unſeliges Satanskind. **IV. Hebr. 464.**

Wir halten dafür, daß das Sündengeſetz, die verderbte, finſtere Lebens- oder vielmehr Todesquelle, nichts Anderes ſei, als das, was ſonſt Erbſünde, finſterer Erbſamen, genannt wird. Dieſe aus verſchiedenen Kräften der Verkehrtheit zuſammengeſetzte Quelle des Verderbens, vereinigt in einer finſtern Materie, iſt das Sündengeſetz, das ſiegende, finſtere Weſen in den Gliedern der Unwiedergeborenen. **II. Jak. 444.**

Sünder bin ich von Geburt und in der That; ich habe Ungerechtigkeit ererbt, und fremde Schuld liegt in mir. Dieſes Erbgift regt ſich und iſt eine finſtere Quelle, die ſich in dem Umlauf des natürlichen Lebens offenbart als ein aus gemeinſchaftlich zuſammenwirkenden Kräften vereinigtes Sündengeſetz und finſteres Geburtsrad. Dieſes nun bringt dem Tode Frucht, macht mich zum Charakter des

Zorns Gottes und zu einer finstern Creatur, und also zu einem Kind der Hölle und Unseligkeit. Syst. 283.

Alle haben das Sünden- und Todesgift in sich, also den finstern Erbstaub oder Schlangensamen, in welchem die Grundkräfte des Drachen als sieben Grundkräfte der Hölle verborgen liegen, wie das Hühnlein im Ei. Das ist das Sündengesetz mit sieben Kräften, das wie ein siebenfach finsterer, gebärender Geburtsquell den Satan in sich gebären kann, wenn ihm nicht durch Gottes Gnade widerstanden wird, in der dreifachen Seele des Menschen. Das ist das Sündengesetz, das da widerstrebt dem Gesetz Gottes im Gemüthe. Syst. 132.

Weil die Seelen in Sünden empfangen und geboren sind, haben sie das physikalische Erbgift, und also das Sündengesetz in ihren Gliedern. IV. Hebr. 525.

Eine übermäßige Portion finstern Staubes ist in uns, und das ist Erbsünde, die sich in wirklichen Sünden offenbart. VII. Petr. 206.

§ 104.

Das Sündengesetz ist, wo die Seele ist: in allen Gliedern, weil die Seele den ganzen Leib durchwohnt; — in Herz und Hirn besonders, weil dieß die Centralsitze der Seele sind.

„„Paulus sagt: Das Sündengesetz habe sich widersetzt in allen seinen Gliedern. Hieraus ist sogleich klar, wo die Seele im Menschen wohne und ihren Sitz habe, nämlich im ganzen Leibe, in allen Gliedern. Nämlich das Lebensrad ist im ganzen Geblütsumlauf und hat seine centralischen Sitze im Herzen und Hirn; denn die Seelenkräfte wirken nicht nur im Geblüt, sondern in allen Säften. Wo aber die Seele ist mit ihren Kräften, da ist das Sündengesetz. Die Seele selbst ist eine solche verkehrte, verdorbene Quelle. Syst. 132.

§ 105.

Doch ist in der Seele des Menschen noch ein Ueberbleibsel vom Bilde Gottes, eine göttliche Leuchte; nämlich das Gewissen, das durch Zeugung und Geburt kraft Mitwirkung des ewigen Worts fortgepflanzt wird, und seinen Sitz im Gehirn, als einem Centralsitz der Seele, hat. (cfr. § 99.)

„„Die ewige Magia muß von einem ewigen Lichte regiert werden, das ihr anzeigt, was sie wollen und nicht wollen darf, was sie erhält oder zerstört, sowohl im Leibe der Sinnlichkeit, der nach Geistesverhältniß begränzt ist, und wiederum auch in Ansehung der geistigeren Wesenheit, die da bleibet nach dem Tode. Es hat's aber der Schöpfer an solch einem Licht der Seele nicht fehlen lassen. Denn auch nach dem Fall ist mit der ewigen Seelenmagia auch das Licht, die Leuchte Gottes mit der ewigen Seele genau verbunden geblieben, wie es die tägliche Erfahrung deutlich lehrt. Daß der Fall des Menschen darin besteht, daß die unteren, seelischen und sinnlichen Kräfte über die oberen, aus der ewigen Natur herstammenden herrschen, ist bekannt. Dieses hebt aber nicht auf die Ahndung des Naturgesetzes, des im Fall übriggebliebenen Lichtes, welches deutlich spricht: Dieß sollst du, und Jenes sollst du nicht! II. Act. 510 f.

Das Gewissen ist das Auge der Seele: das Auge des unsterblichen Theils der Seele: es ist das Licht der Ewigkeit im Herzen. IV. Hebr. 745.

Obgleich die Seele eine verdorbene und verkehrte Quelle ist, so ist doch in ihr ein Gemüth, ein Mensch, ein Gewissen, ein Gottgefühl, ein Gottmitwissen, auch nach dem Fall. Syst. 133.

Das Gewissen ist ein Ueberbleibsel vom Fall, der Rest des Bildes Gottes in uns und dasjenige, was den Menschen noch zum Menschen macht. I. 314. 11. 13; 318. 2. 3.

Nichts Gut's von Eltern wird geerbt, als noch ein Aug, das unverderbt, und das ist das Gewissen. I. 318. 5.

Es kann die Zeugung und Geburt von denen, welche das Fortpflanzungsvermögen von Gott haben, mehr oder weniger den Absichten des Menschenschöpfers entsprechen, so sind doch alle Seelen, obschon feinere, nachdenklichere Seelen von Geburt aus einen Vorzug haben können, so beschaffen, daß sie ein Gewissen haben, darin ihnen der alldurchdringende Geist Gottes einsprechen und sich zu fühlen geben kann. IV. Hebr. 115.

Finsterer Stoff und Erbstaub, also Sündengesetz, ist in Allen; denn Alle sind aus sündlichem Samen gezeugt, und doch haben Alle eine schon beschriebene Seele, und in den

Centralsitzen eine Ewigkeit und in dieser ein Gewissen. Daher ist klar, daß der Schöpfungsgeist in Mitwirkung ist beim Gebrauch der Fortpflanzungsgabe, und daß er also nicht blos als spiritus mundi, sondern als Wort von Anfang mitwirket und daß es nur werkzeugliche, unterschöpferische Kräfte sind, die das Werk verrichten. IV. Hebr. 116 f.

Es ist euch bekannt, daß ich Herz und Gewissen oft das ewige Theil der Seele genannt habe. Denn die aus Zeit und Ewigkeit zusammengesetzte Menschenseele besteht aus untern und obern Kräften. Unter den obern sind nun auch Herz und Gewissen, nicht das Herz, das nur eine Handvoll Fleisch ist im menschlichen Leibe, sondern die Ewigkeit, die Gott dem Menschen in's Herz gab, die ist eine Seelenkraft aus der Ewigkeit, und in diesem centralischen Seelen- und Lebenssitz ist der menschliche Wille, und das Gewissen hat seinen Sitz mehr im Centralsitze des Gehirns, in den allerreinsten und flüchtigsten Säften. IV. Hebr. 452.

§ 106.

Dieses Gewissen ist ein Gottes- und Wahrheitsgefühl: ein Sensorium, worin Gott den Menschen berührt und der Mensch Gott fühlt; und zwar nach beiden Beziehungen: im Gewissen fühlt der Mensch sowohl Gottes Zorn und Feuereifer, als dessen Licht und Liebe.

„„Gott ist in dir als der Unwesentliche das A und das O auch vor deiner Wiedergeburt, und ist das Gesetz in dir oder die Ewigkeit in deinem Herzen und kann sich dir, so lange du nicht durch Betrug der Sünde verstockt, so lange du nicht allzu ferne von dir selber, so lange du noch aus der Wahrheit bist, zu merken geben im Seelenrade, das kannst du heißen das Wahrheitsgefühl oder das Gewissen. Das Gewissen ist das A, das Gesetz, das Leben in dir; die Lust innen ist die himmlische Weisheit, das O des A in dir. IX. I. 393.

Das Gewissen ist ein Sensorium Gottes, ein Gottes- und Wahrheitsgefühl, welches darauf beruht, daß im Menschen die Ewigkeit, in dieser der Geist der Ewigkeit, und in diesem die Allgegenwart Gottes ist. I. 314. 8—10.

Es ist der Sitz der Heiligkeit, da uns der Geist der

Ewigkeit jungfräulich kann berühren; alſo es iſt die Möglichkeit und die Matrix der Ewigkeit, der Gott ſich kann einführen. Wenn das Gewiſſen gar nicht wäre, ſo faßte Gott
uns nimmer mehr. — Es iſt der Predigtſtuhl des heiligen
Geiſtes. I. 318. 3. 10.

Es iſt in dem Fall des Menſchen faſt Alles verdorben.
Indeſſen iſt doch Etwas in der Menſchenſeele, das den Menſchen unruhig machen und überzeugen kann, daß es nicht
alſo ſeyn ſollte, und daß dieß ein ganz verkehrter Zuſtand
ſei, ganz wider alle Menſchenbeſtimmung. Daſſelbe Etwas
in dem Menſchen iſt ein Senſorium, darin Gott dem Menſchen noch beikommen kann, daher er auch im Falle noch
eine Möglichkeit behalten hat, daß ihm wieder kann geholfen
werden; denn ſo das nicht übergeblieben wäre, und Gott
ihm nicht mehr innerlich in den ewigen Kräften ſeiner Seele
beikommen könnte, wäre ſeine Wiederbringung unmöglich geworden. Wir nennen aber daſſelbe Etwas in der Seele des
Menſchen die Ewigkeit, die Gott ihm in's Herz gegeben
hat, und daſſelbe Organum und Senſorium, das Gewiſſen,
oder das Wahrheits- Rechts- und Lichtsgefühl, oder auch
das göttliche Mitwiſſen, das Geſetz Gottes im Gemüthe,
alſo in der ewigen, unſterblichen Creatürlichkeit, und iſt keine
Menſchenſeele, welcher der Alles durchgehende, allgegenwärtige, ewige Geiſt nicht in demſelben ewigen Organe beikommen könnte. Daher das Verklagen oder Entſchuldigen, bei
ungerechten oder gerechten Handlungen, auch in der Seele
des Heiden, der doch im Grunde von dem wahren Gott
Nichts weiß; daher das unruhige, verdammende Gefühl beim
nicht verſtockten Sünder. Denn die Stimme der Weisheit
ruft auf allen Straßen und Gaſſen, und rufet die menſchliche Seele zur Wiederkehr, ſintemal ja ſein unvergänglicher
Geiſt in Allen iſt. IV. Tit. 255 f.

Das Gewiſſen iſt ein treuer Wahrheitszeuge, oder nein,
es iſt nur das Tabernakel und der Tempel, das Heiligthum,
und das übriggebliebene Licht und Recht; das Werkzeug
oder Senſorium, darinnen der treue Wahrheitszeuge, das
Licht Gottes und die heilſame Gnade Gottes wirken, lehren,
zeugen und züchtigen kann. Und dieſem nach iſt es Gott,
was den Menſchen in ſeinem Gewiſſen lehrt, ſtraft und ent-

weder verklagt oder entschuldiget. Kraft des Gewissens
könnte Gott gefühlt und gefunden werden, und wäre demnach das Gewissen ein Gottmitwissen, ein Gefühl von Recht
und Unrecht, ein anerschaffenes und im Fall übrig geblie-
benes Naturgesetz aus der Ewigkeitsnatur; mithin freilich
ein in Gott und aus Gott lebender und existirender geistlicher Tempel und Heiligthum. Mithin wäre das Gewissen
die ewige Seelenquelle, und Gott selbst die allerheiligste
Sonne, die darin leuchten kann und will. IV. Hebr. 744 f.

Das Gewissen ist der sensus communis, oder das un-
verdorbene, allgemeine Wahrheitsgefühl. III. Kor. 78.

In den ewigen unsterblichen Theilen und Kräften kann
Gott die Seele durchgehen und berühren, und sie kann
ihn fühlen und empfinden, kann ihn hören und sich ihm
nahen und neigen. Sie kann im Wahrheitsgefühl bestraft,
sie kann da gelobt, gerufen und gezogen werden, und Gott
selbst will in allen Seelen sein Lebenslicht offenbaren, wie aus
seinen selbsteigenen Kräften und Eigenschaften. III. Kor. 48.

Wenn das Gewissen des Menschen ein Gottgefühl ist,
so kann es nicht allein Gott als Licht und Liebe, sondern auch
als Zorn und Feuereifer fühlen, daß es also beider Arten
von Gotteseigenschaften verfänglich seyn muß. Daher rührt
es, daß die, welche die Stimme der Gnadenzucht Gottes
nicht hören wollten, in sich selbst die verdammende Stimme
hören müssen. IV. Hebr. 750.

§ 107.

Eben deßhalb enthält das Gewissen die Möglichkeit der
Wiedergeburt des Menschen in's Bild Gottes.

„„Weil ich von Grund aus verderbt bin, so muß mir
auch von Grund aus geholfen werden und zwar mit neu-
schöpferischen, göttlichen Kräften. Und zu diesem ist noch
eine Möglichkeit in mir bei all meinem großen Verderben.
Das ist das Wahrheitsgefühl, das, sobald es sich im Lebensrad reget, durch die Einstrahlung des göttlichen Lichts, Wahr-
heitsluft heißt, ein offenes U in dem A und O der wirkenden und leidenden Kräfte. Dieses nach Licht begehrende U
ist schon das, was aus dem Ursprung aller Dinge, dem
Anfang aller Creatur erwacht und will sein Urbild wieder

faffen, oder vielmehr Samen des Lichts aus seinem Ursprung erlangen. VI. Pf. 610 f.

Dir sind, o Mensch! durch das Abweichen von deinem vater-mütterlichen Ursprung deine Sinne bezaubert und deine Kräfte verkehrt worden. Daher hat dich sowohl die finstere Welt und Satan mit seiner Tinktur, wie auch der Weltgeist und die Natureigenschaften zum Thier und Teufel, zum Sklaven und Affen gemacht. Du bist verblendet und hast dich mit den Kräften der Verkehrtheit vereinigt; dessen ungeachtet aber dennoch eine Möglichkeit zur Wiedergeburt und Wiedererneurung in das Ebenbild Gottes übrig behalten und das heißt Gewissen und Wahrheitsgefühl, ein unruhiger und am Vergänglichen mißvergnügter, ewiger und nachdenklicher Geist. VI. Pf. 229.

Die Natur, betrachtet im Fall, die thierische Natur des Menschen ist geneigt zu ihrem Verderben. Und nur das Gute ist im Fall übergeblieben, daß Gott in den ewigen, unsterblichen Kräften der Seele noch einen Zugang hat, woselbst seine heilsame Gnade ihn noch züchtigen, sein Geist ihn strafen, und seine göttliche Weisheit ihn noch locken kann. Wenn dieß nicht wäre, so wäre auch keine Möglichkeit mehr zu seiner Wiederkehr; er wäre unvermeidlich verloren, sintemalen er um seiner unersättlichen Seele willen übler daran ist, denn andere Geschöpfe, und er sich mehr, denn diese alle, verderben würde, weil er sich noch zu seinem Verderben zu reizen weiß mit seiner verkehrt denkenden Seele. III. Theff. 70.

In der menschlichen Seele ist ein Licht der Lebenskraft verborgen, welches erweckt werden und den Licht- und Geistsamen erhalten kann. Diese Möglichkeit zum Empfangen des Geistessamens bringt der Mensch mit in die Welt, aber nicht von den Eltern, sondern von dem ewigen Wort, indem seine Seele ewig und unsterblich ist, als weil sie aus dem ewigen Lebenswort geschaffen. I. Lebensl. 118.

§ 108.

So stehen in dem Menschen Sündengesetz und göttliches Gesetz einander gegenüber als zwei Centra, in welchen sich die Seele fassen kann zum Guten oder Bösen; und die Entscheidung liegt in dem Willen, welcher frei wählt, ungeachtet vermöge der materialen Naturbeschaffenheit des Einzelnen eine Vorneigung zum Licht oder zur Finsterniß stattfinden kann.

„„Von der eigenen Lust wird der versuchliche Mensch gereizet und gelocket; folglich ist eine Quelle in ihm, daraus die böse Lust entspringt und sich offenbart. Denn seine aus Zeit und Ewigkeit zusammengesetzte Seele, diese aus untern und obern Kräften bestehende Quelle, kann in sich durch Zusammenfluß mit Gott und durch Einnahme des Glaubens die Tinkturkraft des Samens der Herrlichkeit Gottes empfangen, daß eine neue gottähnliche Creatur geboren wird. Eben jene Quelle kann aber ebenso leicht durch Zusammenfluß mit der höllischen Tinktur einen Samen des Satans in sich empfangen, und kann daraus ein Erstling des Satans ausgebildet werden, der mit demselben in den Feuersee taugt. II. Jak. 308.

Der Mensch muß nicht nothwendig so seyn und bleiben, wie er ist; denn ihm wird ja vom Licht in's Licht gerufen, und so er ja nur will, so kann er in's Licht eingehen. Gott zeucht und lockt ihn, die Weisheit Gottes ruft ihm und reizt ihn. Gott gibt ihm beides, das Wollen und das Vollbringen; er kann also wählen, was er will, Licht oder Finsterniß, Leben oder Tod. II. Jak. 307.

Beide Welten haben auf den Menschen Einfluß und suchen ihn. So kommt es denn auf die Vorneigung des Menschen und auf seine eigene Wahl an, und es steht ihm frei, wohin er sich wendet. Ihm ruft die Stimme der Weisheit auf allen Straßen und Gassen, in allen Lebensumständen und Verrichtungen, in allen Begebenheiten und Lebensarten. Ihn züchtiget die heilsame Gnade Gottes im Gewissen, und Gott rufet ihm durch alle Stimmen der Wahrheit in's Herz. Aber auch die Thorheit ruft seine Seele zum Sinnengenuß und das finstere Schlangensprechen mit Worten tinkturialischer Höllenkraft wirket auf Sinn und Seele des Menschen und locket ihn. IV. Hebr. 753 f.

Wo ein vorzüglicher finsterer Grund ist, da ist auch weniger Licht und Gottesgefühl; wenn denn nun das Einsprechen der höllischen Schlange vieles Gehör findet in der Seele, die zur Finsterniß Borneigung hat, so kommt sie immer weiter aus sich selbst heraus und von Gott weg. IV. Hebr. 752.

Obgleich das Uebersinnliche in den ewigen Kräften eine seltene Sache ist, welches deutlich vom Fall zeuget, da es ja das Gegentheil seyn sollte; so ist doch unter den Gefallenen allen ein Unterschied schon darin wahrzunehmen, daß Einige mehr Nachdenken haben, als viele Andere; daß sie also gott= fühlender sind, und eher den Zug und Ruf Gottes fühlen und hören. Und ob sich schon das Niedersinnliche, welches in's Herrschen getreten ist im Fall, in diesen Seelen sehr regt, und wie wüthend zeigt, sobald sie sich mehr auf das höhere Gefühl legen, wird doch die Ahndung der Zucht von innen stärker und immer merklicher. Und wenn solche Seelen auch von dem physikalischen Erbübel des Sündengesetzes sehr geplagt werden, ist es doch, daß die Seele immer unruhiger und qualvoller wird; sie ist also überzeugter. 2c. II. Petr. 216.

Es ist eigentlich von Geburt aus kein Mensch von Gott los, aber das ist wahr, daß sich die Menschen nach und nach von Gottes Licht und Zucht so wegwenden können, daß sie von Gott, welcher ist Geist, Licht und Liebe, soweit entfernt sind, daß man sagen kann, sie sind von Gott los, obgleich sie von den vier ersten Eigenschaften der ewigen Natur, vom ewigen Bande nicht los sind. III. Theff. 26.

Der niedersinnliche herrschende Theil lebender Seelenkräfte im Reiche der Sinnlichkeit, in der Sterblichkeit, macht so viele Reize auf die Seele, oder es wird auf diesen so viel Reiz gemacht, daß sich der größte Theil immer weiter her= auskehrt, und von dem innern Organum und Sensorium ab= wendet, daß das Ohr nicht höret, das Auge nicht siehet, und das Gefühl nicht fühlet, weil es nicht hören, sehen, fühlen, noch riechen will in der Furcht Gottes, und es kommt bei Vielen dahin, daß ihnen das innere Locken, Rufen, Ziehen und Bestrafen zur Last wird. IV. Tit. 256 f.

Es gibt Fleischliche, die gar keinen Geist haben, denen nicht blos der Geist der Wiedergeburt fehlt, sondern denen auch der Geist der Ewigkeit mit seiner Gewissens=Beunruhi= gung nicht mehr beikommen kann; wie es von den Leuten vor der Sündfluth heißet, da Gott spricht: sie wollen sich meinen Geist nicht mehr strafen lassen; denn sie sind ganz

Fleisch, sie sind so thierisch, grobsinnlich, ganz fleischlich, daß sie auch das Naturgesetz, das dem Menschen eingeschaffen ist, nicht hören. Denn sie haben sich, statt daß der Mensch sich demselben nahen und hineinkehren soll, weiter herausgekehrt und ganz von demselben abgewandt. II. Jud. 134.

Wir theilen das Böse in zwei Rubriken ein, nämlich in ein physisches, angeborenes Uebel, und in ein geübtes oder gethanes, moralisches Uebel. In diesen beiden Stücken sind sich die Menschen gleich und ungleich. Gleich, indem sie Alle vom Erbübel haben und Keiner ohne Sünde ist, auch nicht ohne alles moralische Uebel; ungleich aber darin, daß dem Einen ein größerer Stoff des Erbübels angeboren zu seyn scheint, und daß Einer vor dem Andern mehr moralisches Uebel ausgewirkt haben kann. Aber es kommt nicht gerade auf das Mehr oder Weniger an, Alle sind Kinder des Zorns und der Ungnade, Alle mangeln der Herrlichkeit des Ebenbildes Gottes, Alle müssen, sollen sie anders nicht verloren bleiben, wiedergeboren werden. Sie sind also darin gleich, daß sie Alle von Natur verlorene, verdorbene Menschen sind, das ist erfahrungs- und schriftmäßig. Es ist aber auch schrift- und erfahrungsmäßig, daß es Kain's und Abel's, Esau's und Jakob's gibt, und daß in dem Einen mehr Schlangensamen und eine größere Portion Erbstaub und Erbsünde ist, als im Andern, und doch können Beide wiedergeboren und selig werden, wenn sie wollen. Und ob der Eine näher dazu hat, als der Andere, so ist es doch Gott möglich, den größern Sünder durch größere Gnade ebensowohl zu retten, als Jenen. XIII. I. 284. f.

2. Die Sünde als moralisches Uebel.

§ 109.

Aus dem physischen Uebel entsteht das moralische Uebel durch Einwilligung und freie Selbstthätigkeit des Menschen. Ebendeßhalb wird die wirkliche Sünde zugerechnet, die Erbsünde nicht.

„„Wer seinen fleischlichen Begierden folgt und diese herrschen läßt, ist mehr Thier als Mensch; es heißet in den Thierstand herabgesunken und sich verunedelt. Das ist aber der Fall allenthalben, wo das physische Uebel herrscht und das moralische Uebel hervorbringt. II. Act. 515.

Die Sünde, wenn sie nicht mehr blos physisches Uebel ist, sondern als ein moralisches Uebel zur Ausgeburt gekommen ist, gebieret den Tod. II. Jak. 305.

Obschon das physische Uebel in allen Adamskindern steckt, so lassen es geistliche Menschen nicht in moralische Uebel ausbrechen. Denn das hieße sonst von der Sünde beherrschet seyn, und solcher Art würde ja dem Tode Frucht gebracht und auf's Fleisch gesäet. IV. Hebr. 453.

Meiner Vergebungen halber magst du wohl nach der Strenge fahren, aber in Betreff des Erbschadens wollest du nachsichtig seyn; diesen wollest du nicht zurechnen. Es will mir in meiner Seelenangst oft werden, als klagte mich deine Gerechtigkeit auch wegen Erbsünden an. Herr, da kann ich mich nicht geben; diese kann ich nicht lassen auf mich kommen; diese wollest du mir nicht anrechnen. — Führe nur keine Gerichte wegen des bösen Erbgrundes an mir aus, sonst muß ich vergehen; aber über die Ausgeburten magst du lassen Gerichte kommen und sie rechtlich abthun. VI. Pf. 1359 f.

§ 110.

Die wirkliche Sünde entsteht aus der Erbsünde durch einen Geburtsprozeß, indem die an sich indifferente Lust durch sündliche Reizung im finstern Seelengrund verkehrt aufsteigt und das Herz der satanischen Einwirkung aufschließt. Durch Einwilligung wird diese Lust, indem sie den höllischen Samen empfängt, schwanger und gebiert die Sünde, als eine Aehnlichkeit des Teufels. Jak. 1, 14 f.

„„Es kommt darauf an, was deine Lust erweckt, ob's finstere Lust ist, die der Satan durch teuflische, abgrundsmäßige Weisheit, oder ich will lieber sagen Thorheit, in dir erweckt und herausreizt; oder ob die himmlische Weisheit mit den Lichtesstrahlen ihrer Vollkommenheit dein Lustverlangen herausreizen kann. Denn zu der geistlichen Geburt

reizt Etwas unsere Lust, es sei zum Tod oder zum Leben,
denn auch die Geburt zur Hölle ist geistlich; du verstehst
aber wohl, daß hier höllisch und falsch = geistlich verstanden
werden muß. Daher, mein Lieber, wache du über der in
dem Rade der Seelen in den Centris der Lebensquelle auf=
steigenden Lust. Ist sie am Herrn, so wird er dir geben,
was dein Herz wünschet, nämlich den Baum des Lebens und
ewige Allgenugsamkeit. O laß dir diese Lust das ganze Herz
einnehmen, daß es sich wie eine Lichtquelle der Ewigkeit
ausdehnen möge! Ist aber die Lust verkehrt, beabsichtigt sie
Sünde und Verderben, o so rufe so schnell als möglich das
U in's A und O zurück, kehre damit an's Kreuz im Rade
der Entstehung zurück, daß sie plötzlich umgeboren werde!
II. Jak. 309.

In der menschlichen Seele ist das U, die Ausdehnungs=
kraft, auch die erste Ursache der Sünde oder der Gerechtig=
keits= und Glaubenswerke. Denn sie bringt das A oder die
Aktionskraft in Bewegung in dem ganzen Quell des reagi=
renden O; und also ist es sich wohl vorzusehen, daß dieß
nicht aufsteigend und ausdehnend werde, durch äußere Sinn=
lichkeiten, Bilder und Gestalten veranlaßt; sintemal hier sehr
viel am Menschen gelegen ist und soll hierorts wohl erwogen
werden, wie es ganz blitzenschnell öfters das ganze Lebensrad,
die ganze Seelenquelle in Flammen setzt, entweder im Zorn
oder in fleischlicher Lust, Hochmuth oder Neid entzündet.
Denn o! wie schnell wird durch die Ausdehnungskraft der
Lust das Herz weit gemacht; denn sie ist eine steigende Tink=
tur. Steigt sie, durch Sinnlichkeit erweckt, nach falschem
Freudenlichte, so ist die Tinktur der Höllen durch Satan vor=
handen, und schwängert die Lust mit höllischem Samen. Denn
gleichwie Dina ist sie ausgegangen, fremde Dinge zu sehen,
und ist als Hure heimgekehrt mit falschem Samen, der das
Erbgift vermehrt. So dann die Lust einmal empfangen hat,
so gebieret sie eben die Sünde, und diese, wenn sie ausge=
boren ist, gebieret dann den Tod. II. Petr. 178.

Lust ist das, was schwanger wird, und also den, mittel=
bar oder unmittelbar ausfließenden Tinkturstaub fasset als
einen Samen, der zur Vermehrung tauget. Verstehe aber:
beides im Licht und in der Finsterniß. VI. Pf. 176.

Der Finsterniß liebende arge Seelengrund schließet sich auf in verkehrter falscher Lust; die kann von dem ursprünglichen Haupt der Verkehrtheit tinkturialisch bewirkt und erfüllt werden. VI. Pf. 181 f.

Wenn die Lust und Neigung zur Sinnlichkeit in der Sinnenwelt sich regt und nicht gleich besiegt wird, so kommt die Tinktur der Finsterniß dazu, welche auch schon zum Erregtwerden das Ihre beigetragen hat. Sie tritt also näher und fleußt mit der aufblühenden Tinkturlust des Menschen in Eins zusammen, und geußt höllischen Samen ein in die Gebärmutter der Lust. Denn sie, die Lust, ist erwacht im Fundamentalleben der höllischen Eigenschaften, also sie empfängt ihres Gleichen, und diese leider sehr fruchtbare Mutter, wenn sie einmal empfangen hat, gebiert oft schnell die Sünde, und die Sünde gebieret immer den Tod. II. Petr. 159 f.

Die Lust ist es, die sich verkehrt aufschließt in den Kräften der Seele. Zu dieser Lust gesellt sich Satan, denn sie ist ihm wie eine reizende Jungfrau; sie ist die steigende Tinktur des Menschen. Mit dieser vereinigt er sich; sie ist ihm leidend, wie das Weib dem Manne, sie ist ihm angenehm, wie eine Herrlichkeit. Er applicirt ihr den Höllensamen, setzt das Seelen- oder Lebensrad in Bewegung und in Flammen; die Lust, die aufgestiegen war, ist schwanger und wird zur Mutter. Denn wenn zur Lust Einwilligung gekommen ist, so ist der höllische Beischlaf, und also die Schwangerschaft geschehen und nun gebieret sie die Sünde, und die Sünde, wenn sie nun nicht mehr blos physisches Uebel ist, sondern als ein moralisches Uebel - zur Ausgeburt gekommen ist, gebieret den Tod. II. Jak. 304 f.

Wer nun zur Finsterniß geneigt, und mehr fast noch als andere Seelen, der wird vom Satan selbst gesäugt unmittelbar, es kann nicht fehlen. Und dieses geht durch die Tinktur derselben armen Creatur. Denn die, gedrängt von finstrer Liebe, treibt aus ein finster Sam-Gestiebe; mit diesem paart sich Satan bald und zeiget seine Grundgestalt. Ein solcher Mensch, zur Qual bestimmt, gleicht also seinem argen Vater, deß Bild und Wesen er annimmt, und hat's auch in der Höllenmarter: Der ist auch nicht charakterlos, o nein!

er stellt sich frei und blos, daß er die Hölle offenbart.
I. 267. 19. 20.

§ 111.

Vermöge der Natur dieses sündlichen Geburts-Prozesses ist eine solche Entwicklung und Ausreifung des Menschen in der Sünde möglich, daß er, indem er aus dem höllischen Wesen einen finstern Leib anzieht, ein eingefleischter Teufel und Erstling des Satans wird.

„„Wenn der Mensch sich so von dem Gewissen weg und herauskehrt, daß er dessen Stimme nimmer hört, so erzeugt und gebiert der Satan sein Bild in der Menschenseele, so daß der Mensch ein Erstling des Satans werden kann und mag. Dieß bestreitet das Gesetz Gottes im Gemüthe, und will es hindern, daß der Satan sein Werk nicht ruhig und ungestört in ihm soll haben können. Syst. 133.

Das Gewissen zeuget von einer Ewigkeit im menschlichen Herzen; dieß unterscheidet den Menschen vom Thier. Sobald er aber sein Gewissen nicht achtet, und auf keine innere Zucht merkt, sinkt er zum Thier herab und kann bis zum einge-fleischten Satan ausarten. III. Eph. 301.

Wenn eine Seele, ohne daß sie sich bekehrt, ohne daß sie des Lebenslichts ist theilhaftig worden, stirbt, so wandert sie aus dem thiersinnlichen Leibe in eine ewige Welt und hat keinen Leib, außer sie sei ein eingefleischter Teufel wor-den und habe aus der höllischen Tinktur einen Leib der Fin-sterniß angezogen, in welchem sie ewig Qual erleiden kann und erleiden muß. IV. Hebr. 216.

3. Die Sünde als Ursache des Todes.

§ 112.

Die Sünde bringt dem Tode Frucht, indem der der Sünde dienende Mensch vermöge des in ihm herrschenden Zorns Gottes (§ 37.) sich selbst beschädigt, bestraft und verderbt.

„„Was der Lichts- und Liebe-Offenbarung Gottes zuwider

ist, das ist wider Wahrheit, wider Licht und Recht, kann
also seinen Grund nur im ursprünglichsten Verkehrer haben,
und aus desselben seinem eigenen Grund kommt alle Lüge,
alle Verkehrtheit, aller Irrthum, alles Verderben, aller Tod
und aller Jammer; kurz Alles, was dem Zorn Gottes heim-
fällt und heimfallen muß. Solcher Gestalt fällt also alles Widerrechtliche dem Gericht rechtlich anheim, und nach Maßgabe des
widerrechtlichen Handelns auch mehr oder weniger, kürzer oder
aber auch länger, Alles nach Recht. Die widrigen Wirkungen, die sich verkehrte Seelen durch ungerechte, lichtswidrige
Wirkungen zuziehen, sind also Folgen der Verkehrtheit, und
liegen in der Natur der Sache gegründet. Darum rächet
sich die Sünde an ihrem Thäter selbst, es mag nun geschehen,
wann es will. Denn alle Dinge, welche die verkehrte Seele
thut und will, gehen über die Gränzen ihrer Geschöpflichkeit, also wider Recht und Billigkeit. III. Theff. 169 f.

Die Sünde ist eine mächtige, eine despotische und tyran-
nische Herrscherin; denn ihre Knechte müssen sich selbst verderben und ruiniren, ja, sie richten sich selber schändlich zu
Grund an Leib und Seele. Denn die Sünde rächet sich
meist an ihrem eigenen Thäter. Wer sollte nicht vermerken
können, daß der Zorn Gottes Alles, worin er herrschend ist,
verderben und verschlingen würde? III. Eph. 138.

Was sich wider Gottes Plan außer Gottes Licht offenbart, das offenbart sich verkehrt in Finsterniß, mehr oder
weniger, und was in Gottes Zorn sich offenbart, hat nicht
Bestand, und muß sich bald verzehren. Jede Sündenregung
ist Trieb der Verderbung, ist Zurückrufung aus dem natürlichen Hierseyn. Wenn die Erbsünde im natürlichen Leib
herrscht, so bringt der Mensch dem Tode Frucht und fällt
der Gerechtigkeit Gottes heim, die sich im tiefsten Unterleib
des Alls im Gericht offenbart, und immer in das Anfangs-
seyn zurückrufet; und es kann geschehen, daß ein Mensch
durch die herrschenden Ausbrüche der Erbsünde sich fähig
macht, daß er bälder aus dem Leibe gerufen wird in das
Anfängliche, daraus er kam. VI. Pf. 986.

§ 113.

Durch die Sünde verderbt der Mensch Leib und Seele,

befördert seinen geistlichen und leiblichen Tod, und wird zur
Auferstehung im Geistleib untüchtig.

„„Bekommt das magische Verlangen des Herzens mit
seinem strengfeurigen Begehren die Oberhand und übertäubet
das Gewissen, so erfolgt der Genuß einer Todesfrucht, und
dieser Sinnengenuß bringt dem Tode Frucht, es sei durch
Augen-, Fleisches- oder andere Sinnenlust oder sonst ungöttliches Wesen. Denn der Genuß der Sünde hat das Herz
nicht befriedigt, sondern der finstere Tinkturstaub, den es
empfangen, hat's noch mehr befleckt, und hat Finsterniß-Lust
genährt, also gestärkt und vermehrt, daß auf ein andermal
das Gewissen leichter zu übertäuben ist, sintemal es auch durch
die Finsterniß ist geschwächt worden. Denn Finsternißliebe
wird mit Finsterniß gestraft. IV. Hebr. 759.

Das zeitliche, aus der Zeit geschaffene Theil unserer
Seelen ist sterblich und hanget am astralischen Bande und
zerreißet bald, daß wir hinfallen, und Mancher reißet sich
durch öfteres Essen vom Todesbaum noch früher ab. VI. Pf. 982.

Sünde ist verkehrte Wirkung der vom Schöpfer erlangten
Kräfte, so daß der Sündigende sich am Schöpfer vergeht
wider alles Recht, und an sich selbst, als an seiner Creatur;
er befördert Tod und Untergang, da er ganz den Absichten
Gottes entgegenhandelt. Der Sündigende bringt dem Tode
Frucht, und ruinirt, was Gott erhalten möchte. II. Jak. 305.

Gras und Blume wird welk in der Hitze der Natur, in
welcher sich die Strahlen der Sonne entzünden. Die belebende und grünende Kraft wird diesen vegetabilischen Ge-
wächsen geraubt durch jenes Feuer, und dieß kann auch durch
das kalte Feuer geschehen. Die schöne Gestalt der blühenden Tinktur verschwindet und fleucht in den Aether. Ebenso
ist der Mensch, nämlich der irdische, seelische Mensch beschaffen. Die zwei Feuer, das heiße und das kalte, verderben
ihn auch oft in seiner schönsten Blüthe, und die Erweckung
solcher Feuer ist oft durch unordentliche Lebensart früher,
als da, wo eine wohlgeordnete Lebensweise gehalten und
beobachtet wird. Daher auch die göttliche Weisheit den
Menschen, der sie hat, im Natürlichen so ordnet, daß er sein
leibliches, wie sein geistliches Leben zu genießen hat. Daher

es hier mit Recht heißt: wer die göttliche Weisheit eben darum nicht von ganzem Herzen ſucht, weil er ſein ſinnliches, irdiſches Leben erhalten will, juſt der wird es deſto bälder verlieren, weil er die Lebenserhalterin nicht zur Geſpielin hat. Hingegen wer Alles daran ſetzt und gibt, ſie zu erhalten, auch am meiſten allen ſinnlichen Lüſten entſagt, ſie zu erlangen, der wird ſein Leben erhalten und ſeine Lebenstage verlängern. Denn der alte und ſinnliche Menſch verderbt ſich ſelbſt durch Lüſte in Irrthum; er, weil er thut, was ihn gelüſtet, hält übel Haus mit Leibes- und Seelenkräften, und durch ſein unordentliches, leidenſchaftliches Leben reifet er zum Tode deſto früher, ſintemal jede verkehrte That eine Todesbeförderung genannt werden kann. II. Jak. 270 f. (cfr. Prov. 8, 36.; Matth. 16, 25.)

Eine (unkeuſche) Lebensart iſt dazu geeignet, die edeln Kräfte der Seele zu verderben, ſowie die edelſten Theile des Leibeswesens, die Theile zum Auferſtehungsleib gehörig. Denn das heißt den unſättigen Begierden der Magia gefolgt wider alle Befolgung des Lichts; das heißt eigentlich an ſeiner Zerſtörung arbeiten, und ſein Verderben befördern. II. Act. 515. (cfr. § 256.)

Dritter Abſchnitt.

Der Fluch.

§ 114.

Seit dem Sündenfall liegt der Fluch auf dieſer Welt und iſt Confuſion, Streit und Vergänglichkeit darin herrſchend. (§ 37.)

„„Gottes Zorn iſt an dem Weſen der ganzen Leiblichkeit

zu lesen; auch Elemente zeigen fein, Gott müsse sehr erzürnet
seyn. Verkehrtheit und Confusion ist in der Creatur entstanden; der Durcheinander, der ist nun in allen Dingen noch
vorhanden. Daß also Gott erzürnet war, zeigt Alles deutlich, hell und klar. Das Paradies, das ist verblichen und
weiter noch hineingewichen, und alle Welt sieht höllisch drein,
dieweil sie nicht vom Fluche rein. I. 269. 5. 6.

Betrachtet die gefallene Creatur sowohl im Sichtbaren
als Unsichtbaren, sowohl im höllischen Reiche, als im Reiche
der Natur. Das Eine Reich betrachtet mit Augen und
Ohren, das Andere mit Gefühlen der Aufmerksamkeit, und
ihr werdet finden, wie sie in den vier Eigenschaften und
Kräften der ewigen Natur, abgekehrt von allen andern, sich
zeigt. Daher Alles so voll Schlangengift, Todes- und Ver-
derbenswuth; daher das Neiden, Hassen und Feinden der
Körperlichkeiten und Individualitäten, da Keines das Andere
will seyn oder bestehen lassen. Denn ach! der Zorn Gottes
ist in jenen Eigenschaften offenbar, wo sie in den Naturen
und Creaturen von den andern sich getrennt haben. Darum
offenbaren diese den Zorn Gottes und das Höllenreich: denn
sie sind Charaktere des Zorns Gottes in verschiedenen Gestalten. III. Phil. 13 f.

Ich schmachte oft sehr unter der Last der Eitelkeit, die
Alles so sehr drückt, und alle Elemente müthen und toben
in der schrecklichsten Unordnung, „und Alles liegt gefangen
in dem Gift der Schlangen, wie in einer Todtengruft."
Das ist Offenbarung des Fluchs, das ist Zorn Gottes. O!
es ist schrecklich, wenn man siehet, wie die Schöpfungskräfte
in Allem immer fortwirken und immer die Gestalt der Erde
verneuern; wie aber überhandnehmende, himmelschreiende
Sünden den Zorn Gottes erregen, daß sich die Segenskraft
des Schöpfers zurückzieht, und aller paradiesische Segen flieht,
und dann der Fluch hervordringt und fast Alles verderbt
und verschlingt. Wenn man das schöne Blühen wahrnimmt,
und siehet die paradiesischen Tinkturgestalten, und muß sehen,
wie sie wieder verrauchen und vergehen und was dafür an
die Stelle tritt! Syst. 65 f.

Wenn sich der Segen zeigt, so blüht er schön; hat man
ihn aber kaum gesehen, so schauet man ihn wieder gehen in

feinen innern Ursprung hin. Dann dringt der Fluch daher,
und macht das Leben schwer, daß es kläglich für Jedermann,
der's fühlen kann; so hebt er stets von vornen an. IV.
Hebr. 502 f.

§ 115.

Der Fluch besteht darin, daß die segensreiche Paradiesquelle, statt in die Elemente einzufließen und sie zu salben,
sich vor dem herrschenden Zorn Gottes zurückzieht und verschließt. (cfr. § 59.)

„„Es ist dir aus Mose bekannt, daß Gott um der Sünde
willen das Feld verflucht hat; es hat dir aber Moses keine
deutliche Auskunft gegeben, wie das Fluchen sei zugegangen.
Du meinest daher, es habe Gott persönlich dagestanden, und
einen moralischen Fluch in verständlichen Worten ausgesprochen. Es mag seyn, daß der Allgegenwärtige in dem Bun-
desengel oder vielmehr in der himmlischen Menschheit sichtbar
gewesen und bei Adam gestanden. Sein Fluchen aber ist
nicht moralischer Ausspruch des Fluchs, sondern wenn er sich
mit seiner segensreichen Paradiesquelle zurückzieht, und nicht
mit der Quinteffenz, dem Fünftelelement, mit dem eigentlichen guten Natursalz einfließet in die vier Elemente, und
zwar durch die Sonne, den natürlichen Segensbrunnen, so
heißt das sich zurückgezogen, hineingekehrt, und das ist ge-
flucht oder geflohen. Jetzt herrschet Grimm und Zorn Gottes
in der Natur und den Elementen, und das Paradies kann
nicht mehr so qualifiziren und sich regen. Jetzt herrschet
Unordnung und Verderben in den Elementen, und ist Alles
übereinander, wird auch Eins vom Andern verderbt und
immer wieder mehr zurückgejagt. VI. Pf. 721.

Das ist der Fluch, wenn das Lebenslicht in's Innere
flieht, daß die Creatur vom Licht verlassen seyn muß. II.
Jak. 285.

Gott selbst ist das Allerinnerste und in Allem gegenwärtig, sein Paradies ist in Allem, aber eben verschlossen, un-
wirksam, nicht qualificirend und rege wegen der Sünde der
Menschen. VI. Pf. 722.

Gottes Sprechen ist ein Bewegen seiner Gottes- und
Schöpferskräfte, und so er sich bewegt im Rade der äußeren

zeitlichen Natur, in den werkzeuglichen Schöpfungskräften, durch die Kraft seiner Liebe, so heißt das: Segnen. VI. Pf. 723.

Die am vierten Schöpfungstag geschaffene Sonne, der offene Punkt der Lichtwelt ist dem Satan zum Verdruß im System; diese geußt geschwinde aus die Segensstäublein in den Luftkreis und alle Magien der lebenden und wachsenden Dinge fassen und ziehen an, und immer will sich der unvergängliche Same in allen Dingen auch hervorthun und in Paradieskraft offenbaren. Aber wie viel kommt immer dazwischen! wie viel Himmelskräfte bewegen sich widrig und wirken confus wegen der Sünden, die den Zorn Gottes erregt haben? Das treibt nun Alles zurück und verschließt die Dinge härter in den Grimm. VI. Pf. 1050.

§ 116.

Gott läßt zwar öfters seinen Segensreichthum in der Creatur blühend sehen, aber der Fluch verschlingt ihn wieder um der Sünde willen.

„„Wenn man meint, daß sich da und dort reicher Segen Gottes geben werde, wenn er sich blühend zeigt und reget, siehe! so hat Gott nur gezeigt, daß Er noch ist, was und wo er war, und noch immer könnte, wenn er wollte; aber siehe, bald ist er wieder mit seiner segensreichen Kraftwirkung gewichen, und der Fluch verschlingt den Segen im Grimm, weil ihn die Menschen verderbten und dem Satan opferten. VI. Pf. 721 f.

Man sieht oft in herrlichen fruchtbaren Grünungen und Blüthen, daß sich der Segen des Paradieses und des Reinelements sehen läßt, und zu fühlen gibt. Aber durch Nässe oder Dürre, durch übertriebene Kälte oder Wärme verderbt die Unordnung und der Fluch fast Alles, und Gott hat's den undankbaren, der Sünde dienenden Menschen nur sehen, und dann den Fluch wieder um der Sünde willen in's Herrschen treten und das Meiste wegnehmen lassen. Denn aus dem sieht man, was es ist, wenn Gott sagt: Verflucht sei der Acker um deinet und deines Ungehorsams willen! weil Gottes Fluchen ein Weichen und ein Fliehen und Hineinziehen seines Segens ist. V. Off. 489 f.

§ 117.

Die Ursache dieses auf der Creatur lastenden Fluches ist der Fall Adams, welcher diejenige priesterliche Stellung zu derselben hatte (§§ 73. 74.), daß, als in ihm das Bild Gottes erblich, die Creatur ihre Lichts- und Lebensquelle verlor.

„„Adam hat die Natur und Thierwelt beraubt; um seines Falles willen ist Fluch und Tod auf Alles gekommen. Alles hatte den paradiesischen, segensvollen Einfluß durch ihn, als die Mittelsubstanz zwischen der himmlischen Menschheit und dem Paradies und der äußern Welt. Segen, Leben, Licht und Paradies weicht, da Adam dem Bilde Gottes stirbt, und aller Fluch, Tod und Jammer fällt auf Natur und Creatur, und Alles wird dem Dienst der Eitelkeit unterworfen und muß nach Freiheit sehnlich seufzen, bis der Tag der Freiheit einbricht nach Gottes Willen. Syst. 267.

§ 118.

Durch die unglaubigen Adamskinder wird der Fluch fortgesetzt und vermehrt. Die glaubigen Kinder Gottes entbinden und segnen die seufzende Creatur. (cfr. § 73. 74.)

„„Je mehr sich die Sünden der Menschen häufen, je mehr wird der Zorn Gottes herrschend, je härter wird Alles in Grimm und Fluch verschlossen, je weiter zieht sich Gott zurück. VI. Pf. 721.

Alle Creatur ist und liegt unter dem Fluch durch den Fall; aber die Sünden der Menschen verschließen das Paradies und Reinelement, die Tinktur und Segenskraft noch stärker, und treiben also alles Segensvolle tiefer zurück in seine heilige Sphäre und sein inniges Centrum. V. Off. 489.

Die schrecklichen Gräuelmenschen, die aus aller Ordnung treten, machen die Gottescreatur seufzend; statt daß dieselbe durch den Genuß wahrer Kinder Gottes vom Fluche entbunden werden will, verschließen diese die arme Creatur noch härter unter den Fluch, indem sie dieselbe, statt höher hinauf zu steigen und erhöht zu werden, durch Mißbrauch und Sündenverzehrung auf der Leiter herabführen, und tiefer

herunterſeßen. Dadurch machen ſie alſo die Creaturen mit
ihrer ſeufzenden eingeſchaffenen Freiheitsſehnſucht zu gerechten
Klägern. II. Jud. 125.

Nur Seelen, welche mit dem Geiſt Jeſu geſalbt ſind,
können Prieſter, Segner der Natur ſeyn, und ſie vom Fluch
entbinden und den reinen Sulphur mit dem lebendig—Mer-
curius und den Paradiesfern, den Tinkturleib verbinden.
Doch iſt die Zeit nicht allewegen. Der Kinder Gottes ihr
Thun iſt größtentheils noch wichtiger zu dieſer Zeit. Syſt. 78.

Es wird die Creatur vom Fluch entbunden durch die
Segenskinder, welche es auf dem heiligen Altar ihrer gottgeheiligten Leiber verzehren; und das iſt ſelbſt der Creatur
lieb, und ſie ſchäßt ſich erſt noch glücklich. Daß nur Kinder Gottes ſie genießen mögen, iſt ihr Wunſch; weil alle
Creatur krächzet und ſeufzt und gerne vom Fluch entbunden
und gerne durch Kinder Gottes näher zu Gott geführt zu
werden verlangt. IV. Tim. 79.

Wenn du ein klein wenig begreifſt, wie die Abweichungen
und Sünden der Menſchen den Zorn Gottes in der Natur
entzünden, und alſo die in dem Fluch gefangene und ge-
ſchloſſene Creatur noch härter in den Zorn beſchloſſen wird,
daß ſich der Zorn Gottes in Allem zu fühlen gibt, ſo ver-
ſtehſt du auch, wie die glaubigen Beter mit ihrer magiſchen
Kraft mit ihrem Urſprung wirken und die Segensquelle
wieder fließend und eindringend machen, und in ſolcher Erkenntniß wirſt du als ein Kind des Segens dich nicht träge
zum Gebet finden laſſen. VI. Pſ. 925.

Es haben die Kinder des Lichts wohl zu beherzigen, daß
ſie als Kinder des Segens Prieſter der Natur ſeyn, und
daß ſie durch Dankſagung und Gebet die vom Fluch hart
gedrückte Natur und Creatur heiligen, ſegnen, entbinden und
los machen ſollen, wenn anders eine Sache bei Gott nicht
feſt beſchloſſen iſt, wie die Ausgießung der ſieben Zornſchaa-
len; denn da hilft kein Bitten und kein Beten. V. Off. 490.

Wir erinnern aber, daß wir für die neueren Philoſophen,
welche die Welt nur für eine Maſchine halten, und alſo nicht
glauben, daß ein Beter im Glauben mit den Kräften Gottes
wirken und die Segensquelle öffnen kann, Nichts geſchrieben
haben. Dieſe ſollen ſich vorher bekehren, oder Gott wird

ihnen das Maul sauber halten, Etwas zu erkennen in solchen
Dingen, die ihm eigen sind. VI. Pf. 724.

§ 119.

Die Creatur selbst fühlt den Fluch und seufzet nach Erlösung.

„„Unlängst saß ich im Walde neben einer Staude, die
ein wenig grünete, und als sie mir ein wenig Ungelegenheit
machen wollte, hatte ich im Sinn, sie auszureißen. Ich
hatte aber Warnung von Innen. Ei, dachte ich, hat sie
etwa auch Empfindung vom Verderben? Bald war ich vom
Ja überzeugt. Schnell drangen ohne Zwang meine Gedanken weiter. Hat etwa der Erdkörper auch eine Empfindung,
so ihm eine Pflanze entrissen wird? Ja, war es in mir, die
Erde hat General- und die Pflanze Special-Empfindungen.
Weiter dachte ich ohne Zwang, ist im weitern Betracht die
Erde ein mit dem ganzen Sonnensystem verbundenes und
zusammengeordnetes Ding, so ist sie auch ein Spezialtheil
des größeren Generalismus; so hat auch jener größere Mit-
empfindung von dem Theil des kleineren. Sind, dachte ich
weiter, die Sonnensysteme zusammengenommen ein zusammen-
hängendes All, ein Universal-Generalismus, so hat Eines
mit dem Andern Empfindungen. Und dieses Universum hat
seine Empfindungen von dem ewigen Wort, das noch Alles
hält, das Alles organisirt hat; demnach kann es selber Mit-
empfindungen im Kleineren und Größeren haben. Jetzt war
ich an der Leiter bis vor dem Thron des Herrn, und höre
hier auf zu schreiben, was ich weiter betrachtet. VI. Pf. 323.

Merke, wie Gott flucht oder sich gleichsam hineinzeucht
mit seinem Segen, und die arme Creatur im Fluch gepreßt
und gedrückt seufzet, und sich mit emporgerecktem Haupt nach
dem Tage der Freiheit umsiehet, dieweil ihr innerstes Sensorium eine Empfindung der Freiheit hat, und ein Hoff-
nungsgefühl, frei vom Fluch und Verderben zu werden.
VI. Pf. 722.

Die arme, beraubte und geschändete Natur seufzet gerechte
Seufzer und sie ist durch den Fall weit herabgesetzt und
erniedrigt. Sie empfindet es und hat ein Sensorium, sonst

könnte sie nicht seufzen. Und siehe! Die Sünder und Ungläubigen setzen sie noch weiter herunter, und ihr Erlöser
und Wiederbringer ist doch da.   Das macht ihr Seufzen
und Klagen noch gerechter, und das Verschulden der Unglaubigen noch größer. O, daß wir nüchtern würden, und keine
Zeit und Kraft mehr verderbeten, und daß wir als Kinder
des Segens die Natur und Creatur heiligen, segnen und
benedeien möchten! denn dazu sind wir berufen. Jesus muß
nur Leute dazu haben, soll er der Natur helfen. Wenn wir
Jesu so gehorsam und so Jesusvoll wären, als Jesus Gott
gehorsam und voll Gottes war, o! was sollte für eine magische
Lichtskraft in uns seyn, dem Tod und allem Uebel, wie auch
aller Unordnung und Krankheit der Natur und Creatur zu
gebieten!   Aber wir stecken mit unserem Geistesleben noch
tief in Adams Haut und hangen noch zu sehr an den sinnlichen Dingen, gerade als ob das Schweinehüten unserer
äußeren Sinne in der äußern Welt unser wichtigster Beruf
wäre, und wir keine höhere Bestimmung hätten. Syst. 274 f.

J. M. Hahn's Lehre.

Dritter Theil.

Die Wiederherstellung der Herrlichkeit.

Erster Abschnitt.

Der göttliche Liebesplan der Wiederbringung aller Dinge durch das königliche Hohepriesterthum Christi.

§ 120.

Gott hat die Welt geschaffen, obwohl er den Fall und das Verderben voraussah, weil er schon vor der Weltschöpfung beschlossen hatte, den Fall zu heben und die erste Schöpfung durch eine zweite in der Geistleiblichkeit zu vollenden. (cfr. § 29.)

„„Daß die geschaffenen Wesen von ihrem Ursprunge abfallen und sich verderben würden, kann dem Allwissenden und Allesvorhersehenden nicht entgangen seyn. Wenn er aber deßhalb die Schöpfung doch nicht aufgegeben, muß er ein Mittel der Wiederherstellung gewußt haben, nicht nur den Fall wieder zu heben, sondern die erste Schöpfung durch die zweite zu vervollkommnen und alles Fleisch in Geistleiblichkeit endlich darzustellen. Hiezu wählte und fand er ein herrliches Kraftmittel. V. Off. 177 f.

Entweder hätte müssen Strafe, Grimm und Pein ewig in der Creatur seyn, oder hätte Gott die Schöpfung müssen einstellen, wenn kein Mittler und Wiederbringer vorausgesehen worden wäre. I. 269. 7.

Das ewige Liebeserbarmen des Vaters und Sohnes wirkt in der ersten Schöpfung mittelbar und unmittelbar fort und fort, um in der zweiten und neuen die erste in Geistleiblichkeit zu vollenden. III. Kor. 118.

Es ist leider geschehen der Engelfall, und durch deren Anstiftung und Einfluß auch der Menschenfall, wider den Willen des allerheiligsten Ursprungs und Anfangs, aber nicht ohne sein Vorwissen. Daher war der Vorsatz seiner Liebesabſichten nicht vereitelt. Er mußte den beabſichtigten Zweck zu erreichen; denn er erkannte zuvor, wie er als der Erſte und Letzte, im Erſten der erſte Geiſtleibliche ebenſowohl, als in dem Letzten werden wollte, und wie er hiemit die erſte Schöpfung durch die zweite wolle und werde vollenden. III. Eph. 72.

Geiſtleiblichkeit iſt das Ziel der Werke Gottes; darum wird die alte Schöpfung erſt mit der neuen vollendet. Die erſte Schöpfung war nur ein Machen und Herſtellen der Materie. IX. 1. 769.

§ 121.

Dieſen Vorſatz hat Gott gefaßt in Chriſto Jeſu, als derjenigen Perſon, welche er in ſeiner Weisheit ſchon von Ewigkeit als Wiederbringer beſtimmt und erblickt hat.

„„Es iſt Gottes Wohlgefallen ſchon vor Grundlegung der Welt geweſen, daß in ihm, dem Erſtgeborenen, dem verherrlichten Gottmenſchen alle Gottesfülle, alle Fülle der Herrlichkeit für das ganze All ſeyn ſoll, nämlich alle Kraft und alles Leben und Weſen, was von Gottes Kraft und Vermögen genannt werden mag, was in und vor Gott iſt, was zur Neuſchaffung und Geiſtleiblichmachung aller Dinge nothwendig iſt. Ja! dieß Alles ſollte ſeyn und iſt in unſerem Herrn und Haupt, weil es Gottes Wohlgefallen alſo war und noch iſt. Da Gott den Fall zuvor erkannt, iſt es ſchon damals das Wohlgefallen Gottes geweſen, ihn als Erſtgeborenen aus den Todten mit aller Fülle des Lebens und Weſens zur neuen Schöpfung zu erfüllen, damit die erſte durch die zweite Schöpfung vollendet werde in der Geiſtlichkeit. III. Kol. 133 f.

Chriſtus war erſehen als Ueberwinder und Wiederbringer aller Dinge in dem Centro des Schöpfungsgrundes, als ein kleines Centrum, in dem das Wohlgefallen Gottes ſich als in einem Spiegel abglänzte. Syſt. 297 f.

Chriſtus iſt das vor Grundlegung der Welt erſehene Lamm, das aller Welt Sünden tragen ſollte und wollte. Er iſt als das Heil und die Erhöhung aller Naturen und Creaturen erſehen worden in der Mitte aller Welten und Weltewigkeiten; idealiſch waren Alle in ſeiner himmliſchen

Menschheit und samentlich war Alles in dem entgegenstrahlenden Herzpunkt dem ganzen All und aller Dinge Extrakt ist seine Menschheit aus Maria, nämlich aller guten und wahren Dinge. Um seinetwillen brachte der Vater Alles in's Wesen und aller Wesen Herzwesen ist er, in so ferne sie durch ihn können erhöht und kurirt werden. Gott erblickte schon die unterste Kreissproße der Himmelsräume und Leiter, die äußere und untere Welt und den quintessentialischen, extraktischen, lebendigen Stein, der Alles tingiren sollte, ehe er die Welt gründete, und erwählte schon in Christo die Erstlinge der Herrlichkeit. Da nun also Christus eine solche Person ist, so sollte er den Fall, der in der Weisheit ersehen worden, wieder gut machen, weil er, damit die Schöpfung doch fortgehen möchte, sich zum Wiederbringer vorgeschlagen hat. Er sollte für das ganze All den Tod schmecken und es durch sein Blut erneuern. Syst. 263 f.

Gott hat in dem Wunderspiegel seiner Weisheit Alles erblickt, und in dem Original seiner vorweltlichen himmlischen Menschheit. bestund Alles zusammen. Sie ist die ursprüngliche Urmutter aller Dinge, nicht nur aller Engel und Menschen, sondern auch aller Welten und Kreise. Schon erblickte Gott in ihr den untersten Kreispunkt aller Räume des Alls, nämlich die Menschheit im Kleinen, was die himmlische Menschheit im Großen war. Er sah, wie sich die Leiter kreisweise offenbaren würde, vom Innersten bis in's Aeußerste, und wie das edelste Leben des Lichts in dem kleineren Universum in dem quintessentialischen extraktischen Menschen durch Auskehr zurückziehen würde; er sahe das Ziel seines Bundes, den er machen wollte mit der gefallenen Menschheit, Christum sahe er in Maria. Er sahe ihn, den Wiederbringer aller Dinge, und dann ist auf ihn Alles geschaffen. VI. Pf. 1204.

§ 122.

Der göttliche Vorsatz der Wiederbringung durch das königliche Hohepriesterthum Christi ist so allgemein und umfassend, daß im ganzen Schöpfungsreich Nichts vom Falle übrig bleiben wird.

„„Die Menschheit geht der Wiederbringer und die Wieberbringungsmittel zuerst an, und dann Alles, was mit der Menschheit in Verbindung steht, mehr oder weniger. Syst. 358.

Der Erzfeind hat's verderbt; das heilige Wesen aber, Jesus, wird's gut machen. Er wird mit seiner Lebenskraft dem Tode ein Gift, und der Hölle eine Pestilenz seyn; denn Er wird wieder Alles neu machen. Denn der verherrlichte Gottmensch ist die erste Mittelsubstanz im Licht; durch ihn wirkt Gott vom Innersten auf's Aeußerste, vom Untersten auf's Oberste, bis Alles wiederbracht ist, was durch den Fall verdorben worden. Es wird mithin vom Fall Nichts übrig bleiben in dem ganzen Schöpfungsreiche. Syst. 52.

Es sind Anstalten des Königreichs und Priesterthums Jesu, seiner Erlösung und Versöhnung, durch die auch Satan und seine Engel wiederbracht und wieder ganz neu hergestellt werden sollen und werden. Syst. 471. 478.

Keine Creatur kann in ein ewiges Nichtsseyn zurückgerathen. Denn das Geschöpf mag noch so verkehrt und ausgeartet seyn, im ewigen Wort, im Wort der Leben und in seinen Lebenskräften und Lebenseigenschaften ist aller Dinge tiefste Lebenswurzel gegründet und gewurzelt. Daher wird die Gottmenschheit Alles wiederbringen und neu machen, und wird überall vom Alten, vom Tod und Todesgift, Sünde und Verderben, ja vom Geist der Verzehrung und Auflösung Nichts übrig bleiben. Dazu ist Anstalt gemacht und das Kraftmittel bereitet; dazu ist das Königreich und Priesterthum des Gottmenschen da. Syst. 61 f.

Unser Gott, der Jehova Jesus, hat sich nach Eph. 1, 10. vorgesetzt und vorgenommen, 1) Christum, als seine Herrlichkeit mit aller Gottesfülle zu erfüllen, 2) die lebendige Gemeine durch Christum, und dann 3) durch die edle Brautgemeine das ganze All der Schöpfung nach und nach. Darum hat sich Gott nach seinem ewigen Liebesrath, Willen und Wohlgefallen so überfließend gnädig mitgetheilt, denn er will in den von ihm bestimmten Zeitfristen und Ewigkeiten seinen Zweck an Allen erreichen, auf daß nach und nach alle Dinge wieder unter Ein Haupt und zwar unter das alleinige, rechtmäßige Haupt, von dem sich Vieles losgerissen, verfasset würden; solche abgerissene Glieder mögen nun in den Himmeln oder auf Erden sich befinden. Kurz,

die Anstalten Gottes gehen dahin, daß alles Abgerissene und
Getrennte wieder zusammenverfaßt und verbunden werde,
es sei in den Himmelswelten, oder auf dieser unserer sichtbaren Erde. III. Eph. 99 f.

Gott hat Nichts zum unendlichen Verderben bestimmt,
es mag einen zeitlichen oder ewigen Anfang des Seyns haben. Denn von seines Willens wegen waren die Creaturen
der Essenz nach in dem Anfang, und durch das Wort des
Lebens sind sie geschaffen, aber nicht zu einem unendlichen
Verderben, daß Gott will selber endlich Alles in Allen seyn,
und was er will, das wird auch geschehen. III. Eph. 202.

Um der Weisheit willen sind alle Dinge, alle haben sie
als die Ursache ihres Daseyns zu ehren und anzubeten. Auch
Gottes Offenbarung ist selbst um ihretwillen, denn sie ist
das U in dem A und O. Muß nicht das A und O einmal das U herausgebären in allen Seelen und Geistern,
wenn es doch die einzige oder die erste Ursache ihres Daseyns
ist und was ist es anders, als das begehrte Gottesbild und
göttliche Herrlichkeit? XI. I. 471 f.

§ 123.

Die Lehre von der Unendlichkeit der Höllenstrafen streitet
wider Gottes Gerechtigkeit und Liebe, während der Glaube
an die endliche Wiederbringung aller Dinge in der Liebe
Gottes und Jesu Christi wurzelt und die Seligkeit der Glaubigen und Erlösten bedingt, nimmermehr aber an sich schädlich seyn kann.

„„Wer es ertragen kann, wenn er von unendlicher Ver-
dammung hört, weiß nicht, was Gottes Liebe ist, und es
hat sie ein solcher noch ganz und gar nicht erfahren, noch
genossen. III. Phil. 56.

Menschen, die keine allgemeine, Alle angehende Erlösung
glauben, und von unendlichen Verdammnissen predigen, halte
ich für die Allerunbarmherzigsten, und ich glaube nicht, daß
irgend ein Mensch schrecklicher wider Gott und Gottes Wahrheit, wider sein Licht und seines Herzens Sinn zeugen kann,
als ein solcher. Denn es heißt, den lieben Gott als ein
großes, feindseliges, unbarmherziges Wesen vorstellen, wel-

chen wir doch als den Allbarmherzigen kennen und als das liebreichste Wesen verehren. O Thorheit! den Ewig-Barmherzigen mit seinen Erbarmungen in eine Zeitfrist von sechstausend Jahren einschränken! III. Kor. 116.

Nein! den Menschen kann ich für keinen menschlichen Menschen halten, der nicht nur die Gedanken haben, sondern sogar die Meinung unendlicher Höllenstrafen hegen kann. Denn, hätte man nicht Ursache, wenn es das wäre, bei der Geburt eines jeden Adamskindes untröstlich zu weinen, und sich fast todt zu schreien, wenn man bedenkt, wie wenige zur Wiedergeburt kommen? Sollte man nicht über das Daseyn solcher armen Wesen fast von Mitleiden und Erbarmen aufgerieben werden? Gott! ich gestehe, meine eigene Seligkeit fühlte eine ewige Kränkung, wenn mein Mitmensch, der kurze Zeit gesündiget hat, unendlich gestraft würde! Darum heißt es nicht recht von Gott gedacht und gelehrt, wenn man unendliche Höllenstrafen predigt. Das kann gewiß kein Mensch, der die Schrift und die Kraft Gottes versteht, sich selber kennt und Etwas von einem Königreich und Hohenpriesterthum Jesu weiß. Denn es ist wider Gottes Liebesplan. IV. Hebr. 393.

Ich gestehe, daß wenn ich nicht Hoffnung hätte, daß auch endlich noch Allen, nach vielen ausgestandenen Gerichten, könnte geholfen werden, so würde ich aufgerieben vor der Zeit von lauter Mitleid und Erbarmen. Ein untröstliches Leidwesen würde mich Tag und Nacht verfolgen und quälen, so oft ich einen natürlichen Menschen erblickte, oder einen auf unbekehrte Weise sterben sehen sollte. Ich würde schmerzlich jammernd ausrufen müssen: Ach Gott und Seelenschöpfer! warum ist doch dieser Arme in's Wesen gekommen und geschaffen worden! Wenn ich freilich die Heiligkeit und Gerechtigkeit Gottes betrachte, kann ich es mit seiner Gnade und Barmherzigkeit gar wohl reimen, wenn schreckliche Fleischesgerichte Ewigkeiten lang stattfinden über allerlei Arten von Sünden. Wenn aber Sünden, in Zeiträumen begangen, unendlich gestraft werden sollten, das würde mein Herz nicht zu ertragen im Stande seyn, und das je länger, je weniger, und am wenigsten, wenn ich mit dem Herzen meines Erlösers am herzvertraulichsten bin. IV. Hebr. 758.

Alsdann ist die Seligkeit völlig, wenn die arme Creatur, im Ganzen genommen, mit selig ist im vollkommensten Sinn. Selig, wer etwas hievon fühlt und erfährt. Denn es ist ein Kennzeichen, daß er auch von dem königlich-priesterlichen Geist Jesu habe. Syst. 359.

Es gibt Seelen, denen die Lehre von der Wiederbringung zu einem Bedürfniß worden ist, die nicht nur keinen Schaden, sondern großen Nutzen davon haben; weil es nicht möglich ist, daß man ohne diesen Lehrbegriff die ganze Wahrheit erkennen kann. Ja! die Seelen, die Gottes Liebe, Christi Geist und Sinn haben, könnten's oft kaum eine Stunde prästiren, wenn sie recht in's Nachdenken kommen, ohne die Erkenntniß der allgemeinen, Alle angehenden Versöhnung und gänzlichen Wiederbringung alles Verlorenen! Syst. 468.

Wenn nicht alle Bücher heiliger Schrift, absonderlich aber alle Briefe des Apostels Paulus voll wären von den saftigen und kräftigen Lehren des ewigen Liebesraths und Liebesplans Gottes, vom Hohepriesterthum und Königreich Jesu, vom Versöhnungs- und Opfertod Jesu und dessen Wirkungen in's Ganze, von dem Zustand nach dem Tod und den letzten Dingen, so würden wir Euch gewiß auch Nichts davon schreiben und offenbaren. Da es aber also ist, warum soll es denn in der Christenheit verborgen seyn und gehalten werden? Wo steht es denn aber geschrieben? Soll man denn um eines etwaigen Mißbrauchs und Mißverstandes willen allen rechten Gebrauch aufheben, und allen Verstand fliehen? III. Eph. 12 f. Dann müßte man ja auch den Protestanten die heilige Schrift verbieten. Es ist ja nicht möglich, daß, wenn ein denkender Geist so Etwas in der Schrift liest, daß er nicht soll begehren zu wissen, was es sagen will. Was Raths? Man muß ihm nur das Lesen verbieten? Nein, nur das nicht! Denn was können wir einer denkenden Seele, einem forschenden Geist Bedeutenderes und Edleres rauben, als die heilige Schrift, und als die Glaubens- und Gewissensfreiheit? ibid. 41.

Man weiß es wohl, daß Lehren, wie die vom tausendjährigen Reich, von der Wiederbringung aller Dinge, von einer Reinigung der Seele nach dem Tod dem Mißbrauch unterworfen sind; ist es aber die Lehre von der Versöhnung

und Rechtfertigung nicht auch ebensowohl? Soll man sie
darum weglassen? Ferner weiß man, daß laut der Confessionen jene Lehren von den Stiftern und Emporbringern protestantischer Religionen verketzert und verworfen sind. Da
sie es aber nicht sind von der heiligen Schrift, ist man überzeugt, daß man sich mehr an diese, als an jene zu kehren
hat. Man verdankt jenen die Freiheit, Wort Gottes zu lesen, und folgt dieser auch, indem man sich der Freiheit bedient, deren sich jene bedient haben. Nein, man ist nicht
von Einem Papstthum zu einem Andern übergegangen, man
protestirt gegen jedem neuen, wie gegen das alte, und ob
sich's noch so sehr vertheidigen wollte! **III.** Eph. 43.

Zweiter Abschnitt.

Die persönliche Zubereitung des königlichen Hohepriesters.

§ 124.

In der Person Jesu Christi hat Gott den königlichen
Hohepriester zubereitet, durch welchen er den Liebesrathschluß
der Wiederbringung und Vollendung der Creatur vollzieht.
Die zeitliche Zubereitung dieses von Ewigkeit zuvor versehenen Mittlers geschah dadurch, daß in Jesu der Sohn Gottes
das menschliche Fleisch annahm durch Geburt, dasselbe durch
den Tod zum Versöhnopfer darbrachte und es durch Auferstehung und Himmelfahrt in Geistleiblichkeit erhöhte und zum
universalen Heilsmittel machte.

„„Gott hatte sich vorgenommen, selbst Mensch zu werden,
und durch die angenommene Menschheit sich mit sich selber

13 *

zu verföhnen, und so durch den heiligsten und gerechtesten
Prozeß die angenommene Menschheit zum Sühnopfer, aber auch
zur Alles verwandelnden und erneuernden Kraft-Tinktur zu
machen. Dieß Alles ist auch also geschehen und Gott gelungen mit der angenommenen Menschheit, und es wird Gott mit
dem ganzen All durch ihn unfehlbar gelingen. V. Off. 167.

Der von den Menschen angenommene Leib seines Fleisches sollte die Stiftshütte seyn, da er uns Menschen in seinem Fleisch Gott opfern und zu Gott führen wollte; indem
er durch den ernsten Prozeß der göttlichen Gerechtigkeit zu
einem Alles verwandelnden, lebendigen Stein wollte ausgeboren werden. Welches Alles also geschehen ist, nach Be-
richt der heiligen Schriften und nach der Erfahrung aller
wahren Lichtskinder, die gelebt haben und auch wirklich noch
geistlich und leiblich leben. IV. Hebr. 418.

In Annehmung der Menschennatur war Gott auf's Tiefste
begränzt, und hatte doch von Allem Etwas angenommen,
konnte also in der angenommenen Menschheit Alles mit sich
selbst verföhnen, diese Menschheit durch den seinen Heiligkeitsrechten gebührenden Prozeß führen und geistleiblich machen, so daß der tinkturreiche Einfluß des in den Geist erhöheten Wesens in Alle könnte dringen. IV. Hebr. 62 f.

Der Eingeborene wurde, was er vorher nicht war, er
wurde Fleisch. Er wurde als Herrlichkeit Gottes erkannt
und gesehen. Er ward als Gott auch Fleisch, um sich selbst
im angenommenen Fleisch mit sich selbst und der abgefallenen
Creatur zu verföhnen, und das Fleisch durch den heiligsten
Prozeß seiner Gerechtigkeit zu führen, und geistleiblich zu
machen, daß es sei eine, Alles in seine Natur verwandelnde
Kraft und Lebenstinktur in dem ursprünglichsten Lebens-
und Thronquell aller Ursprungskräfte. III. Eph. 73.

Um deß willen, was sich vom Urhaupte getrennt hat, ist
das Wort Fleisch — ja damit es Generalfleisch oder vielmehr
Universalfleisch wäre, Mensch worden, daß es als der geoffenbarte Gott in der angenommenen Menschheit sich mit sich
selbst verföhnen, und wenn er die Menschheit im rechtlichen
Prozeß der Gerechtigkeit vollendet hätte, er solche durch seine
Herrlichkeitskraft auferwecken könnte in Geistleiblichkeit, wie
geschehen ist. III. Eph. 121 f.

1. Die Fleischwerdung.

§ 125.

Jesus wurde von Gott gezeugt und von der Jungfrau Maria geboren und war daher Gottmensch, Mensch und Gott, Gott geoffenbaret im Fleisch.

„„Wir glauben, daß der Eingeborene sei gekommen in das Fleisch und also Gott geoffenbart im Fleisch, und daß er durch den heiligen Geist sei gezeuget in Maria, einer reinen Jungfrau, welche zum Bundesziel ersehen und bestimmt war, und daß er also von eben dieser Jungfrau geboren sei, nach Menschenart, in wahrer Menschennatur. Somit also, wenn Er, dieser Jungfrauensohn, von Gott (denn wer ist derselbe heilige Geist anders als Gott?) gezeugt worden, und von einer heiligen, aber in der That menschlichen Jungfrau geboren worden, kann er, der Gezeugte und Geborene, anders nicht, oder weniger nicht seyn, als ein Gott-Mensch oder Mensch-Gott, mithin Gott geoffenbaret im Fleisch. **IV. Hebr. 553 f.**

§ 126.

Die Zeugung und Geburt des Gottmenschen geschah dadurch, daß sich der göttliche Same und der Same des Weibes zu Einer Person vereinigt haben, indem der aus dem eingeborenen Sohne Gottes ausgehende Geist der Herrlichkeit in die Seele der Maria einging, ihr Geburtsrad des Gemüths in heiliger Begierde, Gott im Fleisch zu gebären, entzündete, dieser Begierde den heiligen Gottessamen einergab und nun diesen mit dem Samen Mariä, als einer aus ihrem Blutleben angezogenen Leiblichkeit vereinigte und bekleidete.

„„Die Herrlichkeit ist das allerheiligste Wirkungs- und Leibesgefäß der göttlichen Kräfte. Diese war es, worin sich die Menschheit Christi aus Maria mit der Menschheit aus Jehova, als der Sophia verband. Denn sie ist das Vereinigungsmittel zwischen Gott und der Creatur, und Chriſtus aus Maria iſt der Erſte, in dem ſie ſich offenbarte, der durch ſie in die Einheit mit Gott kam. Syſt. 297.

Die Kraft der Gottheit, das Centrum in dem Allgebärenden, wurde in Maria zu einem Gottesſamen concentrirt, und mit dem Samen Mariä vereiniget zu Einer Perſon. Syſt. 516. 517.

Die himmliſche Weisheit hat in Kraft der ſieben Geiſter Gottes, in Kraft der ewigen Grundſäulen ſich conjungirt in einem jungfräulichen Leibe mit den ſieben Eigenſchaften der zeitlichen, aber unverdorbenen Natur. III. Theſſ. 65 f.

Wenn wir glauben, der Gottmenſch ſei von dem heiligen Geiſt gezeugt, ſo iſt es billig, daß wir hievon Gott geziemend denken, oder unſere Gedanken und Begriffe können nicht göttlich ſeyn. Wir können alſo keine Perſönlichkeit des zeugenden heiligen Geiſtes uns vorſtellen, ſonſt ſind unſere Gedanken zu menſchlich von dieſer allerheiligſten Sache. Wir verſtehen unter dem anbetungswürdigen Weſen nicht den Schöpfungsgeiſt in den Eigenſchaften der ewigen Natur, noch die liebliche, wallende Kraft in der Lichts-, Paradies- und Tinkturwelt, ſondern die kraftvolle Wirkung des Dreieinigen, wie ſie vom Vater und Sohn ausgehet, alſo von dem A und O als das U, und hiemit alſo von dem Anfang und Ende, von Wort und Weisheit, von dem Eins der Dreiheit, von dem Eingebornen, in dem Schooße der väterlich-mütterlichen Kräfte. Dieſer einzige HErr und geoffenbarte Gott iſt es ja, der Fleiſch und Menſch werden wollte; aus den allerheiligſten Centralkräften ſeines Hauptes und Herzens geht der heilige Geiſt in ſeiner Tinkturkraft aus, und ſo wirkte dieſe göttliche Kraft in das Herz und Hirn der heiligen Jungfrau, als in den hiezu erkorenen Gegenſtand und wirkte heilig in gefaßter Tinkturkraft in die jungfräuliche Mutter, und deren heilig erregte Begierden faſſeten ein reines Weſen, ja das allerreinſte Weſen Gottes, und dieß vereinte ſich mit dem Menſchlichen der reinen Jungfrau. Weil das Wort, das ja Gott iſt, wollte Menſch werden, und dieß Wort der Eingeborne iſt, ſo iſt ja der heilige Geiſt aus dem Vater und Sohn aus- und in Maria eingegangen, um in Maria nicht Gott, ſondern Menſch zu werden, und darum, weil Gott gezeuget und eine menſchliche Jungfrau empfangen und geboren, sind nicht zwei Söhne Gottes, sondern ein Gott-Mensch, Gott im Fleische geoffenbart worden. IV. Hebr. 554 f.

Gott, der sich selber als sein Wort ohne Unterlaß aus sich selber durch sich selbst gebiert, gebiert auch sein Wort in der heiligen Seele der Maria, nämlich in dem Gemüthe und in den oberen Kräften. Und weil er, als das ewige Wort, selbst Fleisch werden will, so vereinigt er sich wesentlich mit der Seele der Maria, läßt aber doch nicht nach, sein Wort in ihr und allenthalben in seinem Reinelement zu gebären. Weil nun das ewige Gemüth mit dem kreatürlichen Gemüth der Maria wesentlich sich vereiniget und sie mit ihm Ein Geist wird, so fühlt, sieht, hört, riecht und schmeckt sich Gott in ihr, als in seiner ganzen Creatur, seiner ganzen Geschöpflichkeit. Denn der Mensch ist ein Auszug, das Herz, das Beste der ganzen Creatur aus Allem und von Allem; darum fühlt, sieht, hört, riecht und schmeckt sich Gott in und mit dem ewigen Gemüth der Maria, und dann will er, als das ewige Wort, Fleisch werden, weil er mit dem unanfänglichen Verstand im Verstand Mariä sich in der ganzen Creatur versteht und erkennt. Und darum, weil er mit dem Willen der Maria sich vereinigte, so will er sich mit seinem Willen in ihrem Willen zu einem kreatürlichen Bild gebären. Und weil das ewige Gedächtniß im Gedächtniß der Maria ist, so behält er sich das als Menschenbild im Gedächtniß, wie er sich im Gemüthe ersehen, erblickt und gefühlt hat und wie er sich im Verstand verstanden. Darum setzt er seinen Willen in die Creatürlichkeit der Maria, und will sich in ihrem Wesen und Blutleben zur Leiblichkeit und Creatürlichkeit zeugen und gebären. Und wie er sich will, so zeucht er das im Willen gefaßte Bild scharf an sich durch den Verstand in das Gedächtniß mit dem Willen, und das göttliche Geburtsrad im Gemüth der Maria kommt stark in Lauf und Gang. Das Rad geht vom Trieb des göttlichen Willens immer fort und macht den Leib und das Leben im Blut der Maria hitzig und feurig, und so wird sie auf eine heilige, keusche Art schwanger in heiligster Liebelust, indem aus dem Feuerleben in ihrem Blute das freudenreiche Licht entspringt. Der Glanz von diesem

Licht ist die jungfräuliche Weisheit, und der aus Gott durch's schöpferische Wort ausgehende Geist, der im Willen der Maria in ihrer weiblichen Tinktur aus ihrem Blutleben Wesen der Leiblichkeit angenommen hat durch den scharfen Trieb des göttlichen Lebensrades, dieser ewige Geist nimmt in der jungfräulichen Weisheit, als im Glanz des Lichts, im Ausgehen sieben Gestalten an sich, und das, was der göttliche Wille durch göttliche Zeugung in der Maria Willen zur Creatürlichkeit an sich zeucht, vom Wesen und Leben der Maria, das heiligt der ausgehende Geist im Annehmen, indem er's durchgeht. Und da überschattete also die Herrlichkeitskraft des Höchsten die Maria inwendig ganz mit dem göttlichen Feuerlichtswesen; da kommt der heilige Geist über sie. Darum auch das Heilige, vom ewigen Geist Geheiligte, das in Maria geboren wird, sehr billig Gottes Sohn genannt wird. Luc. 1, 35. VIII. 1. 35 f.

In der Mitte der Zeit sollte der Menschensohn kommen. Dieser Menschensohn sollte Gottessohn genannt werden, und es auch wirklich seyn. Denn Gott war in Christo, nämlich Christus hatte seinen Vater und seine Mutter in sich. Nach seiner Gottheit ist sein Vater und Mutter der unwesentliche Gott und seine Weisheit. Die zeugten dieses ihr wesentliches Wort und seine Weisheit, und diese sind der Vater und die Mutter der Menschheit Christi, welche ihn in der Maria miteinander zeugten, das menschliche Wesen heiligten und in der Anziehung des weiblichen Samens Mariä mit göttlicher Wesenheit durchdrangen und in der Anziehung tingirten. Als die Zeit da war, daß Gott um seiner wesentlichen Weisheit willen sollte und wollte Fleisch werden, wie sie sich dazu anheischig machte, da sie noch unwesentlich war, und solches auch Gott für gut und löblich angab, da kam sie in Maria und deren Leibs- und Seelenkräften und in ihr der heilige Geist mit, in volle Liebeslust und Bewegung auf die allerreinste Art, die kaum zu denken. Und das ewige wesentliche Wort wollte um ihretwillen, und kam in göttlicher Kraft über seine Weisheit und in seiner Weisheit als Feuer in das Licht über der Maria und in dieselbe, in ihren oberen Kräften. Denn da kam der heilige Geist in der Weisheit über sie und das Wort, die Kraft des Höchsten, das Männliche und Feurige, kam in der Maria über seine Weisheit, und da ward dann das Göttlichwesentliche in Maria rege und lebendig und in den niederen Kräften gegenwärtig und auch in dem ganzen Leibe der Maria feurig von solcher göttlichen Liebelust, also daß das Wort in ihr, nach sich, ein männliches Bild und ein weibliches in Einer Person in seiner Weisheit zeugete, und das Alles in Maria, und war doch das feurige Theil sozusagen mehr und blieb das Haupt und der Samen. Das aber, was von der Maria dazu kam, wurde geheiligt und mit dem göttlichen Wesen vereinigt und beides miteinander leiblich und nach Art der Menschenkinder auf die sichtbare Welt von Maria geboren mit wahrhaftem Fleisch und Blut. VII. Petr. 257. 260 f.

§ 127.

Vermöge dieser Art der Zeugung und Geburt war die Seele Jesu nicht nur eine menschliche, sondern eine gott-menschliche Seele und auch das Leben im Blut Jesu ein gött-lich-menschliches Blut, so zwar, daß der äußere Mensch, das Fleisch Christi nicht Gott, aber der Leib der Gottheit und die menschliche Gestalt des Knechtes Gottes war.

„„Der männlich-jungfräuliche Sohn oder die jungfräu-lich-männliche Person, die Maria gebiert, ist zweier Naturen theilhaftig, er ist Gott und Mensch. Die ganze Seele Jesu ist eine gottmenschliche Seele, weil Gott sich mit der Seele der Maria wesentlich vereinigte, und also Gott selbst leiblich sich in ihr gezeugt und geboren in menschlichem Fleisch und Blut. Wäre das nicht geschehen, so wäre die Seele Jesu nur eine menschliche Seele, nun aber nicht. Und weil das Fleisch und Blut, welches das ewige Wort durch Mensch-werdung angenommen hat, vom Feuer des ewigen Geistes geheiligt ist, so ist auch das Leben im Blut Jesu ein gött-lich-menschliches Blut. Wäre das nicht, so müßte man sagen, daß Jesus nur den obern Seelenkräften nach Gott, und dem Fleische nach Mensch wäre. Auf diese Weise wäre das Wort nicht Fleisch worden. Nun aber ist es nicht also, sondern Jesus und Jehova, das ewige Wort, und der Mensch Chri-stus ist Einer in zwei Naturen. Was andere natürliche

Kinder von leiblichen Vätern empfangen zu ihrem Wesen und Leben, das empfängt Jesus im Mutterleibe vom ewigen Wort. VIII. I. 36 f.

Das wesentliche Wort und Weisheitsbild wollte Fleisch und leiblich werden, und in dem Menschensohn Christo leibhaftig seyn, also daß der Leib Christi, des andern Adams, in dem auch die Gemeine lag, der Leib der Gottheit war, ohne daß man hätte sagen können, der äußere Mensch, das Fleisch des Menschensohnes ist Gott. Aber Gottes Opferlamm, mit dem Gott sich selbst versöhnen wollte, war der Leib Christi, und doch also der Leib der Gottheit und billig Gottes Sohn genannt, das Ebenbild seines unsichtbaren Wesens, welches in dem Leib Christi war und sich in der Zeugung mit dem Samen vereinigte, und in der Bildung mit einbildete. Nur das, was von dem Samen Mariä war, gab die menschliche Gestalt des Knechtes Gottes. Und diese ward das Opfer, diese brach im Sterben durch den Tod in's Leben durch. VII. Petr. 258 f.

§ 128.

Außer der Menschheit Christi blieb Gott uneingeschränkt im Lichtsraum der Herrlichkeit; aber in derselben hat sich Gott begränzt, eben damit jedoch dieselbe wieder ergänzt, so daß Jesus wieder eine männliche Jungfrau mit beiden Tinkturen war.

„„Die Absicht des großen Gottes war, aus dem Innersten erkannt, sich aus seiner Unermeßlichkeit durch die erste Schöpfung immer näher zu begränzen, und immer betastlicher und begreiflicher zu machen, bis er endlich aufhörte in einem Menschen von etwa sechs Schuhen, in dem er alle Fülle der Herrlichkeit concentrirte. Er hatte sich aber nicht eingeschränkt; sein Lichtraum ist durch's All der Dinge und ist der allerweiteste und allerfreieste Raum und in demselben die himmlische urbildliche Menschheit offenbar. VI. Ps. 1205.

Du hast Fleisch und Blut angenommen und bist Gott gewesen, und da du bist ein himmlischer und irdischer Mensch geworden, bist du Gott in der himmlischen Menschheit überall und auch Gott und himmlischer Mensch in der irdischen Menschheit geblieben, und du, o Gott! warst als das Wort

und wesentliche Weisheit in Jesu, der himmlischen Menschheit und mit dieser in Christo und war in Christo in Einem
Alles zu sehen, und in ihm versöhntest du die Welt und
das ganze All mit dir selbst! IX. I. 234.

Der Gottmensch ist das Licht der Welt, das sich im
Fleisch begränzt und begreiflich, faßlich gemacht hat. IV.
Hebr. 556.

Als Herrlichkeit Gottes sich erst concentrirte, und also
in menschliche Seele sich einführte; so wurde sie gleichsam
im Fleischleib begränzt. Da wurde die Menschheit dann wieder ergänzt. I. 275. 18.

Jesus, der Herr vom Himmel, war der himmlische Mensch,
die göttliche Sophia, eine wahrhafte Jungfrau, welche doch
ihren Mann, den Adam, wieder suchte; und das trieb sie
lange Zeit und fand ihn in Maria, welche den Gesalbten
gebar. Mit dem vereinigte sie sich in Eine Person; diese
war dann ein jungfräulicher Mann, und eine männliche Jungfrau. An dieser Sophia blieb Christus treu und ganz hangen, mit Verläugnung aller äußern Dinge; und weil in der
Sophia Gott war, so war Gott in Christo und konnte die
Welt mit sich selber versöhnen in ihm. V. Off. 721.

Eine männliche Tinktur nahm er in menschlicher Natur
und Jungfrau kam er dort hernieder, — darum kam er in
unser Fleisch männlich-jungfräulich, rein und keusch. I. 269.
21. f.

Jesus kam als der zweite Adam und war Mann und
Weib, eine männliche Jungfrau, ein Bild mit zwei Naturen.
Darum floß Wasser und Blut aus seiner Seite. VIII. III. 360.

§ 129.

Die Mittlersperson Jesu vereinigte also Beides in sich,
das durch ihn versöhnt werden sollte: Gott und Creatur; in
seiner Herrlichkeit war Gott, während sein Fleisch kraft seiner
Universalität die ganze Schöpfung in sich schloß.

„„Wir sagen, daß er Mittler sei, ein wahrer Mensch
und Gott dabei; denn ein Mittler muß Beides seyn: was
der ist, den er soll versöhnen, und auch das, was der, dem
er soll dienen. I. 269. 10. 11. 18.

Die durch Mosen veranstaltete und verfertigte Hütte,

welche ein Vorbild auf die allerheiligste Person und den Fleischesleib Jesu seyn sollte, war gemacht aus verschiedenen Dingen aller Naturreiche, also aus dem Universalreiche der ganzen Natur. — Wenn denn nun das Lebenswort ist Fleisch geworden, so hat es mit seiner Menschwerdung von Allem Etwas angenommen, was je im Reiche der Schöpfung seyn kann, sowohl im Sichtbaren als Unsichtbaren, nur das Reich der Finsterniß ausgenommen. Kam nicht Christus von den Vätern nach dem Fleisch? ist er also nicht wahre Stiftshütte der Gläubigen? Und haben nicht, sozusagen, in der Linie der Fortpflanzung Alle Etwas dazu gegeben und gestiftet? Und wie hätte sonst Alles durch das einzige Opfer des Leibes Jesu können versöhnt werden, was in dem Schöpfungsreiche Gottes ist? Und sehet: so hat die Universaltinktur auf Alles kraftvollen Einfluß. IV. Hebr. 375 f.

Jesus nennt sich gar oft selber des Menschen Sohn, den Sohn des Menschen; nicht als ob die ganze Menschheit ihn gezeugt und geboren hätte, sondern weil er für die ganze Menschheit aus dem ganzen Wesen der wahren Menschheit geboren ist. Und da nun der Mensch der quintessentialische Extrakt aus aller Gottesoffenbarung ist, mithin vor seinem Fall ein wahres Ebenbild der Gottheit war, auch ein wahres Nachbild des Urbildes, der himmlischen, vorweltlichen Menschheit; darum wollte das Wort des Lebens, die Herrlichkeit des Vaters, wieder werden, was der Mensch worden ist, nämlich der Gestalt nach, auf daß die Menschheit durch ihn wieder würde, was er ist, unsterblich und geistleiblich. Er ist also Mensch, wahrer Mensch, auf daß er durch die allerheiligste Leibeshütte, von der die Stiftshütte ein Vorbild war, Gott ein wahres Versöhnopfer bringen und für das Schöpfungsall den Tod schmecken und ihn überwinden könnte und Leben und unvergängliches Wesen an das Licht bringen und alles Fleisch in den Geist erhöhen und geistleiblich machen und also in die Unverweslichkeit führen möchte. Syst. 353 f.

§ 130.

Weil in der Zeugung und Empfängniß Jesu durch den heiligen Geist der menschliche Same geheiligt wurde, so hatte das Fleisch Jesu, obwohl wahres Menschenfleisch, doch nur die Gestalt des sündlichen Fleisches, nicht aber die Sünde selbst an sich.

„„Gott vereinigte sich in Maria mit dem Wesen der Menschheit und heiligte das Wesen der Menschheit in dem Anziehen und Annehmen, und so wurde das gottmenschliche Wesen leiblich. Und weil's im Samen der Maria geschah, der durch die Ueberkunft des heiligen Geistes rein gewirkt und abgesondert wurde, so ward die Gott- und Menschheits-Leiblichkeit der Gestalt des sündlichen Fleisches nur ähnlich, und obgleich in Figur und Art auch wahres Fleisch und Blut, doch ohne Sünde. Denn die Empfängniß Christi war ohne Sünde. VII. Petr. 257 f.

Gott, das ewige Wort, als die göttliche Kraft, hat in die geheiligte Seele Mariä imaginirt oder eingewirkt, damit Gott in ihr Fleisch und Blut würde, wie wir. Weil aber nicht nur die Kraft des Höchsten die Maria überschattete in den oberen Kräften der Seele, sondern auch aus der Kraft des Höchsten, aus dem ewigen Wort, der heilige Geist über sie kam, so wurde das Fleisch und Blut, welches das ewige Wort an sich nahm, in und mit dem Annehmen vom ewigen Geiste geheiligt. VIII. I. 217.

Jesus war uns Adamskindern in Allem gleich, außer der Sünde, d. i. er hatte zwar einen gutnatürlichen Leib und derselbe war rein und heilig und war solch Fleisch und Blut, wie Adam hatte vor dem Fall. Dieser gute, unsündliche und heilige Fleisch- und Blutleib Jesu hatte aber, wie auch unsere Leiber, doch die Gestalt nicht, wie der Leib Adams vor seinem Fall war. Denn er kam in der Gestalt des sündlichen Fleisches, nicht mit sündlichem Fleisch; darin blieb er uns ungleich; hierin allein war er als wahrer Mensch von uns unterschieden. Und das ist uns ewig gut, daß es so ist, und kann nicht genug erkannt werden. — Christus, als das fleischgewordene Wort, war in der Gestalt des Leibes sündig, wie wir, aber merke wohl: nur in der Gestalt, nicht im Wesen. Denn sein gut, rein, unvermes- liches, geheiligtes Fleisch und Blut war als das heilige Gottes ohne Sünde, und war also sein Fleisches- und Blutleib kein Leib des Todes. — Nur die Gestalt des sündlichen Fleisches an ihm konnte sterben, nach welcher er im irdischen Reich dieser Welt bis an sein Ende lebte; sein rein und gut geheiligtes Fleisch und Blut aber konnte nicht sterben, weil es ohne Sünde war. Nur die Gänge des Bauches ein und aus und auch der äußere Athem oder Hauchgang, welches zusammen die sündliche Gestalt ausmachte, starben der äußern Welt; sonst aber starb weder sein Fleisch noch sein Blut: denn es ist das unauflösliche Leben und gibt Leben und Unsterblichkeit. VIII. I. 412 ff.

Die reine keusche Jungfrau hat den Heiligen heilig geboren, doch war er ähnlich dem sündlichen Fleische. I. 294. 5.

Da Jesus, der Sohn Gottes, ein höheres Leben als Herr vom Himmel in sich hatte, nämlich ein Geistleben, so hatte er wohl die Gestalt des sündlichen Fleisches, aber die Erbsünde und das Sündengesetz nicht in sich. Syst. 145.

Gottes Gesetz, das Lichts- und Lebensgesetz war das Herrschende in ihm. Erbsünde und Sündengesetz war ihm nicht angeboren. Syst. 153.

Ein Mensch sollte und mußte es seyn, und zwar ein solcher Mensch, der zugleich Gott war, der nur die Gestalt des sündlichen Fleisches im Menschenleib hatte, nicht aber die Sünde selbst, so daß das heilige Opfer nicht selbst einer Versöhnung bedurfte; ein quintessentialischer, extraktischer, heiliger Leib mußte es seyn, von den Sünden und Sündern abgesondert, höher, denn der Himmel ist. Syst. 198.

Als Jesus unser Fleisch annahm, so hatte er nicht jene Sünde (Erbsünde, Sündengesetz) weil er von keinem Manne kam, wie ich und du und Adamskinder. l. 269. 16.

§ 131.

Gleichwohl war Jesus versuchbar und hatte die Möglichkeit der Sünde in sich, weil in seiner Menschheit eine mäßige Portion Finsterniß als Fundament des Lichtes war.

„„Gott ist darum das höchste Gut, weil er zu allem Bösen unversuchbar ist. Das ist von keiner einzigen Creatur, auch von der Menschheit Jesu aus Maria selbst nicht zu sagen. Gut ist das im vollkommenen Verstand, was mit keinem Bösen vermischt ist und vermischt werden kann. So ist Gott das ewig unveränderliche Licht. Auch ist in der Creatur das gut, wo das Böse verborgen bleibt. So ist's in den Engeln, die nicht gefallen. In der Menschheit Jesu, die versuchbar war, ist eine mäßige Portion der Finsterniß als das Fundament des Lichts gewesen, aber nie offenbar worden, noch in's Herrschen gekommen; es war also eine Möglichkeit zum Bösen, aber nie eine Wirklichkeit. Das ist aber eben die höchste Tugend und Schönheit der Jungfrauschaft, wenn solche bewahrt wird, wo das Gegentheil möglich ist. VI. Pf. 1411.

Gott sandte seinen Sohn in eben derselben Gestalt des sündlichen Fleisches, wie es jetzo nach dem Fall der gefallene Mensch an sich träget. Und da dieser Gottessohn doch auch wahrer Menschensohn war, obgleich weder aus sündlichem Samen gezeugt, noch in Sünden empfangen, so war er doch auch so, daß er konnte versucht werden. Syst. 153.

Der Möglichkeit nach war wohl Etwas von Todesstaub in dem Mariensohn, aber der Wirklichkeit nach nicht. Die Wirklichkeit und eine übermäßige Portion finstern Staubes ist in uns und das ist Erbsünde, die sich in wirklichen Sünden offenbart. VII. Petr. 206.

Ich bleibe darauf, Christus hatte keine Erbsünde, und wenn ich auch dazu nehme, was er im Oelgarten gebetet hat: Mein Vater! nicht mein, sondern dein Wille geschehe! damit er doch anzeigt, daß er einen Willen in sich finde, der nicht nach des Vaters Willen wolle. Aber eine Möglichkeit, sündigen zu können, glaube ich, daß unser Herr als Mensch gehabt habe, denn aus dem Besten kann ein Böses werden. Hätte er gar keine Möglichkeit in sich gehabt, sündigen zu können, so hätte er auch nicht können versucht werden, oder was hätte es genützt, daß er versucht wäre, wenn er gar nichts von der Versuchung hätte empfunden? Auf was Art hätte er sollen barmherzig werden und Mitleiden lernen? Aber die Möglichkeit, sündigen zu können, heiße ich bei Christo und in seiner allerheiligsten Person keine Erbsünde, denn diese Möglichkeit gehört zur natürlichen Menschheit. Christo, als der andere Adam betrachtet, stand es wohl an, diese Möglichkeit in sich zu haben. Kann ich nun das Sünde heißen, wenn Gott dem ersten Menschen bei der Schöpfung

eine kleine und mäßige Portion finstern Staub anerschaffen
hat, der unter eine größere Portion Licht geordnet war, so
ist Gott Schuld an der Sünde. Ich glaube nicht; es ist
nicht Sünde zu nennen der finstere Staub, der der Träger
des Lichts sollte seyn, worauf es sich abschattete. Wann aber
das finstere Staubwesen, die finstere Erde in dem Menschen,
durch Abkehr von seiner Lichtquelle in's Herrschen über das
Licht kommt, dann ist Unordnung, Unrecht und Sünde, dann
ist's böse; und wann dieses, durch Einwirkung eines finstern
Wesens unterstützt, zum Fall gereizt und gebracht ist, so vermehrt dann das einwirkende Theil den finstern Staub der
Quantität und Qualität nach. Jetzt aber in diesem Betracht
ist der Mensch Sünder, und da wir allesammt, weil wir
seelische Menschen sind, von dem Stammvater seelischer Menschen herkommen, so haben wir alle mehr Portion des finstern
Erbstaubes, als wir haben sollten, als uns anerschaffen war,
und das ist Erbsünde; daher haben wir von Natur mehr
Neigung zur Sünde und Finsterniß, als zum Guten, Einer
mehr als der Andere. Weil nun Christus vor dem heiligen
Geist als das Heilige in Maria gezeuget, und Maria Erbsünde hatte, die aber bei der Empfängniß Christi in keiner
Qualität stand, sondern vom Lichte beherrscht war, so bekam
er aus der Mutter die, dem ersten Adam anerschaffen gewe-
sene, mäßige Portion des finstern Staubes; diese war unter
das Licht geordnet, welche das Licht treiben soll. Dieses
nenne ich in Christo eine Möglichkeit, sündigen zu können.
Aber diese Möglichkeit nenne ich in Adam keine Sünde,
denn dafür kann er nichts, er ist, wie der Schöpfer ihn will,
und ohne so zu seyn, wäre er nicht Mensch, und quintessentialischer Extrakt aus Allem und nicht Bild Gottes nach
der ganzen Offenbarung. Ich nenne daher auch diese Möglichkeit in Christo keine Erbsünde. Darum bleibt er mir
das Heilige, von Allen abgesondert, die seine Brüder nach
dem Fleisch sind; keiner hat die nämliche Portion finstern
Staubes in rechter Maße. XI. I. 758 ff.

§ 132.

In der Seele Jesu war aber auch das Kreuz, an welchem

das fleischliche Leben abgethan und das geistliche Leben geboren werden sollte. (cfr. § 25.)

„„Die kugelförmige Seele hat ein Kreuz, darin sich das Sündenleben opfern soll im Zornfeuer der göttlichen Gerechtigkeit, das in der Angst der Seele brennet, und ist solch Kreuz der Altar auf den zwölf Säulen des thierischen Menschen, der eine zeitliche und ewige Seele hat, die an Zeit und Ewigkeit gränzet. An diesem Kreuz soll das neue Geistesgesetz und Leben geboren werden. Dann wird das Licht aus der Finsterniß, die Freude aus der Angst, die Freiheit aus dem Gefängniß, das Leben aus dem Tode, und der Himmel aus der Hölle geboren und der Mensch wird eine neue Creatur. Das heilige, hohe Kreuz ist auch derselbe Altar, an dem Alles geschaffen ist und wieder versöhnt werden soll. Denn es ist in demselben das Rad der ewigen Naturgeburt, und im Feuer des ewigen Geistes hat sich Jesus in seinem Fleischesleibe Gott geopfert und für das ganze All den Tod geschmeckt. Er hat also Fleisch aus Menschenfleisch, Seele, darauf das Fleisch steht, aus der Menschenseele angenommen, also daß die Kräfte der Seele die Säulen, und das, was von dem Menschen abgethan werden soll, das Opfer des Zornfeuers und das, was zu dem Paradies-Menschen gehört, der Altar sei und im Menschen das Paradies wieder eröffnet würde mit seinem Lebensbaum und dessen zwölferlei Früchten. Syst. 380 f.

2. Das Versöhnopfer.

§ 133.

Damit nun diese zum königlichen Hohepriester bestimmte gottmenschliche Person fähig würde, Alles mit Gott zu versöhnen und in die Geistleiblichkeit zu erhöhen, mußte die Menschheit Jesu durch den schärfsten Gerichtsprozeß geführt und als Versöhnopfer von ihm in vollkommenem Gehorsam dargebracht werden.

„„Er muß alle Gerechtigkeit erfüllen als Menschensohn; er muß nach den schärfsten Rechten der Heiligkeit und Gerechtigkeit Gottes mit sich handeln laffen; fein Blut muß er zur Gottverföhnung für Alle vergießen, daß Alles durch ihn verföhnt würde, und daß durch fein Blut, als durch eine allkräftige Tinktur, Alles könnte erneuert werden. Er mußte den Tod für Alles schmecken und so alle Eigenschaften der zeitlichen und ewigen Natur überwinden und dem Tode auf diese Art die Macht nehmen, Leben und Unsterblichkeit sowohl, als auch Unverweslichkeit an das Licht zu bringen, und auf diese Art würdig werden, als Menschensohn Alles zu übernehmen. V. Off. 144.

a. Die Verföhnung.

§ 134.

Die Verföhnung, welche durch Jesum geschehen soll, ist der Sieg des göttlichen Erbarmens in den Eigenschaften der ewigen und zeitlichen Natur, wodurch der herrschend gewordene Zorn Gottes getilgt und in Liebe umgewandelt wird, indem der Gerechtigkeit Gottes Genüge geschieht.

„„Gott hat uns Menschen mit ihm felber verföhnt. Die pure lautere Gottheit hätte es aber nicht thun können, fie bedurfte zur Befriedigung ihrer Heiligkeit, Wahrheit und Gerechtigkeit ein Verföhnopfer, und das fand sich an Jefu Christo. Syst. 197.

Die angenommene Menschheit mußte das Verföhnopfer werden dem erbarmenden Priefterherzen der Gottheit, und somit feine Gerechtigkeit befriedigen. Syst. 344.

Ein göttlich-menschlich heilig Blut mußte sich dem Feuer des ewigen Geistes hingeben zur Verföhnung. Dieß konnte den Zorn Gottes löschen und in Liebe verwandeln. Syst. 198.

Der Gerechtigkeit Gottes mußte Genüge geschehen. Syst. 200.

Das Erbarmen Gottes, nämlich fein ewiges Liebeserbarmen ist unergründlich und an Kraft und Vermögen überschwänglich und unbeschreiblich. Es ist in den Eigenschaften der ewigen Gottesnatur die fiegende Eigenschaft und Kraft der Ueberwindung. Denn Gott hat nach den Rechten der Heiligkeit Alles, was Sünde und Finsterniß heißt, mit fammt

derselben Mutter, dem Unglauben, unter Gerichte und gerichtliche Strafen beschlossen. So wie aber diese seinen Zweck
erreicht haben, siegt die Eigenschaft der Erbarmung über die
Eigenschaft der Gerechtigkeit. Denn Sünde fällt der Gerechtigkeit heim, denn sie ist Unglauben, wird also von der
Gerechtigkeit gefangen und ergriffen; hingegen Glauben ist
Gnade und in dieser siegt Erbarmen. Erbarmen aber ist
die Kraft der Lichtausdehnung und Seligkeit, da wo sie
herrscht. Diese in Freiheit und Seligkeit versetzende Krafteigenschaft Gottes hat auch uns gerettet von dem gräulichen
Sündendienst und von der Sklaverei des Satans; dafür sei
sie in Ewigkeit gepriesen! III. Eph. 137 f.

§ 135.

Da der Zorn Gottes in der ganzen gefallenen Creatur
offenbar ist durch die Sünde, so bedarf sie in ihrem ganzen
Umfang dieser Versöhnung in der Weise, daß der in ihr herrschende göttliche Zorn und Fluch getilgt und sie in das ihr
geraubte Leben der Herrlichkeit erhöhet wird.

„„Zuerst bedenken wir es recht, warum denn Gott versöhnt muß werden mit uns und unserem Geschlecht und
Allem dort und hier auf Erden, sogar im ganzen Schöpfungsall, wo nur geschehen ein Abfall: die Creatur war
durch ihr Trennen, was wir den großen Abfall nennen, zum
Feind geworden Gottes Licht und fiel also in sein Gericht.
In Gottes reines Lichtesreich konnte Keiner kommen oder
gehen. Nichts kommt dorthin, als was ihm gleich, und
sollt' es noch so hübsch aussehen. Und also dieß zeigt hell
und klar, daß Gottes Grimm in Allem war. Die Signatur
der vielen Wesen läßt Gottes Grimm ganz deutlich lesen,
und der hat sich hervorgethan, so wie man ihn jetzt sehen
kann. I. 269. 2. 3.

Der Grimm, der schon erwacht gewesen in aller Welt
und Weltnatur, der ließ kein einig Ding genesen, und keine,
keine Creatur. Er mußte vorher seyn verschlungen. Drum
ist er auf ihn angedrungen, den Welterlöser, ganz und gar.
Hier sollt' er mit der Liebe ringen, die Liebe mußte ihn
verschlingen, und dieß geschah auch, das ist wahr. Die Liebe

14 *

hat den Grimm verschlungen; — so ist also die Tinktur fertig, die alle Creatur gewärtig, und zur Genesung nöthig hat. Sie wird in Alles sich eindringen, und Alles aus dem Tode bringen. I. 272. 23. 24.

Arme, geschändete Natur! Du steckst noch in Fluchs- und Todesbanden gefesselt, und mußt dem vergänglichen, geistverzehrlichen Wesen noch dienen und Frucht tragen; aber nur Geduld! dein dir-Geraubtes ist dir schon wieder errungen, nur noch nicht völlig applicirt und zugetheilt. Syst. 271.

Jesus hat sein Blut in das Allerheiligste im Himmel getragen, und mit einem Theil den Zorn Gottes gelöscht und wird alle Natur und Creatur noch mit demselben besprengen, und den Zorn Gottes in Allen noch auslöschen, und die Liebe in Allen offenbaren und Alle zu Gefässen der Gnade und der Herrlichkeit machen. Syst. 384.

Du sollst wissen, daß der Zorn Gottes über Alles, was nicht Ursprung aus ihm hat, ergrimmen und sich in Natur und Creatur entzünden kann in den Ursprungskräften, daß diese versöhnt seyn wollten, und daß dieses nur durch das Lamm Gottes geschehen konnte. XIII. I. 173.

§ 136.

Auch in Gott selbst mußte der Zorn gelöscht und der Thronquell göttlicher Kräfte versöhnt werden, damit nun die Offenbarung Gottes in Gnaden geschehen und der ewige Feuergeist als ein sanftes, lebendigmachendes Liebelichtsfeuer in die Creatur ausgehen kann.

„„Jesus hat sich als ein Vollendeter zur Rechten Gottes, auf die Seite seiner Lichtsoffenbarung in Liebe und Gnade, Erbarmung und Huld gesetzt; welche Offenbarung die Rechte Gottes heißt; denn sie gehet aus den Quellkräften des Throns Gottes und aller Gotteseigenschaften hervor, als aus dem Seel-Quellbrunn eines Versöhnten und Begnadigten. Die erhöhete Menschheit säße aber nicht auf dem Thron der Majestät als erste Mittelsubstanz aller Lichtsvollkommenheiten und Gottesfülle, wenn nicht der Thronquell aller Gotteskräfte und Eigenschaften völlig versöhnt gewesen wäre; wenn nicht die im Fleisch geoffenbarte Gottheit nach allen Rechten ihrer Heiligkeit gegen sich selbst durch das völlige Opfer gerechtfertigt wäre, und wäre also das Lämmlein nicht mitten im Thronquell aller Kräfte, als im allerinwendigsten Heiligthum der Gottesoffenbarung, das Feuer des ewigen Geistes in ein sanftes Liebelichtfeuer zu verwandeln und zu temperiren. IV. Hebr. 458 f.

- Hätte Jesus nicht sein Blut in das wahre Allerheiligste hineingetragen, (verstehet: in den Urquell aller Gotteskräfte und Eigenschaften,) so wären die vier ersten Eigenschaften nicht besänftiget, und Gott nicht versöhnet, Gott nicht gerechtfertiget gegen sich selbst, als gegen das allerheiligste und allergerechteste Wesen. Es wäre kein Lämmlein, mitten in dem allerursprünglichsten Quellthron der majestätischen Gottesoffenbarung, das sieben Hörner und sieben Augen hätte. Keine Kräfte wirkten also durch das Lämmlein zur Sündentilgung und Vernichtung und wäre kein tinkturialischer Kraftstoff zur Neuschaffung aller Dinge im Heiligthum vorhanden, und Jesus, der Gottmensch, säße nicht auf dem Throne der Herrlichkeit im Geistleibe; Gott wäre noch immerdar in einem unzugänglichen Lichtraume, und wir Menschen noch in unsern Sünden, wie zuvor. IV. Hebr. 472.

§ 137.

Insbesondere aber bedarf der Mensch der Versöhnung, wodurch das durch den Fall in ihm herrschend gewordene Zornesleben der Sünde und Eigenheit getödtet und das verblichene Geistesleben der Herrlichkeit in seiner Natur wieder hergestellt wird.

„„Jesu Blut ist auf den Kreuzaltar der ewigen Naturgeburt in das Rad des Geistes der Ewigkeit, in dem sich die lichte und finstere Welt scheidet, getragen worden und wird das Opfer des Feuers des Geistes der Ewigkeit zur Auslöschung des Zornes Gottes in denen, die mit ihrer Ewigkeitsbegierde nach dem Geist der Herrlichkeit dürsten. Darum hat auch das Lamm mitten im Thron Gottes sieben Augen und sieben Hörner. Wer sich Gott opfert mit allen seinen Lebenskräften, der wird erfahren, wie das eigene und sündliche Leben von jenen sieben Hörnern des Lammes zerstört wird und wie sich die sieben Augen, als die sieben Geister Gottes im Blut Jesu dem rechten Leben des Menschen mittheilen. Syst. 383 f.

b. Der Opferleib.

§ 138.

Zur Verwirklichung dieser Versöhnung ist ein Opfer nöthig, d. h. das Mittel, wodurch Gottes Zorn in ihm selbst, im Menschen und in der ganzen Creatur ausgelöscht und in Liebe und Leben verwandelt wird, muß ein Leib seyn, welcher selbst keiner Versöhnung bedürftig ist, aber als Mikrokosmus alle zu versöhnende Creatur repräsentirt und deßhalb die Fähigkeit empfangen kann, in diese versöhnend und verklärend einzuwirken. Dieß ist die angenommene Menschheit oder der Leib Jesu.

„„Gott hat uns Menschen mit ihm selber versöhnt. Die pure lautere Gottheit hätte es aber nicht thun können, sie bedurfte zur Befriedigung ihrer Heiligkeit, Wahrheit und Gerechtigkeit ein Versöhnopfer, und das fand sich auch an Jesu Christo. Also versöhnte sie sich mit uns durch unsern HErrn und Heiland, Jesum Christ. Gott war also der, welcher versöhnt seyn wollte und sollte, der sich auch durch das Versöhnopfer selber versöhnte, und das konnte auch so seyn. Denn „Gott war in Christo und versöhnte uns und die ganze Welt mit sich selber." Und hiezu war kein anderes Opfer möglich, keins genug und gültig, aber dieß einzige war das ächte, rechte. Das gilt in Ewigkeit und mit diesem ist ja eine in alle Ewigkeit geltende Erlösung erfunden. Dieses Versöhnopfer konnte nur Gott wählen; denn nur Er konnte wissen, wie und womit er zu versöhnen sei. Auch nur Gott konnte dieß Versöhnopfer ausfindig machen und sich selber verschaffen. Darum sagt der Messias: Opfer und Gaben hast du eigentlich, o Gott! nicht gewollt, den Leib aber aus der Menschheit hast du mir zubereitet, und den wolltest du zum Versöhnopfer haben. Syst. 197.

Wenn sich Gott mit sich selber versöhnen wollte, so mußte

er Mensch werden; die angenommene Menschheit mußte das Versöhnopfer werden dem erbarmenden Priesterherzen der Gottheit und somit seine Gerechtigkeit befriedigen. Jesus mußte also mit Einem Opfer Alles ausrichten, aber dieß Opfer mußte auch von solcher Beschaffenheit seyn, daß dieß möglich war. Syst. 344.

Christus ist Opfer und als der HErr vom Himmel ist er selbst Priester. Adam hat mit der Priesterschaft, die er sammt seiner Weisheit verscherzt hat, auch das Königreich und die Herrschaft verloren. Wenn nun also Jesus aus Jehova soll König vom ganzen All werden, so muß er werden, was das All ist und es als Gott mit sich selber versöhnen. Er muß Etwas vom All annehmen, und das muß seyn, was der ist, der des Alls König war, und muß in dem, was er angenommen, das All für das All überwinden, und in der Ueberwindung sich selbst aufopfern, daß er in dem Angenommenen wieder die Herrschaft über das All habe. XI. II. 512.

Mußte denn nicht der Universalstein, der Alles tingiren, verwandeln und neuschaffen soll, aus dem Universalreiche der ganzen Schöpfung genommen seyn, um, wenn er im Feuer des ewigen Geistes durch den Prozeß aller Gottesgerechtigkeit vollendet und ausgeboren wäre, in Alles und auf Alles wirken zu können? Deßhalb mußte das Wort Mensch werden, weil die Menschheit der Extrakt aller Welten ist. IV. Hebr. 97.

Gott ist geoffenbaret im Fleisch. Gott ist also worden, was er nicht war, was der Mensch durch den Fall, da er die Herrlichkeit Gottes verloren, geworden ist. Gott wollte die Creatur nicht im Falle liegen lassen; daher wollte er einen Opferleib anziehen und annehmen, in welchem er sich mit sich selbst versöhnen, und welchen er durch den Prozeß des Leidens führen, und zugleich zum Alles verwandelnden und in den Geist erhöheten, lebendigen Stein machen wollte. Hiezu fand er in der ganzen Schöpfung nichts Tauglicheres, als die Menschheit, welche der quintessentialische Schlußstein und ein kleines Ganzes des großen Ganzen war. Er wurde also Fleisch und Mensch und erkannte zuvor, daß er auf diese Weise Alles mit sich selber versöhnen und den ganzen Fall heben und Alles unsterblich und geistleiblich würde machen können. IV. Tim. 68.

§ 139.

Aus diesem Grunde taugte weder ein englischer, noch ein thierischer Leib zum Versöhnopfer, als welche beide zu einfach sind.

„„Er mußte wahrhaftiger Mensch werden, wie wir waren, und in unserem Fleisch und Blut überwinden; er durfte keine fremde Seele vom Himmel bringen, was hätte es uns geholfen? Es konnte auch nicht seyn, daß er außerhalb unserer Welt uns geholfen hätte. Syst. 273.

Nicht Opfer von Thieren waren hinreichend, ihre Lebenswurzel ist nicht im Feuer des ewigen Geistes gewurzelt, nicht englische Naturen waren genug, und viel zu einfach; ein Mensch sollte und mußte es seyn, und zwar ein solcher Mensch, der zugleich Gott war. Syst. 197 f.

Der Thiere Blut tilgt keine Sünd', die Sünde hat ein tiefer Wesen; das Thierblut läßt kein Adamskind von seinem Sündenfall genesen. Es ist hier keine Möglichkeit. Der Mensch ist aus der Ewigkeit, und also, soll sein Wurzelwesen gedeihen und im Grund genesen, so muß es ander Feuer seyn, das in dem Blute wirket sein. I. 271. 3.

Wer sollte die alleinige Möglichkeit des Blutes Jesu, Herz und Gewissen zu reinigen, nicht klar erkennen? Wer sollte noch zweifeln, ob etwa nicht ein ander Wesen vermögend wäre, das in und an der menschlichen Seele zu thun, was nur Jesus allein kann und vermag, weil er ist die eingeborene Herrlichkeit, und ist selbst Gott und Mittler, ist Opfer und Priester und ist A und O, Anfang und Ende, ja selbst Erster im Ersten und Letzter im Letzten? Natürlich können Particularitäten, Individualitäten von wenigfacherer Art keine Universalmittel seyn zu einer Universalkrankheit universaler Wesen; darum konnte kein Thierblut Menschenherzen und Gewissen kuriren, konnte es doch den Zubereitungsprozeß nicht bestehen im Feuer des Geistes der Ewigkeit, noch von ihm zur Universalkur als Mittel erkoren werden. IV. Hebr. 427.

§ 140.

Die Wirkung der alttestamentlichen Opfer reichte deßhalb blos in's natürliche Leben, indem dadurch Uebersetzung der

Sünden und Gnadenfrist für das zeitliche Leben und den sterblichen Theil der Natur zuwege gebracht wurde.

„„Das Feuer, das sie angezünd't, die Opfer in dem alten Bund, das hatte, wie man deutlich find't, im Tiefsten der Natur nur Grund. Elektrisch Feuer nennt man's auch und auch astralisch nach Gebrauch. Also dieß Feuer war das Leben, im Thieresblut zum Grund gegeben. - Dieß Feuer fiel die Wurzel an, und hat dann Wirkung auch gethan. Es hat den Zorn des HErrn versöhnt in der Natur und Elementen, sonst aber nur dazu gedient, auch mit den ersten Sakramenten, daß Gott die Sünd' hat übersehn, als wäre sie wie nicht geschehen. Er sahe unter dieser Bildung auf seines Sohnes Opferduldung, und nahm es unterdessen an, als hätte es der Sohn gethan. Also der Grimm in der Natur ward durch das Thierblut ausgelöschet, weil weiter nicht die Thierstinktur, nicht weiter und nicht tiefer wäschet. I. 271. 5—7.

Obschon nach den Einsetzungen des mosaischen Gesetzes, welches Gott durch Mosen gab, täglich geopfert wurde, und zerschiedene Opferarten täglich geschlachtet und gebracht wurden, sollte doch ein jährliches Versöhnungsfest gehalten werden, zu bedeuten und anzuzeigen, daß das nicht die rechten Opfer seien, daß die Sünden nicht getilgt und weggenommen seien, also Gott nicht dadurch versöhnet sei; daß also Gott nur nachsichtiger dadurch sei im Blick auf das Opfer, das jene bedeuten und vorstellen. Auch sogar die Opfer, die am jährlichen Versöhnungsfeste gebracht und geschlachtet wurden, konnten nicht Sünden wegnehmen, oder Herzen und Gewissen reinigen, oder Gott versöhnen. Denn es ist unmöglich, daß Ochsen- oder Bocks-Blut Sünden tilge und Gott aussöhne. Vorbilder waren auch dieß nur und eigentlicher Schatten von dem, was künftig war, nun aber gekommen ist. Syst. 208.

Eines Gottversöhners und Wiedergebärers war die Menschheit äußerst bedürftig, sollte ihr in Wahrheit geholfen werden. Denn Vergebung der Sünden konnte wohl den Nutzen haben, in dieser Welt geduldet zu werden, so lange uns der natürliche Tod bleiben ließ. Allein nur ein höheres Lichts-

und Geistesleben kann in das Lichtsreich Gottes kommen. Dieß mußte durch einen Wiedergebärer erlangt werden. Sünden versöhnen und doch nicht abthun und tilgen, war Sache des geopferten Thierbluts; aber reinigen von Sünden, hiezu wurde ein höheres, heiligeres Universalblut erfordert. Wenn dem Todten kein Leben gegeben wird, und dem Verfinsterten kein Licht, so bleibt er nach der Vergebung, wer er zuvor war und bringt abermals wieder Frucht dem Tode, und das, weil er muß und Knecht ist und ihm das herrschende Geistesleben fehlt. Es ist daher Versöhner und Wiedergebärer gleich nothwendig, soll recht geholfen werden, und beides ist uns Christus. IV. Hebr. 367. f.

Ein sterbliches Thierblut, in welchem, als in einem Gehäus, nur ein kurzes, sterbliches Leben seinen Sitz hat, konnte in das wahre Allerheiligste der innersten Gottesgeburt nicht gebracht werden. Es taugte nur in ein irdisches Heiligthum, und konnte als zu Opfern bestimmtes Blut nur für den sterblichen Theil der Natur Gnadenfrist und Sündenüberblickung oder Uebersetzung erwirken. Nur ein Blut höchster Art und Natur konnte das Natürliche so heiligen, salben und veredeln, verwandeln und tingiren, daß es in die allerinnerste Kraft und der Lebensquelle innerstes Heiligthum dringen konnte. Kein Thierblut aaronischer Opfer konnte auf den unsterblichen Theil menschlicher Seelen wirken. IV. Hebr. 423.

Die vorherrschende Einfachheit des Thierlebens konnte dann, wenn sie nach göttlichen Vorschriften Gott geheiligt wurde, auf das äußere Leben wirken und konnten also menschliche Vergehungen durch thierische Opfer eine kurze Versöhnung im Naturleben auswirken, und den Zorn Gottes in der Natur und Creatur nach der Zeitlichkeit sänftigen; aber auf Herz und Gewissen konnte das nicht wirken. Und wenn auch der Geist der Ewigkeit Herz und Gewissen beunruhigte und bestrafte, so wurde doch beides nicht rein und frei. Denn die reinigende und wiedergebärende Kraft des wahren Versöhnopfers fehlte ja noch und konnte also die Seelenmagia reuender Seelen den Stoff und Samen der Herrlichkeit zur Geistleiblichkeit nicht fassen, noch anziehen; sie mußte sich also blosstellen lassen, und in Glaubenshoffnung der Gottesverheißung harren, mithin nur in Hoffnung selig seyn und dem Geist des Ausbrennens stille halten, und das verwerfen, was sich Ungöttliches eindringen wollte. Die völlige Tilgung und Vergebung mußte erharret werden. **IV.** Hebr. 426.

Ohne das Blutvergießen des Allerheiligsten wäre keine Sündenvergebung möglich gewesen; denn schon die Sündenvergebung im alten Bunde konnte nicht anders erlangt werden. Sintemal, wenn es ein Leben angehet wider die Rechte des Schöpfers, so fordert er ein Leben für ein Leben; denn eine Gesetzesabweichung ist eine Lebensverirrung, und Missethaten sind Tritte auf dem Verderbenswege. Blut ist das Gehäus oder der Behälter derer Leben; fließet nun Blut, so übergehet damit ein Leben in eine andere Sphäre. Jedoch kann das vergossene Thierblut nur das aus den Gränzen der Naturleiblichkeit getretene Leben versöhnen, denn tiefer reicht es nicht, und kann tiefer auch nicht wirken. Folglich betrifft das Opfer des Thierblutes denjenigen Theil der Seele, welcher seinen natürlichen Lebensumlauf im Blute hat, und sterben also Thiere für edlere Thiere, um ihrer längeren Lebenserhaltung willen. Damit ist aber weder Herz noch Gewissen gereinigt gewesen, und die Sünde war durchaus nicht getilgt; nur der Zorn Gottes in der äußeren Creatur war besänftigt, und das in so fern nur, daß Gott übersahe, und den ausbrechenden Grimm zurückzog. Wie hätte ein Aeußeres, einfach in seiner Art, mögen in's Innerste wirken, und was hätte es sollen außer seiner Sphäre ausrichten? daß es aber auch in seiner Sphäre nichts sollte wirken, das ist nicht. Daher thaten die Opfer das Ihre für das Naturleben; aber die Erlösung von den Uebertretungen ewiger Seele geschah durch Jesu Versöhnung und Erlösung. **IV.** Hebr. 430 f.

§ 141.

Die angenommene Menschheit hingegen oder der Leib Jesu eignete sich vollkommen zum universalen Versöhnopfer theils durch den mikrokosmischen (§§ 129. 138.) Charakter, theils durch die Sündlosigkeit desselben (§ 130.).

„„Sollte er Etwas darbringen, womit er Gott auf ewig

verfößnen, und eine ewige Erlösung erfinden wollte, so mußte er ein Universalopfer bringen; das konnte aber anders nicht, als durch die Annahme der Menschheit geschehen. IV. Hebr. 380.

Das Wort wurde Fleisch und zwar Mensch, um nicht nur alle Engel, deren Lebens- und Lichtsarten und Eigenschaften im Menschen alle ganz sind, sondern auch alle Thiere der irdischen Wesen, Arten und Eigenschaften mit den Elementen erlösen zu können. Syst. 231.

Was hätte uns in aller Welt ein sterblicher und sündlicher Priester genützt auf jenes Leben, oder welcher Sterbliche ist denn nicht ein Sünder? Nur Einer war von Geburt aus heilig und rein, und konnte für Andere sterben, und durch seinen Tod dem Tode die Macht nehmen, und das ist unser Hohepriester. Er durfte nicht für eigene Sünden Opfer bringen, sonst hätte er für uns kein ewig gültiges Opfer bringen können. Ja einen Hohenpriester bedurften wir, der von Geburt aus heilig, zwar wahrhaftiger Mensch von Menschen, aber nicht in Sünden gezeugt, empfangen und geboren, und also dießfalls ganz von den Sündern abgesondert wäre. IV. Hebr. 369. 371.

Sein Tod ist verdienstlich und ist ein Opfertod, weil er ohne Sünde war und für die Ungerechten starb. VII. Petr. 206.

Unser Hohepriester und sein Opfer ist dasjenige Körperwesen, das vorgebildet ist worden durch das Schattenwesen. Darum ist er der einzige, rechte und wahre, ja der vollkommene, ewige Hohepriester, der seines Gleichen im ganzen Schöpfungsreiche nicht hat, aber auch nicht haben kann. IV. Hebr. 372.

c. Der Opfertod.

§ 142.

Sollte nun die Menschheit Jesu, als der Opferleib, die alle Creatur versöhnende und verklärende Fähigkeit und Kraft bekommen, so mußte sie durch einen entsprechenden Zubereitungsprozeß geführt, d. h. geopfert werden.

„„Gott hat uns mit sich selbst versöhnt und eine Universalarznei für alle Seelenkrankheiten bereitet. Syst. 202.

Der Quell des Evangelii (der Sohn Gottes) sollte alles Fleisches Fleisch annehmen und damit Gott auf immer und ewig versöhnen, und in seinem Fleisch eine, alles Fleisch verwandelnde und in den Geist und Geistleiblichkeit erhöhende Tinktur werden und also Alles zu Gott führen, was er mit Gott versöhnt hat. Syst. 152.

Das Blut Jesu konnte (und sollte) in's wahre allerheiligste Heiligthum gebracht werden. In diesem und in diesem allein kann Gott seinen allerheiligsten magischen Willen zur Neuschaffung aller Dinge fassen. Daher hat auch Johannes das Blut Jesu in Lammesgestalt mitten im Thronquell der Gottheit gesehen mit sieben Augen und sieben Hörnern. Sieben Augen sind die allerheiligsten Kräfte des Geistes der Herrlichkeit; sieben Hörner die Kräfte des ewigen Geistes, die alles gottwidrige Leben und Wesen zerstören. Also dieß ist das rechte, alleinige Versöhnblut und Versöhnopfer, das Gott ersehen und gewollt hat. Syst. 198.

Christi Prozeß ist der Weg zum Verwandeln: willenlos ließ sich das Opferlämmlein von der Gerechtigkeit Gottes behandeln bis zur Vollendung. I. 293. 12.

Der Universalstein, der Alles tingiren, verwandeln und neuschaffen soll, mußte im Feuer des ewigen Geistes durch den Prozeß aller Gottesgerechtigkeit vollendet und ausgeboren werden, um in Alles und auf Alles wirken zu können. IV. Hebr. 97.

§ 143.

Hiezu war die Gottheit in Jesu der opfernde Priester; daher Jesus, weil er Opfer und Priester zugleich war, sich selbst für uns geheiliget und dargegeben hat.

„„Gottheit ist Priester; sich selbst zu versöhnen, nahm er die Menschheit zum Opferlamm an. I. 293. 10.

Die Gottheit des Sohnes Gottes ist der Oberpriester. Denn Gott der Herr, durch welchen gemacht ist, was gemacht ist, war in Christo am Kreuz, nicht um mit zu leiden, sondern sich selbst zu versöhnen, seine Heiligkeit und Gerechtigkeit zu befriedigen und also zu versöhnen uns und das ganze All der geschaffenen Dinge. Syst. 209.

Ein Menschensohn mußte es freilich seyn, sollte er be-

zahlen können, was Adam geraubt hat, aber nicht ein Men-
schensohn allein, denn der Mensch hat ja die Herrlichkeit
Gottes verloren. Es mußte also ein Mensch seyn, der zu-
gleich die Herrlichkeit Gottes selbst war und dieß war Jesus
Christus. Und darum sagt Paulus: „denn Gott war in
Christo und versöhnte die Welt mit ihm selber." Dieser ist
der wahrhaftige Gott und das ewige Leben. Dieß ist der
Gott, der sich mit uns selber versöhnt hat durch das, was
er worden ist, nämlich Mensch und Menschenleib und Seele.
Syst. 198 f.

§ 144.

In diesem Zubereitungsprozeß oder Opfergang mußte
sich Jesus nach den schärfsten Rechten der göttlichen Gerechtigkeit behandeln lassen, um die Sünde des Menschen zu büßen
und wieder gut zu machen. Er mußte bezahlen, was Adam
geraubt. (Psalm 69, 5.)

„„Der Fall war erkannt, er aber als das Opferlamm
erblickt. Darum ist Alles auf ihn und zu ihm geschaffen,
und eben darum fällt alle Schuld und Strafe auf ihn, als
wäre er nicht nur Ursache des Daseyns der Sünder, sondern
auch der Sünde. IV. Hebr. 137.

Der Mittler ward zuvor ersehen, der wollte Alles auf
sich nehmen, für Alles in das Mittel stehen, und sich zum
Opfertod bequemen. — Da also unser Mittler kam, ist alle
Schuld auf ihn gefallen; sobald er unser Fleisch annahm,
so hatte er die Schuld von Allen. Er mußte zahlen unsern
Raub, ja in der That! es fiel auf ihn, was wir gethan und
fernerhin noch Böses werden thun und üben (ich meine die,
die ihn nicht lieben), auch dieser ihre Sündenschuld trug er
in Langmuth und Geduld. Da Christus ohne Sünd gewesen, wie ein zartes Kind, so konnte fremde Schuld von
Allen auf ihn und seine Seele fallen. Und dieß geschah.
Er ließ gescheh'n, denn dazu war er ausersehn. I. 269.
8. 13. 14. 17.

Geraubet hatte Christus nicht. Was wir geraubet, mußt
er zahlen, er, als die Quelle alles Lichts, mit unerhörten
Höllenqualen. L. 270. 14.

Jesus mußte das Lamm Gottes seyn, und aller Welt

Schuld auf sich nehmen; er mußte eines schmählichen und schmerzlichen Todes sterben, und für das ganze All den Tod schmecken. Er mußte den großen Prozeß der göttlichen Heiligkeit und Gerechtigkeit bestehen; er mußte nach den schärfsten Rechten mit sich handeln lassen. Er mußte sich Gott opfern für Alle; ja er mußte sich sogar für den Erfinder und Hervorbringer der Sünde lassen ansehen und behandeln. Denn der HErr warf alle unsere Sünde und Sündenstrafe auf ihn. Er wurde bis auf's Blut gepeitscht, da er mit dem Tode rang. IV. Hebr. 133 f.

Der Tod ist der Sünde Sold, und er sollte, da er als Selbstschuldner stand, Alles bezahlen. IV. Hebr. 136.

§ 145.

Das stellvertretende Strafleiden Jesu war eine Hingabe seines gottmenschlichen Blutes in das Feuer des ewigen Geistes, wodurch eine solche Angst über ihn kam, daß sein Blut in Schweißtropfen ausgepreßt und vergossen wurde.

„„Gott hat uns mit sich selber versöhnet mit dem Leibe seines aus der Menschheit angenommenen Fleisches durch seinen heiligen, unschuldigen Opfertod. Hier ist also klar, durch was sich Gott mit sich selber versöhnet hat und daß es freilich durch nichts Anderes geschehen konnte. Denn ohne Blutvergießen konnte es nicht geschehen und ein Blut, das sich nicht hätte dem Feuer des ewigen Geistes opfern können, war zu gering, und sollte doch ein Gerechter für Ungerechte sterben, weil der Ungerechte nur für eigene Schulden hätte sterben können. III. Col. 140. f.

Ein solch göttlich, menschlich, heilig Blut mußte sich dem Feuer des ewigen Geistes hingeben zur Versöhnung. Syst 198.

Durch's Feuer des Geistes der Ewigkeit hat Christus sich Gott hingegeben zum Opfer, sammt der Herrlichkeit, die bleibend ist in solchem Leben; denn jener Geist und jenes Feuer, das merke, Seele! es ist theuer, das ist der Seele Wurzelleben, das macht, daß sie sind ewig eben. Dieß Feuer ist ihr Lebensgrund. Also dieß Feuer griff ihn an, den HErrn im tiefsten Lebensgrunde; wie man ein Punktum sehen kann in einer großen Circusrunde: so ging's aus allem Ort und

Zeit, ja gar aus aller Ewigkeit in Christi reine Seel zusammen, daher die Höllenqualen kamen. So wurde Christi Blut gesprengt, daß es in alle Welten dringt. Das heißt gepreßt, das heißt gedrückt, das heißt sich streng zusammenziehen. Daher hat man Blutschweiß erblickt aus vielen tausend Löchlein fließen. Dieß heißt ein strenger Feuerdrang. Drum ward dem Herrn so seelenbang. Denn solche große Schulden zahlen, erfordert freilich große Qualen. Die preßt der Geist der Ewigkeit heraus von unserer Herrlichkeit. I. 271. 9—11.

Was wir geraubet, mußt er zahlen, er als die Quelle alles Lichts, mit unerhörten Höllenqualen; es trieb ihm auch den Angstschweiß aus von seinem edlen Leibeshaus; und dadurch wurde abgestattet, was Adams Willen hat ermattet, als er der Thierwelt raubte sehr, als ob er armer Bettler wär'. I. 270. 14.

§ 146.

Das vergossene Blut floß nach seinem geistigen Theil in die vier ersten Eigenschaften der ewigen Natur, als in den Thronquell göttlicher Kräfte oder das Heiligthum und löschte das brennende Feuer des Zorns Gottes als ein Versöhnungsblut.

„„Von allem Blut, das Jesus schwißt, und überhaupt, was er vergossen, Etwas dem All im Ganzen nützt; es ist mit Unterschied geflossen: das Geistige in's Heiligthum, das Leibliche in's Eigenthum, ich meine in die Lichtstinkturen, in alle Welt und Weltnaturen, das seelische der Ewigkeit in und auch außer Ort und Zeit. Dieß Blut versöhnte Gott im Grund in aller Welt im Schöpfungsraume; es ist dem ganzen All gesund, denn es gibt Frucht vom Lebensbaume. Der ewig' Geist mit seinem Feu'r hat dieses Blut so rar und theuer zu siebenmal gepreßt, gesprenget, daß es in's ganze Alle dringet und Alles ist nun Gott versöhnt, denn Allen hat der Tod gedient. Die sieben Geister von dem Thron, aus diesem Blut beseelt, bekleidet, die sind es, die die Seelen nun besprengen. I. 271. 12—14.

Hätte Jesus kein so gesundes Herz gehabt, vermuthlich würde es zersprungen seyn; aber es klopfte und arbeitete stark, und trieb in die äußeren Theile sein heiliges, geistiges Blut. Denn nicht in den Leib sollte es fließen, sondern ausgegossen sollte es werden, und viel davon sollte auf die Erde fallen und sie segnen. IV. Hebr. 137.

Obschon sein Blutschweiß tropfenweise auf die Erde fiel, so stieg das Feurige voller Leben und Kraft dennoch auf in die vier ersten Eigenschaften der ewigen Natur, die ihn auch so sehr gepresset hatten. Denn er opferte sich ja durch das Feuer des Geistes der Ewigkeit, als dem ewigen Einheitsbande, in dem Thronquell der Kräfte Gottes, und so ward des Widders Blut in das Allerheiligste getragen. Da denn unser großer Hoherpriester den Widder, als den creatürlichen Willen geopfert hat, und sein Blut an die Hörner, nämlich an die vier Hörner des Altars, als an das Kreuz der Scheidung, daran die Menschenseelen geschaffen worden, in den vier ersten Kräften oder Eigenschaften gesprenget war. IV. Hebr. 138 f.

§ 147.

Mit diesem Blute wurde das gefallene Adamsleben, welches vornehmlich im Blute brennt, und an welchem auch Jesus vermöge des Fleisches und der elementischen Nahrung Theil hatte, zugleich ausgeschwitzt und also der Raub Adams bezahlt. (cfr §§ 84. 85.)

„Das Blut ist das erste, darein sich das gefallene Adamsleben machte, und darin es brannte, ein Licht ausgebären wollte und auch wirklich falsch gebar. — Das falsche Wesen, das mit dem abgetrennten Lebenswillen eingeführt wurde von den Thieren, das mußte auch um der Thiere willen, welche vor dem Menschen erschaffen worden, durch das Einführen des Naturlebens Christi in das Leben Jesu ausgeschwitzt werden. Nicht als ob es wäre thierisch gewesen, sondern weil es aus den Elementen, davon Jesus aß, gekommen war, wie bei den Menschen allzumal geschiehet, die im Fleisch leben. Syst. 232.

Adam hat der armen Thierwelt geraubt den Lebens- und Lichteinfluß seiner Tinktur zur Erhöhung und ihre ihm entgegenfließenden Essentien; daraus sein Leib thierisch und grob wurde. Aber Christus, da er mit dem Tode rang, hat ebensoviele Schweißlöcher eröffnet an seinem heiligen Leibe, als Adam Thiergeschlechtern geraubt hat, und er schwißte mit Schmerzen das Blut von sich, das Adam geraubt hat mit Lust. Syst. 272.

Der Fall des Menschen bestund hauptsächlich auch in dem raubenden Anzug des grobelementischen Blutes und fremden vielartigen Thierlebens in zerschiedenen Eigenschaften. Denn dadurch bekam Tod und Verwesung, Teufel und Hölle viel Einfluß in uns. Da nun Jesus, das Opferlamm, bezahlte, was nicht er, sondern was der Stammvater der Menschen geraubt hatte, wurde also das Lösegeld durch Vergießung seines göttlich-menschlichen Blutes dargebracht und in das wahre allerheiligste Heiligthum Gottes eingetragen. III. Col. 120.

Sollte Jesus und mußte er für das ganze All den Tod schmecken, so sehen wir an ihm erfüllt, was er im Psalmen zuvor von sich sagen ließ, wenn es heißt: Ich muß bezahlen, was ich nicht geraubet habe. Vermuthlich hat der erste Adam allen Creaturen, in die und über die er hat sollen herrschen, Leben und Unsterblichkeit mittheilen sollen. Da er aber in Lust und dann in Schlaf fiel, hat er das, was ausfließen sollte, eingezogen und somit also geraubt. Darum auch so viele Arten von Lebenseigenschaften in ihm erwachten. Aber eben das Geraubte mußte Jesus bezahlen, wenn ebensoviele Schweißlöcher an seinem heiligen Leibe sich öffnen und Blut schwißen, als am ersten Adam Begierden geraubet haben, und wenn dann alle raubeten, so wurde Allem geraubt und der Herr mußte Alles bezahlen. Er that's auch in der That. Denn Alles ist befriedigt und er kann jetzo durch sein Blut Alles erneuern. IV. Hebr. 136.

Unter dem erschrecklichsten Todesgrauen lag seine bange Seele damals; denn da geschah es, daß alle Schweißlöcher an seinem Leibe sich öffneten, und zwar soviele, als von Adam Begierlichkeiten im Edensgarten ausgegangen sind. Dieser aller waren vermuthlich soviel, als Geschlechterarten, Geschöpfsgattungen waren, soviel, als sich das ewige Wort spezificirt und mit Lebenseigenschaften getheilt hatte. Denn allen raubete Adam im Garten mit Lust; allen mußte Jesus mit Unlust und Todesgrauen bezahlen. Vermuthlich wirkten so viele Kräfte des Todes, der Finsterniß und Höllen, soviel böse Geister durch Zulassung der Gerechtigkeit Gottes auf die bange Jesusseele, als sich Schweißlöchlein aufgethan. Hier wurde Jesus vom Vater bis aufs Blut gepeitscht. VI. Pf. 350 f.

§ 148.

Es geschah aber diese Ausgießung seines Blutes unter einem schweren innerlichen Kampfe, indem das natürliche Adamsleben mit seinem creatürlichen Vielheitswillen, obwohl derselbe in Jesu kein sündlicher war, doch sich auf's Aeußerste entgegensetzte und hierin noch durch die versuchlichen Einwirkungen der höllischen und irdischen Welt verstärkt wurde. Dagegen mußte der göttliche Willen in ihm streiten und den creatürlichen Willen überwinden.

„„Es mußte Christus im Oelgarten an Adams Statt den creatürlichen Willen und Lebenszug spüren mit allen Eigenschaften; dieses in's Blut eingegangene und in dem Thierslichtswesen sich hineingeschwungene und verschanzte Willensleben wollte nicht heraus aus demselben, wollte nicht am Kreuz des Thierlebens und zerstörlichen Wesens sterben. Es mußte aber seyn; so wollte Jesus in Christo und rang also mit Adam in Christo und da eröffneten sich so viele Schweißlöcher in Christo im Oelgarten, als Begierden und Thierseigenschaften in Adam begehrend in dem Paradies nach dem Irdischen ausgefahren sind als Lebensfunken, die sich wollten im irdischen Blute sänftigen und kühlen, wie dann auch geschehen ist. Darum mußten sich so viele Schweißlöcher am Leibe Christi öffnen. Syst. 232.

Das Willensleben in Christo ward so stark, und wehrte sich so sehr, als in Adam, mit allen Eigenschaften beider Welten, der höllischen und irdischen, so daß so viele Engel oder Teufel der finstern Welt und Elementsengel der äußern Welt auf Christum wirkten und ihre Gleichheit und den Lebenswillen erwecken wollten in ihm, als Begierden und Lebensfunken aus Adam gefahren waren. So viele Eigenschaften die Creaturen beider Welten haben, so viele Schweißlöcher an seinem heiligen Leibe offen waren, aus welchen das eingeführte und von Adam für sein Leben begehrte Blut herausdrang. Syst. 233.

Heißet das nicht peitschen, um den Ungehorsam aller Creaturen durch vollkommenen Gehorsam gut zu machen, doch den größten Anlauf zum Ungehorsam von allen Ungehorsamen und für alle zu fühlen und solchen zu überwinden? Syst. 237.

Alles sollte losgegeben werden, darum versuchte Todesund Höllenreich ihr Aeußerstes; und wenn sich die Gottheit innerlich zurück zog, wen wundert es, wenn Christus gezittert und gezagt hat, im grausamsten und fürchterlichsten Todesgrauen? IV. Hebr. 137.

Also mit Hölle und Tod muß er ringen, nämlich mit Fürsten von beiderlei Art, sollte er Alles besiegen, bezwingen. Selbst der Verwesungsgeist war so vermessen, wollte den Heiligsten greifen und fressen. I. 292. 17.

Im Garten mußte er allein mit seinem Willen gehen ein in's Sterben durch ein großes Grauen und dennoch seinem Gott vertrauen. Das hat er nun für uns gethan. Er hatte einen englischen, ganz intellectuellen Willen; auch dieser, ob er noch so schön, muß doch auch das Gesetz erfüllen, er mußte auch in's Sterben gehen. Für uns und Engel ist's geschehen. Der Wille, den wir abgekehret, und der im Thierreich hat begehret, der hat gestohlen und geraubt, viel mehr, als mancher denkt und glaubt. Ein Widder (3 Mos. 16, 3.) heißt es billig hier, weil es sehr um sein Leben schmachtet; es deutet Fleischeswillen an. Auch Christus litte hier daran. Er sagt: O Vater! nicht mein Wille! das „Mein" zeigt diesen Widder stille: auch dieser muß sich geben drein; es mußte ja geopfert seyn. I. 270. 12. 13. 15.

O was hat sich im Oelgarten, als Jesus mit dem Tode rang, zugetragen, als Jesus zahlen mußte, was er nicht, sondern Adam geraubt hatte! Seine Seele war bis zum Tode betrübt, er hub an zu zittern und zu zagen, und sein Schweiß waren Blutstropfen, die auf die verfluchte Erde fielen, sie wieder zu segnen. Ihn hatten die äußersten Todesgefahren umgeben, alle Kräfte des Teufels waren auf, und jetzt ging das Reich der Finsterniß auf ihn los, ihn mit Todesängsten zu quälen, bis sich so viele Schweißlöcher an seinem Leibe öffneten, als Willensbegierden aus der Seele Adams gingen und der Thierwelt raubten. Jesus erfuhr es im höchsten Grade, was Tod und Hölle sind und vermögen. Ihn erschreckten die finstersten Neidwasser der Bäche Belials, als sie auf ihn losströmten; welch ein strudelndes Donnergebraus muß Belial in seinen Bächen, dem finstern Abgrundswasser, im Grimm Gottes, erregt haben, dringend auf die Grundanfänge der creatürlichen bangen Jesusseele! Wie fressend, verzehrend, begierig muß das Feuerrad der unersättlichen Höllenseele nach seiner an die Bande der Ewigkeit geknüpften Seele gepraffelt haben, um Materie, zu fressen, zu finden! Welch ein abscheuliches Maul wird aufgesperrt haben der Scheol, der umgestaltende, in erschreckliche Gestalten stellende Raum der Abscheulichkeit! Welche Bangigkeit, Alles das zu erfahren, was alle unseligen Geister je erfahren können, muß es in der Seele Jesu gewesen seyn! VI. Pf. 305 f.

Unser Erzherzog und Heerführer hat im Oelgarten bis zum Blutschweiß gerungen, zwar nicht mit Anfechtungen von Sünden zum Sündigen, aber mit Anfechtungen vom menschlichen creatürlichen Willen, vom natürlichen Grauen vor dem Tode. Ihr könnt euch vorstellen, was das für ein Kampf muß gewesen seyn für die zartfühlende Seele, wenn sie nun den Tod für das ganze All mußte schmecken, und sogar die Bitterkeit des andern Todes für Alle mußte kosten; denn es kam, daß er mit dem Tode rang, und ganz gewiß auch mit den Engeln und Fürsten des Todes, vermuthlich auch mit den Engeln der Gerechtigkeit und des Gerichts! IV. Hebr. 666.

§ 149.

Jesus hat zwar sein ganzes Leben hindurch, das ein beständiger Opfergang war, seinen menschlich-creatürlichen Willen dem Willen der Gottheit aufgeopfert; aber in diesem Kampf fühlte er in concentrirter Weise den creatürlichen Willen Aller und opferte ihn an der Stelle Aller, indem er ihn in den Tod gab, als den Widder. (3 Mof. 16, 3.)

„„So lange Jesus auf Erden war, opferte er alle Gedanken und Begierden, alle Leibes- und Lebenskräfte Gott auf und ging in das Heilige alle Tage. Immer richtete er sich nach der Leitung des Vaters, wie ihm das Licht in seiner vernünftigen, göttlicherleuchteten Seele leuchtete. Aber endlich ging er auch Einmal durch's Leiden des Todes in das Allerheiligste ein, und opferte sich durch das Feuer des Geistes der Ewigkeit ganz Gott auf. Da er da hineinwollte, regte sich erst der creatürliche Wille, daß er bis zum Blutschweiß ringen mußte. XI. II. 606.

Anstatt eines Widders opfert er, was vorgebildet war: den menschlich-creatürlichen Willen, wie er sonderheitlich in Gethsemane gethan. Jesus, unser himmlischer Hohepriester, opferte sein ganzes Leben hindurch immerdar seinen menschlich-creatürlichen Willen dem Willen der Gottheit auf; absonderlich aber, da er denselben für uns Alle im Oelgarten mit Todesgrauen empfinden und im höchsten Grade erfahren mußte. Denn da war die eigentliche Opferung des Widders bei unserem himmlischen Hohenpriester. Und hier kam es soweit, daß er mit dem Tode und Todesgrauen rang, und immer heftiger betete: Vater, nicht mein, sondern nur dein allerheiligster Gotteswille geschehe! Denn nur deinen Willen will ich thun im Leben, Leiden und nun auch im Sterben. IV. Hebr. 455 f.

Jesus, unser himmlischer Hoherpriester, hat sich in all den Tagen seines Erdenlebens beflissen, nicht seinen, sondern den Willen seines himmlischen Vaters zu thun, und ob er schon manchmalen großer Lehrmeister genennet wurde, ließ er sich doch solches nicht tief zu Herzen gehen; verhielt sich, wie ein Lehrjunge; ließ sich alle Morgen das Ohr öffnen, und merkte auf seines Vaters Wink und Willen und so war ja sein Lebensgang ein beständiger Opfergang. Aber der Beschluß desselben war so, daß er noch das Schwerste vom großen Versöhnungstage zu bestehen hatte: denn da opferte er starkes Geschrei, Gebet und Flehen mit Thränen und Blutschweiß dem Gott und Vater, der ihm vom Grauen des Todes heraushelfen konnte. Er ist auch erhöret, und ist vom abscheulichen Todesgrauen befreit worden, darum, daß er Gott in Ehren hatte. Denn als das Grauen besiegt war, hatte der Oberpriester den Widder nicht für sich, sondern für sein Priesterhaus und Geschlecht geopfert. Denn es war nicht anders, als ob er den Willen Aller und das Grauen Aller concentrirt gefühlt, getragen und empfunden hätte. Daher er auch für Alle sich zu opfern hatte, und eben darum schreibt auch der Apostel: durch seinen Willen, auf welchen, da er in Gottes Willen ersunken war, der Opfertod seines heiligen Leibes erfolgte, seien wir, die wir zu seinem Priestergeschlechte gehören, Gott geheiligt, geopfert und zugeführt. IV. Hebr. 457.

§ 150.

Der völlige Tod des adamischen Lebens geschah am Kreuz, als Jesus in völliger Verlassung auch seinen Leib, als den Farren im Vorbild (3 Mos. 16, 3.), in den Tod gab.

„„Anstatt eines Farren opfert er den allerheiligsten Leib, den ihm die Gottheit des Vaters im jungfräulichen Leibe zubereitet hat. IV. Hebr. 455.

Da denn unser großer Hohepriester den Widder, als den creatürlichen Willen geopfert hatte, opferte er auch den jungen Farren; der bedeutet seinen allerheiligsten, in Maria angenommenen, männlichen Leib; weßwegen er nach der äußeren Gestalt ein Menschensohn war, ob er wohl eine männliche Jungfrau gewesen. IV. Hebr. 139.

Beinahe hätte sich Christus im Oelgarten ganz aufgeopfert und all sein Blut vergossen. Welches doch nicht seyn sollte, weil Adam erst im Garten Eden ist voll gar grobfleischlich worden mit seiner Eva und also Christus, um des Essens des Adams willen vom Baum des Todes, am Kreuze sterben mußte, um den Menschen vom Tode zu reißen, und also für Alles den Tod zu schmecken, und was noch mehr ist, das auf dem Kreuz des ewigen Geburtsrades geschaffene Leben wieder am Kreuz zu finden und zu wiederbringen, weil das Kreuz der gänzliche Tod des Alten und das Leben des Neuen ist. Syst. 233.

Weil Jesus nicht im Oelgarten auf Gottes Erdboden, sondern am Kreuz sterben sollte, weil die Seelen am Kreuz, im Rade der Gottesgeburt geschaffen sind, und weil er das All in seiner Tiefe, Höhe, Breite und Länge mit Gott versöhnen, ja für das All den Tod schmecken sollte, so gab sich die Gerechtigkeit Gottes rechtlich zufrieden im Oelgarten, und damit die Engel, die auch Antheil an der Versöhnung und durch die Menschheit Jesu einen näheren Zutritt zu Gott suchten, Gelegenheit bekämen, so wurde ihnen erlaubt, Jesum zu stärken und vom Todesgrauen zu befreien. Alsdann, da Jesus am Kreuz gestorben war, wurde seine Seite geöffnet, daraus floß Blut und Wasser. Dieses war es, woraus die Adamskinder die Hälfte ihrer ihnen fehlenden Menschheit erhalten. Und so, wie in Adams Schlaf sein Weib aus seiner Seiten genommen worden, eben also war in dem 40stündigen Schlaf Christi seine Braut aus ihm genommen. Denn Adam wurde in seinem Schlaf zu einem Stammvater seelischer Menschen gemacht und bestimmt; hingegen Christus in seinem Todesschlaf zu einem lebendig machenden Geist und zum Stammvater der geistlichen Menschen in allen Auferstehungsstufen. VI. Pf. 780.

Mein Gott, mein Gott, warum hast du mich verlassen! so rufte Jesus am Kreuz aus, als er die Welt mit Gott versöhnte, und Gott wirklich in ihm war, aber alles Gottes-, alles Lichts- und Geistes-Gefühl sich in den Punkt und das Centrum der Ewigkeit in der menschlichen Seele Jesu zurückgezogen hatte, und nun Nichts, als Zorn, Grimm und Fluch sich derselben heiligen Seele zu fühlen gab. So, wie es seyn würde, wenn man das Herz der Natur und des Systems, nämlich die Sonne, ganz wegnähme; so, wie alsdann in wenig Stunden Alles eitel Hölle wäre, so war es in der Seele Jesu. Gott war der Geist seines Geistes, die Seele seiner Seele, das Herz seines Herzens; aber er zog sich hinein in's Centrum, und verbarg sich ganz. Denn in der Seele Adams, der ein Tempel der Herrlichkeit Gottes und seine Ruhestatt seyn sollte, wich das Lebenslicht eben so zurück, als Adam Gott verließ und sich auskehrete. Gott wollte Adam nicht gleich entlassen, aber da er sich endlich mit Gewalt abkehrete, konnte er's nicht wehren. Jesus drang mit Gewalt ein, und Gott wollte ihn nicht gleich sich finden lassen; endlich erreichte er Gott wieder und das Lichts-Centrum schloß sich auf und durchdrang Seele und Leib. VI. Pf. 348 f.

§ 151.

Auch das am Kreuz von Jesu vergossene Blut wurde

in's Allerheiligste Gottes versetzt, wo es zum Lebens- und Einheitsband aller Kräfte Gottes ward." (cfr § 146.)

„„Am Kreuz, nämlich an einem sichtbaren, hölzernen Kreuz, hat sich Jesus Gott geopfert, weil auch das äußere Seelenleben am Kreuze des Scheidungsziels geschaffen war. Fünf heilige Wunden bekam sein heiliger Opferleib, als fünf Quellen, daraus sein allerheiligstes lichtfeuriges Blut floß und in Geisteskraft in's Allerheiligste Gottes eindrang, allwo es nun das Lebens- und Einheitsband aller Kräfte Gottes ist und als ein Lämmlein erscheint mit sieben Augen und sieben Hörnern, im Thronquell Gottes. IV. Hebr. 139.

§ 152.

Der eigentliche Opferaltar, auf welchem Jesus sich in diesem Kampfe bis zum Tod geopfert hat, ist das inwendige Kreuz in seiner Seele gewesen (cfr § 132.), jene blitzende Durchkreuzung im Lebenscentrum in der vierten Naturgestalt, in welcher das natürliche und geistliche Leben sich scheidet, und das göttliche Leben des Lichts und der Liebe aus dem Tode des finsteren Natur- und Zorneslebens geboren wird.

„„Wer die Gestalt des Kreuzes recht betrachtet und denkt dabei an die Worte: Höhe, Tiefe, Breite und Länge, der stelle sich den Mittelpunkt in der großen Quadratur, den Centralquell alles Lebens und Daseyns in dem allerheiligsten Opferleib vor, der da auf einem wahren Altarbild für das ganze All den Tod schmeckt und es mit Gott versöhnt. Sieht dann ein erleuchtetes Auge den alles Sichtbare und Unsichtbare in sich begreifenden Mittelpunkt und Centralquell aller Leben in der ganzen Quadratur, o! so hat es herrlich gesehen und das All im Einen und den allerheiligsten Einen im All erblickt. IV. Hebr. 139.

Das Kreuz ist der gänzliche Tod des Alten und das Leben des Neuen. Nicht aber ist nur ein solch Kreuz verstanden, das hölzern ist, sondern es ist das Kreuz in Allem, wie in dem Rade der ewigen Geburt. In jedem Menschen ist es, daran werden sie neugeboren. Syst. 233 f.

Jesu Blut ist auf den Kreuzaltar der ewigen Naturgeburt in das Rad des Geistes der Ewigkeit, in dem sich die lichte und finstere Welt scheidet, getragen worden und wird das Opfer des Feuers des Geistes der Ewigkeit zur Auslöschung des Zornes Gottes. Syst 383.

Das Lebenscentrum stellt im Innersten einen sich durchkreuzenden Lichtstrahl vor, aus dessen Mittelpunkte, so lange das Geschöpf in der göttlichen Ordnung stehet, das Licht der Gottheit hervorströmt, und den an sich finstern Lebensgrund erleuchtet. Dieses Kreuz ist die Quelle alles wahren Lichts und o! wie sanft, wie beseligend floß dieses Kreuz Anfangs aus den Händen Gottes! Aber Lucifer und Adam haben es zum quälenden, alles Lichts und aller Wahrheit beraubten Kreuze gemacht, woran wir nun unsere ganze Lebenszeit geheftet sind, und an welchem die Liebe selbst endlich sterben mußte, um das verblichene Licht an eben dem Kreuze wieder strahlend zu machen, an welchem es ehemals verlosch. Freilich mußte Jesus Christus das Alles leiden, was er litt: denn am Kreuze ward das Leben aus Gott verloren, und konnte daher auch nur am Kreuze wiedergebracht werden. Syst. 526.

Ja, Jesus sollte den Kreuzestod sterben, weil Menschenseelen am Kreuze gemacht, soll er sie reißen aus allem Verderben, wie Gott zum Voraus an dieses gedacht. Kreuz ist zum Opferaltar auserkoren, ehe die Menschheit geschaffen, geboren. Wo sich die Lebensprincipien scheiden, ist ein Kreuzzeichen in rechter Gestalt: also am Kreuze nur sollte der leiden, daß er die Seelen zur Beute erhalt, der, welcher Alles mit sich will versöhnen, der in dem Fleische der Sünder erschienen. I. 294. 9. 10.

§ 153.

An diesem Kreuze hat Jesus durch seinen vollkommenen Gehorsam, indem er seinen Willen beständig in Gott setzte, die Sünde und den Tod überwunden und Leben und Gerechtigkeit erworben.

„„Wer, wie Jesus, seinen Willen in Gott setzt, wie er im Oelgarten gethan, der geht auf's Kreuz und stirbt der Ungöttlichkeit und wird Gottes Lichtlebenswesen theilhaftig gemacht. Aber es kostet Ernst, bis man den Lebenswillen ganz bezwungen hat. Syst. 234.

Einen solchen Hohenpriester sollten wir haben, der versucht ist in allen Fällen, auf gleiche Weise, wie auch wir, doch ohne Sünde, d. h. darin ist er von uns unterschieden, daß er in allen Proben bestanden ist, auch wenn er sollte zum Unglauben versucht worden seyn. Sehet also, was wir an ihm haben! Denn da er versucht ist, kennet er die Macht und Kraft der Versuchungen, und kann uns gar gut glauben, und daß er bei aller Versuchung und in allen Proben bestanden ist, macht, daß er die Kraft und das Vermögen hat, uns zu helfen, weil er ohne Sünden ist. Ebendarum kann auch sein Opfer, das er gebracht hat, nur uns gelten, und die Gotteskraft, in der er auferwecket ist, kann er uns mittheilen. Denn wäre er nicht in der Probe bestanden ohne Sünde, so wäre der im Fleisch geoffenbarte Gott nicht gerechtfertigt, und Christus wäre nicht im Geistleibe auferweckt worden, und so wäre er auch nicht vollendet, und nicht durch die Himmel gefahren, wäre nicht Priester in Ewigkeit und hätte uns nicht als Vollendete im Himmel dargestellt. Aber da er bestanden in allen Proben, hat das Alles, was gesagt worden, seine völlige Richtigkeit in alle Ewigkeit. IV. Hebr. 245 f.

Christus wußte, daß er durch den Tod dem Tode die Macht nehmen könne, und daß er Leben und unvergängliches Wesen könne an das Licht bringen. Doch auch dieß mußte er glauben und auch dieß hielt oft schwer an, wenn er so in's Ausgeleertseyn willigen mußte und es freilich auch wollte. Sehet, so lernte Jesus Gehorsam an dem, das er litte. Meinet nicht, daß es nach der Menschheit ihn nichts gekostet, und ihm nicht auch eingeschnitten habe; aber Alles konnte er in Kraft der Liebe prästiren. III. Phil. 58.

3. Die Geistwerdung.

§ 154.

Durch diesen Gehorsam Jesu bis in den Tod ist der Gerechtigkeit Gottes in Gott selbst und gegenüber der Crea-

tur Genüge geleistet und also Gott gegen sich selbst gerechtfertigt worden und berechtigt, Jesum in der Geistleiblichkeit
und Herrlichkeit zu vollenden und zum königlichen Hohepriester des Alls zu erhöhen.

„„Die Eigenschaft der Barmherzigkeit kann siegend werden in Gott, wenn der Gerechtigkeit eine Genüge geschehen
ist, denn solche Eigenschaften (Actions- und Reaktionskraft)
sind der Quell seines Offenbarungsthrons. Wenn denn nun
die Barmherzigkeit sich rühmen kann über das Gericht der
Gerechtigkeit in der allerheiligsten Seele des Opferlamms,
so ist die Gerechtigkeit nach den schärfsten Rechten ihrer
eigenen Heiligkeit vollkommen befriedigt, also gegen sich selbst,
als gegen die Quelle aller Gerechtigkeit, gerechtfertigt, also
Gott gerechtfertigt in der ersten Universalgeistleiblichkeit.
III. Kol. 176.

Gott ist selbst geoffenbaret im Fleisch und ist zweitens gerechtfertigt oder gegen seine höchste Heiligkeit und Gerechtigkeit
in sich selbst gerecht gesprochen worden im Geist; als nämlich
das angenommene Fleisch durch den Prozeß nach den Rechten seiner Heiligkeit und Gerechtigkeit geführt war, ist es
dadurch Geist und Geistesleib geworden und Geistleiblichkeit
ist Vollendung des Prozesses. Darum heißt es: Gott sei
in sich selbst mit sich selbst durch das angenommene Fleisch
versöhnt und in dessen Geistleiblichkeitsvollendung gerecht
gesprochen. IV. Tim. 67.

Gott ist gerechtfertigt oder gerechtgesprochen im Geist —
wie viele helle Lichtsgedanken liegen hierinnen! Gott ist
selbst die Urquelle aller Heiligkeit und Gerechtigkeit. Wenn
also seine Gerechtigkeit gegen seine übrigen oder andern
Eigenschaften befriediget ist, und die Barmherzigkeit über
Gerechtigkeit und Gericht gesieget hat, dann ist Gott gegen
sich selbst gerechtgesprochen, und dann ist's im ganzen Schöpfungsreiche gerecht. Denn was sollte gerechter seyn, als
der Quell aller Rechte und Gerechtigkeiten? Wenn denn
nun Gott das angenommene Fleisch durch den Leidensprozeß
geführt und die angenommene Menschheit in dem gottgeziemenden Prozeß bestanden hat, so ist der Beweis davon der,
daß ihn weder Tod noch Hölle halten kann, daß er also aus

dem Todesschlaf im Geistleib auferweckt wird, und nun
Kräfte und Wesen der Herrlichkeit besitzt, nach und nach
Alles unsterblich und, wie er selber ist, herrlich und geistleib-
lich zu machen. IV. Tim. 68 f.

Wenn der dreimal Heilige sich gegen sich selbst und gegen seinen Heiligkeitsrechten gerechtfertigt hat, so ist er es
gegen aller Creatur; denn seine Souveränetät ist gerecht,
weil Heiligkeit und Gerechtigkeit seines Thrones Fußgestell sind, weil er nichts Ungerechtes wollen und nichts
Unheiliges noch Unziemliches verlangen kann. Wenn es
demnach heißt (Hebr. 2, 10.): es habe Gott so geziemt
und es sei ihm sehr wohl angestanden, daß er die
angenommene Menschheit durch's Leiden des Todes vollendet habe, so ist es eben das: Er ist offenbaret im Fleisch,
im Menschensohn; es ist aber eben derselbe im Fleisch geoffenbarte Gott (indem er die Menschheit mit der Gottheit
auf den Thron der Majestät erhoben) darin gegen seiner
allerheiligsten Heiligkeit und Gerechtigkeit gerechtfertiget, daß
die Menschheit, in welcher er uns mit sich selbst versöhnet
hat, den Prozeß bestanden, so daß sie im Geistleib auferweckt werden konnte. Denn dieß ist das beabsichtigte Ziel
bei der Menschwerdung; und ist also in der Person des
Gottmenschen, der sich für uns und uns in Ihm, als seiner
von uns angenommenen Menschheit, Gott opferte, und so
den Stoff, der auch uns heiligen kann und soll, zu Gott
führete, so daß wir mit demselben und durch denselben zur
Gottähnlichkeit in wahrer Geistleiblichkeit gelangen. Das
heißt dann: gerechtfertiget im Geist gegen sich selbst; das
heißt sich aber auch herabgelassen und gegen den armen Geschöpfen vertheidiget vom allerheiligsten, gerechtesten Wesen.
IV. Hebr. 141 f.

Gott hat in Christo, als in der angenommenen Menschheit sich mit uns selbst versöhnet, und durch Beistimmung
und Einergebung der Menschheit in den Willen der Gottheit hat also Gott seiner Heiligkeit und Gerechtigkeit ge-
bührende und geziemende Genüge gefunden, und das ist's,
warum es heißt, der im Fleisch geoffenbarté Gott ist gerechtfertigt im Geist. Denn als der ganze Leidensprozeß an
und in der angenommenen Menschheit vollendet war, war

auch Gott versöhnt, und der andere Adam wurde geistleiblich erweckt durch die Herrlichkeit des Vaters. IV. Hebr. 569.

Es ist tiefe Herablassung Gottes gegen seine arme, auch sogar gegen die gefallene Creatur, daß er nicht willkührlich handelt, da doch Niemand rechtlich mit ihm hadern könnte; daß er also Alles so rechtlich erweist und zugehen läßt, als ob er sich müßte legitimiren können gegen das, was ohne ihn Null und Nichts ist. Aber so fordern es die Rechte seiner Heiligkeit; also ist diese Legitimation gegen das gerichtet, was er auch in den Geschöpfen selber ist, oder was er ihnen anerschaffen hat, nämlich Gefühle von Recht und Billigkeit. Obgleich sie nun nicht darnach handeln, so fordern sie es doch. Gott leistet also aus tiefer Herablassung, was er rechtlich fordern kann, und darum ist Gerechtigkeit und Heiligkeit seines Thrones Fußgestell, und darum wird er Recht behalten in seinen Worten und rein bleiben, wenn gerichtlich sollte mit ihm prozessirt werden. V. Off. 165 f.

Hätte Jesus Christus nicht den Satan auf sich andringen lassen mit aller Macht, und hätte er ihn nicht prozeßmäßig überwunden, so hätte er nicht können hingehen, für uns jene Himmel einzunehmen und sie für uns zubereiten lassen. Denn es muß Alles nach Rechten gehen. Denket nicht im Unverstand so oben hin: Gott ist allmächtig, er kann thun, was er will; er hätte den Satan gleich nach seinem Fall weiß nicht wohin werfen und stoßen können; ja das hätte er kraft seiner Allmacht wohl können, aber seiner Weisheit halber soll es rechtlich gehen. Auch das rebellische Geschöpf ist sein Geschöpf, und wenn er es zu machen weiß, daß es am Ende Alles recht herauskommt, was gehet es dich an? II. Jak. 297.

Gott will Recht behalten in seinen Worten und rein bleiben, wenn er gerichtet wird. Will er verherrlichen, so muß er Rechte haben, es zu thun. Das kann er nicht, nur thun, was er will und doch unparteiisch und gerecht bleiben; darum muß der, welcher vorzüglich verherrlicht werden will, sich die Leidenswege gefallen lassen und nach Gottes Willen leiden, wie auch Jesus. Syst. 236.

Gott wird sich gegen aller Creatur zu vertheidigen wissen, wenn er Jesum über Alles erhebet nach seiner Mensch-

beit. Denn er hat sich Rechte dazu gesammelt aus seinem
Opfer und Leidensgang. Und da er dieß zuvor erkannte,
konnte er auch so bestimmt werden und die Schrift konnte
Alles so auf ihn weissagen. Daraus erkennen wir, daß Gott,
ob er gleich souverain handelt, doch seine Handlungen gegen
seiner höchsten Gerechtigkeit und Heiligkeit vertheidiget. Denn
höher kann es Nichts geben. Bestehen seine Handlungen
vor ihm selbst, so können sie vor aller Creatur bestehen,
denn wer und was sollte heiliger und gerechter seyn, denn
er? Darum, weil Jesus für das ganze All den Tod geschmecket hat, darum kann er, mit Preis und Ehre gekrönet,
über das ganze All erhaben werden. IV. Hebr. 135.

§ 155.

Die Vollendung Jesu, als rechtliche Folge seines Gehorsams, begann damit, daß er von der Verwesung nicht berührt wurde und nicht länger als vierzig Stunden im Grab
blieb. Es ist dieß sein erster, dem vierzigstündigen Schlaf
Adams (§ 89) entsprechender Interimsstand.

„„Jesum hat Gott der Vater durch seine Herrlichkeit
auferwecket; nachdem er für das ganze All den Tod geschmeckt hatte und begraben war, hat er, dieser andere
Adam, nicht länger im Grabe seyn sollen, als etwa vierzig
Stunden; dann ist er, der im Fleisch geoffenbarte Gottmensch,
im Geistleib auferstanden. II. Act. 56.
Seele und Jesus Geist ist nicht gestorben, also auch
nicht in das Grab eingesperrt. Jesus war nicht, wie die
Menschheit, verdorben, Tod und Verwesung hat ihn nicht
gezerrt. Selbst der Verwesungsgeist war überwunden bald
in dem Blutkampf der wichtigsten Stunden. I. 296. 3.

§ 156.

Gleich nach dem Tode wurde er zuerst im Geiste lebendig gemacht, indem die untern Kräfte seiner Seele erweckt
wurden. Im Geist stieg er hinab zur Hölle, nahm dem Fürsten des Todes und der Hölle als ein allem Naturleben Ab-

gestorbener, der von Nichts gehalten werden konnte, seine Macht und predigte den Geistern in den Todtenbehältnissen.

„„Jesus wandelt durch Tod und durch Hölle gleich nach dem Tode in siegreicher Kraft. Schauet ihr nach, seiner ewigen Seele, sie wird im Geiste lebendig gemacht; das heißt: das sterbliche Theil ward verschlungen von dem unsterblichen. Anderer Adam! hier wirst du erkannt. In dir sind obere und untere Kräfte, welche mit Recht also werden genannt; in dir sind nicht diese Kräfte verkehret, untere nicht oben, nicht herrschend; also die untern erweckt und lebendig, mithin im Geiste lebendig gemacht. I. 296. 5. 8. 9.

Es war den Rechten der Heiligkeit Genüge geschehen; darum hat die Gottesherrlichkeit, herrschend in der Menschheit Jesu, alles Verwesliche und Sterbliche verschlungen, verwandelt und tingiret, und solchergestalt hat Gott aufgelöst die Bande des Todtenschlundes und Todtenbehältnisses, des abscheulichen Seelenaufenthalts; weder Tod noch Hölle, weder der Auflösungsgeist noch der Verwesungsort konnten ihn halten, weil er vollendet war. Jesus, der Stammvater und Fürst des Geisteslebens hat durch seinen Tod dem Tod und Todtenschlund, dem Seelenbehälter, der Hölle und allen Todesengeln und Fürsten die Macht genommen. Denn er hat als Todes- und Höllenbesieger die Schlüssel der Hölle und des Todes mit sich fort; es war Nichts an ihm noch in ihm aus dem Reich der Sinnen, noch der finstern Feuerwelt, an dem er hätte gehalten oder gebunden werden können. II. Act. 56 f.

Der Teufel behauptete durch die Kraft des Todes eine gewisse Gewalt über abgeschiedene Seelen, und auch über deren Leiber in dem Verwesungsorte. Diese Satans-Gewalt konnte nur durch Jesu Tod und Hingang in's Geisterreich, durch sein Absteigen zur Hölle gedämpft und besiegt werden, sintemal das kraftvolle Jesusleben den Tod überwand und zu Schanden machte. Denn hier hat der Todtenschlund den Unrechten erwischt und geschlungen. Sagt doch, wie und auf was Weise der Tod, und der, welcher des Todes Gewalt hatte, anders, als eben durch den Tod hätte besiegt werden können? Denn wer in des Todes Reich eindringen,

und seinen Fürsten besiegen will, kann nicht als Lebendiger
hinein; er muß dem Naturleben gestorben seyn, und noch
ein Leben haben. Engel konnten in das finstere Wesen des
Todes nicht hinein wirken; Gott nur kann es, aber nur
dann kann er es, wenn er Fleisch und Blut annimmt, und
wenn dieses stirbet und der im Fleisch verborgene Gott, der
Eingeborene, kommt zum Vorschein, da, wo er nie zuvor
gesehen wurde. Da fühlte der Tod ein duftendes Lebens-
wesen; er konnte entweder nicht der Tod bleiben und mußte
sich geben, oder aber mußte er fliehen; denn das Leben ist
ihm ja widernatürlich, wie will er doch bestehen! IV.
Hebr. 145.

Da er gestorben war, ist er begraben worden; da er
aber begraben, ist er sogleich im Geiste lebendig gemacht,
hinabgestiegen zur Hölle und hat, weil nun seine Erhöhung
anfing, die Schlüssel der Hölle und des Todtenschlundes begehrt. Denn er hatte durch seinen Tod dem Tod und To-
desfürsten die Macht genommen und alle überwunden; hat
ihnen also die Zerstörung des ganzen Höllenreiches ange-
kündigt und dann gleich in der Hölle den Geistern Evangelium gepredigt und gesagt, warum sie Fleischesgerichte
auszustehen haben, daß ihr Geist im Geistleib selig werde.
IV. Hebr. 556.

Lasset uns hören, was sich bei dem Drehen der Himmelsleiter zugetragen. Als eben der HErr, der auf Sinai,
und hernach als Gott im Fleisch gekommen war, wieder hinging zum Allvater, ist er in die Höhe gefahren, das ist
eben: das Unterste kehrte sich zu oberst, und das Aeußerste
zu innerst. Das ist aber durch alle Stufenkreise, durch alle
Welten gegangen; Alles hat ihn nach gehabter Fähigkeit
sehen können. Weil er aber zu unterst, also in den untersten oder äußersten Kreisen anfing, so hat er in den Todes-
welten oder Gefängnissen eine Menge Gefangene, vom Tode
Gehaltene, angetroffen, und hat sie weiter vor sich fort oder
mit sich um Etwas näher geführt dem Paradies, als Etwas,
das sein war, ihm aber geraubt wurde. Die Riesen aber,
die Todesengel, die gefangen hatten, hat er, als ihr Ueberwinder, gefänglich setzen lassen und ihnen Einschränkungen
gemacht, und hat die Schlüssel der Todtenbehältnisse auf

den Schultern davon. Denn da hatte er schon auf sich liegen die Schlüssel der noch tieferen Hölle, abgenommen den
Teufeln, die über die Seelen Macht behaupteten. Er hat mit-
genommen die Macht, in solche Behältnisse hinein zu wirken
nach allem Belieben. Die Schlüssel sind die Kraft des
Geistes, die sein Fleisch durchdrungen und in den Geist erhöhet,
daß er nun durch alle Räume wirken kann. VI. Pf. 763 f.

§ 157.

Von da drang er in das Paradies, wo er auch leiblich
auferweckt wurde vermöge der Vereinigung der himmlischen
Menschheit mit seiner Seele, indem dieselbe das Tödtliche im
kreatürlichen Theil seiner Seele verschlang, die Kräfte wieder
in Harmonie setzte und ihn also im Geistleib auferweckte.

„„So ist er also durchgedrungen bis zum Abrahamsschoos, wo in einem Ort der Freiheit und Ruhe alle
glaubigen Väter und Seelen seiner harreten, als des Verheißenen, unter der ganzen Zeit. Nun, da sie ihn glaubig
gefaßt hatten, gingen sie, von seinem Lebensgeiste ganz durchdrungen, mit ihm durch das Cherubsschwert, durch das Feuer
der Natur, das sich überall um das Paradies lagert, und
kamen also mit ihm und dem Schächer noch an selbem Tage
in's Paradies; denn wer mit Christo gestorben ist, kann
hinein. Da er nun das Paradies geöffnet und aufgeschlossen hatte, konnten Alle von der Lebensquelle trinken und
Lebensfrucht essen und schnell zur Auferstehung reifen. Er
selbst, der HErr, nachdem er also das Paradies aufgeschlossen hatte, und der Gott, der in's Fleisch gekommen war,
gegen sich selbst in dem Fleisch gerechtfertigt war, indem er
nun Geist ist und nicht mehr Fleisch, also geistleiblich war,
ist er am dritten Tage auferstanden, oder durch die Herrlichkeit des Vaters auferweckt worden von den Todten.
IV. Hebr. 556 f.

Wenn der Radquell aller Gotteskräfte lauter Eigenschaften Gottes in immerwährender Harmonie ist, so thut keine
der andern zu viel Gewalt, und kann der fordernden Gerechtigkeit nicht abgeschlagen werden eine gerechte Forderung.
Darum muß ihr eine gerechte Genüge geschehen. So wie

aber zu viel geschehen würde, wäre das wider die Rechte
der Heiligkeit und Gerechtigkeit selbst, geschweige daß die
Erbarmung zu sehr in Bewegung gesetzt; sie würde sich zu
allherrschend in Kraft der Liebe ausdehnen müssen. Darum
thut keine Eigenschaft zu viel oder zu wenig, daß das Band
aller Gotteskräfte in immerwährender Harmonie bleibe. Darum als Gott, im Fleische geoffenbart, gegen sich selbst und
seine Heiligkeitsrechte gerechtfertigt war im auferweckten Geistleib, konnte der Tod die jungfräulich-männliche Geistleiblichkeit unmöglich behalten. Darum als die Gottheit versöhnt war mit sich, ist die Seele des allerheiligsten Sühn-
opfers (denn sie war göttlich-menschliche Seele) aus der Angst
und aus dem Gerichte genommen und kann nun Niemand
seines Lebens Länge ausreden. Denn das Tödtliche im
Creatürlichen ist aus derselben auf immer verschwunden und
wird ebenso durch diesen Todesbesieger aus der ganzen Schöpfung Gottes verschwinden müssen. III. Kol. 177.

Wenn denn nun in dem herrschenden Seelenleben des
Opferlämmleins die oberen Kräfte so, wie es sich Seelen
geziemt, welche die Art des Urquells und Urthrones haben,
stehen, und es ist ein herrschendes Gottgeistleben in dem
kreatürlichen Theile des Radquells, so ist da kein Sterben
der übernatürlichen Dinge, wohl aber der natürlichen möglich. Daß aber die herrschenden Theile der Seele in Lebenskraft der Allwirksamkeit das Tödtliche verschlingen können und in's Nichts auflösen, das ist sehr begreiflich. Nun
wacht also in Kraft der Herrlichkeit Gottes, welche ist die
Central- und Schooskraft der Kräfte des Ungrundes, der
sich in einen Urgrund in derselben Schooskraft fasset, der
andere d. i. der männlich jungfräuliche Adam, der Stammvater des geistleiblichen Lebens aus dem Todesschlaf auf.
III. Kol. 178.

§ 158.

In diesem Paradiesstand, als seinem zweiten Interimsstand, entsprechend dem Aufenthalt Adams im Paradies
(§§ 70. 83.), befand sich Jesus vierzig Tage und offenbarte
sich aus demselben den Jüngern vermöge der Verwandlungskraft, welche dem Paradiesleib zu Gebot steht.

„„Nach der Auferweckung ist Jesus noch vierzig Tage in dem paradiesischen Zustande geblieben; vermuthlich darum, weil der erste Adam vierzig Tage mag im Paradieszustand geblieben seyn, ehe er in's Fleisch verfallen und so schlafend das Bild Gottes verloren hat. Während dieses Interims-standes hat er sich den Zeugen seiner Auferstehung mehr-mals gezeigt. IV. Hebr. 557.

Jesus überzeugte seine Jünger nicht nur Ein- und et-liche Male, daß er lebe, indem er ja vierzig Tage lang öfters erschienen; denn so lange dauerte sein zweiter Inte-rimsstand von der Auferstehung bis zur Himmelfahrt, weil vermuthlich der erste Adam neunundbreißig Tage im Para-dies bestanden, ehe er am vierzigsten Tage in Schlaf fiel und in getrennter Person als seelischer Stammvater er-wachte. II. Act. 9.

Jesus hat in vierzig Tagen, ehe er gen Himmel fuhr an Adams Statt, noch Manches durchgemacht, hat sich im gan-zen planetischen Rade gezeiget und ist hindurchgegangen, und Nichts, keine Eigenschaft, hat ihn halten und binden können. Frei ging er durch Alles, Nichts fand an ihm ein ungetödtetes Gleiches, das ein Gleiches in ihm erweckt hätte. IX. I. 760.

Sollen wir Geister und Seelen erblicken, müssen sich solche bequemen allein, müssen sich nach denen Sterblichen schicken — Geister, sie können nach Möglichkeit handeln, so oder anders sich also verwandeln. Ein Paradiesleib kann demnach sich ändern, wie es Nothwendigkeit etwa erheischt. kann seine Herrlichkeit mehren und mindern, kann sich Geist-leib nicht ausdehnen und auch wieder näher zusammenziehen? Geistleib kann auch essen und trinken, wenn er schon keine Gedärme hat. Kann denn ein Geistleib nicht magisch ge-nießen und das Genossene in Alles ergießen? Kann er nicht etwa viel schneller auflösen, viel schneller scheiden als Mä-gen die Kraft; kann er nicht geistlich das Leibliche essen, daß jedes werde in das Seine gebracht? Ein Geistleib kann sich sichtbar oder unsichtbar machen, je nachdem er will, er ist subtiler, als Feuer, Feuer der Blitze elektrischer Kraft. I. 301. 5—15.

§ 159.

Hierauf ift Jesus, von der Geisteskraft emporgehoben, in einer feuerlichten Wolke durch die höheren Lichtswelten hindurch in den Himmel aufgefahren, wodurch seine ganze Menschheit, in Umdrehung der Himmelsleiter, aus dem Aeußersten in das Innerste, in den innersten Offenbarungsquell aller Kräfte und Eigenschaften Gottes versetzt und er also, als Mensch, ein vollendeter Gottessohn auf dem Thron der Majestät geworden ist.

„„Nachdem er den zweiten Zwischenstand in vierzig Tagen als anderer Adam durchgemacht hatte, ift er hingegangen, die Himmel einzunehmen; ift prächtig auf einem gottgeziemenden Wolkenwagen, einer mit elektrischem Feuerlicht angefüllten Wolke, hinweggenommen worden und wurde als Sieger auch durch die Engelwelten geführt und also auch da von allen Engeln, welche ihm, als dem Erbherrn vom ganzen Schöpfungsall huldigten, prächtig gesehen, da er ihnen als Gottmensch erschienen. Alle dienen ihm nun, und lassen sich von ihm willig und freudig zu seinen Auserwählten versenden und befehligen. **IV. Tim. 69 f.**

Er wurde von der Geisteskraft emporgehoben; denn er war Geist, und alle Schwerkraft hatte sich verloren aus seinem Lichtleibe. Die Kraft der Action und Reaction war gleich stark und so durfte er nur fortwollen und siehe, alsbald nahm ihn auf und in sich hinein eine lichthelle, elektrische, feuerlichte Wolke; denn dieß ift die achte Zahl der Natureigenschaften; diese achte Zahl ift also um die neunte, als um das Paradies, wie eine feste Mauer; und inniger, um eine Geburt und Zahl tiefer, ift die dreieinige Majestät und Herrlichkeit Gottes. So ift Jesus in die innerste Geburt der Majestät Gottes zurückgekehrt, woher er zu uns kam. Nun hat sich die Himmelsleiter gedreht, gleichwie sie sich gedreht hatte bei seiner Menschwerdung. Denn da ift das Innerste in's Aeußerste herausgekehrt; nun aber ift das Aeußerste in's Innerste gekehrt. Wenn die obern Kräfte der Seele über die untern herrschen, so ift die Seele in ihrer erhabenen Ordnung ihrer Bestimmung gemäß; und wenn dann noch ein höher Leben, ein Leben des Geistes, in ihr geboren und einmal vorherrschend ist, so kann sie, so sie von der Welt scheidet, weder vom Tod, als dem Geist der Auflösung, noch von dem Geist der Verwesung lange gehalten werden. Ist nicht das Geflügel des Geistes so stark, daß die Kraft der Action sich in Kraft der Reaction mit Gottes Kraft conjungiren kann? Ei nun, so kann sie das Unsichtbare sichtbar und das Sichtbare unsichtbar machen. Jesus, der HErr vom Himmel, fähret gen Himmel, weil er immer im Himmel ist. Es wird also das Sichtbare vom Unsichtbaren verschlungen. Dann heißt es in den Himmel gefahren vor den Augen der Sterblichen. Die Leiter, die sich herausgewandt, kann sich hineinwenden, denn es ist die Leiter der Geburten in allen Stufengattungen, wenn das Unterste zum Obersten will werden. Durch die sieben Eigenschaften der zeitlichen Natur besteht in der darin wirkenden Kraft des ewigen Worts das Sichtbare. Die achte Zahl ist Feuer der Natur und ist Scheideziel zwischen dem Reich der Sichtbarkeit und dem unsichtbaren Reiche. Was reiner, inniger ist, als das elektrische Feuerlicht, das ist einer höheren Geburt, ist Paradies- und Tinkturleib; in der heiligen Zehn- oder Kronenzahl ist Majestät und Herrlichkeit. So hat also Lukas ganz recht gesagt, daß ihn, den HErrn eine weiße Wolke aufnahm. (Act. 1, 9. cfr. Matth. 17, 5. II. Act. 13 ff.

Er ist aufgefahren über aller Himmel Himmel, über alle Sonnensysteme mit ihren Himmeln. Denn er ist hinein in den allerinnersten Lichtsraum der Majestät Gottes gefahren, nämlich in die allerheiligste Räumlichkeit des ursprünglichen Gotteslichts. Syst. 479.

Er ist aufgefahren gen Himmel, hat sich also in's Unsichtbare hineingeschwungen, und in die allerreinste Sphäre wegbegeben, wo er sehnsuchtsvoll erwartet und mit aller Pracht und Ehre empfangen worden. Er hat sich aber geschwungen in die allerreinste und allerinnerste Gottes-Offenbarungs-Quelle des Thrones der Gotteskräfte, allwo hinein er selbst sein Blut getragen zum Grundstoff und lebendigen Stein, zur allerheiligsten Krafttinktur der Neuschaffung aller Dinge. Auf dem allerheiligsten und allerlebendigsten und herrlichsten

Wunderthron fißt er nun, wenn er will, und hat alle Macht und Kraft des Vaters, ist also allmächtig, und ihm huldigte Alles, was im ganzen Schöpfungsraum ist. IV. Hebr. 557 f.

Auch die Himmel, von der allerheiligsten Quelle an, sind Abstufungen der Geburten an der großen Schöpfungsleiter im großen Schöpfungsbuche. Es geht vom Alleräußersten in's Allerinnerste und bis dahinein hat sich Jesus gewendet; denn der innerste Offenbarungsquell aller Kräfte und Gotteseigenschaften ist Thron der Majestät und da ist Gottes Herrlichkeit, welche ist der verherrlichte Gott-Mensch, offenbar, und diese Herrlichkeit ist mit aller Fülle erfüllet. III. Eph. 75.

§ 160.

Durch diese Erhöhung wurde Jesus in der Geistleiblichkeit vollendet, indem nun seine verklärte Menschheit oder sein in's Allerheiligste eingetragenes Blut (§§ 146. 151. 159.), diejenige Leiblichkeit ist, in welcher sich die sieben Geister Gottes mit ihrer positiv-mittheilenden, wie in ihrer negativ-zerstörenden Kraft als in einem Wirkungsgefäß und Einheitsband fassen und concentriren.

„„Der Geist geht aus dem Quellrad der Kräfte und Eigenschaften Gottes, aus dem Ein- und Erstgeborenen aus und wieder in denselben ein, nach den vollkommenen Gedanken seiner allerheiligsten Seele, mit der sich ja dasselbe Quellrad aller Gotteskräfte und Eigenschaften verbunden hat in's Eins, welcheshalben ja das in's Heiligthum Gottes eingetragene Blut Jesu wie ein Lämmlein mit sieben Augen und sieben Hörnern erscheint, also das Einheitsband aller Lebenskräfte ist. II. Act. 47.

Sein in das Allerheiligste Gottes, in den Urquell des Urthrons eingetragenes, gottmenschliches Blut ist das Lebensband aller Kräfte Gottes, der Lebensstoff unsterblichen und geistlichen Lebens. III. Eph. 163.

Die Weisheit wollte das Haus der lebendigen Gottesgemeine bauen aus lauter lebendigen Steinen; kleidete sich daher in Fleisch und Blut ein, welch Fleisch und Blut sie aus der verwilderten Menschheit annahm, und schon in der

Annahme heiligte. Und da sie solch Fleisch Gott geopfert
hatte, ist es in den Geist erhöhet, zum lebendigen Grund-
und Eckstein worden, und hat die sieben Geister Gottes
in sieben Weisheitsarten im Blute des Lämmleins eingekleidet, als in die allerheiligste Krafttinktur, die Alles verwandeln und erneuern kann, was sie berühret. IV. Tim. 73.

Wer wollte sich zu der reinen, puren, lautern Gottheit
nahen oder sie sehen können, wenn sie sich nicht in der
Menschheit Jesu begränzte und zu einem lieblichnährenden
Lebenslicht machte, voller Wonne und Erquickung? Wie verzehrend würde das Feuerlicht der Gottheit dem edelsten Geschöpf seyn, wenigstens dem menschlichen, wenn sich die Gottheit nicht faßlich, räumlich und genießbar gemacht hätte, nicht
nur in Menschengestalt, wie bei Ezechiel, sondern in Men-
schenleiblichkeit, die nun in den Geist erhöhet ist. V. Off. 149.

Das Lämmlein, die Seele Jesu, wie sie das Leben im
Blut ist, ist für den Vater; dessen Feuer führt sich darein
ein, macht sich darin sanft und mild, und die Seele Jesu,
als sein geheiligtes Blutleben, wird eine prima materia zur
Reinigung und Erneuerung aller Wesen, vom Feuer der
Gottheit, oder durch's Feuer des ewigen Geistes im Leidensprozeß zubereitet. Aus diesem Feuer wird geboren das Licht,
der Sohn; der zeigt sich eigentlich in den obern Kräften der
Seele, als auf seinem Thron, als der geoffenbarte Gott.
Das Wesen zum Feuerleben des Vaters ist jetzt nicht nur
der Wille, sondern Blut, das als ein Wesen der Geistleiblichkeit durch Christum, den Hohepriester, in's göttliche Allerheiligste eingetragen wurde. Das Feuer gibt Licht, das Licht
ist der Sohn, vom Feuer, das aus Blut besteht, geboren.
Nun ist das Blut Jesu, das Lämmlein, das Nächste und
Innerste im Allerheiligsten der Gottheit, und dieß Blut, als
das von Ewigkeit ersehene Opferlämmlein, ist die Ursache
alles Andern. Durch dieß wird Alles wieder rein und neu
gemacht und in unzerstörliche Geistleiblichkeit erhöht. Der
Gott, der Feuer und Licht ist, ist nun durch das Lämmlein
gleich dem Jaspis und Sardis und sitzt so auf dem Thron
der oberen Seelenkräfte Jesu, als auf dem Thronquellrade
der vier Räder, in dem Gnadenbogen der Menschheit Jesu.
O heiliges, allreinigendes Blut Jesu! Du bist und gibst

—

Lichtwesen zum Feuer. Vom Feuer und Licht geht Geist aus und heiligt und erneuert Alles. VIII. I. 83 f.

Da sich Gott nur in der Menschheit Jesu gefaßt und räumlich gemacht hat, so daß alle Fülle im Gottmenschen wohnt, so ist er auch der, welcher kommt und kommen wird in Jesu Menschheit. Die sieben Geister Gottes sind die Kräfte seines Thronquells, gefaßt in Jesu Blut zur Neuschaffung aller Dinge, ausgehend aus der verklärten Menschheit Jesu in sieben Kräften der heiligsten und allerheiligsten Gemeinschaftlichkeit, eingekleidet in das Tinkturwesen der göttlich-menschlichen Weisheit und Jungfräulichkeit, welche sich dem Glauben zu genießen gibt und geben kann. V. Offenb. 15 ꝟ.

Nun ist der HErr auch der Geist; als HErr, vom Himmel gekommen, hat er Fleisch angenommen und solches in den Geist erhöht; nun ist er als Gottmensch wieder im Himmel, wo er vor war; ist Jesus Christus, ist Gottes Herrlichkeit, ist erfüllt mit aller Gottesfülle, ist Priesterkönig über das Haus Gottes, als über sein eigen Haus, und von ihm gehen nach seinen vollkommenen Gedanken die sieben Geister Gottes aus und geben denen, die derselben Einfluß fassen, Geist und Leben. Sehet also da den Gott und Vater unseres HErrn Jesu Christi, der uns so begnadigt und beschenkt und gesegnet hat! Sehet da mit Geistesaugen den Stammvater des geistlichen Lebens, durch den wir so gesegnet und begnadigt sind! Denn Niemand kommt zur lieben Gottheit, als durch seine Menschheit. Alles wird durch diese allein empfangen. III. Eph. 73.

Der heilige Geist ist aus dem geoffenbarten, geborenen Gott ausgegangen, vom Vater durch den Sohn, in den ganzen Schöpfungsraum. Seine Erzeugungen sind lichtfeurige Wasser voller Lebenskräfte, daraus sind alle reinen Wesen geschaffen worden. Nach dem Sündenfall wirkte er zerschieden in zerschiedenen Offenbarungen entweder in Feuer- oder Lichtskraft. Nun aber, seitdem Jesus sein Blut in's Allerheiligste getragen hat, siehet Apoc. 5, 6. Johannes den heiligen Geist in seinen sieben Kräften und Gaben aus der Seele des Gottmenschen, aus dem gottmenschlichen Blut, in welchem die gottmenschliche Seele zu einer neuen Schöpfung sich offenbart, ausgehen; nicht allein aber sahe er in dem Lämmlein, dem theuren Blute des Gottmenschen, den heiligen Geist in Gestalt der sieben Augen, sondern auch den Geist der Ewigkeit in Gestalt der sieben Hörner. So wären denn zu beherzigen in dem Lämmlein mitten im Throne Gottes zwei in Eins verbundene Lebenseigenschaften des ewigen Worts, das in's Fleisch gekommen ist. Einerseits zu betrachten: die erste Schöpfung im Seyn zu erhalten und andererseits: dieselbe zu erneuern, das durch den Fall entstandene fremdartige Wesen, das nicht aus Gott seinen Ursprung hat, zu zerstören, und in sein Nichtseyn aufzulösen, und hingegen durch die erneuernde Krafttinktur des Blutes Jesu Leben, Licht und unvergängliches Wesen der Creatur mitzutheilen. Beides geschiehet durch den ewigen und Herrlichkeitsgeist. Der ewige Geist, durch welchen sich Jesus Gott geopfert hat, zeigt sich in dem Lämmlein als sieben Hörner, und der Geist der Herrlichkeit als sieben Augen. Dieser erneuert Alles, jener aber zerstört, was zerstört seyn soll. Daß nun diese Hörner und Augen im Lämmlein erscheinen mitten im Throne Gottes, gibt zu erkennen, daß Jesus auch nach der Menschheit Unsterblichkeit hat, daß seine gottmenschliche Seele mit den Kräften des Ursprungs verbunden in's Eins, und daß der heilige Geist nun nach den Gedanken der Seele Jesu in alle Lande ausgeht; sintemal der Thronquell der Offenbarung Gottes und die Seele Jesu Eines ist. Also ist das Lämmlein oder theure Jesusblut der Grundstoff zur Erneurung aller Dinge, in welchem sich die Magia des Neumachers fasset. IV. Hebr. 570 f.

Schaue, Seele! gebückt und klein das Lamm Gottes an mitten im Throne der Gottheit. Dieß ist die allerheiligste Quelle der Gotteskraft. Und nun siehe doch, das Lamm Gottes hat sieben Augen und sieben Hörner, und sagt ja selber, daß das die sieben Geister Gottes seien. So verstehe demnach unter den sieben Augen des Lämmleins die sieben Kräfte des Geistes der Herrlichkeit, die sich im Blut Jesu mit Wesen der Erneurungskraft fassen zu der völligen Wiederherstellung des Ganzen. Die sieben Hörnergestalten, die an dem lieben Gotteslamm gesehen wurden, sind die Kräfte des Geistes der Ewigkeit. Diese werden alles gottwidrige

Wesen und Leben in aller Natur und Creatur zerstören, nämlich was sich nicht von Gott herschreibt und nicht in Gott
zurückkehren kann. Da nun das Lamm Gottes zweimal
sieben solcher Kräfte hat, so ist das Blut unseres theuren
lieben Erlösers eine Alles verwandelnde, kräftige und erneuernde Licht- und Lebenstinktur, und ein tief anbetungs-
würdiges Lebensband der Kräfte Gottes, beides der ersten
und der zweiten neuen Schöpfung. V. Off. 178.

Es ist unmöglich, daß man den Werth des theuren Blutes Jesu Christi recht schätzen kann, wenn es nicht betrachtet
wird als göttlich-menschlich, als Blut des Ein- und Erstgeborenen. Weiß man denn sonst, daß es das Lebensband
aller Kräfte des Urthrons ist, daß alle Kräfte des Geistes
der Ewigkeit und des Geistes der Herrlichkeit darin vereiniget sind, daß darin Kräfte sind, alles gottwidrige Wesen und
Leben zu zerstören, was nicht aus Gott und durch Gott ist?
daß darin Kräfte sind und Wesen der Erneuerung aller
Dinge? Oder weiß man anders denn, warum es als Lämmlein betrachtet wird mit sieben Augen und sieben Hörnern?
warum es die überwindende Siegeskraft ist in allen Eigenschaften und Kräften des Urthrons und Urquells aller Gottesoffenbarung? III. Kol. 135.

§ 161.

Ebenso ist die Gottmenschheit Jesu nun die eigentliche
Mittelsubstanz und vollkommene Himmelsleiter, an welcher
Gott aus dem Innersten mit seiner Gnade in's Aeußerste
ausfließen und die Creatur zu Gott aufsteigen kann.

„„Jesus ist die Mittelsubstanz, durch welche Gott auf die
sinnliche und übersinnliche Welt wirkt; denn er ist Gottmensch;
er ist die höchste und erste Mittelsubstanz von oben herab,
oder von innen heraus, nach seiner himmlischen Gottmenschheit; und nachdem er den Tod für das ganze All geschmeckt,
und Alles mit Gott, dem Schöpfer, versöhnt hat, ist er auch
das Unterste der Substanzen in seiner Menschheit geworden.
Denn er ist die Himmelsleiter, auf welcher die pure Gottheit von Innen heraus bis auf's Aeußerste herab steigt und
wirkt, und durch diese Leiter steigt stufenweise das Untere

auf und wird zum Obern. Weil die himmlische Menschheit, die ehe denn Abraham war, das Oberste der Circumferenz- leiter ist, so ist die Menschheit aus Maria, die für das ganze All starb, um Alles mit Gott zu versöhnen, das Unterste worden. Und nun ist's möglich, daß, sowie Alles in ihm zusammenbestanden, auch wieder Alles unter ihm, als unter Ein Haupt verfasset werde. Syst. 348.

Da Christus in's Fleisch ist kommen, so hat er sich zur untersten wie zur obersten, zur äußersten wie zur innersten Kreisstraße, und also zur vollkommenen Himmelsleiter ge- macht; deren oberste oder innerste Kreisstraße ist seine himm- lische Menschheit im Lichtraum der allerinnersten Gottesge- burt, und die allerunterste oder äußerste Sprosse ist seine Menschheit aus Maria, die sich unter Alles erniedrigt hat, auch unter den Erdwurm, indem er für das ganze All den Tod schmeckte und es mit Gott versöhnete. Dieß Alles ge- schah, um alles Fleisch in den Geist zu erhöhen, und in Geistleiblichkeit vollkommen darzustellen, auf daß Gott die allerinnerste, vollkommenste Lichts- und Lebensquelle seyn möge in dem Alleräußersten, was er ist im Allerinnersten, nämlich Alles in Allem. II. Jak. 325.

Wir erkennen den einzigen Gott und Mittler zwischen Gott und den Menschen auf Seiten Gottes als Gott, und auf Seiten der Menschen als Mensch, und Mensch ist Crea- tur; nur daß Jesus Christus im A und O der allerinnersten Gottes- und Lichtsgeburt im U sich offenbarte als die himm- lische Original-Menschheit, die in der gesetzten bestimmten Zeit, im letzten Ausgang ihrer äußersten Begränzung im Fleisch offenbar werden wollte, auf daß sie als die unterste Sprosse offenbar seyn möge, durch welche Alles zu Gott steigt, als seinem Ursprung, und durch welche Gott heraus bis in das Alleräußerste Leben und Unsterblichkeit, unver- gängliches Wesen und vollkommene Gaben geben kann. Und da wir nun Christum in seiner Gottmenschheit also er- kennen, so erkennen wir auch den Zutritt lichts- und wahr- heitsliebender Menschen zu Gott durch ihn. II. Jak. 326.

Wir begreifen mit allen heiligen Erleuchteten den Cubus und Quadratus des ganzen Schöpfungsraumes in allen Ab- stufungen seiner Geburtskreise und Geschöpfsgattungen, nach

feiner Tiefe und Höhe, Länge und Breite, und finden die
innerste Geburtsquelle der Herrlichkeit Gottes in ihren Centralkräften durch das ganze All des Schöpfungsbuches allgegenwärtig, jungfräulich und unberührlich, über Alles erhaben
in ihrem eigenen himmlischen Lichtraum der göttlichen Ewigkeit, und so begreifen wir auch, wie das Innerste auf's
Aeußerste, und das Oberste auf's Unterste wirkt, wie daß
also die himmlische Menschheit das Oberste und Innerste,
und die irdische Menschheit das Unterste ist. Denn sie ist
der Anfang der Schöpfung in der himmlischen Menschheit
und der Schluß in der Menschheit Adams gewesen und darum, weil die erste Schöpfung in der Menschheit Adams
aufgehört hat, sollte die neue Schöpfung, wenn sich das
Innerste herauskehren würde in's Aeußerste, wenn Gott in
seiner Herrlichkeit würde Fleisch werden, in der angenommenen Menschheit beginnen und anfangen, und wenn dieselbe
Gottmenschheit in der Menschheit den Proceß nach den Rechten der Heiligkeit bestanden hätte, und in dem Geistleib vollendet wäre, wollte sich das Innerste mit dem Aeußersten
in's Innerste kehren, auf den ursprünglichsten Quellthron der
Kräfte und Eigenschaften Gottes, und von da aus, erfüllt
mit allem Reichthum der Weisheit und Erkenntniß-Tiefen,
erfüllt als Herrlichkeit Gottes mit dem Kraftwesen der Gott-
Menschheit in Alles ausfließen und sich dem Glauben durch
die sieben Geister Gottes einergießen. III. Eph. 223 f.

§ 162.

Da die verklärte Menschheit Jesu ein Auszug aus Allem
ist und also das All repräsentirt (§ 141.), so ist die Vollendung der Person Jesu auch schon die potentielle Vollendung
der ganzen Menschheit und Schöpfung als ein entwicklungs-
fähiger Same, der die Frucht in sich schließt.

„„Durch die Annahme der Menschheit hat Jesus ein
Universalopfer gebracht, denn er hat uns auf die Art, wie
Petrus schreibt, hinaufgehoben an das Kreuz und hat uns
Gott geopfert und zu Gott geführt in der von uns ange-
nommenen Stifts- und Leibeshütte, und da er solche in den

Geiſtleib erhöht, hat er uns ſchon im Originalbild als Vollendete im Himmel dargeſtellt. **IV. Hebr. 380.**

Weil das Wort Gott verſöhnete, es, das Wort, er, Gott,
ſich ſelbſt mit dem angenommenen Fleiſche, alſo mit ſich ſelber, ſo geht alſo ſeine Verſöhnung Alle an. Denn daß er
Menſchheit annahm, nahm er mit derſelben Alles an, was
im ganzen Schöpfungsraum iſt, weil Gott die Quinteſſenz
aus Allem zu ſeinem Ebenbild, dem Menſchen, nahm. Nun
iſt Alles verſöhnt mit Gott durch den Opferleib und das
Opferblut Jeſu. **IV. Hebr. 548.**

Wenn Chriſtus wieder iſt, was der Menſch vor dem Fall
war, ſo iſt er, nachdem ſein Fleiſch in den Geiſt erhöhet iſt,
der lebendigmachende Geiſt, zum Stammvater des geiſtlichen
Lebens geſchaffen, wozu er beſtimmt war vor dem Fall. Und
da er nun eine Quinteſſenz aller Dinge iſt, ſo iſt er eine
Tinktur aus Allem; er iſt aus dem Univerſum herausge-
nommen vom All der Dinge und zum lebendigen Stein gemacht, der Alles, was er berührt, in ſeine Natur erhöht,
tingirt und geiſtlich macht und machen kann. Er iſt eine
prima materia aus dem All der Dinge, aber das Heilige iſt
er in Mariä Leib. Alles gab Etwas dazu, Alles hatte zu
der heiligen Schechina oder Hütte Gottes zu contribuiren,
Alles gab Etwas. Darum wurde mit dem Erhöhen des
Fleiſches Chriſti von Allem Etwas erhöht, daß er Alles berühren und erhöhen kann. Er iſt die Mittelſubſtanz, durch
welche ſich die Gottheit mittheilt, durch welche die Creatur
mit ihrem Urſprung vereinigt werden kann. Denn er iſt
ihr Anfang geweſen und ſoll es wieder werden. Denn in
ihm ſind ſowohl die Welten, als auch die Weltzeiten gemacht,
und wird ſich aus der Gebärmutter ſeines göttlich-menſch-
lichen Geiſtes im Leibe ſeiner verklärten Natur nicht Alles
auf einmal eröffnen, ſondern ſtufenweiſe entwickeln und das
in jedem Zeitlauf Erlebene wird ſich eröffnen durch eine ihm
ähnliche Ausgeburt. Es ſind nicht alle Menſchen auf Einen
Tag von und aus Adam gekommen, ſie kommen Einer aus
und von dem Andern und alle von Adam; ſo ſterben auch
nicht alle auf einmal, obſchon ſamentlich alle auf einmal in
Adam geweſen und geſtorben ſind. So iſt es auch in Chriſto,
Alle ſind ſamentlich auf einmal lebendig gemacht, Alle in's

himmlische Wesen verseßt und werden doch persönlich nach und nach durch Vermehrung des Vaters der Ewigkeiten geistlich lebendig und herrlich.   Syst. 298 ff.

§ 163.

Dieser Same, welcher potentiell die Versöhnung und Neuschaffung des Alls in sich schließt, und aus welchem sich diese actuell entwickeln und vollenden wird, ist Jesus selbst, welcher durch seine Erhöhung die Alles heilende Universal-Arznei und der zweite Adam und Stammvater des geistlichen Lebens geworden ist, weil nun aus seinem Blute als der verklärten Menschheit der Geist als ein lebendigmachender, heiligender und verklärender Geist ausgeht. (§ 317.)

„„Im Geistleib sind wir miterwecket, wir waren mit ihm in dem Tod. Der Same, der in ihm gestecket, der war auch mit in jener Noth. Wir waren auch mit ihm begraben, das Leben, das wir aus ihm haben, ist Geist, hat Alles durchgemacht. Wenn wir nun diesen Geist nicht dämpfen, so wird er sich durch Alles kämpfen, bis bei ihm Alles ist vollbracht. I. 272. 35.

Wir und alle Glaubenskinder sind samentlich in Christo durch die allvermögende Kraft der Herrlichkeit lebendig gemacht worden und solch Leben der Ueberwindungskraft empfangen wir, sobald wir gläubig werden. III. Eph. 139.

Wir werden auf Christum und in ihn getauft, auf ihn als unsern Retter und Führer, in ihn und seine Lebens-, Leidens- und Sterbens-Gemeinschaft; aber auch in sein Auferstehen. Denn er hat Alles für uns gethan, und uns den Weg gezeigt. Wir waren in seiner Person, und den Weg, den wir in ihm machten, indem er uns zu Gott führte aus der Welt, denselben Weg müssen wir persönlich, als auf ihn und in seine Gemeinschaft Getaufte, durchlaufen bis in den Tod. Und wie dann der Tod Christi nicht das Ende ist von seinem Lauf (denn gleichwie er der Sünde halber für uns starb, also mußte er auch mit uns, uns in sich habend, zu unserer Rechtfertigung, als der lebendig machende Geist auferstehen oder durch die Kraft des Vaters erweckt und zum

lebendig machenden Geist gemacht werden, auf daß wir's
hernach auch werden könnten und dürften), gleichwie es denn
kein großer Vorzug seyn würde, mit ihm nur zu sterben,
und nicht auch zu leben; aber wie er, als der lebendig
machende Geist durch Kraft des Vaters erweckt worden zu
einem lebendig machenden Geist, also auch wir, wenn wir
in ihm und wie er gestorben sind. Denn sind wir wie er
und mit ihm gestorben, so glauben wir auch, daß wir in
ihm und mit ihm leben werden. So das nicht wäre, wären
wir, die wir in Christo leben, und täglich in seiner Gemeinschaft uns sterben, die allerelendesten Geschöpfe unter allen
Creaturen. Aber so gewiß Christus gestorben, so gewiß lebt
er als lebendig machender, immer Geist gebärender Geist in
der Kraft Gottes des Vaters als des Worts und des unwesentlichen Gottes, der ein Geist ist ohne Wesen, der
im Worte Wesen wird, das er zeugt und gebiert. VII.
Petr. 283 f.

Durch seinen Opfergang wohl ausgeboren, hat uns der
Priester zur Gottheit geführt; das Hingeführte, zum Sauerteig erkoren, ist es, was Alles berührt und tingirt, ist aus
dem kleinen Weltalle genommen, kann also herrlich dem
Weltall bekommen. I. 293. 7.

Alles sollte versöhnt werden durch ihn, es sei im Sichtbaren der äußern Welt, oder im Unsichtbaren in den Himmeln. Alles hatte einer Versöhnung Noth und ist einer
Erneuerung und Erhöhung bedürftig. Und das kann nun allein
durch die Tinktur und das Opferblut des Ein- und Erstgeborenen geschehen; nur dieses ist die Universaltinktur, die
Alles verwandeln, erneuern, veredeln und erhöhen kann. Nur
er, dieser lebendige Stein, lapis philosophorum angularis, kann
Alles geistleiblich machen, und das darum, weil er und nur
er allein aus dem Universalreiche der ganzen Schöpfung besteht und genommen ist. III. Kol. 135.

Christus hat Macht über alles Fleisch, es sei nun aus
welchem Element es wolle; er hat von allem Fleisch seinen
Leib angenommen, und hat ihn Gott geheiligt, Gott geopfert,
und zu Gott geführet, also einen Extrakt schon von Allem;
darum haben die Menschen einen Zugang durch ihn zu Gott,
und was er, der verklärte Jesus, berührt und tingirt, das

verwandelt er in seine Natur, und wird, wie er in den Geist erhöhet ist, nach und nach Alles in den Geist erhöhen, unverweslich und unsterblich machen. **VI. Pf. 233 f.**

Der Menschensohn, der durch seinen Opfergang und Versöhnungslauf zur lebendigen, Alles verwandelnden Tinktur, zum lebendigen Stein worden ist, wird als der von Gott gelegte Grundstein einen heiligen, herrlichen Gottheits-Ruhetempel bauen, und zwar aus lauter lebendigen Steinen. Dieser allerheiligste, lebendige Gottestempel wird aus ihm selbst erbauet werden; denn er ist der Zämach, aus ihm wird er wachsen; er ist der Stammvater des geistlichen Lebens; aus ihm und durch ihn und zu ihm wird sich's fortpflanzen, das Gottesgeschlecht. Und darum wird er Alles ausführen, der Menschensohn, und Alles wiederbringen. **Syst. 354.**

Das Wort des Lebens ist Fleisch, ist Mensch worden, weil der Mensch ein quintessentialischer Extract aus der ganzen Schöpfung und also ein Microcosmus, eine kleine Welt war. Folglich um Alle mit Gott versöhnen zu können, und in's ganze All einen Einfluß zu haben, mußte das ewige Wort Mensch und Fleisch werden. Dieses fleischgewordene Lebenswort hat sich durch das Feuer des ewigen Geistes Gott geopfert in seiner angenommenen Menschheit, denn die Menschheit war das Ziel der ersten Schöpfung, als in einem kleinen Ganzen der großen Schöpfung oder ganzen Offenbarung Gottes. Folglich konnte nicht allein hiedurch Gott für das ganze All das rechte Opfer dargebracht werden, sondern durch die Vollendung der Menschheit des einzigen Mittlers konnte auch für das ganze All eine lebendige Krafttinktur bereitet werden. Denn was Etwas vom ganzen All, also ein Universalganzes ist, das hat auch auf Alles einen Einfluß, kann also Allem mitgetheilt werden und das ganze All curiren. Ist demnach Christus in den Geist erhöht, ist geistleiblich, so kann er Alles berühren und in den Geist erhöhen, geistleiblich und unsterblich machen. **I. Lebensl. 127.**

Das Blut Jesu, mit dem unser Hoherpriester in das wahre Allerheiligste der allerursprünglichsten, heiligsten, reinsten Lichtgeburt Gottes eingegangen ist, ist vom Feuer des ewigen Geistes angezündet, ein ganz außerordentliches heiliges Opferblut, und durch dasselbe hat er, indem sich die

Kräfte des ewigen Geistes zu einer neuen Schöpfung darin gefaßt, eine ewige Erlösung erfunden, weil es solch eine hohe Giltbarkeit und Kraft hat, daß es nicht nur vor Allem Werth hat, sondern auch Alles reinigen und neu schaffen kann und wird. IV. Hebr. 415.

Das Blut Jesu hat vorzügliches Kraftvermögen wegen seines höheren Ursprungs, und ist wegen seiner höchsten Geistesnatur im Stande, Herz und Gewissen zu reinigen. Denn wenn eine Magia, ein Willensbegehren ewig ist und ein ewiges Wesen ergreift, und wenn solch Wesen Wesen der Ursprünglichkeit ist, so wirken auch in demselben Licht-wesen alle Kräfte Gottes und also die Kräfte des ewigen Geistes, und wenn diese eine Magia fassen, die sich wieder vereinigen will, so stoßen sie alles lichtswidrige Leben und Wesen aus. Da sich nun Jesus im Feuer des Geistes der Ewigkeit Gott geopfert hat, ist sein Blut das unzertrenn-liche Lebensband göttlichen und menschlichen Lebens, und darum wirket es auf Herzen und Gewissen der Menschen. IV. Hebr. 424.

Wenn das Wort Mensch worden ist und mit der ange-nommenen Menschheit den Proceß der göttlichen Gerech-tigkeit durchgemacht hat, wie es ja wirklich geschehen ist, so hat das Unsterbliche dem Anfang nach schon das Sterbliche verschlungen, und ist also das allein reinigende Jesusblut vermögend, nicht nur in die Naturen ewiger, sondern auch in die Natur zeitlicher Dinge zu wirken, weil das Zeitliche aus dem Ewigen ist, und durch seinen Fall erst einen zeit-lichen Anfang nahm, der sich in seinem Ende wieder ver-lieren muß und verlieren wird. ibid.

Jesus ist mit aller Gottesfülle erfüllet und kann mit der-selben Alles erfüllen, weil er selber Alles durchdringen kann. Denn nun ist es, wie Gott wollte: es war sein Wohlge-fallen, daß in ihm alle Fülle wohnen sollte. Und nun ist es also. Nun ist er der lebendige Stein mit sieben Augen; was er berührt, das durchdringt und verwandelt er in seine Natur. So wie in ihm Alles zusammengestanden hat, und vor dem Fall zusammengeordnet gewesen ist, so wird nun Alles wieder in ihm, als dem einzigen, höchsten Haupt zu-sammenverfaßt und zusammengeordnet. Er hat Gaben em-

pfangen, Vollkommenheits- und Lichtsgaben für die Menschheit. Er ist mit Samen erfüllt worden, der Vater der
Ewigkeiten zu seyn, und als lebendig machender Geist alles
Fleisch in den Geist zu erhöhen, und also nach und nach
die ganze Menschheit zu wiederbringen in das Ebenbild
Gottes. Nicht allein aber das, er hat nicht nur für die
ganze Menschheit Gaben empfangen, sondern auch für die
noch vor den Menschen abtrünnig gewordenen bösen Geister.
Auch für diese hat er vollkommene Lichtsgaben. Aber freilich werden die zuletzt Gefallenen die Ersten in der Wiederbringung und die zuerst fielen, die Letzten. VI. Pf. 764 f.

§ 164.

So ist, durch die leibliche Fassung des Geistes Gottes
im Opferblute Jesu, der heilige Geist in der verklärten
Menschheit Jesu zu einer kräftig wirkenden und Alles be-
lebenden Lichts- und Gnadensonne in der Mitte der Zeiten
concentrirt worden, und unterscheidet sich hierin die Offen-
barungs- und Wirkungsweise des heiligen Geistes im neuen
Testamente, wo der Geist vom Vater und Sohn durch die
Menschheit Jesu ausgeht und ausgegossen wird, wesentlich
von seiner, dieser Vermittlung entbehrenden Offenbarungs-
stufe im alten Bunde. Joh. 7, 39. (cfr. § 59.)

„„Nach dem Sündenfall war das Licht doch noch in der
Welt, ob es schon nicht mehr das Licht der Menschen war.
Es war so in der Welt, wie zum Beweis das Licht des
ersten Tages ausgebreitet war im ganzen Schöpfungssystem,
bis Gott am vierten Tage die Sonne schuf und also in
derselben das Licht des ersten Tages concentrirte, daß es
durch die Sonne auf die Erde wirkte, und also Alles rege
machte, was ein bewegliches oder wachsthümliches Leben
hatte. Das Licht des Lebens war also durch das ganze
All, also auch durch die menschliche Seele; aber die überhand genommene und zur Herrschaft aufgestiegene Finsterniß
war so groß, daß die menschliche Seele nicht vermögend
war, das Licht oder die Herrlichkeit Gottes zu erreichen oder
wieder zu ergreifen, bis am vierten großen Schöpfungstage,

17*

im vierten Jahrtausend, Jesus, die Herrlichkeit Gottes, die Sonne der Licht- und Geistwelt, in's Fleisch kam, und in seiner angenommenen Menschheit die Strahlen der Herrlichkeit Gottes sich concentrirten. Dann wirkten dieselben so kräftig, so tinkturreich und herzverwandelnd auf die menschlichen Seelen von außen hinein, daß sogar Einer, der dieß erfahren hat, schreibt, Joh. 1.: „Wir sahen sie selbst, die eingeborene göttliche Herrlichkeit, wir fühlten ihre kräftig wirkende, tinkturreiche Verwandlungskraft, und wir erhielten wirklich den Kraftsamen des Geistlebens aus ihr, denn sie, die Herrlichkeit Gottes, war voll Gnade und Wahrheit, voll Leben und Klarheit." Und dieses ist sie noch und wird es seyn in Ewigkeit; denn sie ist die väterliche Mutter aller Ewigkeiten. I. Lebensl. 115 f.

Jesus ist die Sonne der Lichtwelt, die Sonne aller Sonnen, also die Herrlichkeit Gottes. Wäre sie nicht mit aller ihrer Kraft in's Fleisch kommen, so wäre Leben und unvergängliches Wesen, Wiedergeburt und Geistleiblichkeit nicht möglich gewesen, denn der Evangelist Johannes sagt: Das Licht des Lebens war auch nach dem Fall des Menschen noch wohl in der Welt; aber der Mensch hatte es verloren, indem er sich zur Finsterniß in der Sinnlichkeit gekehret hat. Der finstere Mensch hatte ein gar zu schwaches Verlangen, die Lichtstrahlen zu fassen und zu erreichen. In seinem nichtgefallenen Zustande hätte er es wohl erreichen, fassen und halten können; aber in seinem sinnlichen Zustande nicht. Sollte ihm geholfen werden, so mußte das Wort des Lebens, der eingeborne Sohn Gottes, die Herrlichkeit Gottes, sich concentriren, mußte in's sinnliche Fleisch kommen, und so mit aller Tinkturkraft auf die menschliche Seele wirken und ihren Lichts- und Lebenssamen in dieselbe eingießen. Es ist, Gott sei's ewig Dank! geschehen, der vierte Schöpfungstag ist gekommen, die Sonne der Lichtwelt ist an den Gnadenhimmel gesetzt. Das Wort ward Fleisch, die heilbringende Gnade ist allen Menschen erschienen. IV. Tit. 258.

Die Menschheit Jesu ist die einzige Gnadensonne mit ihrem, Geist und Leben ausstrahlenden Schein. Die Kraft dieser Sonne ist die in Jesu Menschheit geoffenbarte Gottheit, der von Ewigkeit gezengte, eingeborne Sohn, oder das ewige Wort, das Herz der Gottheit. Der Anzünder in dieser Sonne ist die unsichtbare, verborgenste, zeugende Vaterskraft der Gottheit in dem Lichte der Gottmenschheit Jesu. Diese Sonne belebt und erhält Alles im ganzen Schöpfungsreich. Aber eigentlich ist sie die Sonne der Lichtwelt. Denn sie gibt das neue Lichtleben der Herrlichkeit mit ihren geistlich = lebendig machenden Geist= und Lebens=Ausflüssen. VIII. I. 276.

War denn dem gefallenen Geschöpf anders zu helfen, als durch das Königreich und Priesterthum Jesu? Kann denn die pur-geistige, unförperliche Gottheit, wie wir sie außer Christo, in dem alle Fülle der Gottheit leibhaftig ist, betrachten — ich sage, kann sie denn so auf die Sinnenwelt wirken? Hat es Gott nicht im alten Bunde versucht, und was ist ausgerichtet worden durch Befehlen und Gesetzgeben? Syst. 347.

Ehe noch Jesus verkläret gewesen, warest du (Geist) nicht als der Heil'gende da; wie wir ja deutlich vernehmen und lesen: Er ist verkläret, nun dann bist du nah. Nun hast du dein Werk in glaubigen Frommen nach Christi Willen in Kraft angenommen. Du bringst uns Alles aus göttlicher Fülle, womit die Herrlichkeit Gottes erfüllt. — Heiliger Geist bist du, göttliches Wesen, vorher gewesen; doch Mensch warst du nicht, ehe du Menschheit zum Opfer erlesen. Also dieß gibt uns ein deutliches Licht: warum du heiligend erst wolltest kommen, als der Herr Jesus hinauf war genommen. Nur in dem Opferblut willst du dich fassen, nur in dem Lämmlein, zur neuen Schöpfung. So ist's dein Wille, dieß merk ich gelassen, dieß ist der Brunnquell der Kraftreinigung. Laßt uns, Geliebte! das Lämmlein beschauen auf diesen Lebensstein will der Geist bauen. Gottheit im Ungrund wollt' sich im Grund fassen, und der gefaßte Grund ist, was Er war. Kräften active und Kräfte gelassen machten im Lichtraum sich selbst offenbar. Lebenswort, Weisheit und wie wir ihn nennen, heißt uns die Dreiheit in Einheit bekennen. Wie sich nun Gott wollt' im Lebenswort fassen zur ersten Schöpfung — so faßt sich jetzo, zur Schöpfung, der neuen, Gott in dem Jesusblut. I. 306. 3—16.

Die Weisheit im alten Bund war nicht begränzet, hat niemal so kräftig gewirkt und geglänzet. Seitdem sie jetzt aber die Herrlichkeit ist, geboren geistleiblich im Leib Jesu Christ, seitdem wirkt sie kräftiger bis zum Verwandlen, und kann jezo zärtlicher Menschen behandeln. I. 277. 33.

Im alten Bund hat sie (die Weisheit) die Geister durchgangen, gehüllt und gekleidet nach ihrem Verlangen mit einer ganz kräftigen Jungfrautinktur nach allerlei Arten, nach aller Natur. Im neuen Bund hüllet sie Geister in's Leben, das Jesus, die Herrlichkeitsmutter, gegeben im Opfer zum Stoffe dem Vater gar eben. Das Lebensband aller der Geister und Leben ist Jesu Blut, das er zum Opfer gegeben. Der Ewigkeitsgeist wirkt im Blute der Wahrheit, ich meine, im Blute der Weisheit und Klarheit, dieß kleidet die Geister des Herren der Dreiheit. Gottmenschlich ist jetzt die Tinktur der Tinkturen, der Geist wirkt darinnen auf Menschennaturen. I. 278. 13—15.

Nun ist die Menschheit Jesu auf den Thron der Majestät erhöhet, und ist Jesus als Christus in Mitte der Zeit in seiner verklärten Menschheit zur Sonne der Lichtwelt worden, zur ersten Mittelsubstanz, durch welche sich Gott seinen geistlichen und glaubigen Creaturen mittheilet; da er zuvor in seiner himmlischen Menschheit wie das Licht des ersten Tages Alles durchdrang, aber ziemlich unfaßlich und unbegreiflich war. Denn der heilige Geist ging noch nicht aus der verklärten Menschheit Jesu aus, wie seit er verkläret ist. VI. Pf. 1170.

Dritter Abschnitt.

Das hohepriesterliche Werk Christi in den Glaubigen.

§ 165.

Nachdem Jesus das angenommene Fleisch in die Geistleiblichkeit und Herrlichkeit erhöhet hat und zum lebendig machenden Geist verkläret worden ist, wirkt er als Hohepriester und Mittler des neuen Testamentes in die Glaubigen, indem er durch Mittheilung seines Geistes sie erneuert und wiedergebiert und in die Geistesgemeinschaft seines Leibes versetzt.

1. Die Geistesmittheilung.

§ 166.

Die Ausgießung des heiligen Geistes geschieht durch den ewigen Willen, mit welchem Gott im ewigen Gemüthe den Liebesvorsatz der Neuschöpfung in Christo gefaßt hat, und durch welchen er nun, nachdem das Blut Jesu oder die angenommene Menschheit in das Allerheiligste des göttlichen Thronquells eingetragen ist, aus und in diesem Blute allezeit seinen Sohn, das Wort, gebiert. Das Wort aber, weil es jetzt im Blute Jesu geboren wird und mit dessen allerheiligster Seele verbunden ist, enthält nunmehr nicht blos die Potenz der Creatur überhaupt (§ 22.), sondern auch die Potenzen zur Versöhnung und Erneurung der gefallenen Creatur in sich (§ 162. 163.).

„„Der Gottmensch hat in seinem Opfertod den Tod für Alle geschmeckt, und hat durch den Tod dem Tode die Macht genommen und Leben und unvergängliches Kraftwesen an das Licht gebracht. Heb. 2, 9. 14. 2 Tim 1, 10. Nun hat er als Priester sein gottmenschliches Blut in das Allerheiligste, in die heilige göttliche Dreieinheit seiner obern Seelenkräfte eingetragen. In dieser allerheiligsten Thronquelle offenbart sich Gott als die ewige Einheit, als das ewige Wort im fleischgewordenen Wort des Lebens, im Blute des Lämmleins, welches mitten im Throne Gottes ist. Apoc. 5, 6. Dieses Blut ist es nun, darin sich Gott zur neuen Schöpfung gebären will mit dem ewigen Willen, wie er es sich dazu im ewigen Gemüth nach seinem ewigen Liebesvorsatz ersehen, im ewigen Verstande erkannt und im ewigen Gedächtniß zur Offenbarung seines Willens behalten hat zur Erreichung seiner ewigen Liebesabsichten. Siehe! da er sich nun zur Neuschaffung im Blute des Lämmleins, des fleischgewordenen Worts, gebären will, so dreht sich das göttliche Thronrad, das Geburtsrad des Lebens, und wird im heiligen Blutleben des Lammes heiß und feurig, und bricht aus in Flamme und Licht aus dem Thron. Darum ist der, der auf dem Throne sitzet, in der Immerumdrehung der göttlichen Geburtsquelle anzusehen als ein lichtweißer Jaspis und als ein feuerrother Sardis. Offenb. 4, 3. VIII. I. 37 f.

Die Menschheit Jesu ist das Opfer, nämlich das gottmenschliche Blut, das Fleisch geworden; die gottmenschliche Seele aber ist das Heilige in ihren Kräften, die den ganzen Himmel einnehmen und einschließen wird. Dieses Allerheiligste nun ist der Grundstein des ganzen Tempels und das Vornehmste daran, und in dieß Allerheiligste ist das gottmenschliche Blut des Lammes als ein Opfer vom ewigen Hohepriester getragen worden, und ist also Gott auf dem Thron der göttlich-menschlichen Seele, als im Allerheiligsten. Darinnen ist nun das Blut, das theure und unvergängliche, Alles erneuernde, gottmenschliche Blut und durchdringt das ganze Allerheiligste, den Thron, den Stein, das menschlich-göttliche Gemüth. Darinnen fühlt, sieht, riecht, schmeckt und hört sich der dreieinige, unsichtbare und im Wort allein ge-

offenbarte Gott, und versteht sich denn als gut zur Neu-
machung in demselben. Darum will sich der ewige Wille
im ewigen und anfänglichen Gemüth nach allen Kräften im
Blut, und dann zieht er sich, durch Drehung des Rades,
durch die Verstandeskräfte in die Gedächtnißkräfte hinein,
und das Rad der ewigen Geburt, das drei Räder und im
vierten, als dem Gemüth, Eins ist, zieht sich in einander
und wird flammend in Liebeshitze, und alsdann wird das
Wort aus dem Lamm als der sichtbare Gott geboren, der
doch schon geboren war von Ewigkeit, aber nicht zur Lebendigmachung des Fleisches; nun aber will er Geist und Fleisch
lebendig machen und durch das Blut Alles erneuern. Was
der Geist der Wahrheit, das ewige Wort, belebt, das erneuert das Blut des Lammes. Darum offenbart sich Gott
aus diesem Blute im Allerheiligsten als ein weißer, lichter
Jaspisstein und als ein feuerrother Sardisstein, als Feuer
und Licht, und das Blut hat alle Kräfte des göttlichen Wesens in sich. VII. Petr. 166 f.

Aus dem Quellrad der Kräfte und Eigenschaften Gottes,
aus dem Ein- und Erstgebornen geht der heilige Geist aus
und wieder in denselben ein, nach den vollkommenen Gedanken seiner allerheiligsten Seele, mit der sich ja dasselbe
Quellrad aller Gotteskräfte und Eigenschaften verbunden
hat in Eins, welcheshalben ja das ins Heiligthum Gottes
eingetragene Jesusblut wie ein Lämmlein mit sieben Augen
und sieben Hörnern erscheint, also das Einheitsband aller
Lebenskräfte ist. II. Act. 47.

Der heilige Geist — bei dessen Ausgießung Vater und
Sohn gegenwärtig war — offenbart sich in seiner Wirkung verherrlichend und heiligend, weil er, wenn er von dem
in den Geist Erhöheten, Verklärten, von dem lebendigen
Grundstein, in Sion geleget, ausgehet, sich von diesem nicht
scheidet. Sein radicalischer Aus- und Einfluß ist nicht getrennt (von dem Blute Jesu) zu betrachten, sonsten das
Ausfließen von der Quelle sich trennte, daraus er fleußt,
welches nicht seyn kann, weil es mit der allerheiligsten Seele
Jesu in ein heiliges Einheitsband unauflöslich verbunden,
als Ein Lebensrad anzusehen ist. II. Act. 45 f.

§ 167.

Aus dem im Blute Jesu gefaßten Wort geht der Geist mit der siebenfachen Krafteigenschaft der Ewigkeit und der Herrlichkeit aus in alle Lande und ein in die Seelen der Glaubigen.

„„Das Lamm mitten im Allerheiligsten, als im Thron, hat sieben Augen, als die sieben Geister Gottes. Diese gehen im Laufe des Rades aus vom Lamme durch das Wort auf dem Thron, das Feuer und Licht ist. Und aus dem Glanz vom Wort, Licht und Leben geht aus der Geist im Glanz und mit dem Glanz, als der Weisheit, und nimmt in der Weisheit siebenfache Gestalten an sich, d. i. die Weisheit haut ihm sieben Säulen. Und so geht er im Wort, in der Weisheit aus, wo er hin will, in alle Lande und geht in die Seelen, die dem Wort der Wahrheit glauben, und macht sie zu lebendigen Steinen, zum Tempel Gottes im Seelengeist. VII. Petr. 167 f.

Weil das Lamm sieben Augen hat (Off. 5, 6.), so geht der Geist des Lebens, der Geist der Herrlichkeit, in sapphir= blauer Gestalt aus dem Lamm und dem, der auf dem Thron sitzt, aus und nimmt im Ausgehen, im Glanz des Lichts, in der Weisheit, im Thron des Gemüths der heiligsten Seele Jesu, gleich dem siebenfachen Rade, sieben Krafteigenschaften an sich. Und so hat ihm also die wesentliche Weisheit sieben Säulen gehauen, so baut sie ihr geistliches Haus (Prov. 9, 1.), die Gemeinde, den lebendigen Gottestempel (2 Kor. 6, 16.); so sammelt der Geist eine Braut dem Bräutigam. Und so wird nach und nach Alles neugemacht und verherrlicht und ist also eine herrliche Einrichtung Gottes in seiner ganzen Haushaltung. VIII. I. 38.

§ 168.

Obgleich die erste Ausgießung des heiligen Geistes auf sinnlich wahrnehmbare Weise geschehen ist, ist sie doch eine innerliche, indem die verklärte Menschheit Jesu in der inner= sten Geburt durch die ganze Schöpfung gegenwärtig ist und sich da, wo sie will, als lebendigmachender Geist fühlen und finden lassen kann.

„„Sehr anmerklich ist die Zeit der ersten Pfingsten, in welcher Jesus, der Verherrlichte, in den Geist Erhöhete, zum ersten Mal als göttlichmenschlicher Geist, als Geist der Ewigkeit und Herrlichkeit ausgießen wollte; darum sollte auch außerordentlich und anmerklich seyn dieselbe Geisteswirkung in der Offenbarung. Sollte man aber dabei vergessen die Alldurchdringlichkeit und unberührliche, jungfräuliche Allenthalbenheit des allerheiligsten Einheitsquells aller Kräfte und Eigenschaften des Allgegenwärtigen? Sollte man an den Ein- und Erstgebornen als entfernt denken, da er doch nur im Allerinnersten des Lichtraums ist und wohnt? Sollten wir denn so thöricht seyn, und nicht immer inniger, nicht aber entfernter, die allerheiligste Einheit uns denken? Schaue o Seele! tiefer in die elektrischen, lichtfeurigen Blitze, die doch nahe sind, ehe sie sich blitzend offenbaren. Was reiner ist als diese, ist inniger, ist also Paradies; und was reiner ist, als Paradies, ist noch inniger und doch nahe, ist also Lichtraum der Majestät! So will denn also der heilige Geist, ausgehend vom Vater und Sohn als Ein Geist, Geist der Ewigkeit und Herrlichkeit, Eins als Einer und ebenderselbe, nur in Wirkungen der Offenbarung verschieden, aus dem allerheiligsten Haupt in die geliebten Glieder des Hauptes kommen und sie beseelen, beleben, leiten, regieren, führen und lenken, wie alle Seelen den leiblichen Leib. Warum solltest du denn Haupt und Glieder, Seelen- und Seelenschöpfer, Seelenerhalter im Seyn, und Seelenwiedergebärer soweit aus einander setzen, und auseinandergesetzt dir denken? II. Act. 50.

Im Lichtraum hat sich der Verborgene selbst geoffenbart und hat sich in Wort und Weisheit d. i. im Wort und Licht des Lebens begränzet und räumlich gemacht. Man kann aber nicht sagen, daß dieß Offenbaren einen Anfang habe; denn das Wort war im Anfang schon und ist durch das ganze Schöpfungsreich und in demselben überall gegenwärtig. Und so kann sich meines Erachtens auch die verklärte Menschheit Jesu im ganzen Schöpfungsreich ausdehnen, wenn sie will, und doch nur da, wo Er will, als Gott-Mensch fühlen und finden lassen. Sagt uns aber nicht auch die heilige Schrift: daß Er, und also in ihm die ganze Fülle der Gottheit leibhaftig und persönlich erscheinen, also sich zusammenziehen und ausdehnen kann? Oder soll man dem Allmächtigen dieß Vermögen absprechen und den Creaturen zugestehen? So kann also der Thronquell Gottes im Ganzen allgegenwärtig seyn, und der Gottmensch kann sich räumlich machen, wie er that, da er Menschenkind geworden. IV. Hebr. 559 f.

§ 169.

Ebenso ist der Geist der Ewigkeit und der Geist der Herrlichkeit in Jesu Ein Geist, aber je nach der Gestalt der Seele, in die er wirkt, offenbart er sich mehr in der zerstörenden oder mittheilenden Eigenschaft. (§ 160.)

„„Wenn der Geist Gottes nicht als Geist der Ewigkeit, sondern als Geist der Herrlichkeit sich offenbart, so ist er Tröster; er ist Heilig-, Selig- und Lebendigmacher. Doch sollst du nicht denken, daß der Geist der Ewigkeit und der Geist der Herrlichkeit getrennt zu betrachten sei; sonst kannst du ja nicht mehr zugeben, daß das Lämmlein mitten im Thron Gottes sieben Hörner und sieben Augen habe. Darum so ist das Wirken des Geistes der Ewigkeit und das des Geistes der Herrlichkeit zerschieden, in zerschiedenen Personen und Seelengestalten, das heißt zerschieden in Ansehung des premirenden Vorherrschens. Sintemalen die sieben Hörner, die den Geist der Ewigkeit bedeuten, alles gottwidrige Wesen und Leben zerstören wollen; und die sieben Augen, die den Geist der Herrlichkeit andeuten, sollen und wollen Alles erneuern, wiedergebären, heiligen, verherrlichen und Jesus-ähnlich machen. II. Act. 48.

Der Geist der Ewigkeit und der Geist der Herrlichkeit ist in Eins verbunden in dem Lämmlein, gleichsam zu Einer Seele, zu Einem Lebensquell. Wo aber eine Seele das Strafen und Züchtigen vorherrschend empfindet, da hat sie vorbereitend das vorherrschende Wirken des Geistes der Ewigkeit. Läßt sie dieses ungehindert fortwirken, so wird ihr die Wiedergeburt immer nothwendiger und die Freimachung von der Sünde immer unentbehrlicher. Sie seufzet und schreit, und der Geist der Herrlichkeit wird herrschend, sie wird also aus Gott geboren, von Sündenherrschaft frei. II. Act. 49.

§ 170.

Die Wirkung des göttlichmenschlichen Geistes geht auf Herz und Hirn, als die Centralquellen der Seelen. (cfr. § 105.)

„„Wenn die Vermehrung der stammväterlichen Herrlich-
keits-Mutterkraft magisch-geistlich ist, so ist das geistliche
Fortpflanzungs-Vermögen, bestehend in Kraft des göttlich-
menschlichen Geistes, ganz tinkturialisch und gebt also die
Kraft der allerheiligsten Wirkung auf das Herz und Hirn,
auf die Centralquellen der menschlich-creatürlichen Seelen
und so kann das von Gott gewirkte, magische Glaubensverlangen Geist und Leben empfangen. III. Kol. 179.

Verstand ist der Centralsitz im Haupt und Gehirn des
Menschen, im Herzen ist der Centralsitz des Lebens und so
hat die menschliche Seele, die freilich durch den ganzen Leib
des Menschen ist, einen Lichts- und Lebenssitz in Hirn und
Herz. Wenn nun von diesen centralischen Sitzen der Seele
ein Glaubensverlangen ausgeht, so ist dieß die ausgehende
Seelentinktur und ist von der Gottheit innerlich und von
innen heraus gewirket. So nun der verherrlichte Gottmensch
von außen hinein durch seinen göttlich-menschlichen Geist,
der in alle Lande ausgehet, in die Seele wirket, so kommt
solch Wirken aus seiner Haupt- und Herztinktur, und fließet
Geist mit Geist zusammen; die Seele ist nehmend, und Jesus
gebend, Jesus zeugend, die Seele empfangend. Was sie also
empfahet, ist Etwas für Kopf und Herz, ist Licht und Leben,
ist Same der Herrlichkeit. IV. Hebr. 469.

§ 171.

Wie in jedem Wort ein unsichtbarer Geist sich offenbart
und mitwirkt, so ist es das evangelische Wort von der Versöhnung, worin sich der Geist der verklärten Menschheit Jesu
ausprägt und das er zum Vehikel seiner Lebenswirkung und
Lebensmittheilung macht. Dasselbe hat deßhalb eine verwandelnde Kraft.

„„Ihr wisset, daß fleischliche Worte fleischlich entzünden
können; wir wissen aber auch, daß geistliche Worte geistlich
entzünden können. Denn Worte haben entweder höllische,
oder aber himmlische Tinktur; daß alle Worte Tinkturkraft
und Wesen, oder eine Art Samen haben, dächte ich, sollte
schon jeder wahrgenommen haben; fühlt doch jeder, wie schnell
sie entzünden können. So es das nicht wäre, wie könnte

uns denn ein Anderer, der von der Hölle entzündet ist, die Hölle in uns anzünden? Oder wie sollte im Gegentheil Einer, der voll Geist und Kraft ist, uns von der Krafttinktur seines Geistes mittheilen können? Allemal wirkt ein Geist der Unsichtbarkeit mit, und ist also die Zunge eine Offenbarung des Himmels oder der Hölle. Beides verlangt durch den Menschen offenbar zu seyn, darum treibt der Geist der Finsterniß gern zu Tod und Verderben und bedient sich dazu auch unreiner Seelenworte, um in den Andern finstere Schlangentinktur zu bringen, daß er sich verderben soll; der heilige Geist aber bedient sich der ihm geheiligten Zungen. III. Eph. 248 f.

Die große und herrliche Sache der Versöhnung muß kund gemacht und publicirt werden. Darum sagt Paulus auch: das sei geschehen, denn Gott habe ja unter uns aufgerichtet das evangelische Wort von der Versöhnung; er habe ihm und allen seinen göttlichen Mitgesandten das Amt aufgetragen, und gegeben, das die Versöhnung predigen, verkündigen und publiciren soll. Dieß Amt sei freilich wichtiger, als das des Moses war. Denn es werde dadurch eine in's Bild Jesu verklärende Klarheit ausgestrahlt. Ebendarum sei es ein hochwichtiges Amt, ein Amt des Geistes, nicht des Buchstabens. Syst. 200.

Das Evangelium ist eine Gotteskraft, ein Lebenssame, darin Gotteskräfte wirken; daher kann es selig machen und von Tod und Sünden retten Alle, die daran glauben, d. h. Alle, die es im Glauben annehmen und folglich diese Lichts- und Lebenskraft empfangen. Syst. 160.

Die Worte Jesu sind Geist und Leben, sie sind das verklärte Fleisch und Blut Jesu. Denn mit allen geheiligten Jesusreden und Gottesworten gehet Etwas von seiner göttlich-menschlichen Tinkturkraft mit aus, und dieß ist sein Fleisch und Blut. I. Lebensl. 128.

Die evangelische Lehre ist nichts Fabelhaftes und Ersonnenes, sie hat bleibende und verwandelnde Kraft. Davon sind alle von oben Geborne ein Beweis; denn durch diese Lehre wird der Grund lebendiger Hoffnung, der Grundstoff der Unsterblichkeit gelegt. Derselbe Grund- und Samstoff ist vom lebendigen Stein, und dieser berührt und verwandelt durch den Geisteseinfluß seiner Lehren, was er berühret, zu lebendigen Steinen. II. Petr. 213.

Durch das Evangelium ist Leben der Ewigkeiten, Unsterblichkeit und unvergängliches Wesen an das Licht gebracht; es fließt daraus Unverweslichkeit und Geistleiblichkeit. Es ist ein Wort der Wahrheit, ein lebendiger göttlicher Samen aus dem wesentlichen Wort und dessen Weisheit, Feuer, Salz, Geist, Zucht, Kraft, Licht, Luft, Trieb, Wesen. Alle, die aus der Wahrheit sind, hören es mit einem innern Ohr, und erfahren es als Geist, Leben und Kraft, als Lebensbrod und Lebenswasser, als das Fleisch und Blut, als die gottmenschliche Wesenheit Jesu Christi des Herrn. VII. Röm. 17.

Die apostolische Lehre ist Evangelium der Herrlichkeit Gottes, ist Abglanz von der Sonne der Lichtwelt, ist wesentlicher Kraftstrahl von Gottes Wahrheit und Klarheit, hat auch Kraft, Tinktur, Geist und Leben, das in Herz und Seele wirket, und in das Bild Jesu verklärt, und den Menschen ändert und verwandelt. IV. Tim. 21.

§ 172.

Es liegt daher das Lebenswort als der Kern im äußern Wort verborgen und muß von dem Menschen innerlich gehört und empfangen werden.

„„Da man den Lichtssamen durch das Wort der Wahrheit empfangen kann, so soll ein Jeder begierig seyn zu hören. Denn der Redende ist viel wirksam und active, und der Hörende ist leidend oder passive, geschickt zum Empfangen und Nehmen; da also der Mensch der empfangende und nehmende Theil seyn soll, wenn der Vater der Lichter der Wirkende und Gebende seyn will, so ist es natürlich begreiflich, daß der Nichts erlangen wird, der nicht stille ist, als ob er lauter Ohr und ganz Ohr wäre. Es ist wahr, daß das Wort der Wahrheit Gottes Wort ist, wie wir es in heiliger Schrift haben. Aber das Wort des Lebens ist doch der Kern im äußern Wort; wenn es mit dem Hörenden zusammentrifft, dann hat er recht gehört und herrlich empfangen. Wer also ein Ohr hat, der höre; wer ein Gemerk hat, der merke! II. Jak. 334 f.

§. 173.

Obgleich das evangelische und apostolische Schriftwort absolutes Behikel des gottmenschlichen Lebens Jesu ist, so kommt doch auch den geistreichen und kraftvollen Reden und Schriften anderer Glaubiger relativer Werth als Gnaden-mittel zu.

„„Ich weiß, ihr achtet und schätzet die heilige Schrift. Es ist uns Allen zum herzlichen Dank, daß die Evange-lien und die Apostelgeschichte, die Briefe der Apostel, ja die heilige Offenbarung geschrieben und zugekommen sind uns armen Menschen. Wir danken Gott für das, was Moses und die Propheten uns geschrieben hinterlassen. Aber die Thorheit würde ich euch kaum verzeihen können, wenn ihr dächtet: es könnte nun von dort an, daß die heiligen Schrif-ten beschlossen sind, gar nichts Gutes und Geistliches mehr geschrieben werden und der heilige Geist könnte nun von dort an Niemand mehr erleuchten und ausrüsten, daß er etwas Nützliches aufsetzen und hinterlassen könnte. Daß es freilich denselben Werth und dieselbe Kraft und Reinheit nicht hat, wie die heilige Schrift, bekennen wir gerne; aber daß der heilige Geist sollte aufgehört haben, die Glieder Jesu zu beseelen mit Licht und Leben, soll uns Niemand wollen beibringen, denn sonst müßten wir, wie es viele Ge-lehrte glauben, uns ganz an die Gelehrsamkeit und an das Mittelbare halten und binden. II. Act. 595 f.

Wir behaupten frei, daß das Fleisch und Blut Jesu auch erlangt werden kann durch Gehör des Wortes Gottes in einer Predigt oder geistreichen Rede über das Wort Gottes. Denn auf diese Art theilte Jesus, der HErr, schon sein verklärtes Fleisch und Blut mit, da er noch auf Erden war, wie wir in der Schrift deutlich finden. Die kraftvollen, geistrei-chen Reden eines wahren Glaubigen sind vermögend, das verklärte Wesen der Herrlichkeit Jesu mitzutheilen. Denn der glaubige und vom HErrn verklärte Redner oder Predi-ger ist Christi Herrlichkeit, so wie Jesus Christus die Herr-lichkeit des Vaters ist. Und so wie der Vater seine Herr-lichkeit, Christum, mit aller Gottesfülle leibhaftig erfüllt, also erfüllet Christus seine Herrlichkeit, seine Gemeine, mit aller seiner Fülle, und durch diese multiplicirt oder vermehrt sich der HErr als durch seine Braut, und gibt das Verwandlungsvermögen in ihre Worte und Gebete, wie man hin und wieder aus der Schrift und aus Erfahrung genugsam beweisen kann. I. Lebensl. 131.

§ 174.

Da die Gläubigen von Jesu als Mittelsubstanzen gebraucht werden, durch welche sein Geist in Andere mittelbar wirkt, so steht die geistliche Wirkungskraft ihrer Worte im gleichen Verhältniß zu dem Grad ihrer Lebensgemeinschaft mit dem Haupte und es unterscheiden sich ebendeßhalb die menschlich vorgetragenen Lehren und Wahrheiten, wie Gold, Silber, Perlen.

„„Nicht das Werk, das am meisten Kunst hat, ist das beste, sondern das, welches am meisten Geist und Jesussinn hat und am unvermischtesten von der Ursprungsquelle floß. Es haben verschiedene Wahrheiten verschiedenen Werth, und die einfältigsten sind die besten, wenn sie das Herz mehr als den Kopf milchartig nähren. Je näher ein Mensch, der zu uns redet, selber mit seinem Ursprung vereinigt ist, je mehr steckt Tinkturkraft in seinen Worten, er mag nun noch so simpel mit uns sprechen. Der alleredelste, lebendige Stein hat die Kraft, was er berührt, in seine Natur zu erhöhen und zu verwandeln. Er dringt in die Glaubensbegierde der Seele ein, und erweckt das erloschene Geistesleben; doch das nicht allein, sondern er zündet es in der Gebärmutter des Wahrheitsgefühls an, damit es in seiner Kraft lebe und brenne. Weil er aber als die allerhöchste Mittelsubstanz nicht einem Jeden unmittelbar beikommen kann, so wirkt er durch solche, in denen er sein Geschäft hat, auf Andere mittelbar, und zieht sie näher zu sich hin. Er hat bereits auch diejenigen zu lebendigen Steinen gemacht, welche in seinem Leben fest geworden, und das geistliche Vermehrungsvermögen ist in sie gelegt, welches sich erweist an denen, die durch sie gewonnen werden. Je mehr Einer die Kräfte bewahrt und durch Zusammenfluß mit dem lebendigmachenden Geist verwirkt, je mehr erhält er Kräfte der geistlichen Vermehrung, je vollkommener und dem Eckstein ähnlicher wird der lebendige Stein in der Auferstehung ausfallen. Verschieden, wie Gold, Silber, Perlen, sind die Wahrheiten, in welchen der Kraftsamen eingeflößt wird, obschon beide im Grundwesen Eins sind. Eben darum ist auch der Auferstehungsleiber Unterschied wie der Unterschied der Sterne und Metalle; sintemal die Mittel, durch welche solche Seelen geleitet werden, mehr oder weniger Zusatz und fremdartige Dinge mit dem Ausfluß Jesu vermischen. VII. Petr. 170 f.

Mit der allerlautersten Seelenbegierde und mit der jungfräulichsten Tinkturlust stand Pauli Seele den Mittheilungen Jesu offen, und konnte die Strahlen seiner Herrlichkeit fassen, und darum war er eine Herrlichkeit Christi und also mit der Herrlichkeit Christi erfüllt. Eben darum konnte er auch so kraftvoll in die Seelen wirken, die ihm offen waren. Denn hier traf ein, was Jesus sagte zu seinem Vater Joh. 17.: „Ich habe ihnen gegeben die Herrlichkeit, die du mir gegeben hast, daß ich sie auch ihnen geben und mittheilen soll." Die Herrlichkeit, die Jesus gibt, ist die, welche seine Menschheit von der Gottheit erlangt, und womit sie für das ganze All erfüllet wird. Darum ist Jesu Menschheit die in den Geist erhöhete, alleinige und allererste Mittelsubstanz im Licht; wer mit ihm genau, und so wie Paulus verbunden ist, durch den wirket Jesus abstufungsweise; denn er wirket vom Allerinnersten in's Alleräußerste durch die sieben Geister, die er hat. Aus dessen Worten empfangen die Hörenden den Lebenssamen durch bleibende Eindrücke, diese geben bleibende Begriffe, und aus diesen kommen dann bleibende Grundgedanken hervor. II. Act. 390. 391.

Wortreich ist nicht geistreich; wo also viele schöne Worte, und wenig Geist ist, da fehlt es an Verwandlungskraft. II. Act. 105. Wo innerer Nachlaß ist, da ist gemeiniglich mehr Wortreichheit, als Reichthum des Geistes und wo dieß also ist, da ist bei aller Armuth noch große Prahlerei; wo Wortreichheit ist, da ist viele Sinnlichkeit, und wo das geliebt wird, kann man auf allerlei Sinnlichkeiten verfallen. II. Gal. 71.

Es gibt Menschen, die sich sehr auf Beredtsamkeit legen;

aber diese sind schon bei ihrer fleißigen Uebung haußen in sich selbst und in ihrer kreatürlichen Ichheit, und sehen sich schon als Kaufleute mit schönen Waaren unter einem Haufen Liebhaber stark handeln und großen Profit von Loberhebungen einernten. Das macht den eigenen Geist noch thätiger. III. Kol. 96.

§ 175.

Der göttlich menschliche Geist Jesu, welcher in alle Lande ausgeht, wirkt auch in gottesfürchtigen Heiden, die das Evangelium nicht haben; dennoch bleibt dieß ein Mangel, den der HErr zu ersetzen wissen wird.

„„Sollte der, welcher Gott fürchtet und recht thut, der, welcher glaubt, daß Gott sei und daß er denen, die ihn suchen, (wenn er selber deren Einer ist,) ein Vergelter seyn werde, — darum vom Gotteserbarmen ausgeschlossen seyn, oder an den Verheißungen, die ihm ohne seine Schuld nicht zu Theil worden sind in Ansehung der Verkündigung, dennoch seinen Antheil haben und finden? Ich meine, solche Glaubige solltet ihr nach der Schrift unter den Heiden gefunden haben. Oder sollen wir denn zweifeln, daß nicht auch der göttlich menschliche Geist sein Werk in ihnen haben könne? zweifeln, ob nicht auch in ihnen ein Geistesleben könnte gewirkt und erzeugt werden? Geht doch der Geist des verherrlichten Gottmenschen in alle Lande aus? Sollte er etwa als Geist der Herrlichkeit nicht auch sein Gotteswerk wirken, wo doch der ewige Geist vorgearbeitet hat, oder wo der Geist der Ewigkeit in einer Seele nach ihm hungert? Oder sollte dieser in der magischen Seelenkraft erzeugte Hunger nicht Gottes Werk seyn? Oder sollte er nicht die erweckte Glaubensmöglichkeit seyn? sollte Gott diese vergeblich ziehen und erwecken, und gleichsam sich selber in dem Abgrund der Seele nicht erhören? — Wenn es dem aber also wäre, so gäbe es unter allen Nationen Gottesverehrer und Gottgläubige. Nur Schade aber, daß diese nicht mit den Lehren des Christenthums bekannt sind; was sollte alsdann aus ihnen werden? Manches wird ihnen freilich einst am Tisch im Reiche Gottes ersetzt werden, wenn die Kinder des Reichs werden ausgestoßen seyn. —

Jede Religionspartei meint, sie habe den rechten Glauben, und keine hat ihn; aber unter allen Parteien gibt es welche, die ihn haben, und diese sind Kinder des Reichs. Daß aber unter Türken, Heiden und Juden welche auch sind, und doch die herrlichen Gnadenmittel nicht so haben, wie die Christen, absonderlich wie in der evangelischen Kirche, das wird ihnen der HErr zu ersetzen wissen, an eben der Tafel des Reiches Gottes, von der der HErr sagte, „daß aus allen Weltgegenden Seelen dazu kommen werden.“ IV. Hebr. 533. 534. 535.

§ 176.

Obgleich das, was im Sacrament der Taufe und des Abendmahls empfangen wird, auch außer diesen Sacramenten genossen werden kann, so hebt doch der geistliche Genuß den sacramentlichen nicht auf, weil für Menschen, die geistlich und natürlich zugleich sind, Sichtbares und Unsichtbares zusammen gehört.

„„Das verklärte Fleisch und Blut Jesu wird nicht allein im Sacrament, sondern auch außer demselben von den glaubigen Seelen wesentlich genossen; aber der Genuß, welchen wir den wesentlichen, außersacramentlichen Genuß nennen, hebt den sacramentlichen, welcher bei den glaubigen Seelen ebenfalls nicht weniger ein eigentlicher und wesentlicher Genuß ist, nicht auf, sowie auch der sacramentliche den täglichen wesentlichen nicht aufhebt, und es darf bei einem wahren Kind Gottes, welches rein bei der Lehre Jesu bleiben will, keines ohne das andere seyn; keines von beiden macht das andere entbehrlich. Denn so, wie wir eine sacramentliche Taufe als Christen aus dem Worte Gottes anerkennen und nothwendig halten nebst dem, daß wir auch eine Feuer- und Geistestaufe erkennen und behaupten außer der sacramentlichen, ebenso ist es auch mit dem Genuß des Fleisches und Blutes Jesu, welches darum, weil es außer dem Sacramente genossen werden kann, doch das sacramentliche Genießen nicht aufhebt, noch entbehrlich macht. Denn ebenso wenig, als die Taufe verachtet werden soll, ebenso wenig das Sacrament des Abendmahls. Und so wie Einer ein Unchrist ist, wenn er nicht getauft wird, ebenso ist er ein Unchrist, wenn er das sacramentliche Genießen des Fleisches und Blutes Jesu für überflüssig erklärt, oder gar für unrecht hält. Und ob er sagen wollte: das kann heimlich geschehen, so ist das nicht biblisch, und er ist, wenn er auch kein Unchrist ist, doch kein Bibelchrist, weil die Schrift will, daß der Tod Jesu, dieser theure Versöhnungstod, öffentlich verkündigt werden soll vor aller Welt Augen, und das kann natürlich nicht heimlich geschehen, so wie Einer auch nicht heimlich kann getauft werden, daß seinen Namen Niemand wüßte, der doch ein christlicher Name seyn soll. Kurz, der sacramentliche und der geistliche, alltägliche Genuß können nicht getrennt werden und der wahre biblisch gesinnte Christ wird das, was Gott zusammen gefüget hat, nicht trennen wollen. I. Lebensl. S. 120 f.

Für uns Menschen, die wir geistlich und natürlich sind, gehört Inneres und Aeußeres, Unsichtbares und Sichtbares zusammen, es läßt sich nicht trennen. So groß der Fehler ist, wenn das Aeußere und Sichtbare ohne das Innere und Unsichtbare ist, eben fast so groß ist bei dem zu habenden Aeußeren und Sichtbaren die Verachtung desselben. ibid. 106 f.

So wie Gott nicht an die Mittel gebunden ist, da, wo sie mangeln, also ist er auch da nicht an die Willkühr dessen gebunden, der sie verachtet da, wo sie zu haben sind. Denn Inneres und Aeußeres gehören zusammen, so lange wir Menschen sind, die ein gedoppeltes Leben haben. ibid. 113.

§ 177.

Ursprünglich war die christliche Taufe eine sichtbare Bestätigung der im Glauben empfangenen Gnade Gottes, also eine öffentliche und feierliche Aufnahme der lebendigen Glieder in die Gemeinde des HErrn.

„„Wenn in den Zeiten der Apostel eine Seele im Evangelio unterwiesen war, und den Glauben annahm, so war dieser eine Wirkung Gottes in der Seele, also eine Wirkung des heiligen Geistes, folglich war ein solcher mit dem heiligen Geist und mit Feuer getauft. Wer sollte hier das

Waſſer wehren, wodurch ihm die Aufnahme in den Bund
Gottes durch die Waſſertaufe und Taufhandlung beſtätigt
wurde? Er wurde billig feierlich und öffentlich in die ſichtbare Gemeinde des HErrn an- und aufgenommen, und er
gehörte billig dazu, er war ein lebendiges Glied am Haupte,
war vom HErrn getauft, und dafür erkannten ihn die Apo-
ſtel und Diener des HErrn und beſtätigten ſolches mit der
ihnen befohlenen und anvertrauten Taufhandlung. Von einem
ſolchen glaubigen Getauften erwartete man mit Recht und
Billigkeit die Früchte der Wiedergeburt, denn bei ihm war
die Taufe der Bund eines guten Gewiſſens mit Gott und
eine Erneurung des heiligen Geiſtes. Ja, ſie war ein ſicht-
bares Zeichen der ihm ſchon geſchenkten Gnade Gottes und
ein Bad der Wiedergeburt. I. Lebensl. 106.

§ 178.

Unſere Kindertaufe iſt einestheils eine äußerliche Aufnahme in die chriſtliche Gemeinde und gibt als ſolche eine
Anſprache an die Gnadenmittel, deren heilſamer Gebrauch
dann in der Wahl des Täuflings liegt.

„„Man kann meines Erachtens zu viel und zu wenig
aus der Taufe machen; man kann ſie brauchen und mißbrauchen; aber um des Mißbrauchs willen kann man die
Sache nicht aufheben noch abthun. Aus der Taufe, da
Jeſus mit dem heiligen Geiſt und mit Feuer tauft, kann
man nicht zu viel machen; denn dieſe iſt Alles, durch ſie
wird mitgetheilt Alles, was zum göttlichen Leben und Wandel dienet, ſo daß man der göttlichen Natur theilhaftig wird,
wenn man fleucht die vergängliche Luſt der Welt, wenn
man im Glauben und in Chriſto bleibt. Aber aus der ſacra-
mentlichen Taufe kann man, wenn ſie ohne jene iſt, wie es denn
bei den Ungläubigen iſt, zu viel machen, wenn man nämlich
den Getauften für ein aus Gott geborenes Kind halten will,
darum weil er getauft iſt mit Waſſer. Das iſt er noch nicht,
liebe Menſchen! aber in den Bund iſt er aufgenommen,
daß er's werden kann, wenn er will. Die Mittel ſind ihm
allgemein und frei, und in ſo fern hat er an der Gnade
Theil; nützt er's, ſo iſt's wohl und gut für ihn; nützt er's

aber nicht, so ist's sein Schade und nützt ihn die Taufe
Nichts. Wenn ein getauftes Kind stirbt und ist nicht mit
dem heiligen Geist und Feuer durch der Eltern Glauben getauft worden, wird es in jener Welt, wie das Kind des Heiden, das da stirbt, und wie das Kind, das die sacramentliche Taufe nicht empfangen, zwar nicht verdammt, aber auch
nicht gleich mitten in die Herrlichkeit Gottes hineingesetzt,
sondern es wird zubereitet zur Erkenntniß Gottes und Christi,
zum Glauben und zur Wiedergeburt und wächst auf zum
Leibe der Herrlichkeit. XI. II. 501.

Der äußere Vorgang mit den jüdischen Mannspersonen,
denen das Zeichen des Bundes mit Gott an das Fleisch
gegeben wurde, machte sie so wenig zu Gottes Volk und
Kindern, als die Wassertaufe heutzutage unter den Christen
zu Christen macht. Nur hatte damals Einer, der das äußere
Zeichen der Beschneidung trug, die privilegirte und rechtliche
Ansprache zu allen Gnadenmitteln, und so ist es jetzt unter
Christen. Was nützt es aber, wenn man sie nicht anwendet? V. Off. 810.

Ein Heide, der die Taufe nicht empfähet, hat nicht Ansprache an die Gnadenmittel, die der Gemeine Gottes eigen
sind. I. Lebensl. 113.

Sollten nicht mit allem Recht und nach Gottes Willen
auch die Kinder eines glaubig gewordenen Vaters können
und sollen getauft werden? Nimmt sie doch sein Glaube
mit in den Bund und sind sie doch um seinetwillen heilig.
Er heiliget sie seinem Gott und Erlöser, und das wird angenommen, denn er ist ihr Priester und kann sie im Glauben Gott opfern und bringen. Und wer sollte auch hier
das Wasser wehren, daß diese seine Kleinen nicht sollten getauft und um seines Glaubens willen in die Gemeine des
HErrn mit aufgenommen werden? Die Vernunft sagt: es
wird sich in folgender Zeit an den Früchten zeigen, ob das
Alles seine gute Wirkung hatte. Allein — in und bei der
Aufnahme in den Bund Gottes hat der Vater die Wahl,
und in Zukunft übernimmt sie das Kind und bleibt in dem
Bund mit Gott um des Vaters willen mit eigener Wahl,
oder es tritt durch Ungehorsam gegen Gott und seine Eltern aus dem Gnadenbund und wird selber schuld an sei-

nem Verderben. — Und ob er sich durch Unglauben von der
innern, wahren Gemeine und dem Volk Gottes getrennt
hat, so gehört er unter der Langmuth Gottes dennoch zur
sichtbaren Gemeine, aber unter deren Zucht nach Befinden
des Wandels und mag durch rechten Glauben immer wieder-
kehren und den Bund erneuern. I. Lebensl. 107 f.

Gott und seine göttlichen Wirkungen sind unsichtbar;
und der durch die Taufe Gott ergebene Täufling hat als
Mensch die Wahl, ob er im Bunde bleiben will. Er bleibet
auch äußerlich darinnen, aber da er sich der Gnadenmittel,
die ihm durch die Taufe eigen geworden sind, nicht genug
bedienet und sich deren nicht genug anmaßet, oder sie im
Glauben ergreifet, so kann mit den Jahren die Finsternißliebe
aufkommen und überhand nehmen, daß das im Herzen sich
immer regende Licht unterdrückt und überwunden wird, wo
alsdann der Mensch unter der Herrschaft der Sünden gefangen
oft seufzet, aber nicht loskommen kann, dieweil er dem Lichts-
und Geistesverlangen nicht aufhilft durch das Aufsuchen der
Lichtskinder, in deren Lichtsgemeinschaft er eigentlich durch
die Taufe getreten ist. I. Lebensl. 111.

§ 179.

Anderntheils wird in der Taufe durch die Wirkung des
heiligen Geistes der Keim der Wiedergeburt in die Seele des
Täuflings gelegt.

„„Ich betrachte die Wassertaufe nicht als bloße Wassertaufe, sondern glaube göttliche Mitwirkungen dabei, betrachte
also die Sache in einem, der Vernunft unbegreiflichen, höheren
Lichte. Gott und sein göttlicher Geist wirkt mit, ob es von
An- oder Abwesenden verlangt wird; es ist nicht eine blos
menschliche Handlung und unwirksame Ceremonie. I. Lebensl. 110 f.

Wenn der Getaufte anders will, als Gott und sein Wort,
kann er kein gutes, ruhiges Gewissen haben; es ist wider
ihn, wie Gott selbst, und doch bleibt er, wie viele seines
Gleichen äußerlich bei der äußeren Kirche, und sind ihm die
Wege der Wiederkehr immer offen, so lange es heute heißet;
immer hat er zu genießen die Mittel, die ihn zur Wieder-

lehr rufen. Siehest du also nicht, daß ein vermehrter Feuer- und Lichtsfunke durch die Taufe in seine Seele gekommen seyn muß, der, wenn er nicht unterdrückt würde, der erste Keim seines geistlichen Lebens seyn würde? Ist also die Taufe blos ceremonialisch? ist sie blos menschliche Handlung, wenn Gott also mitwirkt und wenn sein Wirken so etwas Edles in die Seele bringt? I. Lebensl. 112.

Geistliches, göttliches, heiliges Leben kann uns ja gleich in der Taufe auch schon Gottes Geist, nämlich dem Anfang nach, geben. Aber dann sieht man auch Früchte davon. Wirkung des Geistes spürt man oft an Kleinen, ehe noch Früchte des Glaubens erscheinen. I. 310. 3.

Warum sollte die Taufe selbst kein Grundartikel seyn? Dienet sie doch und ist sogar ein wesentliches und sacramentliches Stück zur Grundlage; ein wesentliches Stück, sage ich, da ja bei dem Glaubiggewordenen der heilige Geist dadurch mitgetheilet wird. IV. Hebr. 299 f.

§ 180.

Hiezu wirkt Gott in dem Kinde einen entsprechenden Glauben, weil dasselbe ihm von der lebendigen Gemeinde zugebracht und von ihm als Kind seiner Braut, also als sein Kind aufgenommen wird.

„„Wenn Geist vom Geist allein geboren werden kann, wie applicirt sich denn die Geistesgeburt durch die Taufe? Da die aus Gott geborenen Kinder Gottes die Herrlichkeit Christi haben, so sind sie zusammen die lebendige Gemeine des HErrn, also seine Herrlichkeit, seine jungfräuliche männliche Braut, mit welcher und durch welche er geistliche Kinder zeugt. Dieser seiner lebendigen Gemeine hat der HErr die Sakramente anvertrauet, und sie, nebst dem, daß er ihnen sein Wort und Geist mittheilte, berechtigt, alle die, welche durch das Wort der Wahrheit an ihn glauben würden, zu taufen, und also durch die Taufe in dem Gnadenbunde mit ihm öffentlich zu bestätigen und dem Täufling zum ewigen Gnadenzeichen einen Christennamen zu geben. Da nun die Gemeine des HErrn nicht nur alle Gläubige durch die Taufe in den Gnadenbund Gottes aufnehmen darf, sondern sogar aufnehmen soll, so ist die Taufe eine der Gemeine des HErrn aufgetragene Sache, eine nothwendige Sache, die An- und Aufgenommenen damit zu bezeichnen und zu legitimiren. Nicht allein aber das, sondern die lebendige Gemeine des HErrn kann sich des armen Täuflings als eines unmündigen Kindes so annehmen, daß ihn der HErr als ein Kind seiner Braut, also als sein Kind ansieht und achtet. Was er ihm also durch seine Gemeine sichtbar gibt, das gibt er noch mehr geistlicherweise unsichtbar, und wirket in dem armen Herzen des durch sein Blut erkauften, armen Täuflings oder Kindes einen — Kindern möglichen, einfältigen, aber wahren und lebendigen Glauben. Und sogar thut dieß das ewige Wort von innen heraus, so wie auch der heilige Geist, der Geist der Herrlichkeit, von außen hinein wirket, daß also das, in der noch sehr zarten menschlichen Seele verborgene Licht der Lebenskraft erweckt werden und den Licht- und Geistsamen von dem Stammvater des geistlichen Lebens empfangen kann. I. Lebensl. 117 f.

Freilich ist ein Kind nicht getauft, welchem Vater, Mutter, Täufer oder Taufzeugen keinen Glauben erbetet und keinen heiligen Geist erfleht haben. Nämlich verstehe mich recht: es ist nicht mit dem heiligen Geist und mit Feuer getauft, es ist kein Wiedergeburtssame in seine Seele eingestreut worden, es ist als ein seelischer, aber nicht als ein geistlicher Mensch geboren und die ceremonialische Taufhandlung der Ungläubigen bringt ihm kein geistliches Leben, keinen Wiedergeburtssamen, kein himmlisches Feuerwasser. Jedoch ist es nicht umsonst, es ist doch in die Kirche und in den Bund Gottes aufgenommen und hat die Mittel der Gnade zu genießen, durch welche es zum Glauben gebracht und der Geistestaufe, des Wiedergeburtssamens und der Gnadenfülle theilhaftig werden kann. Denn es ist in ihm eine Wiedergeburts-Möglichkeit, welche aber durch die äußere Taufhandlung nicht erweckt und wirksam gemacht worden ist. Das kann aber noch geschehen, es lebt ja, und lebt unter der Christenheit, wo es Lichter der Welt und Salz der Erden gibt. XI. II. 499 f.

§ 181.

Da die Wirkung der lebendigen Gemeine räumlich un-
beschränkt ist, so erstreckt sich ihr Einfluß auf alle Taufhand-
lungen und macht diese von der Person und dem Verhalten
der die Handlung unmittelbar Vornehmenden unabhängig.

„„Die lebendige Gemeine ist auf Erden in allen christlichen Religionen und Religionsparteien, wo nur immer im
Namen des dreieinigen Gottes getauft wird. Und ob an
manchen Orten die Sache nicht heilig und andächtig behandelt und verrichtet wird, so ist der HErr gar nicht an die
in demselben Orte gebunden. Und ob kein lebendiges Glied
Jesu dort wäre, so sind doch solche auf Erden, und derer
ihre Wirkung ist nicht so auf gewisse Orte und enge Räume
eingeschränkt, daß sie nicht sollten weit und breit können
helfen mit Taufen dem HErrn Seelen zutragen und zu-
weisen. Also es geschieht bei der sacramentlichen Handlung,
was geschehen soll, vom HErrn und seiner Gemeine. I. Lebensl. 119.

§ 182.

Das gottmenschliche Leben, als das Fleisch und Blut Jesu,
wird im Sacrament des Abendmahls wirklich und wesentlich
genossen; aber, weil das Wort das Vehikel des Geistes ist,
nur von dem, der die Stiftungsworte gläubig anhört und
annimmt. Dieser Glaube, als ein Hunger der Seele nach
Licht und Leben, ist der Mund, mit welchem empfangen und
genossen wird.

„„Das Fleisch und Blut Jesu wird wahrhaftig und wesentlich genossen mit dem dazu erforderlichen Munde. Wer
diesen Mund nicht hat, kann es weder im Sacrament, noch
außer demselben geistlich genießen. Denn wie sollte der
eine geistliche Speise genießen können, der nicht geistlich ist
und keinen geistlichen Mund hat? I. Lebensl. 121 f.

Glückselig sind die, welche vom Vater gezogen werden,
denn in ihnen ist der eigentliche wahre Hunger erwacht,
mit welchem man im Stande ist, Jesu verklärtes Fleisch und
Blut zu genießen; in diesen wird der dazu erforderliche

Mund geboren und geformt durch den von Innen verlangenden Gotteszug. I. Lebensl. 125.

Christus ist der lebendige Stein mit sieben Augen, verordnet und bestimmt und auf Zion gelegt. Und da nun mit der allerheiligsten Tinktur seiner vollkommenen Gedanken auch sein allerheiligstes Wesen mit seinem Lebensgeiste in alle Lande ausgehet, so gehet der heilige Geist mit dem verklärten Fleisch und Blut Jesu in diejenigen ein, die ihren Glaubensmund aufthun und deren Seelen- und Geistesverlangen nach Gott ausgestrecket ist. Die also recht und wahrhaftig erweckt und in der That vom Vater gezogen sind, diese haben den recht formirten Glaubensmund, das verklärte Fleisch und Blut Jesu zu genießen. Dieser Glaubensmund schließet sich weit auf und steiget in der Tinkturbegierde des Geistesverlangens aus dem Herzen und Hirn des Menschen, als aus den Centralsitzen der Seele. Und o! wie ist es dem allbegierigen Lebensrabe eine Erquickung! sie reicht so weit, daß die Seele alles Andere darüber vergißt, wie bei der Maria zu sehen, die so ganz vertiefet zu den Füßen Jesu saß, um Lebensworte zu hören. Denn die Worte Jesu sind Geist und Leben; sie sind dasselbe verklärte Fleisch und Blut Jesu. Denn mit allen geheiligten Jesusreden und Gottesworten gehet ja Etwas von seiner göttlichmenschlichen Tinkturkraft mit aus und dieß ist sein Fleisch und Blut. Und wer die kraft- und geistvollen Worte Gottes essen kann mit dem Mund seiner Glaubensbegierde, der hat das wahre wesentliche Fleisch und Blut Jesu gegessen und getrunken, es sei im Sacrament durch Anhören und glaubiges Annehmen der Stiftungsworte, oder in einer Predigt oder Erbauungsrede, oder im andächtigen Lesen der Bibel oder eines andern geistreichen Buches, oder im wahrhaftigen Gottes-Anbeten, oder im geistlichen Nachdenken geschehen. Denn auf alle diese Arten und Weisen kann Christi Geist das verklärte Fleisch und Blut Jesu wahrhaftig und wesentlich mittheilen, wie mit mir kein wahres Kind Gottes zweifeln wird. I. Lebensl. 128 f.

§ 183.

Auch der Genuß des Fleisches und Blutes Jesu im

Abendmahl ist für den Gläubigen, der nur auf das Wort achtet, unabhängig von der Person des Administrirenden.

„„Christus gibt sich im sacramentlichen Abendmahl, welches er selber seiner Gemeine dazu eingesetzt hat. - Wer also im Glauben hinzukommt, empfähet, was gesagt wird, nämlich Christi Fleisch und Blut. Und ob es ein Ungläubiger sagte, das thut nichts; denn er achtet nur auf die Worte, die aus Jesu Mund gesagt werden. Dieß nimmt er, sage es, wer will. I. Lebensl. 129.

§ 184.

Wie nun der aus der verklärten Menschheit Jesu ausgehende Geist objectiv die in Christo geschehene Versöhnung ist (§ 163.), so muß sich subjectiv der Mensch dieser Versöhnung theilhaftig machen, indem er den lebendigmachenden Geist Jesu im Glauben ergreift und so die bereitete Universalarznei zu seiner Heilung und Heiligung in sich aufnimmt und wirken läßt.

„„Gott hat uns alle mit sich selber versöhnt; aber nur der hat Theil daran, und nur der macht Gebrauch davon, der im Glauben es anhört und annimmt. Denn wenn ein Arzt bekannt machen lassen könnte, er hätte die wahre Universalmedicin erfunden, und es wäre nicht eine einzige Krankheit, die nicht damit curirt werden könnte; auch hätte man gar Nichts dafür zu bezahlen, man fordere gar Nichts vom Patienten, als daß er das Alles so glauben und sich so um die Universalarznei bekümmern sollte, bis er sie bekäme. Wenn dieser nun nicht käme, entweder dem Arzt oder der Arznei nicht traute, oder nicht glaubte, daß er krank wäre, also Nichts annähme, und sich nicht drum bekümmerte, mithin krank bliebe, was hälfe ihn der Arzt oder die Arznei? Ebenso hilft es denjenigen nichts, daß uns Gott mit sich selber versöhnt, und eine Universalarznei für alle Seelenkrankheiten bereitet hat, der es nicht im Glauben anhört und annimmt, und also keinen rechten Gebrauch davon macht. Also im Glauben annehmen, das ist die Sache des Menschen. Syst. 201 f.

§ 185.

Das Wesen dieses Glaubens, welcher darin besteht, daß der Mensch seinen Seelenhunger in Gott durch Christum im heiligen Geist einführt, enthält drei Momente, deren erstes ein tiefgefühltes Bedürfniß der Herzensewigkeit ist. (cfr. §§ 99. 100.)

„„Der wahre Glaube ist ein aus allen Seelenkräften zusammengesetztes, im Centro der Seele vereinigtes Gottes-, Licht- und Lebensbedürfniß, bei dem sich, wenn es auf den rechten Grad steigt, alle andern Bedürfnisse verlieren. Einem solchen, Gott allein bedürftigen, nur nach Licht und Leben lauterlich hungernden, jungfräulichen Grunde gibt sich Gott selbst in Christi Fleisch und Blut, gibt ihm Licht, Geist und Leben und Alles, was verheißen ist, was in Christo Ja und Amen ist. II. Gal. 45.

Da in der Menschenseele, die aus untern und obern, aus zeitlichen und ewigen Kräften besteht, folglich sterblich ist, sich die Ewigkeit, die ihr der Schöpfer in des Lebens Centralsitz, nämlich in's Herz gegeben hat, regen und bewegen kann, indem sie ihre hohen Bedürfnisse zu fühlen gibt, kann es geschehen, daß eben dieselben höheren Bedürfnisse den Menschen unruhig machen; merkt er darauf, so wird er unruhiger und noch bedürftiger. So ist denn für's Erste der Glaube ein tief in der Seele sich regender, magischer, aber ewiger Hunger, welchen freilich jeder, in dem er erwacht oder erweckt ist, in das Licht des Lebens, in den verherrlichten Gottmenschen einführen sollte. Denn er ist derselbe Lebensbaum, der die leere Herzensewigkeit im Menschen aufleben und anfüllen kann. IV. Hebr. 505 f.

§ 186.

Das zweite Moment im Glauben ist ein Licht, vermöge dessen die Seele in Christo dasjenige sieht, was ihr fehlt und ihre leere Ewigkeit erfüllen kann; wobei aber zwischen Anleuchtung und Erleuchtung zu unterscheiden ist.

„„Wenn ich den Glauben ein reines magisches Lichts-Verlangen nenne, oder als ein solches betrachte, wer wollte mich eines Irrthums beschuldigen, da ich es doch also befinde? Betrachte ich eine Magia ohne Wahl oder eine fähige Kraft, zu wählen; kann sie denn unterscheiden, was sie wählen oder nicht wählen soll? Ist sie ohne Wählerkraft nicht ein einfaches, einfältiges Ding? Mithin so nenne ich das, was das Wählen bestimmt und räth, eine Weisheit, ein Licht, eine Kenntniß der Sachen, die ich wählen, wollen oder nicht wollen soll. Dieses Wissen kann Grade haben, es kann aber auch falsch und betrogen seyn. Dann ist es aber falscher Lichtschein und Meinen. Gott will nach seiner Vorerkenntniß in seiner Weisheit ewig nur Licht. Wenn ich also will, wie Gott will, so glaube ich, daß nur Er gut und allein recht will und eben darum will ich mit ihm, was er will, folglich ist mein Glaubenswollen ein wahres Lichtverlangen. IV. Hebr. 509 f.

Der menschliche Wille ist eine begehrende, immer verlangende, einfältige Magia, sie kann wollen und wählen, was nicht für sie, sondern wider sie ist, wenn sie ohne Licht wählt und will. Sie kann auch ihren Tod und ihr Verderben wollen. Nimmt die Magia die Vernunft zu Rathe, daß sie recht wähle, was für sie gut ist, so hat also die Vernunft gut für das äußere Leben, für den Leib und dessen Erhaltung gerathen. Wählt das magische Begehren nach dem Lichte des Wortes Gottes, in einem göttlichen Verstandeslicht, so ist für den geistlichen Menschen recht und gut gewählt. Die Begierde ohne Wahl des Guten im Licht ist magisch, ist aber blindes, unüberlegtes Begehren. Diese Magia im Menschen oder in der menschlichen Seele ist aus der Ewigkeit, und hat ihren Grund in den vier ersten Eigenschaften der ewigen Natur. Denn die untern und obern Kräfte der Seele sind aus Zeit und Ewigkeit zusammengesetzt, also die Magia ist ewig. Soll sie aber gut und vortheilhaft für Zeit und Ewigkeit wählen, so muß sie nicht nach Neigungen wählen, sondern nach Licht und im Licht, sonst frißt der Feuerwurm verkehrte Dinge, die ihn verderben. Denn Gott selbst wählt im Licht der Weisheit, also ewig nach seinem Liebesplan im Licht. Wer mit Gott das Gute wählen will, der muß also im Licht wählen, und die einfältige Magia nicht ergreifen laſſen, was ſie will. **XIII.** I. 290 f.

Der Menſch in ſeiner Angſt ſieht ſich in Jeſu verſöhnt, gerecht und vollkommen an; er erblickt alsdann alle Fülle ſtufenweiſe nach und nach in Jeſu, die ihn vollenden kann. Darum ſetzet er ſeine Begierde in den Alles nach und nach mit ſich ſelbſt erfüllenden Jeſum; da theilt ſich ihm Jehova weſentlich mit. Syſt. 222 f.

Mir wurde Jeſus mit ſeinen Verdienſten vorgemalt im Evangelio und ich bekam Hoffnung der Hilfe. Vorher ſchätzte ich mich auf immer und ewig hin und glaubte, daß mir gar nicht mehr zu helfen wäre. Mir wurde klar, daß ich ein übernatürliches, ein göttliches Leben nöthig habe, wenn ich nach Gottes Gebot und Willen leben wolle, wenn ich ſolle ſelig werden; daſſelbe göttliche Leben ſei allein im Stande, das finſtere verkehrte Drachenleben in mir zu überwinden und zu zerſtören. Dieſes Leben aber erlange ich auf keine andere Weiſe, als durch den Glauben an Chriſtum, der der lebendig machende Geiſt, der andere Adam ſeie. Wer aus ihm geboren ſei, der habe Leben und Geiſteskraft, Gott gefällig zu wandeln. Ich wandte mich zu ihm, vom Vater gezogen, wurde lieblich angeblickt und es geſiel mir Jeſus, der Abglanz der Herrlichkeit, im erſten Anblick ſo wohl, daß ich ihm das Herz ergab. Syſt. 284.

Ihnen — den Galatern — war das Bild aller Vollkommenheit herrlich vor Augen gemalt und vortrefflich waren ſie angeleuchtet; aber freilich noch nicht erleuchtet und in ſolch Bild verklärt. Denn Jeſus, der HErr, muß eine bleibende Geſtalt in der Seele gewinnen. Die Anleuchtung muß eine Möglichkeit zur Erleuchtung hervorbringen, welches geſchiehet, wenn die Tinktur aus Herz und Hirn ausgelockt und auf das Licht concentrirt iſt, daß eine Transmutation und Verwandlung ſtattfinden kann, auf welches man dann die bleibende Kraftgeſtalt erhält. Sehet ihr nun hieraus nicht, daß ein großer Unterſchied iſt unter Angeleuchtet oder Erleuchtet ſeyn, unter Beſchauung und weſentlicher Theilhaftigwerdung? — Es iſt traurig, wenn ſich angeleuchtete Seelen vorſtellen und bereden, daß ſie ſchon erleuchtet ſeien. Dieß iſt die Urſache, warum es ſo viele

Neulinge gibt, welche in der Anleuchtung zwar die Wahrheit gekauft, aber auch wiederum verkauft haben, ehe sie erleuchtet worden. — Darum soll die angeleuchtete Seele nach
Erleuchtung trachten; es geht nur eine Zeitlang an, sich
freuen bei eines Andern Licht; man muß, wenn es Bestand
haben soll, selber nach Erleuchtung streben, und sich auch
recht in's Bild Jesu verklären lassen. **IV. Hebr. 310 f.**

§ 187.

Das dritte Moment ist die Vereinigung des menschlichen
Willens mit dem göttlichen Wollen und Wirken, wodurch die
magische Begehrungs- und Anziehungskraft der Seele zu einer
den Lichts- und Lebenssamen des Geistes Jesu fassenden
Glaubensmagia wird.

„„Das Wollen und Wirken des Menschen muß mit dem
Wollen und Wirken Gottes vereinigt werden. Ist es doch
bekannt, daß Gott alles Leere, wie die reine Luft, aus- und
anfüllen will. So ich nun nicht aus mir und Allem aus-
gehe, wie kann Er in mich eingehen? Genug, er locket mich
aus mir, und das in mir, damit er in mich eingehen und
mich mit Licht und Leben erfüllen möge. Somit also will
und wirket er ja. Wenn ich dann nun auch wirke und will,
und gehe aus mir aus, nämlich aus aller Sinnlichkeit, aus
aller Natur und Creatur zu dem, der mich locket, so kommen wir, Geist mit Geist, rein tinkturialisch zusammen und
dann ist natürlich, freilich geistlich-natürlich, der aus Herz
und Hirn ausgehende reine tinkturialische Willensgeist leidend und Gottes Tinkturgeist wirkend. Gott ist gebend,
und unser Geist empfangend und genießend, und so geschiehet
heiliglich das Verwandelt- und Verklärtwerden. Und so wird
man erfüllt mit dem, womit Jesus vom Vater erfüllt ist.
Denn Er ist Gottes Herrlichkeit, und in solchem Glaubens-
zustand sind wir Christi Herrlichkeit. **IV. Hebr. 516.**
Wenn ich schrieb, der Glaube habe es mit unsichtbaren
Dingen zu thun, und er selbst sei eben derselben Art und
Natur, so habe ich mir nicht widersprochen, wenn ich ihn
eine Kraftmagia der ewigen Seele nannte. Soll ich ihn
dann aber nicht eine mögliche Anziehungskraft in der

Seele des unsterblichen Menschen nennen? Antwort: Nein:
denn Möglichkeit ist nicht Wirklichkeit. Es ist wohl in der
Seele die Kraft der Möglichkeit. Wenn diese zur Wirklichkeit
erweckt ist, kann sie erst Glaubensmagia genannt werden, und
dann wäre eben dieselbe Anziehungskraft dasjenige unsterbliche, ewige Ding, welches den Samen der Herrlichkeit Gottes
wieder fassen, und zu einer neuen Creatur wieder einnehmen
kann. Und so es ihn dann in sich genommen hat, ist nicht
nur das, was genommen hat, lebendig, sondern sonderheitlich ist das lebendig, was es in sich nahm. Denn was
nahm, ist Seele, und das, was die genommen hat, ist Geiststoff zur neuen Creatur. So ist denn nun in der menschlichen Seele eine vom Schöpfer anerschaffene Anziehungskraft, eine Kraft des Begehrens und Einnehmens. Daß ich
gesagt habe, daß sie ewig sei, beweiset ja, daß dem Menschen
die Ewigkeit in den Centralsitz des natürlichen Lebens gegeben. Nun kann ich aber dieselbe Kraft wohl eine Magia,
aber nicht Glaubensmagia nennen, so lange die unersätt-
liche, unruhige Menschenseele, die immer suchet und wünschet,
und in keinem Dinge Genüge hat, dieses ihr Verlangen in
die Sinnlichkeit und Vergänglichkeit einführet. Sondern erst
dann gebührt ihr der Name „Glaubensmagia,“ so die Seele
nüchtern und nachdenklich, erweckt und Gott suchend wird —
bis ihr das Evangelium zu einer seligmachenden Gotteskraft
wird, bis sie durch dasselbe erlangt, was die glaubige Seelenmagia eigentlich will, nämlich die Kraft der Herrlichkeit
Gottes. IV. Hebr. 507 f.

Im Glauben muß das Evangelium angenommen werden.
Der Glaube ist die Magia, die den Kraft- und Lebenssamen, den das Evangelium gibt, empfangen und einfassen
kann, und Gott ist es, der diesen Glauben gibt und wirket.
Der Glaube kann Gottes Wesen fassen; denn ihm kann
gegeben werden, wenn er an Jesum glaubt, Kraft, Grundlage, Stoff und Wesen des Lebens und der Unsterblichkeit;
ja die Macht, Fug und Recht, Gottes Kind zu werden,
und mithin Unverweslichkeit und Gottähnlichkeit zu empfangen. Syst. 160 f.

Der Glaube ist, ursprünglich genommen, ein „Magen,“
eine Magia, ein verlangendes, hungriges, an- und einzie-

hendes Ding. Wenn nun dieß Gott allein und ganz lauterlich will, sein Licht und Leben, seinen Willen und sein Kraftwesen, so hat es die rechte Nahrung des Lebenslichts. IV. Hebr. 685 f.

Wahrer Glaube ist eine lichthungrige, gottbegierige Magia, die den Lebenssamen von dem Stammvater des geistlichen Lebens empfangen kann. ibid. 466.

2. Die Geistesgeburt.

§ 188.

Die Wiedergeburt, welche durch den Geist Jesu in dem Gläubigen gewirkt wird, ist keineswegs blos eine moralische, sondern eine essentielle und reale, geistleibliche Neugeburt, welche durch Zeugung, Wachsthum und Ausgeburt ihren wesenhaften Verlauf hat und sich in der vollkommenen Geistleiblichkeit und Gottes- und Jesus-ähnlichen Herrlichkeit vollendet.

„„Freilich glauben und behaupten wir Mittheilungen und Einwirkungen des Geistes Gottes; denn wir glauben sogar Zeugungen des Geistes Gottes und halten solche für die eigentliche Wiedergeburt; glauben und bekennen sogar, daß, wer diese Zeugung nicht erfahren habe, also nicht Geist vom Geist gezeuget sei, habe kein geistliches Leben und könne nicht in's Reich Gottes kommen, denn er sei kein Christ. Wir halten sogar dafür, daß der göttlich-menschliche Geist des verherrlichten Gottmenschen die lichtväterliche Mutter der Kinder Gottes sei, der dem minderjährigen, schwachen Geistesleben in dunkeln, finstern Stunden von seiner geliebten Kindschaft Zeugniß gebe, und den Geistesschwachheiten seiner gezeugten Geisteskinder aufhelfe. Wir glauben also, daß er sie beseelet, belebet und nähret, regieret und lehret; daß er in ihnen seufzet, sie auch zum Guten beweget und treibet. Und obendrein erfahren wir dieß nicht nur also, sondern wir finden es auch gründlich biblisch und nicht schwärmerisch, und glauben auch sogar, daß es endlich mit allen Menschen dahin kommen müsse und werde. II. Act. 493 f.

19 *

Die Gerechtigkeit wird dem Glauben geschenkt und es
geht geburtsmäßig zu, wenn sie erlangt wird, und ist wahrhaftig eine Geburt, und das, was gegeben wird, ist ein
Same der Herrlichkeit und ist das Leben und die Gerechtigkeit des Lebens, dem Glauben gegeben. Der Glaube ist
die Gebärmutter, die jenen Lebenssamen empfängt, und dieser Lebenssame ist ein kleines Ganzes von einem großen
Ganzen. Geist ist es, vom Geiste gezeugt, und wird in
seiner Mutter, dem göttlich-menschlichen Geist Jesu, zur Aehnlichkeit Jesu, dem Abglanz Gottes, ausgeboren. Wer diesen
Samen in sich hat, ist ein Gläubiger, ist in Christo und ist
ein Abglanz Jesu. Denn Jesus lebt in ihm, und offenbart
sich durch ihn in seinen Worten und Werken. Syst. 286. f.

Wenn sich die gottsuchende Seele müde gesucht hat, so
so findet sie immer mehr eine leere Gottesewigkeit in ihr
und findet unter dem Suchen Alles eitel und spüret sehr
dunkel, daß ihr eine Allgenugsamkeit fehlt. Dieß ist die
uns mangelnde Herrlichkeit Gottes. In Christo ist sie uns
nahe gekommen, in seiner Lehre und Leben strahlt sie uns
in's Gemüth. Sind wir anders gottsuchend, so wird auf
Einmal uns das Evangelium zur Gotteskraft und jetzt haben wir einen Lebenseindruck bekommen, jetzt sind wir eines
Samens der Herrlichkeit theilhaftig geworden vom Vater
der Ewigkeiten, von dem andern Adam, dem lebendig machenden Geist; jetzt sind wir von Gott erkannt, und hat sich
die alle Geister durchgehende und aller Creatur unberührliche Jungfrau, die himmlische Weisheit, im menschlichen
Gemüth spielend hervorgethan, und hat sich ein reifes Ei
in der obern Mutter eröffnet, weil sie durch Alles ist, auch
in der Seele war, aber ohne Offenbarung. Jetzt hat die
Seele Wiedergeburtssamen, Geist vom Geist gezeugt in sich;
jetzt ist ein zur Auferstehung und Jesusähnlichkeit reifender
Stoff in ihr, welcher je bälder ausgeboren wird, je mehr
und ununterbrochener die Seele in Christo und in der Lichtsgemeinschaft Gottes bleibt. Syst. 300. f.

Jesus Jehova ist von Menschenseelen geglaubet (1 Tim.
3, 16.) und durch den Glauben an- und eingenommen worden in die Seele, und Alle, welche ihn so mit der Glaubensbegierde gefaßt und ihn in sich ein- und aufgenommen

haben, denen wurde auch Macht, Kraft und Samstoff, Wesen, Licht und Geist gegeben, Gottes Kinder zu werden, die
an seinen Namen glauben. Solltet ihr hieraus nicht erkennen die Art und Weise der wahren Wiedergeburt? Denn
Glaube — wenn es Gottesbegehren ist und vorher kann es
nicht Glauben heißen — ist es also, und heißet mit Recht
Glauben, so ist es die Matrix und geistliche Gebärmutter,
die den Lichtssamen Gottes einfassen, empfangen und einnehmen kann. Denn aus derselben Matrice dehnet sich die
heilige Lichtluft aus, als Licht und Leben fassende Tinktur
der centralischen Lebens- und Seelenkräfte und ist also der
verherrlichte Gottmensch geglaubt worden in der Welt, und
das, Gott sei es Dank! auch in Etwas von uns Armen,
die wir ihn zum Theil auch also angenommen haben.
IV. Tim. 70. f.

Auf Wiedergeburt dringt Gott. Frömmigkeit ohne Wiedergeburt ist ein todtes Gemälde. Juden und Heiden sind
Sünder, wie auch alle unwiedergeborenen Christen; alle
mangeln der göttlichen Herrlichkeit, des göttlichen Ebenbildes.
Dieses aber erlangt man nicht anders, als durch den Glauben an Christum. Der Glaube wird schwanger mit Herrlichkeitssamen, und dieß ist die vor Gott geltende Gerechtigkeit. Syst. 291.

Die Kräfte Gottes im Samen des Lichts und der Wahrheit enthüllen sich bis zur Vollkommenheit und Ausgeburt
und diese Entwicklung und Enthüllung hat ihre Vollkommenheit und Völligkeit erreicht in ihrer väterlichen Mutterähnlichkeit und anders nicht. Syst. 163.

a. Anfang der Wiedergeburt.

§ 189.

Die Wiedergeburt ist ein Werk Gottes, welches sich nur
in dem mitwirkenden Willen des Menschen vollziehen kann,
indem die Mittheilung des Lebenssamens die Receptivität
der empfangenden Willenslust voraussetzt.

„„Ich weiß es so gut, wie du, daß Gott allmächtig ist
und Alles kann, und doch weiß ich auch, daß er dich nicht

bekehren kann, wenn du nicht willst, außer er erharre die
Zeit, und das thut er auch; denn er ist sehr langmüthig,
und freilich viel langmüthiger, als du, weil er an Weisheit
keinen Mangel hat, sowie er auch an Macht keinen hat.
II. Jak. 298.

Der Glaube ist zwar pures Gotteswerk; aber der Mensch
muß allerdings mitwollen und mitwirken. Denn so wie die
Menschen nicht können, wenn Gott nicht will, so kann auch
Gott nicht, wenn der Mensch nicht will, ob er schon allmächtig ist; denn hier thut seine Allmacht keinen Eingriff in
die menschliche Freiheit. Auch ist es nicht genug, daß der
Mensch sage „ich will ja," wenn er nicht mitwirket. Denn
es ist ausgemacht, daß er nicht im Ernst will, wenn er nicht
mitwirket; er muß Beides, ernstlich wollen und mitwirken.
Denn so Gott nur wollte und nicht mitwirkte, was würde
herauskommen? Ebenso auch umgekehrt. Darum, so du
fühlst, daß Gott anfangt, Glauben in dir zu wirken, ergreife
mit ernstem Willen die Gelegenheit, und nahe dich demselben Wollen und Wirken Gottes, und das ist es ja, was
du kannst und was du sollst. Jetzt wirkest du ja mit,
wenn du dich nahest dem Wollen und Wirken Gottes.
IV. Hebr. 514 f.

Sollte es nicht klar seyn, daß, da die Kraft ewig ist,
welche der Schöpfer rühren und bewegen, ja unruhig machen kann, daß das Glauben mit Recht von dem Menschen
gefordert wird und daß ihn das Nichtglauben mit Recht
verdammt. Denn alle Seelen werden gerüget und beweget
in dem gottfühlenden, herrlichen Organ des Gewissens: aber
wie Viele weichen da aus, wie Viele zerstreuen sich und
führen die starke Sucht in die Sinnlichkeiten ein! wollen
also nicht glauben, ob sie gleich wohl könnten, und Gott
den Glauben in ihnen hat wirken wollen! IV. Hebr. 509.

Gott bietet das Geschenk seiner göttlichen Wiedergeburtskraft
Allen an, aber nicht Alle nehmen es an; denn nicht Alle erkennen ihre Bedürftigkeit. Die aber, die es annehmen, indem
sie ihre Bedürftigkeit kennen, diese sollen es auch in sich
wirksam seyn lassen zur Verherrlichung Gottes und sollen
es nicht umsonst empfangen haben. Denn wo es nicht gehindert wird, kann es wirken, weil es göttlicher Natur ist,

bis zur Gottähnlichkeit, also bis zur Vollkommenheit des Vaters, welcher Gott ist. II. Petr. 148 f.

Wie in Adam Alle samentlich lagen, also daß sie erst durch Lust und Willen Alle aus ihm kamen und ein seelisches Leben haben, wie Adam so sündig und sterblich, (weil Vater und Mutter Eins sind und das Eine Lust und Willen im Andern erregt, so daß auf diese Art Alle, die in ihm lagen, nach und nach geboren werden), also verhält sich's auch mit Christo. Als er mit der äußeren Menschheit ein Sündopfer für Alle wurde, die Fleisch waren und ein seelisches Leben hatten, als er in den Schlaf des Todes des äußeren seelischen Lebens fiel, da ward Alles, Tod und Hölle vollends überwunden, und er ward lauter Geist, der lebendigmachende Geist, nämlich geistleiblich. Und jetzt wird durch Lust und Willen ein geistliches Leben um das andere aus ihm gezeugt durch das Wort der Wahrheit nach göttlichem Willen. Wer sein Wort hört als ein Kind der Wahrheit, der wird, weil Lust in ihm ist, schon als den göttlichen Willen des Worts erregend und wieder erregend, durch's Wort der Wahrheit gezeugt und durch Wahrheit ausgeboren. Alle sieben Geister, aus Wort und Wesen der Weisheit und Wesen der Menschheit, kommen in ihm und wirken in ihm zusammen. Da hat ein solcher aus dem andern Adam ein geistliches Leben. VII. Röm. 90.

Lust zur Wahrheit ist die Matrix und Gebärmutter, welche den Einfluß des Lebens aus der Wahrheit in sich nimmt, sie ist das magisch-magnetische Centrum der geistlichen Tinktur aus Herz und Hirn; sie wird nie vom Geist der Wahrheit bewirkt, daß er nicht sollte das unvergängliche Wesen der Herrlichkeit in sie einführen zur Nahrung der neuen Creatur. VI. Pf. 43. f.

Wenn eine nachdenkliche Seele von Jugend an dem Ewigkeitsgefühl nahe ist und also Religions- und Gottes-Gesuch in sich hat, so ist doch das Lichtleben in ihr noch nicht das Herrschende, sondern das natürliche. Da nun auf der Einen Seite, wo die natürliche Seele an die Hölle und finstere Ewigkeit gränzet, ihre Allbegierlichkeit erweckt und entzündet wird, dieses und jenes in der Welt zu begehren, und nicht mäßig mit dem, was die Naturrechte erlauben, sich begnügen kann, so kommt auf der andern Seite, wo die Seele an Himmel und Lichtwelt gränzet, ein Reiz des Gegentheils. In Mitte dieser beiden Anreizungen ist das auf zwei Seiten schneidende Schöpfungswort, das sich durch Alles durch mit blitzesschneller Bewegung spüren läßt. In dieser blitzesschnellen Bewegung öffnet sich am Kreuz der Lebensgeburten, aus den wirkenden und leidenden Kräften des Lebensrades unter sich in den niedern, und über sich in den höheren Sinnen ein U in A und O. Das U, das sich überwärts öffnet, hat den Ursprung aller Dinge blühend in sich offenbar, und ist ihm vorgestellt der Anfang der Creatur Gottes im Licht, das Originalbild der Menschheit, die Sophia, die uns Adam verlor, und das U, das sich abwärts öffnet am Kreuz im Rade, hat zur Vorstellung die Eitelkeit mit aller Blumenherrlichkeit, das betrügliche Zuckergift. In dieser der Seele vorgestellten Geistverzehrlichkeit steckt der Baum des Todes, und verborgene Wirkungen des Satans sind darinnen, wie im Gegentheil im U über sich am Kreuz der Lebensbaum im Willen der himmlischen Vorstellung ist und die Lichtskräfte im Wirken stehen. In dieser sehr schnellen, gedoppelten Welteneröffnung kommt es nun darauf an, wohin sich die menschliche Seele wendet, welchen Weg, überwärts oder unterwärts, ihr Wille wählet. Wird sie schon genug der eiteln Dinge überdrüssig seyn und mit dem, was das Naturrecht erlaubt, sich nicht können zufrieden geben, da sie doch auf der andern Seite etwas Höheres erblickt, das ihr vollkommenes Vergnügen verspricht und zu fühlen gibt, so wird sich ihr Tinkturgeist über sich wenden in's Licht der Freiheit und das im Licht geöffnete U wird ausgehende, blühende Wahrheitslust seyn, welcher sich Gott mittheilet und durch tinkturialischen Zusammenfluß mit Gott und ihrem Ursprung erlangen höhere Sinnen durch geistliche Begierden das Wesen und den Samen der Herrlichkeit, und die Seele isset also vom Lebensbaum und ist von Natur und Creatur los, weil diese sie nicht mehr halten noch gefangen nehmen können. VI. Ps. 816 ff.

aa. Die Erweckung.

§ 190.

Daher beginnt die wiedergebärende Wirksamkeit Gottes in Christo Jesu damit, daß sie die Willens- und Wahrheitslust des Menschen erweckt, indem der Geist der Ewigkeit von innen heraus und der Geist der Herrlichkeit von außen hinein in seiner Seele wirkt.

„„Gottes Schöpfersprechen ist ein Bewegen seiner Kräfte in eben demselben Dinge, das aus seinem chaotischen Zustande sich scheiden soll. Das menschliche Herz, betrachtet als Lebenssitz oder als Centralsitz des Lebens, ist vor seiner Wiedergeburt auch ein solch finster Chaos. Bewegt sich aber Gott und sein ewiger Gottesgeist in der dem Menschen in's Herz gegebenen Ewigkeit, so bricht das Licht des Lebens, das Urlicht in der Seele an, und dann ist der Mensch centralisch erleuchtet und Gott wirket in ihm von innen heraus als allwirksamer Vater, und Jesus Jehova von außen hinein als Gottes Herrlichkeit. Und so wird dann eine solche Seele mit Gottes Fülle erfüllt, und dann ist ein wahrer Knecht Gottes geboren und zugerüstet. III. Kor. 83.

Nur das ist Geist, was vom Geist gezeuget wird, und ist geistlicher Natur, Art und Eigenschaft, kommt also vom Geist und durch den Geist erst in den Menschen. Verstehe aber nicht nur von außen hinein, sondern auch von innen heraus, sintemal die menschliche Seele aus Zeit und Ewigkeit zusammengesetzt ist und aus zeitlichen und ewigen Kräften besteht, folglich an Zeit und Ewigkeit gränzt. So ist selbst das ewige Wort, durch das Alles, was durch dasselbige ist und wird, lebt und besteht, die Seele aller Seelen, und der Vater, der dieses sein eingeborenes Wort immer und durch's ganze All spricht und gebiert, ist in allen Seelen in seinem Sohne innig nahe, und wirket ohne Unterlaß von innen. Soll dieß zur Geisteszeugung und Geburt kommen, so darf er nur durch die verklärte Menschheit Jesu oder dessen göttlich-menschlichen Geist von außen hinein wirken. So kommt das ewige Wort und in demselben der Zug des

Vaters von innen heraus und die göttliche Herrlichkeit, das Licht des Lebens durch den Geist der Wahrheit und Herrlichkeit von außen hinein und dieses Wirken und Zusammenfließen Gottes und seiner Herrlichkeit erzeuget Geist. Denn es ist die allerheiligste Geburtsquelle, welche hochgelobt sei in Ewigkeit. I. Lebensl. 115.

Die höhere Lichtlust ist die erste Bewegursache, den Samen der Wiedergeburt zu empfangen. Diese Lichtlust aber ist eine Wirkung des ewigen Lichts. Denn die Lust nach Licht wird von innen heraus erweckt durch die Hineinwirkung des in alle Lande ausgehenden Geistes Gottes. Das was erweckt wird, verlangt, und das Verlangen selbst ist Wirkung Gottes, und das was verlangt wird, ist göttliche Kraft, ist Kraft der Herrlichkeit Gottes. Ist's nun nicht also, daß der Alles durchdringende, ewige Geist Gottes, dessen mancherlei Kräfte im ganzen Schöpfungsraum gegenwärtig sind, auch überall die Kraft der Herrlichkeit, als ihre Centralkraft möchte gebären, als die da ist ihre ewige Ruhe und die Ruhe aller geschaffenen, ihr ähnlichen Kräfte? Wo also diese selige Lichtlust in einer Seele so hoch steiget, daß sie unter tausend Qualen wegen der Finsterniß lieget, daß sie also sehr nach Freiheit im ewigen Lichte sehnet, und ein über alle Maßen großes Verlangen nach der Herrlichkeit Gottes hat, da kann ihr dann auch die göttliche Kraft mitgetheilt werden, und wenn ihr dann diese ist mitgetheilt worden und sie also den Samen der Wiedergeburt empfangen hat, so kann sie der göttlichen Natur theilhaftig werden. II. Petr. 149 f.

Der Geist der Ewigkeit, nämlich das Rad der ewigen Naturgeburt, greift die Seele an in ihrem ewigen Grunde, und verlangt in ihr den Geist der Herrlichkeit und Gottes Bild herzustellen. Daraus kommt ihr solche Angst und Qual; denn sie ist ein Zorncharakter Gottes und seines Lebensrades, weil Tod, Sünde und Teufel in ihr herrschen, und soll doch die Liebe in ihr ausgeboren werden und Gottes Bild. Je mehr der Hunger der Ewigkeit nach demselben sich regt, je mehr regt sich die Sünde und das Sündengesetz. Daraus kommt der Seele größere Qual; aber, wenn's rechter Art ist, auch größere Traurigkeit, Angst und Begierde nach Freiheit, bis das Naturfeuer endlich den Willen stärker treibt, sich nach Freiheit zu sehnen, und dann endlich das lichthelle Paradies sich eröffnet in der Seele und sie in Licht und Freude und Freiheit des Lebens setzt. V. Off. 789 f.

Sollte es uns nicht hell in die Augen leuchten, welche Barmherzigkeit uns wiederfahren ist, daß uns die Herrlichkeit Gottes in Christo wieder besuchte und ihren reizenden und herzeinnehmenden Strahlenglanz allen Gott und Licht liebenden Seelen in das Gemüthsauge wirken läßt? II. Petr. 151.

§ 191.

Dieß geschieht durch die Zucht des Gewissens, des Gesetzes und des Evangeliums.

„„Licht und Zucht liebende Seelen sind auch natürliche Menschen, und haben auch dasselbe verkehrte Herz, das immer den Irrweg will, ein Herz, dessen Dichten und Trachten böse ist; die untern Kräfte herrschen auch über die obern von Natur. Aber die Ewigkeit im Herzen und das Gewissen, als Gottes- und Wahrheitsgefühl, und in demselben der alldurchdringliche, ewige, unvergängliche Geist strafet, ahndet und züchtiget in der Seele und sagt ihr, just so, wie das Wort Gottes, was sie soll, oder aber nicht soll. Und diesem heiligen gerechten Wahrheitszeugen pflichtet die Seele bei; und ob sich schon die Natur heftig widersetzet, kehrt die gottfürchtende Seele doch dieser innern Zucht immer wieder näher, und siehe, das Licht mehret sich, die Unruhe wird größer, die Seele ringet nach Licht und nach Freiheit von Sündenherrschaft. Das geschehene Unrecht bereuet sie schmerzlich und herzlich und das Gute, die Vergebung und Befreiung von der Sündenherrschaft, sucht sie sehnlich und unabläßig und nun hat sie das Glück, daß sie durch das kraftvolle Evangelium den Samen der Herrlichkeit und mit demselben das freimachende Geistesgesetz empfangen kann. IV. Tit. 262 f.

Was war die Absicht Gottes bei Gebung des Gesetzes anders, als die menschliche Seele in sich gekehrt zu machen, daß sie den Mangel der Herrlichkeit Gottes und ihre Verkehrtheit sollte erkennen und der verheißenen Herrlichkeit begierig werden? Dieß ist eine herrliche Vorbereitung gewesen; denn dazu war das Gesetz durch Mosen gegeben. Solchen, durch das Geſetz vorbereiteten Seelen würde dann auch Gnade um Gnade durch Chriſtum worden ſeyn. Wenn aber das Geſetz keine vorbereitende Wirkung thun kann, wenn es die Seele nicht in die Enge treibt, ſie nicht aller Gerechtigkeit beraubt, wenn ſein Todesfluchen ſie nicht verurtheilt, ſo wird ſie weder Licht- noch Jeſus-begierig, folglich ſucht ſie den Mangel der Herrlichkeit zu erſetzen mit Sinnlichkeit und Geiſtverzehrlichkeit. Selbſt ihr eitler Gottesdienſt iſt nur eingebildete Beruhigung, und ſo verhärtet und verſchlimmert ſie ſich und verliert immer mehr das rechte Wahrheitsgefühl. III. Kor. 74.

Geſetz und Evangelium erzeugen endlich einen Chriſten, ſind alſo noth dem Chriſtenthum, die Seelen herrlich zuzurüſten. Wer Eins nicht hat, wem Eines fehlt, wer vom Geſetz nicht wird gequält, kann ſein Verderben nicht erkennen, und ſich als Sünder nicht bekennen. Alſo das Evangelium kehrt ihn nicht ganz und gründlich um. Syſt. 585.

Immer kommt Jeſus; wo kann er einkehren? Da, wo die Seelen recht aufgeweckt ſeyn; wo ſie nur Gnade und Wahrheit erwählen unter der Laſt von geſetzlicher Pein. Ließen die Seelen doch alle ſich wecken, würden ſie bald ſeine Freundlichkeit ſchmecken. I. 284. 6.

Das Evangelium iſt ein Spiegel der Vollkommenheit, in dem der Menſch ſich in ſeiner jetzigen Geſtalt erblickt und gräulich und unerträglich wird. Er erblickt aber auch darinnen das reizende Urbild der Herrlichkeit Gottes mit all ſeinen Vollkommenheitsſtrahlen. Die Seele ſieht alſo in das vollkommene Geſetz der Freiheit und hat Vorempfindungen von der Seligkeit der Befreiten. Und ſolcher Seligkeitsgeluſt iſt Reiz von Licht und Wärme, und ſolches kommt von der Sonne der Licht- und Geiſt-Welt, nämlich vom Urlicht der Herrlichkeit Gottes und dieſe Lichtluſt, die ſie in der Seele erweckt, heißet Glaubensverlangen und dieſem Glaubensverlangen gibt ſich die Kraft Gottes, als das Kraft- und Lichtweſen des göttlichen Samens, welches iſt Weſen und Unvergänglichkeit, und das Alles gibt Gott durch das Evangelium. Syſt. 162.

§ 192.

Da die Seele des natürlichen Menſchen in einem chao-

tischen Zustande sich befindet, indem der ewige Hunger in das
Zeitliche imaginirt, so wird durch die Erweckung der Wahr-
heitsluft die Confusion des zeitlichen und ewigen Begehrens
geschieden und der Mensch in die geistliche Nüchternheit
gebracht.

„„Die Seele ist aus Zeit und Ewigkeit zusammengesetzt
und ist in diesem Betracht einestheils sterblich und zeitlich,
anderntheils unsterblich und ewig. Das Zeitliche kann sich
wohl mit den vergänglichen und zeitlichen Dingen behelfen
und begnügen, aber das Ewige nicht. Darum also, weil
die Seele auch ewig und unsterblich ist, so kann sie, wie es
bei allen Unerweckten leider der Fall ist, mit unersättlichem
Begehren in das Zeitliche imaginiren; das ewige Unersätt-
liche hat sich mit dem Zeitlichen gleichsam melirt, und ist
ein erschrecklicher Durcheinander im Menschen, ohne daß er
selber weiß, woher ihm alle diese Ungenügsamkeit kommt.
Denn Gott hat dem Menschen die Ewigkeit in's Herz gegeben, diese läßt sich mit aller Welt nicht anfüllen; er bleibet
beim Haben aller Dinge dieser Welt immer gleich arm und
leer. Das zeigt ja klar an, daß das Feuerrad der menschlichen Seele ewig sei, und sich in seinem immer umtreiben-
den vermischten Begierlichkeitshunger selbst quäle, — bis der
Mensch nüchtern wird und die Confusion des zeitlichen und
ewigen Begehrens auseinandergesetzt und geschieden wird, bis
er nach dem Licht des Lebens, nach dem Baum des Lebens,
nach der Herrlichkeit Gottes, nach dem verklärten Fleisch und
Blut Jesu begierig wird und mit einem zusammengefaßten
Glaubensbegehren ersunken in das Meer der Erbarmungen
Gottes solches fassen und ergreifen kann. Denn nur dieß
kann die Seele vollkommen vergnügen, weil es allein Allgenüge gibt und geben kann und will. Deßhalb sagt Jesus:
wer des Wassers trinken wird, das ich ihm geben kann und
werde, den wird es hinfort nimmermehr nach zeitlichen und
vergänglichen Dingen dürsten; er wird, so er mit geistlichen
Sinnen das Wasser des Lebens gekostet hat, alles Andere als
zu gering ansehen, dieweil er für seine hungrige Feuerquelle
Allgenüge gefunden hat. — So ist eine Seele wahrhaft erweckt, sobald in ihr innere Sinne sich zeigen, und ein ewiger

Hunger sich reget; sobald eine wahre Scheidung der hungrigen Allbegierlichkeit vorgehet und deutliche Spuren der ihr
in's Herz gegebenen Ewigkeit sich zeigen. Denn sie erkennet
nun schon, daß sie alle Welt mit aller ihrer Lust, Gut und
Ehre nicht vergnügen und sättigen kann und nur immer är-
mer macht und in traurige Umstände versetzt, und bettelarm
würde dahin fahren lassen, wo Alle sich umquälen, die Gott
und sein Lebenslicht nicht gefunden haben. Eine solche erweckte Seele ist vom Vater am ewigen Bande ergriffen,
und wird wirklich von ihm gezogen zu seiner Herrlichkeit,
dem Licht des Lebens, nämlich zu seinem Sohn, dem Lebensbaum, in welchem sich der von Gott gewirkte Hunger
in der menschlichen Seele selbst mitvergnügen und mitsätti-
gen will. I. Lebensl. 122 ff.

Wer aller irdischen Dinge satt und überdrüssig ist, wer,
weil er gefunden, daß ihm Gott die Ewigkeit in's Herz gegeben hat, Nichts will, als unvergängliches Lebensholz für
sein magisches Feuerleben, und Lebensbrod für seinen unersättlichen Hungergrund, der kann die göttliche Weisheit erlangen. Der hat ein Herz, das sich ausleeren läßt, denn
er ist aller Dinge satt, und hat sich satt gesucht durch Forschen und Denken, und ist hinter Alles gekommen, und hat
gefunden, daß es vergänglich, daß es Täuscherei und Trü-
gerei ist mit allen Dingen. Ein solcher hat es durch Nachdenken an das Ziel getrieben, und wohl überlegt sich ent-
schlossen, das Beste, das ewig Bleibende ganz und allein
zu erwählen. II. Jak. 264 f.

Die Weisheit wählt jungfräuliche Herzen und Gemüther,
die bei der niedersinnlichen Lust der untern Seelenkräfte sich
nicht wohl, sondern unruhig befinden, daß sie ihr Auge nicht
auf eine Eva, nicht auf einen Adam, und also nicht auf einen
Halbmenschen, der sie nicht ergänzen kann, also nicht auf niedersinnliche Lust werfen, da sie ja kein wahres Vergnügen
für den ewigen Theil ihrer Seele darin finden, und im Gegentheil nur Qual und Unruhe fühlen, und also ganz miß-
vergnügt werden; die deßhalb nebenaus an die Gränzen der
Natur und der Creatürlichkeit stehen, alles Eiteln müde, ob
sie nicht etwa müßig an den Zäunen stehend zu etwas Bes-
serem geladen werden. III. Thess. 66 f.

§ 193.

Die Erweckung hat aber ihre Grade und die Seele muß durch scharfe Prozesse laufen, bis sie ganz nüchtern und ihr Lichtsverlangen rein und lauter ist.

„„Die Weisheit will sich mit der Seele wieder vermählen und berührt sie da, wo die Seele an Gott gränzet. Dadurch wird in der Seele ein centralischer Lichtpunkt erweckt, welcher ein Gefühl und Verlangen der Herrlichkeit ist. Aber dieses Verlangen ist zuerst noch unrein und muß durch Entziehungen des Lichts und quälende Finsternisse erst geläutert und gereinigt werden. Denn es kann öfters ein Verlangen erweckt werden, aber es steigt immer Etwas mit auf im Willen, eine falsche Absicht; wenn aber die Herrlichkeit sich soll im Menschen verklären können, so wird ein einfältiger, völliger Wille erfordert. I. 275.

Die Seele wird hart probiret, ehe sie von der Weisheit in's Brautgemach geführt wird. I. 276. 35.

§ 194.

Ebenso kommt der Mensch durch die Erweckung in einen angstvollen Kampf mit dem eigenen Sündengesetz und erfährt die Macht der Sünde und seine Schwäche und Untüchtigkeit zum Guten; wodurch aber das Lichtsverlangen in ihm nur gesteigert wird.

„„Der Mensch geht mit seinem Willen ein in die Ewigkeit, die ihm in's Herz gegeben ist, in das Ueberbleibsel vom Fall, in das Gewissen; das zeugt ihm von der Wahrheit. Er wird nachdenklich, voll Unruhe; ihm zeigt das Gesetz innerlich, erweckt vom äußeren, daß er von Gott ewig müsse verstoßen seyn. Ihn reizt zwar Alles, was Jesus verheißet. Er will es, kann es aber ohne Sterben und Verlassen anderer Dinge nicht haben. Dann streitet er und hat schon zwei Willen in sich; das macht Qual in ihm, das gibt Angst; da ist er verurtheilt als Einer, der nicht kann, wie er soll, und Eines Theils will. Syst. 222.

Je mehr ich das Gesetz Gottes betrachtete, je mehr sahe ich meine Ungestalt und Finsterniß. Je mehr ich mich entschloß, nach dem Gesetz Gottes zu leben, je mehr regte sich in mir das Sündengesetz, bis ich also meiner Gerechtigkeit, die ich noch zu haben glaubte, starb. Jetzt war ich ein Todter und ein Verfluchter; alle Hoffnung war dahin, bis ich gleichsam so todt war, daß Nichts von meiner eigenen Gerechtigkeit sich regte. In solchem Zustand stund ich lange; endlich wurde mir auf Einmal Jesus mit seinen Verdiensten vorgemalt im Evangelio, und ich bekam Hoffnung der Hülfe. Syst. 283. f.

Laßt uns versuchen, zu halten, was im Buch des Gesetzes geschrieben steht, so wird erst unser Versprechen uns recht sauer werden, und der Zorn Gottes und die Sünde sammt der Hölle werden in uns aufwachen. Alsdann wird es uns erst recht Noth thun, Jesum zu suchen, daß er uns mit Blut besprenge, Herz und Gewissen uns reinige, Gnade und Wahrheit uns mittheile, zu dienen dem lebendigen Gott in Heiligkeit, Gerechtigkeit und Wahrheit. Syst. 384. f.

Wenn die Seele nüchtern und nachdenklich, erweckt und Gott suchend wird, so setzt dieß, wie die Erfahrung lehrt, durch Beobachtung des Gesetzes einen großen Kampf in der Seele ab, weil, wenn sie Gott glaubt und ihn will, seinen Willen zu thun verlangt, dieß die angeborenen und durch Uebungen festgewordenen Sündenlüste nur wüthender macht. Weßhalb denn auch die Seele bei solchem Glauben an Gott und ihrem gehemmten Gottesverlangen nicht selig seyn kann; denn das Spiel wird ihr immerdar durch das Sündengesetz in ihren Gliedern verdorben und mithin ist ihr Glaube noch so lange kein seligmachender Glaube, bis ihr das Evangelium zu einer seligmachenden Gotteskraft wird, bis sie durch dasselbe erlangt, was die glaubige Seelenmagia eigentlich will, nämlich die Kraft der Herrlichkeit Gottes. IV. Hebr. 508.

bb. Die Rechtfertigung.

§ 195.

Wenn der Mensch mit seinem erweckten Willensgeist aus sich selbst und aller Creatur ausgeht und in Jesum glaubig eindringt, so vereinigt sich der lebendigmachende Geist Jesu so mit ihm, daß er als Princip eines neuen Lebens ihm blei-

bend und in persönlicher Einigung mitgetheilt und einge-
pflanzt wird.

„„Diejenigen, die den Kraftreiz und Lichtszug der Herrlichkeit Gottes erfahren haben, die Seelen, die durch den Spiegel der allerheiligsten Gottesvollkommenheiten aus aller Finsterniß und Sinnlichkeit herausgereizt sind und im Geist mit dem
HErrn der Herrlichkeit tinkturialisch zusammengeflossen, die
sind von dem HErrn erkannt und haben ihn erkannt. Sie
sind nicht nur Erweckte, sondern aus Gott Gezeugte; ihnen
ist der Lichtssamenstoff des Lebens und der Unsterblichkeit
mitgetheilt. II. Pet. 153.

Ist die Glaubensbegierde lauter und rein, und ganz
Gott verlangend und Weisheit begehrend, was sollte es hindern, daß die Seele nicht sollte Gottes- Licht- und Geist-
Natur theilhaftig werden können, gehen doch die sieben Geister Gottes nach den Gedanken Jesu in alle Lande aus in
der tinkturreichen Kraft des feuerlichten Jesusblutes! Wer
nun von aller Grobheit der Sinnlichkeiten in seinem Begehren frei ist und davon ausdringt, und nur das Licht des
Lebens verlangt, der fließet mit dem HErrn, dem Geist, zusammen, und seine lautere jungfräuliche Lichtstinktur fasset
den Geist Gottes mit den göttlichen Vollkommenheitsgaben.
Denn, da Geist mit Geist umgehet, kann nichts Anderes,
als Geist gezeugt werden. II. Jak. 328.

Diejenigen, welche das Evangelium annehmen, die empfangen in ihre Glaubensmagia, als in die Gebärmutter
des geistlichen Lebens Geist und Leben, geistlichen Samstoff,
den man nicht anders, als Geist, weil es Geist ist, nennen
kann. Denn es ist Zeugung des Geistes und was vom
Geist gezeuget ist, das ist Geist und ist geistlicher Art, Natur und Eigenschaft. III. Eph. 104.

Der Glaube ist die Gebärmutter, die den Samen des
Lebensgeistes, vom Geist gezeuget, fassen kann; und hat er
den gefasset, so hat er das Leben zur Errettung. II. Act. 341.

§ 196.

Diese Neugeburt durch den Glauben ist ein Sterben und
Auferstehen mit Christo am innern Kreuz der Seele, an wel-

chem sich in der heilsbegierigen Seele im Lebenscentrum das Licht des lebendigmachenden Geistes mit blitzender Durchkreuzung eröffnet und mit den sieben Hörnern des Lammes das sündliche Leben tödtet, mit den sieben Augen aber das rechte Leben ausgießt, mittheilt und herrschend macht. (§ 25. 132. 152.)

„„Wahre Kinder Gottes sind mit Christo am Kreuz gestorben und mit ihm auferweckt. Es ist sehr begreiflich, wer nicht mit Christo gestorben ist, kann auch nicht mit ihm auferweckt werden. Soll aber Beides seine Richtigkeit haben, so muß der Geist aus der Lehre Jesu empfangen werden, der in der Person Christi schon Alles für uns durchgemacht hat, d. h. es muß ein solcher von oben her gezeugt und geboren seyn. III. Kol. 174.

Das Gesetz Gottes, durch Mosen gegeben, richtet nur Zorn an, und weckt das Sündengesetz und Sündenleben im Menschen auf, daß er in große Angst kommt und seine kugelförmige Seele hat ein Kreuz, darin sich das Sündenleben opfern soll im Zornfeuer der göttlichen Gerechtigkeit, das in der Angst der Seele brennet, und ist solch Kreuz der Altar auf den zwölf Säulen des thierischen Menschen, der eine zeitliche und ewige Seele hat, die an Zeit und Ewigkeit gränzet. An diesem Kreuz soll das neue Geistesgesetz und Leben geboren werden, dann wird das Licht aus der Finsterniß, die Freude aus der Angst, die Freiheit aus dem Gefängniß, das Leben aus dem Tod und der Himmel aus der Hölle geboren und der Mensch wird eine neue Creatur. Syst. 380.

Wer sich Gott opfert mit allen seinen Lebenskräften, der wird erfahren, wie das eigene und sündliche Leben von jenen sieben Hörnern des Lammes zerstört wird, und wie sich die sieben Augen als die sieben Geister Gottes im Blut Jesu dem rechten Leben des Menschen mittheilen. Syst. 383 f.

Die Finsterniß kerkert das Lichtes-Erwählen ein; da aber die Lichtlust nicht wohl einzuschränken, so muß sich dieselbe bald unter sich senken und kann doch die Marter nicht länger ausstehen; jetzt wird sie auf Einmal der Weisheit Bild sehen. Das zeucht sie, das macht einen Querblitz von innen; denn jetzt kann die Lichtlust dem Finstern entrinnen, und nun zeigen alsbald sich reinere Sinne. Jetzt wird die Tinkturkraft vom Seelenverlangen von göttlicher Weisheit mit Klarheit empfangen, vom Urquell der Weisheit erkannt und erquickt und wie in dem Lichtpunkt des Lebens entzückt. Allda wird die Fülle der Gottheit empfangen. — Nun wird er, der Seelengeist, fast wie verschlungen, verwandelt, verändert und gänzlich durchdrungen; der Herrlichkeitssamen wird ihm mitgetheilt; hier wird er, der Halbmensch, vollkommen geheilt. Jetzt hat er die Herrlichkeit Gottes gesehen und durfte in's Brautgemach mit ihr eingehen und freilich in Jungfraufschaft brautartig stehen. I. 277. 22—25.

§ 197.

Eben dadurch geschieht es, daß nun der verklärte Gottmensch selbst Wohnung in der Seele macht und auf dem nun wieder zurechtgestellten Seelenthron (§ 98.) herrschet und regiert, indem er in die aus Herz und Hirn ausgehende Lebens- und Lichtstinktur einfließt. (§ 170.)

„„Das mitgetheilte Geistesleben hilft alsdann den oberen Seelenkräften, die es eingenommen, wieder auf die Beine, bringt die Seele in Ordnung, daß die obern Kräfte wieder herrschend werden über das Niederfinnliche, so wie es vor dem Fall hätte seyn sollen. II. Petr. 217.

In allen Seelen, die ein ewiges Seyn haben, ist ewiger Mangel, wo das Licht des Lebens fehlt. Gott will es wieder im Grunde der Seele gebären, wie in seiner Gottesewigkeit. Hat er es in der Ewigkeit eines Menschenherzens gebären können, so lebt Jesus im Herzen und wohnet darinnen, als in seinem heiligen Sitz, und das ist dann kein anderer Christus, als in der göttlichen Ewigkeit. Denn dieser ist das Heil Aller. Zwar ist der im Herzen des Gläubigen geborene und inwohnende Christus ein aus der Persönlichkeit Christi erzeugtes Wesen; aber die Alles erfüllende Menschheit ist in der Persönlichkeit des Gläubigen als Herrlichkeit Gottes innig gegenwärtig, darum gibt auch der göttlichmenschliche Muttergeist Zeugniß unserem Geist, daß wir Gottes Kinder sind, und es ist ausgemachte Wahrheit, daß Christus selbst in glaubigen Seelen wohnen kann. Denn

20*

was sollte den Allgegenwärtigen ausschließen oder was sollte seine Inwohnung hindern? III. Eph. 207 f.

Die Lichts- und Lebenstinktur des verklärten Gottmenschen wird von der lautern Glaubensbegierde der menschlichen Tinktur gefasset; sie geht aus Herz und Hirn, und dieß ist in der kleinen Welt Sonne und Mond; von da dringt sie durch den Umlauf des Lebensrades in voller Kraft und sieget über Finsterniß und Tod, und macht den Menschen zu einem wahren Lichtscharakter und zu einem Abglanz Jesu. VI. Pf. 175.

Jesu Lust ist, in den Seelen zu thronen, Seelen sind ihm ein geheiligter Quell! er mag dem Glauben das Herz bewohnen. Was da ist ein Centrum von ihr, der Seele, von dort wird er seine Lichtskraft ergießen und in das Centrum des Hirnes einfließen. Wenn die Tinkturkraft aus Herz und Hirn steiget, und also Leben und Lichtskraft verlangt, so ist ihr Jesus Geist alsbald geneiget, weil er der reinen Herzliebe anhangt. Hier ist das heiligste Gottesergießen, weilen die Geister zusammen nun fließen. I. 284. 2. 3.

Licht ist Verstand und Gnade ist Leben; Licht und Leben gehören zusammen. Das Licht hat seinen Centralsitz im Hirn und Haupt, und das Leben hat den centralischen Sitz im Herzen, Lebens- und Lichts-Sitz läßt die Tinktur fließen; sind die Grundbegriffe des Lichts gesund und rein, so ist es auch des Geisteslebens Nahrung; dann ist auch die Gedankenquelle licht und richtig, also daß das ausgehende Tinkturwesen nicht eine Melange (Mischung), und solchergestalt ist die Seele reiner Einflüsse fähig. II. Act. 592.

§ 198.

Durch diesen Einfluß Jesu wird die Seele in die Region des Lichts versetzt und centralisch erleuchtet zur Erkenntniß der Herrlichkeit Gottes.

„„Wir fallen dem Sternen- und Elementengeist nach dem sterblichen, seelischen Theil in die Region durch die natürliche Zeugung und Geburt; aber durch die Geburt aus Gott und die Zeugung von Oben sind wir in das Geburts- und Lebensrad des göttlich-menschlichen Lebens und in's

himmlische Wesen, als in die Region des Lichts und der
Unverweslichkeit, versetzt. Syst. 277.

Wenn die Seele ganz aus dem Rad der Unruhe ausgegangen ist, und ist in das Centrum eingesunken, so ruhet
sie in Gott und Gott wirkt in ihr und sie erkennt die Tiefen Gottes leidender Weise von innen heraus und siehet in
dem Grunde aller Geburten alle sich von innen heraus entwickelnden Kräfte bis in's Alleräußerste, und siehet, wie Alles
sich wiederum in's Innere hineinwendet. Syst. 389.

Es ist etwas Großes und Schätzbares, wenn Seelen
das, was sie glauben, auch verstehen und begreifen lernen,
weil Licht und Leben unzertrennlich verbunden sind, und weil
Licht und Leben, mithin beide Centralkräfte der Seele in
Herz und Hirn, allein beseligen können. III. Eph. 112.

Da ein Christ Geist vom Geist gezeuget ist und also
den Geist aus Gott empfangen hat, kann er auch wissen
und glauben, zuerst glauben, hernach verstehen, was ihm und
allen Kindern, die von derselben Mutter geboren sind, also
von Gott gegeben ist; denn eben der ihm gegebene Geist
kann in den Tiefen Gottes forschen und bis in seinen Muttergrund gründen. Er kann mit Gottes Auge sehen und
centralisch von innen herausschauen, alsdann siehet er mit
dem Glaubensaug, was ihm von Gott gegeben worden, daß
er also die Sache nicht nur glaubte, sondern sogar wesentlich empfing, und sozusagen sahe und erkannte. Nun ist
er freilich in diesem Zustand gelehrter, denn alle seine Lehrer, es sei denn, daß auch diese aus eben demselben Muttergrunde geistlich geboren. IV. Hebr. 537 f.

Es kann eine Seele wohl Jesum lieb haben, welches
freilich besser ist, denn alles Wissen. Aber ein Anderes ist
Wissen, und ganz ein Anderes Erkennen. Jesus selbst setzt
ewiges Leben in das wahre Erkenntniß des Vaters und
seiner Person. IV. Hebr. 540 f.

Ein jeder Geist siehet in seine Mutter, in seine Welt;
ist der Glaube ein Sohn der Licht- und Geistwelt, sollte
denn er von derselben Nichts wissen, hören und sehen? —
sollte nicht dieser edle Geist in seinen Muttergrund und in
das Element seines eigentlichen Bestandwesens forschen kön-

nen? Oder sollte dieß Licht nicht in der Laterne einer hellen Vernunft helle leuchten? IV. Hebr. 586 f.

Es kann eine göttlich erleuchtete Seele, die den Geist der Wahrheit hat, nicht allein Gott in und aus der Natur erkennen, sondern da sie den nemlichen Geist hat, der das Wort Gottes schreiben hieß, und es den Seelen, die es schreiben sollten, schenkte und eingab, — in ebendemselben Geist der Wahrheit erkennet die glaubige Seele den göttlichen Liebesplan und versteht ihn, und hat die edle Erkenntniß vom Königreich und Priesterthum Christi und den ewigen Liebesabsichten Gottes. Aber wir können im Geist nur dann wissen, was uns von Gott gegeben ist, wenn wir im Geiste sind und es dem Geiste der Wahrheit beliebt, uns forschen zu lassen, oder uns in's Forschen zu versetzen. IV. Hebr. 592 f.

§ 199.

In der Vereinigung mit Christo findet die Seele die Weisheit-Braut wieder und wird dadurch in der Weise ergänzt, daß der neue Mensch wieder eine männliche Jungfrau ist.

„„Ist uns nicht Alles wieder bezahlt oder vielmehr geschenkt, was uns Adam geraubt und verscherzt hat? Haben wir nicht wieder das Licht des Lebens und den Allgenugsamen für unsere leere Herzens-Ewigkeit? Ist nicht Christus unser Leben, Licht und Heil und Alles? Haben nicht wir Adamssöhne in und mit ihm unsere Sophia, die göttliche Weisheit wieder? Und ihr Töchter der Eva! ist dieß nicht euer rechter Mann, der in den Geist erhöhte Jesus? Haben wir nicht Alles was uns fehlt, ihr Menschen, in ihm? Ist er nicht der, der uns zu jungfräulichen Männern und zu männlichen Jungfrauen macht? Was fehlt uns noch? In ihm finden wir Männer und Adamssöhne die leidende Lichts- und Liebestinktur. Und ihr Töchter Eva findet die feurige männliche Lebenstinktur in ihm! Syst. 270 f.

Jetzt findet man mehr als die Alten empfangen; zu diesem Grund konnten sie niemals gelangen; selbst Salomo hatte nicht Weisheit also — keiner im alten Bunde hatte so viele Weisheit, daß er die Frauenliebe überwinden konnte. Als Herrlichkeit Gottes sich erst concentrirte und also in mensch-

liche Seelen einführte, da wurde die Menschheit dann wieder ergänzt. Wer Jesum nun siehet und wer ihn erkennet,
auf einmal das wieder erhält und gewinnet, was uns schon
in Adam im Garten entrinnet. I. 275. 16. 18. Die Söhne
der Weisheit haben gedoppelte Lebenstinkturen, so wie
ihre Mutter, in beiden Naturen. I. 278. 21. Was diese
Herrlichkeitsmutter gebieret, das ist geistleiblich, hat Gottes-
Natur. Wem sie als Herr und als Geist sich einführet,
wird eine Seele von Doppeltinktur; sie will nur Männer-
Jungfrauen erzeugen, welche vorm Throne der Gottheit sich
neigen, I. 297. 18. welche gegenüber der Herrlichkeit leidend,
gegenüber der Creatur wirkend sind. I. 278. 21. 22.

§ 200.

Dieses neue Leben ist die Gerechtigkeit, welche von Gott
dem Glauben zugerechnet, d. h. wesentlich als ein solcher
Lebenssame mitgetheilt wird, welcher potentiell die Vollendung schon in sich schließt. Daher wird der Mensch durch
die Rechtfertigung aus Jesu gerecht geboren, wie er aus
Adam durch Geburt die Erbsünde empfängt.

„„Glaubensgerechtigkeit ist ein Geschenke, sie ist ein
Same, ein Leben aus Gott. Wenn ich den Hunger in Jesum versenke, glaubend an sein geist-lebenvoll Wort, werde
ich solche nach Seelenverlangen minder nicht, als angeboren
empfangen. I. 13. 5.

Niemand ist gerecht, als der, welcher durch Neugeburt
gerecht geboren ist. Syst. 288. Die Neugeburt ist selbst
die Gerechtigkeit Gottes 292. Die Gerechtigkeit wird dem
Glauben geschenkt, und es geht geburtsmäßig zu, wenn sie
erlangt wird, und ist wahrhaftig eine Geburt, und das
was gegeben wird, ist ein Same der Herrlichkeit und ist
das Leben und die Gerechtigkeit des Lebens, dem Glauben
gegeben. 286.

Ich will und muß eine geborene, eine dem Glaubens-
grund geschenkte und in seinen Grund hinein gezeugte und
geborene Gerechtigkeit haben, und diese muß Leben des
Geistes seyn, und muß sich als lebend offenbaren können;
sie muß Geist vom Geist gezeugt sein; sie muß von gött-

licher Art, Natur und Eigenschaften seyn, wie der, welcher sie gezeugt hat. Er ist Geist, also muß sie geistlich sein; er ist die wesentliche Gerechtigkeit selbst, das muß sie auch seyn. Darum nenne ich sie Erbgerechtigkeit des Glaubens, mithin Glaubens- und Lebens-Gerechtigkeit. So wie ich von Adam den Stoff zu aller Sünde und Ungerechtigkeit ererbt habe, aus welchem physikalischen Uebel sich alles moralische Uebel offenbart, so habe ich im Glauben den Stoff aller Gerechtigkeit Gottes geistlich-physisch empfangen; dann ist's, wann ich es empfangen, Glaubens- und Erbgerechtigkeit. Und wenn ich dann in derselben väterlichen Mutter, so solchen Stoff, Geist genannt, gezeuget und geboren hat, bleibe, so offenbart sich solche geistlich-göttlich-physische Gerechtigkeit als Lebensgerechtigkeit, als geistlich-moralisch. Denn in dem Samen des Lichts habe ich den ganzen Christum empfangen, sein Fleisch und Blut, seinen Geist, seine Seele und Tinktur, seine ganze gottmenschliche Natur, ihm ähnlich zu werden. Diese Gerechtigkeit schwebt aus Gott über dem Glauben; wird die Seelentinktur in Lichtlust herausgereizt und in die rechte Stellung gebracht, so überschwebt und überschattet der heilige Geist, der göttlich-menschliche Geist Jesu Christi den Seelengrund, wie er Mariam überschattete, so daß sie den Geiststoff, Geist, den Lichtstoff, Licht, den Lebensstoff, Leben, den Gerechtigkeitsstoff, lebendige Erb- und Glaubens-Gerechtigkeit empfähet. III. Phil. 76 f.

§ 201.

Eben deßhalb ist auch die Gotteskindschaft nicht eine blos adoptive, sondern eine wirkliche, geistlich-natürliche, indem das dem Wiedergeborenen aus dem heiligen Geist mitgetheilte Geistesleben eine neue, aus dem Geist gezeugte Creatur, also ein neuer Mensch ist, welcher als der Erzeugte zu dem, der ihn gezeuget hat, im Verhältniß des Kindes und Sohnes steht.

„„Wer den Geist hat, ist ja Kind dessen, der Geist ist, und das, was er empfangen hat, ist Geist und ist Gottes-Kind — und da wir Kinder der Herrlichkeit Gottes sind, welche ist Christus, so sind wir ja nicht blos angenommene, auch nicht Stieffinder, sondern von eben demselben Herrn, dem Geist, rechte geistnatürliche Kinder. III. Eph. 104.

Wenn der Wiedergeborene Geist vom Geist gezeugt ist, so hat er Geist empfangen vom Geist; so ist also das Empfangene nicht der Geist selbst, der es gegeben, obwohl das Gegebene ebenderselben Geistesart, Natur und Eigenschaft ist. So wenig ich sagen kann: das gezeugte Kind ist der Vater, oder das Geborene ist die Mutter, sondern es ist von Vater und Mutter ein wahrer Mensch, also kann ich auch nicht sagen: der Geist, den der Wiedergeborene empfängt, ist der Geist der Gottmenschheit oder der heilige Geist, sondern es ist Geist von demselben Geist gezeugt, also ein dem Wiedergeborenen mit- und zugetheiltes Geisteswesen, welches ich das vom Geist gezeugte Kind und die neue Creatur nennen kann nach der Schrift. Das ists auch, wenn die Schrift sagt: „der Geist gibt Zeugniß unserem Geist" Röm. 8, 16.; denn daraus ists ja klar, daß der Geist, der das Zeugniß gibt, die Mutter, und der, welcher des Geistes Zeugniß kriegt, die Geistesgeburt oder das Kind sey. III. Eph. 106.

§ 202.

Die Vergebung der Sünden, welche der Gläubige in der Wiedergeburt empfängt, ist eine rechtliche Freimachung und wesentliche Loskaufung von der Sünde, welche dadurch vollzogen wird, daß derselbe, indem er im Glauben die wesentliche Gerechtigkeit Jesu ergreift, der Sünde am Kreuz abstirbt und in das neue Geistesleben verpflanzt wird. (cfr § 196.)

„„Niemand hat Vergebung der Sünden, als der wirklich im Werden in der Geburt Gottes ist, denn dieser ist ja angenommen und Gott sieht auf das, was er wird, mehr als auf das, was er wirklich ist. Syst. 288. Die Kinder Gottes wollen nicht von außen gerecht seyn, sondern gerecht geboren von innen; sie gehen von innen zuerst aus der Finsterniß aus mit ihrem Willensgeist in die göttliche Freiheit und stellen die Finsterniß, von der sie sich scheiden, der Gerechtigkeit vor und lassen sich rechtlich davon erlösen. Syst. 290.

Die Neugeburt ist selbst die Gerechtigkeit Gottes. Wer

fie annimmt im Glauben, ftirbt der Sünde und ift gerechtfertigt von der Sünde; die Sünde hat ihm nichts mehr
zu befehlen; er ift nicht mehr ihr Knecht. Sündiget ein
folcher ja noch, fo hat ers nicht mit Wiffen, nicht mit Willen
oder Luft gethan, und hat einen Fürfprecher bei dem Vater,
Jefum Chriftum, den Gerechten; der ift dem Glauben vor
Gott Alles das, was er nach und nach im Glaubigen felber
werden will und werden wird.   Syft. 292.

Die Chriftenheit tröftet fich der Vergebung der Sünden
und ift doch nicht von oben geboren; liebt die Finfterniß,
ftatt daß fie folche haffen follte, fie rühmt fich des Lebens
und hat doch den Lebensgeift Jefu nicht, fie glaubt felig zu
werden und will fich doch nicht von der Sünde erretten
laffen.   O wie arm! wie betrogen!   ibid. 293.

Durch die Reden des Lebensworts und Schlangentreters
wird der Geiftes-, Lichts- und Lebensfame mitgetheilt, daß
die Glaubensbegierde die kräftige Einwirkung der Lichts- und
Lebens-Tinktur Jefu empfängt und auf diefe Art Gnade um
Gnade erhält und durch das Effen vom Lebensbaum, von
dem verklärten Fleifch und Blut Jefu, Leben und unvergängliches Wefen und Kraftfamen der Unfterblichkeit erhält
und fomit alfo das herrfchende Geiftesleben wieder über das
Leben der Niederfinnlichkeit herrfchen kann.   So kann die
Loskaufung und Vergebung aller Sünden begriffen werden.
III. Eph. 95 f.

Da das Licht und Leben Gottes in uns ift, find wir
wahrheitsmäßig herausgeriffen aus dem Grund und Boden
des Verderbens und des finftern Reiches; wir find im eigentlichen Verftand genommen verpflanzt und verfetzt in den
Paradiesgarten des göttlichen Lichts- und Königreichs, ins
Element feiner Erbarmungen. Denn wir grünen und blühen
nun in Kraft der jungfräulichen Erde, in Kraftbewegung
und Trieb der fieben wiedergebärenden Geifter der göttlichen
Herrlichkeit.   III. Kol. 119.

Durch das Opferblut Jefu wurde dem Tod und der
Hölle Macht und Gewalt genommen und fowohl Leben als
unvergängliches und unzerftörliches Wefen ans Licht gebracht.
Deffelben Wefens und Lebens find wir theilhaftig worden.
Wir haben das Löfegeld in uns hinein bekommen, da wir

glaubig wurden, und also sind wir losgekauft und losgebunden. Denn das Blut Jesu Christi hat einen wiedergebärenden Einfluß in uns, die wir damit besprenget sind, und wir fühlen seine erlösende, freimachende Kraft recht vollkräftig in der Seele. III. Kol. 119 f.

Die Wasser einer bösen Quelle können sich wohl verlaufen; wenn aber die Quelle immer solch Wasser quillt, was ist da zu machen? Sehet, unser Verderben ist physischer und moralischer Art; wenn das Physische nicht geändert wird, so kann das Moralische nicht ganz getilgt werden; denn das Wasser aus der bösen Quelle kann sich wohl verdünnen und vertheilen, aber Etwas bleibt doch immer davon; das Metaphysische übergeht und das Physische verändert sich, daher wenn nicht Reinigung, Veränderung und Umgebärung, Veredlung und Verwandlung bei der Sündenvergebung ist, wird die Sache nicht ganz getilgt und gehoben. Denn die böse Quelle, welche böses Wasser ergießet, schädlich dem Naturreich, dieselbe Quelle ist die Ursache des schädlichen Ausflusses. — Wenn aber Sündenvergebung zugleich Sündenreinigung zur Folge hat, so ist die Sache mit Empfindungen verbunden, weil wirkende Zerstörungskräfte verzehrender Art im Reinigungsmittel sind, welche das Böse des Sündengifts in Bewegung setzen, daß es der reuenden Quelle Schmerzen oder Qualen macht. In diesem Feuer also wird die Sache aufgelöst, daß sie kann umgeboren werden, und das, was einen Anfang der Zeitlichkeit nahm, wird auf dem Wege der Wiederrückkehr vom ewigen Geiste im Kraftmittel der Reinigung des Blutes, das gottmenschlich ist, ergriffen und also umgeboren, daß es ist, wie es dem Quell aller Offenbarung paßet. Daher hat man auch in dem theuren Blute Jesu Christi zweierlei Kräfte zu betrachten. Sieben, welche Alles, was andern als göttlichen, mithin verkehrten Ursprungs ist, zerstören, und sieben Kräfte der Alleserneuerung und Umgebärung zum Bilde der Herrlichkeit in unzerstörlicher Geistleiblichkeit und Vollkommenheit. IV. Hebr. 432. 433.

Denen sind die Sünden wirklich vergeben, denen das Gesetz Gottes ins Herz hineingeboren und in den Verstand geschrieben ist. IV. Hebr. 469.

Das Besprengungsblut ist das Lämmlein mitten im
Thronquell Gottes und hat sieben Augen und sieben Hörner.
Mit diesen wird das falsche, gottwidrige Leben zerstört und
abgethan und mit jenen wird das wahre Gottesleben gegeben. Der, welcher der Gnade leben und der Sünde sterben
will, wird besprengt und erfährt die freimachende Kraft;
spürt auch, daß nicht er sammt der Sünde verdammt ist,
sondern nur die Sünde als Sünde; er faßt also Muth im
Versöhnungsblut. IV. Hebr. 721.

§ 203.

Ohne ernstlichen Haß der Sünde kann deßwegen der
Mensch weder Vergebung noch Frieden erlangen.

„„Die Sünde, die man liebt, wird nicht vergeben.
Niemand wird vom Blut Jesu gereinigt, als wer im Lichte
die Finsterniß erblickt und so gerne los seyn will, als ihn
Gott gerne los haben wollte. Syst. 289.

Es ist dir nicht so hauptsächlich um Errettung, als um
Vergebung zu thun; es ist Falschheit des Geistes in dir:
du willst dich vor Gott verbergen, und glaubst, er sehe das
eben nicht, was du nicht sehen willst, und er siehet es und
läßt dich, ferne von seinem Licht, Zorn empfinden. Da
siehest du also, daß die Falschheit deines Geistes die Ursache
ist, daß dir nicht kann vergeben werden und daß dir nicht
wohl und leicht ist. Eine Seele, die das Licht liebt und
mit sehnsuchtsvoller Begierde nach der Lichtsgemeinschaft
Gottes trachtet, weil sie in den Spiegel der Vollkommenheit, in das vollkommene Gesetz der Freiheit geblickt hat,
und eine Vorempfindung dadurch erhielt von der Seligkeit
im Licht der Freiheit: die sagt Alles heraus vor Gott, was
sie an der Gemeinschaft mit Gott, dem reinsten Licht, hindern könnte. Nicht die geringste Finsterniß verdeckt und
versteckt sie in sich. Einer solchen Seele vergibt Gott durch
den Glauben an den Versöhner und reinigt sie von der im
Licht erkannten und in Geistesredlichkeit bekannten Sünde
im Blute Jesu, als dem heiligsten, Alles reinigenden Feuer.
Denn in einer solchen Seele hat die neuschöpferische Kraft
das Chaos zu scheiden angefangen und das Licht von der

Finsterniß geschieden und setzet sie fort stufenweise, bis in das Urbild die Seele gestaltet und verklärt ist. VI. Pf. 433.

Da ich es wollte verhehlen, verschweigen, verstecken und vertheidigen, verschmachteten mir auch die Gebeine für beständigem Heulen; denn weil ich den Missethäter nicht herausgeben wollte, so blieb der Fluch des Gesetzes auf mir sammt meiner Sünde liegen, bis ich erkannte: du liebest heimlich etwas, das Gott in dir sieht und du willst es ihm verbergen. Und siehe, es ist Finsterniß und darin herrscht der Zorn Gottes, und der quält dich so gar. Siehe, so kann dir Gott nicht vergeben, du mußt heraus mit der Sprache und ihm bekennen und die Sünde in's Sterben geben: wie selig wirst du dann seyn im Licht! VI. Psalm 434.

Friede mit Gott durch Christum ist Glaubensgerechtigkeit und Friede in Gott mit Christo ist bei und in der Lebensgerechtigkeit. Wer einmal den Frieden mit Gott, der im Licht ist, hat, der hat mit Sünde und Finsterniß Krieg. Wer aber wider seinen Willen oft auch geschlagen wird, verliert doch den Frieden mit Gott nicht. Wer aber mit der Sünde einverstanden ist und sie als Finsterniß liebt, der verliert auch den Frieden mit Gott. Hingegen wer getreulich gegen die Finsterniß streitet und sie auch durch Gnade besiegt, der hat auch sogar Friede in Gott. Darum wie das Leben der Gnade herrschendes Leben wird, ist auch Gnade und Friede verbunden im Herzen. III. Eph. 65.

b. Wachsthum in der Wiedergeburt.

§ 204.

Das in der Rechtfertigung empfangene neue Geistesleben ist zuerst schwach und unvollkommen, wächst aber unter der Fürbitte und Pflege des himmlischen Hohepriesters zur Vollkommenheit hinan.

„„Jesus, die himmlische Herrlichkeit, der eingeborene Gottessohn, hat Mensch werden müssen, nicht allein darum, daß er uns mit seinem Opfertod möchte mit Gott versöhnen, sondern auch darum, daß er sich unserer in unserer Schwachheit und Minderjährigkeit bei Gott möchte annehmen. Denn wir sind nicht sogleich, sobald wir das Leben des Geistes empfangen, vollkommen und ausgeboren; wir sind wie schwache, kleine Kinder, die viel Wartens und Pflegens, Waschens und Putzens, Tragens und Führens, Beschützens und Kleidens, ja Speisens und Nährens, ja oft auch Züchtigens und Hauens, Predigens und Lehrens und all dergleichen nöthig haben. Aller dieser mütterlichen Pflege sind wir Schwache bedürftig, und eben darum mußte unser treuer Hohepriester werden, was er worden ist. Denn einer solchen Mutter waren wir bedürftig, und darum mußte Christus werden, was wir waren, daß wir werden möchten, was er von Natur ist. — Allein das ist noch nicht Alles, wir sind nebenbei noch Naturmenschen, haben noch das Naturleben im Fleisch und Blut und böse Herzen im Leib, die immerhin den Irrweg wollen; unser Geist ist in einer sehr gefährlichen Herberge. Es ist das Geistesleben anfangs sehr schwach, es geht bei dem Laufen der Kinder oft taumelnd und stolpernd her; es gibt sich oft auch, daß sie sich stoßen, auch öfters fallen, und sogar geht es bei älter gewordenen nicht immer gerade fort wegen dem noch anhangenden Naturleben; es gibt allerlei Zufälle von Krank- und Schwachheiten, und kurz, der Angelegenheiten und Ungelegenheiten, der Anstöße und Hindernisse sind gar viel, da man Vater- oder Mutter-, Arztes- oder Helferstreue nöthig hat. Und damit wir alles Dieß an Christo haben möchten, darum und also auch eben darum mußte er Mensch und Fleisch und Blut werden, und mithin in allen Dingen seinen Brüdern gleich werden, auf daß er barmherzig würde, und sich unsere Sache, wenn wir ihm Etwas klagen, oder Hilfe bei ihm suchen, möchte zu Herzen gehen lassen; daß er, als selbsterfahren, sich in uns hineindenken und stellen kann, damit ihn sein Herzensmitleiden bewege, unsere Sache der lieben Gottheit, die uns helfen, heilen, retten und unterstützen kann, beweglich, herzangelegentlich vorzutragen, auch um Schonung zu flehen, wenn wir es versehen haben, dem Vater vorzeigend seine vollkommenen Verdienste für uns, die wir doch das, was wir nicht sind, durch ihn werden wollen und sollen. IV. Hebr. 152 f.

Der Versöhner bittet für uns in unseren Schwachheiten und stellet dem Vater als der Gottheit vor, was wir durch ihn werden können und werden sollen, wenn wir anders dabei Folgendes beobachten: wenn wir im Lichte wandeln, und uns alle Finsterniß und Sünde weisen und ins Licht stellen lassen, und begehren von Herzen rein und los zu seyn; wenn wir Nichts aus Bosheit verhehlen vor uns selbst und vor Gott; wenn uns alles Gottwidrige selbst widrig ist, und wir uns also davon scheiden und lieber heute noch als erst morgen los seyn wollen. Solche Herzen liebt Jesus, ob sie schon noch Sünde wider ihren Willen fühlen; solcher nimmt er sich an und hat Geduld mit ihnen, bittet so zu sagen auch seine Gottheit um Geduld und den Vater des Eingeborenen. IV. Hebr. 154.

Es ist sehr begreiflich, daß wenn unser Hohepriester ein getreuer Hohepriester seyn soll, so hat er Treue auf zwei Seiten zu beobachten. Erstlich bei Gott auf Gottes Seite, daß er den Rechten der Heiligkeit und den Absichten Gottes Nichts vergebe, und zweitens bei den Menschen, daß er da Nichts versäume, sondern Alles nach unserem Bedürfniß verwalte. Diese Treue hat unser Hohepriester im höchsten Grade; darum habe man nur das Zutrauen zu ihm, man sage und klage ihm nur alle Anliegen, und nehme seine Zuflucht zu ihm in allen Fällen. Er vergißt Nichts und versäumt Nichts, hört Nichts gleichgiltig an, das ihm ernstlich vorgetragen wird. Er hat Mittel zu helfen; solche wendet er an, und gibt als Pfleger der heiligen Güter und himmlischen Gaben, was der Bittende bedarf; weiß auch gut, womit er auskommen kann und gibt deßwegen nicht zur Verschwendung; denn er ist auch treu auf Gottes Seite, weil er selbst Gott ist. IV. Hebr. 156 f.

Jesus Christus ist die Versöhnung für unsere Sünden; er ist Fürsprecher bei dem Vater, Er, der Vollkommene ists für die Unvollkommenen. Er, der stammväterliche Muttergeist der Gottmenschheit ists für seine unvollkommenen Kinder; Er, der Pfleger himmlischer Gaben und Güter, ists für seine minderjährigen Pflegbefohlenen, ihm vom Vater Uebergebenen. Er vertritt uns und redet für uns das Wort; wenn der Vater die Sprache des kaum Stammelnden nicht gleich versteht, so versteht sie aber doch die Mutter; und siehe! er ist Beides für uns. Wer und was ist uns doch

Jesus Christus, der Gerechte, unser Fürsprecher, unser Ver=
söhner! Denn wir sind nicht gleich, was wir seyn und wer=
den sollen, wie auch die natürlichen Kinder; aber wir werden
es, so man Geduld mit uns hat, unserer wartet und pfleget,
uns lehret und leitet, uns waschet und reiniget, wenn wir
uns verunreiniget haben, uns führet und aufrichtet, wenn
wir etwa gestolpert haben und gefallen sind. Kurz, wenn
wir in der Mutter bleiben, welche Geduld mit uns hat, so
werden wir, was wir werden sollen; und siehe! sie ist ge=
recht und macht gerecht, sie ist vollkommen und macht
vollkommen; sie hat Geduld, denn sie ist menschlich und
priesterlich. Darum spricht sie mit seiner Gottheit: Habe Ge=
duld mit diesen Kleinen, mit diesen Fehlenden, Schwachen!
Sie sollen unter meiner Pflege schon stark werden; was sie nicht
sind, das sollen sie, das können sie und das werden sie auch
durch mich werden. Ich bin gerecht, ich werde sie auch ge=
recht machen. Ich bin vollkommen, sie sollen es auch wer=
den. Siehe indessen, bis sie es sind, mich an; denn so
sollen sie durch mich werden! IV. Hebr. 236 f.

So wie er, der väterlich=mütterliche Hohepriester gerecht
ist, ebenso macht er seine Kinder gerecht. Denn sie sind seine
Nachkommenschaft, sein königlich=priesterliches Lichtsgeschlecht;
und ob es in ihrer Minderjährigkeit das Ansehen noch nicht
hat, so wird es doch also werden, so sie bleiben, denn sie
werden endlich gerecht und volljährig gemacht, und also
ausgeboren. IV. Hebr. 238.

§ 205.

α. Der Proceß des Wachsthums.

Dieses Wachsthum in der Wiedergeburt geschieht durch
einen dreifachen Proceß: einen organischen Entwicklungspro=
ceß, einen chemischen Läuterungsproceß und einen juridischen
Leidensproceß.

aa. Der organische Entwicklungsproceß.

§ 206.

Der in der Rechtfertigung durch den Glauben empfangene
Geistes= und Lebenssame enthält die reale Potenz der Voll=

kommenheit in sich, und ist als Anfang des geistlichen Lebens die lebendige Hoffnung und Bürgschaft der Vollendung.

„„Wer an ihn glaubt, bekommt den Samen des Lichts und Lebens, also den eigentlichen Samen der Wiedergeburt, der da ist Leben und unvergängliches Wesen; er bekommt den Samstoff der neuen Creatur und ist Geist, gezeuget vom Herrn, dem Geist. Also ein solcher Gläubiger bekommt die Grundlage, den Stoff, das Leben und die Kraft, auch Fug und Recht, Gottes Kind zu werden. II. Gal. 45.

Wo das Geschenk der göttlichen Wiedergeburtskraft nicht gehindert wird, kann es wirken, weil es göttlicher Natur ist, bis zur Gottähnlichkeit, also bis zur Vollkommenheit des Vaters, welcher Gott ist. Daß das keine Kinder Gottes seyn müssen, die derselben mitgetheilten göttlichen Kraft das Vermögen absprechen, wenn sie sagen, der Mensch könne nicht vollkommen werden, da es doch möglich ist, daß das Kind werde, wie sein Vater, ist daraus zu erweisen, daß sie dieselbe Kraft nicht müssen erfahren haben: denn wie könnten sie die sonst läugnen? II. Petr. 149.

Christus, die Herrlichkeit Gottes, ist mit aller Gottesfülle erfüllt; in ihm sind alle Verheißungen Gottes Ja und Amen; durch ihn wird man derselben wesentlich theilhaftig, durch ihn werden sie uns geschenket; und der, dem sie geschenkt sind, der hat den Kraftsamen des Lebens aus der allerheiligsten GottesNatur empfangen und ist also schon dem Samen nach der Naturkraft Gottes theilhaftig geworden, daß, wenn er diesen Geist und Lebenssamen ungehindert wirken läßt, er sich entwickelt und enthüllt zur Aehnlichkeit seiner herrlichen Mutter, daß also ein solcher hochbegnadigter, reich beschenkter Mensch nur in der Lichtlust in seiner Mutter, der Herrlichkeit Gottes, nämlich in Christo zu bleiben hat, wenn er ausgeboren werden will zur ewigen Herrlichkeit. II. Petr. 154.

Wer ein Kind betrachtet und will wissen, wie es wird, wenn es ausgewachsen ist und nicht stirbt, der betrachtet einen Mann. Ebenso wird es, wenn es lebendig bleibt und kein Zufall das hindert. Und so wir in Christo als unserer jungfräulichen Mutter bis zur völligen Ausgeburt bleiben (welches Gott ja vorher sieht und erkennt), werden wir seyn,

wie Er ist. In diesem werden wir also von Gott betrachtet als Vollendete, wie die geistväterliche Mutter. IV.
Hebr. 447.

Seelen, die nicht nur ein blos seelisches, einfaches Thierleben haben, sondern durch den ewigen Geist beunruhigt,
also von Gott gezogen und erweckt, Seelen, die also zum
Glauben und durch den Glauben zu einem Leben aus Gott
gekommen sind: solche Seelen haben also den Geist der
Herrlichkeit, haben den Samen der Wiedergeburt, haben das
Leben aus Gott, mithin eine geborene und gegründete Hoffnung des ewigen Lebens. Syst. 424.

Der Gläubige fühlt in sich eine ihm in's Herz gegebene
lebendige Hoffnung der Seligkeit, und da diese Hoffnung
hineingeboren ist in seine Seele, und im Samstoff des Lichtlebens sich nicht verbergen kann, folglich sich je und je zu
fühlen geben muß, hat man daran ein sicheres Kennzeichen
zukünftiger Seligkeit, sintemal das, was ich schon dem Anfang nach habe, ich gewiß auch ganz erlangen werde in seiner
vollen Ausgeburt. III. Eph. 49.

Wer ein Geisteskind ist, der ist ja ein Erbe; der Geist
oder die Geistesgeburt, die ein solcher hat, ist sicheres Pfand
der Erbschaft und ist ein durch Geistes-Zeugung eingedrucktes
Siegel. III. Eph. 105 f.

Sollte der Glaube das nicht hoffen können, was er eigentlich selber schon ist? oder sollte er es nicht mit Zuver-
sicht erharren können? Er ist Gottes Kind und Erbe; er
kann aber erst das Erbe empfangen, wenn er volljährig ist.
IV. Hebr. 511 f.

Der von Oben Geborene ist, was er glaubt, d. h. dem
Samstoff nach, indem er ein kleines Ganzes vom großen
Ganzen ist. IV. Hebr. 543.

§ 207.

Zugleich liegt in diesem Samen der lebendige Trieb, die
potentiell in ihm enthaltene Kraft- und Lebensfülle zu entfalten und zu realisiren, und so trägt der Wiedergeborene den
lebendigen Heiligungstrieb, das treibende Geistesgesetz in sich,

vermöge deſſen er aus freiwilligem innerem Liebesdrang in
die Vollkommenheit der Aehnlichkeit ſeines Vorbildes, Jeſu,
aus dem er geboren iſt, ausgeboren und verklärt zu werden
ſtrebt.

„„Beim wahren Chriſtenthum kommt es auf den geiſt-
lich- ja göttlich-natürlichen Trieb an, und dieſer liegt ſchon
im Samſtoffe, der da iſt Geiſt vom Geiſt gezeugt. III.
Phil. 88.

Freilich wird der Glaubige ſeines Glaubens leben; denn
ſein Glaube empfängt das Leben, hat alſo das Leben, das
allein ein Leben genannt zu werden verdient. Denn in der
Kraft Gottes, die der Glaubige durchs Evangelium empfängt, wirken alle Gottes- und Geiſtes-Kräfte. Alſo das
Geſetz des Geiſtes iſt und wirket darinnen, und iſt mithin
eben das, was Gottes Kraft genannt wird. Die Kräfte
Gottes im Samen des Lichts und der Wahrheit enthüllen
ſich bis zur Vollkommenheit und Ausgeburt, und darum iſt
das Geiſtes-Geſetz ein Geburtsquell, ein eigen Principium
von uns genannt. Die Entwicklung und Enthüllung hat
ihre Vollkommenheit und Völligkeit erreicht in ihrer väterlichen Mutterähnlichkeit und anders nicht. Syſt. 163.

Die aus verſchiedenen Kräften der Verkehrtheit zuſam-
mengeſetzte Quelle des Verderbens, vereinigt in einer finſtern
Materie, iſt das Sündengeſetz, das ſtegende finſtere Weſen
in den Gliedern der Unwiedergeborenen; hingegen das Licht-,
Lebens- und Geiſtesgeſetz, welches in den Wiedergeborenen das
Herrſchende iſt, das iſt hinwiederum das Kraftſamweſen der
Unvergänglichkeit im Leibe der Herrlichkeit Gottes, welches
der Lebensſtoff iſt, darinnen die ſieben Geiſter Gottes wirken.
II. Jak. 444.

Wie das Sünden- und Höllengeſetz eine Abgrundsquelle
der Drachenkräfte in der unglaubigen Seele des Menſchen
ſein kann, daß Satan ſein Werk in derſelben kann haben,
eben ſo kann auch das Lebensgeiſtes- und Lichtsgeſetz des
Lebens Jeſu in den Seelen ſeyn, nämlich in den gottglaubi-
gen, die den Samen des Lichts, Gnade und Wahrheit vom
Stammvater des geiſtlichen Lebens empfangen haben. In
demſelben Lebensſamen ſind und wirken die ſieben Grund-

und Lichtskräfte der sieben Geister Gottes, verbunden mit den Kräften der allerheiligsten Seele Jesu und sind eine eigene Geburtsquelle von Lebenskräften und göttlichen Lebenseigenschaften, sind derselben Art und Natur und entwickeln sich zur Aehnlichkeit seines oder ihres Ursprungs; sie sind Quellwasser aus dem ewigen Leben, die auch wieder dort hinüberquillen, sie sind ab- und zugetheilt eigen den Seelen, aber nicht von der ursprünglichen Mutter abgetrennt, welche sie ausgebäret und immer ihren tinkturreichen Einfluß in sie hat. Und so ist dieß das herrliche Geistesgesetz, das in Christo lebendig macht und das den Gläubigen in's Herz ist gegeben worden. IV. Hebr. 467.

Zum Nachjagen der Heiligung gehört der reine heilige Trieb des göttlichmenschlichen Geistes Jesu; denn nur die, welche dieser Gottesgeist treibt, sind Gottes Kinder und nur diese erlangen die wahre Heiligung. Denn eben dieser Geist sucht seine Volljährigkeit und Ausgeburt; er begehrt zu vollenden, was er angefangen hat. Wer diesen Geist hat und ihn nicht dämpft und hindert, gelangt zum Ziel und Kleinod. Sein Bestreben ist ja, Jesus-ähnlich zu werden und in der Anschauung Gottes satt zu werden. Er ist der, welcher heiliget, seitdem Christus auferweckt und verklärt ist. Er heiliget die, welche ihn haben und nicht hindern, durch und durch so, daß ihr Geist ganz sammt Seele und Leib geheiliget und Gott geweihet werden. Und dieß nun sind die Seelen, die der Heiligung nachjagen so, daß es Gott gefällt. IV. Hebr. 688 f.

Christus ist Gottes Herrlichkeit; durch seine Herrlichkeit und Tugend ist uns Alles geschenkt, denn die Tugenden Jesu Christi sind die Strahlen der Herrlichkeit, sind also der Spiegel der Vollkommenheit. Wer davon gereizt ist, und in diesen Vollkommenheitsspiegel geblicket hat, bis er gereizt war, von aller Finsterniß auszugehen, dessen reine Lichtslust und heilige Tinkturbegierde hat in ihrer jungfräulichen Blüthe das kraftvolle Wesen der Herrlichkeit empfangen; — wer es aber empfangen hat, in dem entwickelt sich das Geistesgesetz in Jesusähnlichkeit und trachtet volljährig und ausgeboren zu werden, wird von allen Jesustugenden gereizt und sucht im Trieb des Geistes Jesum nachzuahmen; und so eilet ein

Solcher dem Kleinod und der Ausgeburt alle Tage entgegen. II. Petr. 211.

In dem Licht- und Lebenssamen ist das sich selbst ent-
hüllende Geistes- und Lebensgesetz, welches, so man es nicht
hindert, sich bis zur herrlichen Aehnlichkeit Jesu ausgebären
und treiben wird. So soll denn also der Eindruck von der
Herrlichkeit Jesu gefasset wie ein Kraftspiegel immer vor der
Seele stehen; das eingefaßte Bild soll alle Bilder verdrängen und verschlingen. Die Seele, so sie recht in diesen Vollkommenheitsspiegel geschauet hat, soll ein bleibendes Bild
gefaßt haben, in welches der Mensch verwandelt und verklärt werden soll. Denn wer Jesum recht und würdig betrachtet, der siehet ja in dem Spiegel der Vollkommenheit
das seligmachende königliche Gesetz der Freiheit; er fühlt
schon vorschmacksweise die Seligkeit der Freigemachten. III.
Col. 196.

Das Gesetz des unauflöslichen Lebens stellet sich der
wiedergeborenen Seele vor, wie eine liebliche Jungfrau
und wirkt mit ihrer Lust in das Leben, und das Leben will
wirken und der lebendige Wind in den Rädern, der Geist
im Rade des Gemüths aus Gott bewegt das ganze Rad,
und wie der Geist will und wie er bildet, so gehet das
ganze Rad. Im Rade ist der ewige Geist das A und das
O als ein Feuerleben und Lichtslust; wie das Gesetz des
Lebens, des hohepriesterlichen Lebens Jesu will, so wirket
dasselbe gerne und es ist Erquickung des Ewigkeitsgeistes,
mit dem göttlichmenschlichen Herrlichkeitsgeist zusammenzu-
fließen und das Chaos, den eingesäeten Samen auszubilden
und zu seiner Größe zu bringen. IX. I. 391.

§ 208.

Dieser Heiligungstrieb des lebendigen Geistesgesetzes
wird in seiner Energie einerseits verstärkt durch den Widerstand, der ihm sowohl aus dem Leiden überhaupt, als insbesondere aus dem Gefühl der Sünde entgegentritt.

„„Du, lieber Mensch, mußt, wenn du anders Verstand
hast und einst mit Christo erben willst, nicht wollen ohne
Züchtigung, nicht ohne Anfechtung, Trübsal, Leiden und Widerwärtigkeit seyn. Durch diese Contrarietät mußt du wach-

fen. Das Reich Gottes ist zuerst nur wie ein Senfkörnlein in dir; soll es größer werden, so muß es getrieben werden durch Widerwärtigkeit zum Wachsen. Dieses ist auch in der Natur also. Wäre kein Streiten und Ringen der sieben Eigenschaften der Natur in der Natur, so würde auch Nichts wachsen und hervorkommen; Zeugen, Gebären, Säen, Pflanzen, Ernten und Alles würde aufhören. Also würde es auch gar bald mit deinem Christenthum aus seyn, wenn du keine Widerwärtigkeiten oder Anfechtungen zu erfahren hättest. Syst. 242 f.

Leiden sind Drangsale; drängen und treiben sie die Seele zu Gott, so kann sie Gotteserfahrungen machen. III. Cor. 12.

Mich dünkt, das Sünden- und Verderbensgefühl soll immer mehr zu Gott treiben; folglich soll es Ursache werden, durch Glaubensgerechtigkeit immer mehr die Lebensgerechtigkeit anzuziehen, und soll also alles Gelüsten der Natur, als ein Naturbedürfniß, uns zu Christo treiben, der die Seele vollkommen vergnügen und allen Bedürfnissen vollkommen abhelfen kann, so daß hiemit das Geistesgelüsten in's Herrschen kommt und wir Frucht des Geistes bringen, welches dann ist Lebensgerechtigkeit, eine wahre Frucht des Glaubensbaumes oder der Glaubensgerechtigkeit. So es nun das also thut und wirkt, kann ich nicht einsehen, was es schadet oder schaden sollte. Denn es dünkt mich fast so gut seyn, wie dem Bauern der Dung auf dem Feld. Denn er thut ihn ja nicht deßhalb auf das Feld, daß er Unkraut treiben soll, sondern Frucht. 1. Lebensl. 164 f.

Satan muß wider seinen Willen helfen und fördern. Er treibt die Seelen heftig an, wenn er mit Lügen kommt heran, daß sie die Wahrheit gründlich suchen und seine Lügen ganz verfluchen. I. 267, 8.

Laßt euch den Streit des Fleisches wider den Geist nicht befremden und seltsam vorkommen. Denn es ist nicht anders möglich und muß auch also seyn; das Böse muß das Gute treiben, denn es ist wie der Dung im Acker. II. Gal. 92.

§ 209.

Andererseits muß demselben positiv durch Lehre und Ermahnung nachgeholfen werden.

„„Denket nicht, daß ein evangelischer Christ keine Moral habe. Natürlich sollte freilich einem solchen Nichts ge-
boten werden müssen; es sollte ihm Alles wie geistlich angeboren seyn. Allein obschon Alles im Samen der Wiedergeburt liegt, was das Gesetz des Geistes fordern kann, so
wird es doch billig aufgefordert und man muß dem geistlichen Entwicklungstrieb zu Hilfe kommen, da er ja auch so
viele, äußerlich auf ihn dringende Verhinderungen erfährt;
und das gutwilligste Kind muß doch von dem elterlichen
Willen unterrichtet seyn; ebenso muß man auch dem Christen-
menschen den Willen des Herrn deutlich offenbaren. III.
Theß. 72.

Alles, was sich in's Lebenslicht stellt aus dem Lebensanfang, das soll und darf Andern, nun auch hieran zu
wachsen, mitgetheilt werden. Alles, was als Geist, Salbung,
Schriftsinn-Verstand und Licht vom Geist gezeugt und geboren wird, das soll zum Nutzen Anderer mitgetheilt werden.
Syst. 218.

§ 210.

Die aus dem lebendigen Geistestrieb sich entwickelnde
Heiligung ist die Lebensgerechtigkeit, durch welche sich in dem
Wiedergeborenen das durch den Glauben empfangene Leben
des Geistes Jesu in Jesusähnlichkeit offenbart und die sich
daher zu der Glaubensgerechtigkeit verhält, wie Mutter und
Kind, Frucht und Baum, Grund und Bau.

„„Das Geistes- und Lebensgesetz ist das neue Leben, ist
die edle Glaubensgerechtigkeit, welche als ein sehr fruchtbarer Baum die wahre Lebensgerechtigkeit treibet und wirket. Syst. 368.

Ich nenne die Gerechtigkeit, die vor Gott gilt, eine
Glaubens- und eine Lebensgerechtigkeit. Eine Glaubensgerechtigkeit ist sie, weil sie dem Glauben geschenkt und gegeben wird, eine Lebensgerechtigkeit ist sie, weil sie sich in
Jesusähnlichkeit offenbart aus dem, der sie hat, als ein Leben des Geistes Jesu. Syst. 286.

Gott hat seinen Sohn in der Gestalt des menschlich-
sündlichen Fleisches gesandt und gegeben, auf daß durch
denselben in seiner allerheiligsten Person die nämliche Ge-

rechtigkeit, die vom Gesetz erfordert wird, und nach dessen genauestem Sinn gefordert werden kann, für uns Menschen und in unserem Fleisch erfüllet würde. Nicht allein aber für uns, in der Person des Erlösers, sondern auch in uns, die wir glauben, und die wir durch den Glauben seinen Sinn und Geist empfangen, folglich in ihm gezeugt und ausgeboren werden sollen. In unserer Person soll durch ihn auch Alles erfüllt werden, was das Gesetz erfordert; und es soll auch uns angeboren werden die Erb- und Glaubensgerechtigkeit, aus welcher die Lebensgerechtigkeit geistlicher Natur gemäß erfolgt und erfolgen muß, bei uns nämlich, die wir nicht mehr nach dem Fleisch und Fleischessinn wandeln, noch uns vom Sündengesetz in den Gliedern beherrschen lassen, sondern vom Geist Jesu und dessen edlem freimachendem Geistesgesetze. Syst. 155.

Was ist also Lebensgerechtigkeit? Es ist lauter Frucht des Glaubensbaums, es sind lautere Wasser derselben Quelle, lauter Kinder derselben Mutter. Die Lebensgerechtigkeit ist nicht Wirkung der Natur, nicht Trieb des Gesetzes, nicht Eigenheit und Selbstgesuch, nicht das, was Natur kann und vermag, nicht natürliche Vernunft und Tugend und angenommenes frommes Wesen oder Schatten, sondern Trieb und Wirkung Gottes und seines Geistes im neuen Leben, das geistlich wirksam, nicht todt und müßig seyn kann. Es ist also nicht Gesetzlerei und Werkheiligkeit, nicht Lohnsucht und Himmelverdienerei, sondern kindlicher, göttlicher, übernatürlicher Trieb, der sich von seiner Natur und Art herschreibt und davon nicht getrennt werden kann und soll. Daher ganz zuverlässig ist, daß wer die Lebensgerechtigkeit nicht im Wandel und Leben offenbart und sein Licht einfältig leuchten läßt, der hat auch die wahre Glaubensgerechtigkeit nicht, ob er sich deren schon rühmt. II. Gal. 46.

Der Glaubige ist einem Baum gleich, versetzt in's himmlische Wesen mit Christo; sein Stamm geht durch die Lichtwelt und seine Aeste durch die Paradieswelt, seine Glaubensfrüchte aber trägt er in der äußern Welt sichtbar, aber nur seines Gleichen bekannt. Die reifen werden in's Lichtreich gesammelt und machen Gott und den Engeln Freude. IV. Hebr. 513.

Der Glaubensbaum ist ein fruchtbarer Baum; er trägt Lehr- und Lebens-, Lichts- und Geistesfrüchte. II. Petr. 168.

Glaubens- und Lebensgerechtigkeit sind unzertrennlich, wie Baum und Frucht, Mutter und Kind. II. Gal. 36 f.

Ich weiß es gar wohl, daß die Lehre von der Rechtfertigung und Versöhnung der Grund des wahren Christenthums ist; aber das weiß ich auch, daß die, welche einseitig dabei stehen bleiben und immer viel davon sprechen, meistens beim ewigen Grundlegen stehen bleiben und immer Grund legen und doch nie recht legen, weil sie sonst auch darauf bauen würden. Syst. 205.

Wer den Weg des Kreuzes zur Herrlichkeit selber geht, und Christi Schmach mit Ausgehung von Allem trägt, und ein Narr in der Welt wird, Alles fahren läßt, wider das Leben der Eigenschaft streitet, und sich ganz zum Opfer Gottes hingibt, und auch Andere also lehrt und unterrichtet, der baut auf den rechten Grund etwas Gutes, Feuerbeständiges und Unverbrennliches, nämlich Gold, Silber und Edelgestein. Denn auf die Art, durch das Feuer des ewigen Geistes, wird das Geheimniß des Kreuzes aufgeschlossen und alle Gottesweisheit darin gefunden, zuerst Silber der Herrlichkeit, göttliches Licht, Wahrheit, und dann auch Goldstücke der Erfahrung und Erkenntniß, Weisheit und Verstand, den ganzen Vorsatz Gottes, allen seinen Rath und Willen zu erkennen vom A bis zum O; man bekommt den göttlich-menschlichen Geist mit Wesen, Licht und Kraft, lernt alles Andere verschmähen, und nur Jesum suchen und wollen; was mehr? Man findet die Perle des Reiches Gottes in sich, man wird sogar eine Wohnung der Dreiheit und wesentlich mit ihr vereinigt und wird geistleiblich, gottförmig und ewig herrlich und selig; und das ist's dann, woran alles Andere hangt. IX. I. 282 f.

Die rechte Gattung von glaubigen Seelen sind solche, in denen der rechte, ächte, wahre Grund der Glaubensgerechtigkeit, Jesus Christus, der Gekreuzigte, geburtsmäßig gelegt ist, der da ist die Quelle alles Lichts und Lebens, aller Wahrheit und Klarheit. Was also aus ihm, diesem Grunde selbst fließt und auf ihn Bezug hat, das nehmen solche Seelen an, das lassen sie den Geist der Wahrheit

auferbauen, und also baut derselbe Werk= und Baumeister
Gold, Silber und Edelsteine auf den allerheiligsten guten
ächten Grund. Waserlei Art, Natur und Eigenschaft ist also
der gelegte Grund? Er ist Geist, also geistlicher Natur,
Art und Eigenschaft, gelegt vom göttlich=menschlichen Geist
Jesu Christi, gegeben aus seiner gottmenschlichen Natur, ist
also Erstling des Geistes, ist neue Creatur, ist Gottes Werk,
geschaffen in Christo Jesu. — Wenn denn aber der Grund
also gelegt und eine solche Zeugung, Geist vom Geist, in
der glaubigen Seele gewirket ist, soll alsdann weiter nichts
geschehen? Soll sich dieser gelegte lebendige Quellgrund
voller Lebenskräfte nicht enthüllen? Soll dieser geborene
Grund, der doch ein Samstoff des lebendigen Geistes Jesu
ist, sich nicht auch ausbilden, und zur Geburt ausreifen?
Soll, wenn er geboren und minderjährig ist, er nicht fortan
nach Volljährigkeit und Vollkommenheit streben? Soll das
Kind nicht geistlicher Mann werden? Sollen nicht auch
Verstandes=, Geistes= und Lebenskräfte sich entwickeln, ent=
hüllen und ausbilden? Soll nicht alle Wahrheit zu solcher
Ausbildung benützt werden, sammt guter Gelegenheit bei
gliedlicher Handreichung? Ja, soll nicht ein Kind endlich
auch ein brauchbarer Knecht und Sohn im Hause werden,
durch den der Geist der Wahrheit auf Kleine und Minder=
jährige wirken kann, daß Alle also wachsen? Ich denke:
ja! das Alles soll und muß so seyn, und das Ausbilden,
Enthüllen und Völligerwerden ist das, was bei uns auf den
Grund gebauet heißt und genannt werden mag. III. Col. 41 f.

So ist nun klar, daß der Glaube sei der gute Acker=
und Muttergrund, und das, was ihm gegeben und mitge=
theilet ist, das ist der höchst edle Same des Lichts= und
Geistlebens, und das, was Acker und Same treibet, ist Frucht
des Glaubens, oder auch Frucht des Geistes, und sind diese
Drei so genau unzertrennlich und untheilbar, wie Gott selbst
und seine Dreiheit. II. Gal. 46.

§ 211.

Die erste Frucht der Glaubensgerechtigkeit ist Keuschheit
in und außer der Ehe (cfr. § 229.), und die höchste die
Liebe, die des Gesetzes Erfüllung ist.

„„Unter andern Geistesfrüchten ist eine der ersten die Enthaltung und ein keusches Leben in und außer der Ehe, weil, wenn eine Seele solche Gnade durch den Glauben erlangt hat, Reinigkeit und Bewahrung aller Kräfte und Aufopferung an Gott ihr Hauptbestreben ist und sie sich also als einen wahren Gottestempel achtet und hält. II. Act. 517 f.

Die Weisheit von oben ist auf's Erste keusch, und ihre Keuschheit ist sogar herzlich; sie ist es von außen und innen; sie ist's vor Gottes und der Menschen Augen; sie ist's in ihrer, durch Alles durchgehenden, reinen, jungfräulichen und übernatürlichen Gottesnatur, und wo sie gemerkt, gekannt, geachtet, geliebt und begehrt wird, da erfüllt sie die Seele alsbald mit ihrem jungfräulichen Liebeswesen und erwecket einen Abscheu an den Fleischeswerken der sinnlichen Natur und an aller niedersinnlichen, verkehrten und verderblichen Liebesart. Daher macht sie aus ihren Liebhabern meistens wahre Gottesfreunde und oft auch Propheten. III. Theff. 62 f.

Nichts in aller Welt steht so scheußlich und ärgerlich an denen, die zu der lebendigen Gemeine Jesu gehören wollen, als ein unzüchtiges Leben, es mag in oder außer dem Ehestande seyn; ist auch dem Auferstehungsleibe Nichts so nachtheilig, folglich ist auch kein Gräuel so sehr allen Absichten Gottes mit den Menschen im Widerspruch. Daher hat auch die himmlische Weisheit von Oben ihre Kinder vorzüglich mit Keuschheitslust begabt, und einen Hang nach Reinigkeit in ihre Seele gelegt, der sich auf's Allererste äußert und offenbart, und ist kein Wunder, daß diesen Keuschheitsverliebten von Niemanden mehr widersprochen wird, als von denen, die es gar zu gerne mit dem fleischlichen Sinne halten; denn es ist ihnen Nichts unleidlicher, als etwas von Keuschheit und Enthaltung zu hören, und wenn man gleich nur nothwendige und mögliche gottgefällige Enthaltung, nicht aber unartige oder übertriebene darunter verstehet. I. Lebenslauf 134 f.

Es ist wahr, ich bin von jeher ein Freund jungfräulicher und keuscher Herzen und halte das nach Jacobi Sinn für die ersten Kennzeichen der Weisheitskinder; aber von dieser Menschengattung schließe ich in ehelicher Ordnung lebende

Menschen nicht aus. Dieß kann eher denen passiren, die den ledigen Stand nicht gottgefällig führen. ibid. 141.

Die Weisheit ist auf's Erste keusch, d. h. wer sie hat, bei dem wird sie sich am allererstenmit Keuschheitslust offenbaren. Und wer sie hat, oder wo sie bei Einem nur wohnhaft zu werden sucht, wird Neigung zur Keuschheit seyn; er wird Unruhe haben und fühlen bei allen sinnlichen Ergötzungen und Reizen der Natur. Er wird sich nicht wohl befinden bei der Herrschaft der untern Seelenkräfte, beim Herrschen irdischer Sinnlichkeit. Denn es ist wider den Liebesplan und wider alle Absicht göttlicher Weisheit; sintemalen ihre Absicht ist, geistleibliche Lichtleiber zu bauen und lebendige Steine in wahrer Jesusähnlichkeit auszubilden und darzustellen. Und die Absicht der Sinnenlust sind Zwecke der Wanderzelte, so sie ja noch gut und von Gott gebilligt sind; aber Fleischeslust ist der Weisheit entgegen, ist ihrem Liebesplan sehr verderblich. Darum ist weder natürliche noch göttliche Weisheit in Menschenseelen, die mit Lust in fleischlichen Lüsten, wie in einem Elemente leben. Natürlich-weise nenne ich die, welche nicht sowohl die Lust, als das, was der Schöpfer, mit der gegebenen Naturgabe bezwecken; wider das hat selbst die göttliche Weisheit in der Ordnung Nichts einzuwenden; aber solche, die nur Wollust statt der Frucht suchen, nennt die Schrift Narren. Röm. 1. Und sie sind es auch; denn sie verderben sich selbst, wie unvernünftige Thiere, und reifen zu Fleischesgerichten, Tod und Verwesung. III. Thess. 67 f.

Wir sind es nicht gewiß überzeugt, ob ein Mensch im Ehestand die Enthaltung so weit treiben darf als, es Einer außer demselben treiben muß. VI. Pf. 1330.

Es gibt Menschen, denen man nicht absprechen kann, die ersten Kennzeichen der Weisheit zu haben; aber in diesem Zustande sollten sie noch ein wenig stille seyn und ihre Begriffe auszeitigen lassen. Denn es kann recht seyn, daß sie es in Ansehung der Keuschheit für sich übertreiben, aber für Andere sollten sie stille seyn. Denn sie reden anders, wenn sie die großen Absichten Gottes erkennen, die Gott mit dem Menschen hat, der einen so kleinen unansehnlichen Anfang nimmt. Reden sie aber nicht anders, so ist es Eigenliebe; _

denn sie müssen beim Wachsthum in der Weisheit anders denken. Ich rede oder schreibe aus Erfahrung und erkenne in Manchem Fehler; allein ich bin fest darin, daß ich immer mehr wider die Lust, die nicht Geschlechts-Vermehrung zum Zwecke hat, gewesen bin, als wider die eheliche Mischung. Ja! ich darf sagen, daß ich wider Letzteres nie nichts hatte, ob es mir schon sehr niederträchtig vorkam an einem Kind des Lichts; ich kann es auch noch bis zu dieser Stunde nicht begreifen, daß Leute den Mißbrauch des Ehestandes vertheidigen, und ist mir: wer die Gabe der Enthaltung hat, entweder durch die natürliche oder geistliche Geburt, der soll sie bewahren und sich zur geistlichen Vermehrung im Reiche Gottes tüchtig machen lassen. Er wird sodann, wohlwissend, daß der natürliche Mensch der Erste ist, sich nicht aufhalten an denen, die Gott natürlich dazu werkzeuglich gebraucht, und den Ehestand ehrenwerth halten und so gebührend respektiren. VI. Pf. 230 f.

Ich bin manchmalen übel verstanden worden, und man hat meine Briefe und Schriften mißbraucht; denn ich schrieb Manches an eine Seele, in der ich Gott sahe vor mir draus auf Keuschheit und entweder auf gänzliche Enthaltung oder auf Mäßigkeit arbeiten. Andere kamen hinten nach und wollten es zur allgemeinen Regel und Lehre machen, und das richtete Schaden an ohne meinen Willen; ich konnte es nicht hindern, ich erblickte früh im Lichte der Weisheit, wie von der Sache zu handeln und zu denken. VI. Pf. 232.

Damit die gute Naturgabe nach Gottes Willen in der Ordnung möge gebraucht werden, darum hat er den ehelichen Stand eingesetzt. Und eben darum, weil ihn Gott eingesetzt, gesegnet und geheiligt hat, ja eben deßwegen, weil er ihn zum Pflanzgarten der Menschengeschlechts-Vermehrung gewählet hat, darum soll ihn auch Niemand verachten, Niemand entheiligen oder entweihen, oder dessen Gabe und Segen verderben weder in noch außer der Ehe. Es soll demnach die Ehe überhaupt, sowie die eheliche Verbindungshandlung ehrlich oder ehrenwerth gehalten werden, nicht nur bei denen, die in den heiligen Stand der Ordnung Gottes treten, sondern bei Allen, auch denen, die die Gabe der Enthaltung haben und nicht darein treten wollen. Kein

Mensch soll verächtlich davon denken noch weniger reden. Denn es wäre nicht einmal vernünftig, geschweige christlich gedacht und geredt. Müßte doch Einer nicht bei gesunden Sinnen seyn und ganz vergessen haben, auf welche Weise er sein Daseyn erlangt habe. IV. Hebr. 770.

Der ehelose ledige Stand macht uns vor Gott nicht heiliger, sondern er ist nur ein Stand, darin wir ungehinderter der Heiligung nachjagen können. Thun wir das, so ist es uns gut, also zu seyn; thun wir's nicht, so sind wir weniger heilig, als Eheleute, die es auch nicht thun, denn ihre Hindernisse sind eher eine Entschuldigung, als unser unlauteres Halten von unserem Stand. XI. I. 487.

Die allerköstlichste Liebesfrucht ist die Hauptfrucht aller Früchte am Lebensbaume, am Baume des Glaubens; sie ist ja als des Gesetzes Erfüllung beschrieben, wie wenn sie die Mutter aller Tugenden und Vollkommenheiten wäre; ja sie ist wenigstens das Herzblatt an den edeln Gottespflanzen. II. Petr. 195.

Die Liebe ist der edelste und beste Theil der Heiligungsgaben und wird mit der ganzen Gabe, mit Christo gegeben. Wer Christum hat, der hat den lebendigen Glauben, das A und das O in sich, und dieser Glaube (in Betracht da man Christum hat) ist es, der den Samen der Herrlichkeit, den Geist in sich hat; darum ist es das Geistes- und das Glaubensleben und hat Licht, Kraft und Wesen und ist in diesem ein Lebensband vieler Kräfte, das sich selber entwickelt, so man es nicht dämpft; darum heißt es überhaupt der Geist des Glaubens. Wo nun dieser ist, da ist man ja Eins mit Gott, als dem wesentlichen Liebelicht. Liebe und Licht ist das Wesen des Geistes; nenne es die Luft, wenn du willst; diese Liebelichtsluft wird mit dem heiligen und heiligenden Geist gegeben und durch denselben als ein wesentlich Salz und Luft in dem Seelenrade geboren. Aus dieser Liebe, als der weiblichen Art des Glaubenslebens und als dem Wesen des bildenden Geistes, werden, als aus einer Mutter, alle Früchte des Glaubens, als des Mannes und Lebens, und alle Früchte des bildenden, heiligen, göttlich-menschlichen Geistes geboren nach dem Wohlgefallen Gottes und seiner Weisheit, welcher ist das A und das O; da wird man zum Bilde

Gottes erneuert in rechtschaffener Gerechtigkeit, Heiligkeit und Wahrheit und ist ein Bild der Dreiheit in der Einheit der Gottmenschheit. Wo das ist, da ist die Liebe als ein Theil der Heiligungsgaben mit allen ihren Früchten, wie sie 1 Cor. 13. beschrieben sind. IX. I. 396.

Was soll denn das Gesetz? Vieles ist bei Kindern der Verheißung abgethan und die Hauptsache ist ihnen angezeugt und angeboren; denn sie sind selber ein gezeugtes und geborenes, lebendiges Gottesgesetz; es ist ihnen das Gesetz in's Herz gegeben und geschrieben, was nämlich das eigentliche Gesetz Gottes und dessen Sinn betrifft; was aber Schatten, was Satzungen, die als dürftig betrachtet werden können, sind, das ist abgethan bei den Kindern der Verheißung oder den Kindern der oberen Mutter. Das eigentliche Gottesgesetz und dessen allerreinster Sinn ist bei den Kindern Gottes nicht abgethan, denn es ist ihnen eigentlich angezeugt und angeboren, sie sind geistlicher, göttlicher Naturart, also selbst Licht, Geist und Geistesgesetz, und soviel sie das nicht sind, soviel geht sie das Gesetz des Evangeliums auch noch an; derohalben ist kein Jota vom Gesetz aufgehoben und alle Lichtskinder thun und lehren es nach Gottes Sinn und werden einst groß heißen im Himmelreich. II. Gal. 53.

§ 212.

Obgleich auch die Lebensgerechtigkeit das Verdienst und Werk Jesu ist, bringt dieselbe doch den Gnadenlohn vorzüglicher Herrlichkeit als ihre entsprechende Frucht ein.

„„Man redet vom Verdienst Jesu, von Vergebung der Sünden und Rechtfertigung, und bedenkt nicht, daß die aus der Glaubensgerechtigkeit fließende Lebensgerechtigkeit ebensowohl Jesu Verdienst, Kraft und Wirkung sei, als eben das, was Christus für uns in seiner Person gethan hat. Denn es ist ja kein anderer Christus, der in seiner Person Alles für uns durchgemacht hat, als der, welcher es in uns und in unserer Person auch durchmachen muß, soll es anders Gottes Werk seyn. II. Gal. 81.

Das will ich zugeben, daß man nicht um der Glaubenswerke willen selig wird; aber vorzügliche Seligkeiten oder

Herrlichkeit ist die Frucht der Glaubenswerke; das lasse ich mir von Keinem in aller Welt ausreden oder nehmen. II. Sal. 47.

Die Gräuelbäume tragen Frucht dem Tod und der Hölle; da hingegen die Frucht des Geistes himmlischer Herkunft ist und also auch wieder dahin gehen und kommen kann. II. Sal. 94.

Wir sollen unsere Lebenszeit als eine Saatzeit ansehen und uns mit allem Ernst auf das legen, was auf jene Welt Frucht bringt, und nicht matt werden, das auszustreuen, was unmöglich unvergolten bleiben kann. Gott kann uns einst keine anderen Früchte zum Gnadenlohn geben, als solche, die wir im Glauben und in seines Geistes Kraft und Trieb gewirkt haben. Wir wissen, daß die Todten, die in dem HErrn sterben, von nun an selig sind, weil ihnen ihre Werke stracks nachfolgen. Wären sie nicht in Gott gethan, und wären sie nicht Lichtssaaten und Lichtswerke, so könnten sie ihnen nicht in's Lichtreich nachfolgen; mithin ist die Rede von Lichtssaaten und Lichtswerken, von Früchten, die am rechten Glaubensbaum gewachsen sind. II. Sal. 101.

Der Naturbaum menschlicher Tugenden und Sitten kann zwar löbliche Früchte tragen; aber da ihr Fundamentgrund und Wurzel nicht ewig ist, kann es mit denselben keine ewige Dauer haben; sie sind nicht in Gott gethan, haben also keinen Ausfluß aus Gott und mithin auch keinen Rückfluß in das Reich der Himmel. Wohl ist es möglich, daß knechtische Seelen solche Werke wirken, die das Ziel ihrer Lohnsucht erreichen durch einen gottgeziemenden Lohn. Aber das sind keine Erbesachen, die sind nur für die Kinder bereitet. Kinder sind Erben; aber eben diese Kinder dienen Gott in ganz reinen Herzensabsichten und in göttlichen Geistestrieben. Da also ein unsterblicher, vollkommener Geist die Früchte treibet, können sie nicht welk werden, noch vergänglich seyn, und die Unvollkommenheiten, die denselben anhangen, werden abgethan und durch ein höher Verdienst vollkommen gemacht. Darum, wo kein Treiben des göttlichen Geistes ist, mangelt die Kindschaft Gottes, mithin auch die Erbschaft. II. Petr. 147 f.

§ 213.

Wiewohl die Glaubenswerke, welche von den Gesetzes-
werken und der Werkheiligkeit wohl zu unterscheiden sind, bei
einem Wiedergeborenen nicht fehlen dürfen, so ist doch bei der
Forderung derselben der geistlichen Entwicklungsstufe Rechnung zu tragen.

„„Was ist Werkheiligkeit und Gesetzesgerechtigkeit oder
Gesetzlerei? Nicht das, was man die edelsten Kinder Gottes
beschuldiget, die als die fruchtbarsten Glaubensbäume am
meisten Früchte der Lebensgerechtigkeit bringen, sondern Ge-
setzes- und Werkheiligkeit ist Alles, was der ungläubige,
leblose, ungeistliche Mensch nach dem blosen Buchstaben des
Gesetzes ohne den Geistessinn thut und vollbringen, nach-
äffen und nachmachen kann, ohne daß es verändert wird,
und das in der Meinung, daß er dadurch also gerecht und
selig werde. Der Buchstabe ohne den Geistessinn ist todt,
und kann kein Leben geben, auch keine Lebensfrucht erzeugen, folglich nicht gerecht und selig machen, denn Eines
hanget am Andern. Jemehr also das Gesetz ausgelegt und
gedeutet, erklärt und vermehrt wird ohne Geistessinn, den
Jesus in der Bergpredigt dargestellt hat, je mehr kann es
der Mensch in Naturkraft halten, aber auch immer mehr sich
täuschen, dadurch gerecht und selig zu werden, und immer
mehr vom Gesetz Gottes und dessen eigentlichem Sinn abkommen. II. Gal. 37.

Manche halten auch die Glaubenswerke für Gesetzes-
werke und möchten auch gerne das weg haben, weil es ihnen
am lebendigen, Frucht wirkenden Glauben fehlt. So ist's
aber nicht verstanden. Denn die Frucht der Glaubens- und
Geistes-Natur, was wir Glaubenswerke nennen, kann kein
Joch genannt werden. Ein Anderes ist's, wenn das Gesetz
vom natürlichen Menschen geistliche Dinge, also etwas Wi-
dernatürliches fordert, so ist es freilich dem Unglauben nicht
möglich, Glaubenswerke zu wirken. Für ihn ist's auch ein
Joch, wenn man Glaubenswerke fordert; denn er kann sie
nicht leisten, weil er keinen Glauben hat. II. Act. 318.

Wenn der Apostel Paulus sagt, der Mensch werde allein

durch den Glauben gerecht und selig ohne Werke, so kann er nur des Gesetzes Werke, nicht aber des Glaubens Werke und Früchte verstehen; sonst trennte er ja, was unzertrennlich ist. Wer es aber thut wider des Apostels Sinn und Meinung, der thut es unwissend und vergeht sich und gibt Anlaß zu vielem Mißverstand; weiß er es aber und thut es doch, so versündigt er sich sehr schwer am Wort Gottes und ich möchte es nicht verantworten an seiner Statt. Denn wenn Einer hört, daß er Glauben ohne Werke haben und dabei selig werden kann, so bildet er sich den Glauben zu haben ein, und ob er ihn schon nicht hat, geht er betrogen dahin, und wer ist schuld daran? Er trennt sich vom Gesetz und scheidet sich davon, und ist doch nicht frei geboren durch den wahren Glauben. Er stellt sich in einen Zustand, da das Gesetz nichts mehr mit ihm ausrichten und ihn nicht mehr zu Christo treiben kann. II. Gal. 38.

Wer nur gerne von der Glaubensgerechtigkeit und nicht gerne von der daraus fließenden Lebensgerechtigkeit hören will, der betrachtet nur immer den Baum im Winter, da er weder Laub noch Früchte hat und kaum von einem verdorrten unterschieden werden kann. II. Gal. 105.

Es gibt Seelen, die uns bereden wollen, daß sie den ächten, rechten und wahren, lebendigen Glauben haben, folglich daß sie lebendige Jesusglieder seien, mithin seinen Sinn und Geist haben, und sie zeigen doch nirgends keine Glaubens- und Geistesfrucht, vielmehr aber Früchte des sündlichen Naturbaums. Diese geben vor, daß, da sie an den Lebensbaum glauben, der alle Früchte des Geistes und des Glaubens getragen habe, und sich im Thun und Leiden auf's Allerfruchtbarste gezeigt, solches Alles für sie und um ihretwillen geschehen sei, und daß sie also nun Nichts zu thun, sondern Jenes nur zu glauben hätten, und was dergleichen Geschwätzes noch mehr ist. Diese armen Betrogenen geben überlaut zu verstehen, daß ihr Glaube ein todter, ein eingebildeter und also ein nichtiger Glaube sei. Denn wie sollte man glauben, daß sie in Christo seien mit ihrem todten Wesen? Es wäre eben, als wenn sie uns bereden wollten, sie seien Glaubensbäume mit Lebensfrüchten, weil sie sich dafür halten; als wenn uns Jemand einen Apfelkern

—

vorhielte, und sagte: glaube doch, dieß ist der Baum mit allen seinen Früchten schon wirklich, da er doch mit seinem Keim noch nicht erweckt ist und das wachsende Leben sich noch nicht regt, obschon die Möglichkeit im Kernen liegt, daß er in Bewegung des wachsthümlichen Lebens einst gesetzt werden kann. II. Petr. 169. 170.

Reichet dar in eurer Erkenntniß Mäßigung; wir fordern nicht von jungen, schwachen Bäumen die Portion Qualität und Quantität Frucht, wie von großen, älteren Bäumen. Wir wissen, daß es Leute gibt, die in ihren Forderungen es übertreiben, die weder Stand noch Beruf, weder Person noch Alter, weder Zucht noch Ordnung, weder Gebrauch noch Mißbrauch unterscheiden, sondern in ihren Forderungen gleich durchgehen und unmäßig sind; wider diese zeugen wir, wo wir können, und handeln ihnen entgegen, wo wir sollen und so reichen wir dar in unserer Mäßigung Geduld und Vertragsamkeit. Wir werfen es nicht gleich weg das Schwache, eingedenk, daß es auch stark werden kann. II. Petr. 183.

bb. Der chemische Läuterungsprozeß.

§ 214.

Indem nun der nach Ausgeburt und Vollendung ringende Geistestrieb sich zu entfalten und das Leib und Seele beherrschende und verklärende Princip zu werden strebt, wird das seelische Naturleben bis in seinen tiefsten Grund und in allen seinen Beziehungen und Offenbarungen aufgedeckt und ausgeschieden, d. h. die wiedergeborene Seele wird durch den chemischen Läuterungsprozeß geführt. (cfr § 192.)

„„Die Tage der wahren Erleuchtung sind selige Tage, denn das Licht Gottes macht sehr fröhlich; es sind Tage der Empfängniß und man glaubt auch, so werde es fortgeben, ja noch immer besser kommen. Allein so süß die theure Sache ist beim Genuß, so sehr grimmt es oft nachher, wenn die Seele gereinigt, geläutert und bewährt werden soll. Denn die Seele, wenn sie der theuren Sache rechter Art theilhaftig geworden ist, hat viele Reinigungen nothwendig. Ist Jenes rechter Art vorbei, so muß eine,

einer chemischen ähnliche Scheidung der geistlichen und seelischen Kräfte vorgehen, daß das eigene Seelische vom wahren Geistlichen abgesondert werde; und dann muß das mer-
kurialisch-geistig-Flüchtige einen unzerstörlichen Geistleib haben und diesen erlangt es in den Bewährungsfeuern. Da
heißt es oft bei der Seele: „da mir's also sollte gehen,
ach! warum bin ich schwanger worden?" Und wenn ein so
heftiges Grimmen im Bauche ist, kommt oft der Wunsch:
„ach, daß ich das Büchlein nicht gegessen hätte!" Wenn dann
freilich das Schmerzenskind zur Welt geboren ist, denkt die
Gebärerin nicht mehr an die Angst, um der Freude willen,
daß ein Mensch durch sie zur Welt geboren ist. V. Off. 289.

§ 215.

　　Diese Durchleuchtung und Scheidung geschieht durch das
Lichts- und Lebenswort des HErrn.

　　„„Was ist das zweischneidige Schwert (Apoc. 2, 12.) anders, als das scharfe Anatomie-Messer, das da schneidet und
theilet Seele und Geist, als zwei verschiedene Geburtsquellen,
auch Mark und Bein, Hebr. 4, 12., als eine abermals verschiedene Quelle der Lebensgeburt? Das lebendige, feurige
Wort des HErrn ist der scharfe Lebensgeist, der Geist des
Ausbrennens, der Separator, Scheider, Mercur, der da
richtet, scheidet und untersucht, auch probirt, woraus, aus
welcher Quelle die Sinnen und Gedanken kommen und entspringen, ob sie aus dem göttlichen oder höllischen oder natürlichen Geist gezeugt worden, und ob sie göttliche oder
höllische oder natürliche Gründe seien, daß er Alles in seinen
Ursprung treibe und theile. V. Off. 732.

　　Das Herrschen des seelischen Naturlebens muß ganz aufhören und dem Geistes- und Glaubensleben untergeordnet
seyn, welches aber nur auf folgende Weise geschehen kann:
die Seele muß lichtliebend seyn; das Licht des Lebens muß
sie also durchleuchten können, und der Seele muß es lieb
seyn, daß es ihr alle Finsterniß zeigt. Und wenn dann in
der Durchleuchtung Finsternisse entdeckt worden, so muß die
Seele diese durchrichten lassen vom Wort des Lebens. Es
muß Alles entscheiden, aus welcher Quelle der zerschiedenen

Leben jeder Gedanke entsprungen, woher dieser oder jener Nebengedanke gekommen, welche Absicht aus diesem oder jenem Grunde entsprungen sei u. dgl. Das Alles muß das Durchrichtende entscheiden und dann, wenn es unrichtig ist im Lichte befunden, zum Kreuzestode verdammen. Das ist also die Verrichtung vom Wort des Lebens in menschlichen Seelen, sintemalen es Alles im Seyn und Wesen erhält und aller Dinge Grund und Leben ist, folglich in die innersten und tiefsten Entstehungsgründe der Gedanken, Neigungen und Begierden blicken kann. Denn warum sollte das Auge aller Augen nicht Alles durchschauen und bis auf den innersten Entstehungsgrund genau sehen können? Sollte Gott Etwas gemacht haben, und durch sein Wort sollte Etwas in's Wesen gebracht seyn, dessen Wesen und Zusammenhang er nicht könnte verstehen? Oder sollte er nicht Kenntnisse haben von aller Art der Kräfte und Möglichkeiten? Wer ist es, der ihn blos wie eine Erde, die ihre Geburten nicht versteht, betrachten wollte? Oder wer kann so unziemlich von dem Wort des Lebens denken? Ist es denn nicht Urseele der Seelen? Sollte er ihre Ausartung nicht kennen, wer soll sie dann kennen? Nein, keiner als er weiß unsere Gedanken von ferne; nur der Seelen Ursprung durchschauet sie auf Grund und Boden. Er nur kann wissen, aus welcher Quell-Geburt ein Gedanke, ja ein Begehren entsprungen. IV. Hebr. 218 f.

Wer beharret, ist in den Tagen der ernsten Buße schon zu Gott, dem Richter über Alle gekommen, ist bei ihm geblieben, hat sich ganz genau vom Licht Gottes lassen durchleuchten, und hat begehrt, daß ihm Alles in's Licht gestellt werde. Solches begehrt er jetzt noch alle Tage und bleibt also bei dem Richter, der da ist Aller ihr Gott. Da läßt er sich das lebendige Wort Gottes ganz und genau durchrichten und so durchgehen, daß Alles in sein Principium geschieden werde und Alles in der Entstehungsquelle aufgesucht, richtig entschieden werde, damit ihn das Blut Jesu durchreinige und der Geist Jesu durchheilige. Und auf die Art wird er so ganz freigerichtet, daß der Richter selbst sein Freund und Vater ist und bleibt. IV. Hebr. 717.

§ 216.

Hiezu wird die wiedergeborene Seele in den Feuertiegel der Anfechtung gesetzt; in diesem wird ihr alles Gefühl der Gnade entzogen, während andererseits durch Widerwärtigkeit das seelische Naturleben sollicitirt und also das Innere des Menschen herausgestellt und im Lichte der Wahrheit offenbar wird.

„„Immer muß Gott den flüchtigen Lebensgeist in eine fest versiegelte Flasche eines der Freiheit beraubten Zustandes setzen und in der Schule des Kreuzes und der Trübsal sein Werk in dir ausarbeiten. Darein magst du dich schicken und glauben: es ist gut gemeint und könnte auf keine andere Weise also gut und glücklich mit dem Werke Gottes in dir gehen. Gott weiß, was für eine Materie er im Machen hat, und wie er sie zu behandeln habe. Gleichwie das Gold durch das Feuer gereiniget und bewähret wird, also werden die, so Gott gefallen, durchs Feuer der Trübsal bewähret. Das Gold muß von seinen Schlacken gereinigt seyn, soll es probat, gut und gültig seyn. Christen müssen von ihren Naturunarten und angeborenen Ungöttlichkeiten gereiniget und gesäubert seyn, sollen sie anders Gott gefällig seyn und in einem Geistleibe Etwas seyn zum Lobe seiner Herrlichkeit. Darum, Christ! schicke dich zur Anfechtung! XI. I. 100.

Wenn Gott einer Seele die Fülle seiner Herrlichkeit, wie sie von der Lichtwelt-Sonne aus dem Raum seiner Herrlichkeit gefaßt und concentriret ist, mitgetheilet hat, so setzt das voraus, daß die allbegierige Seele sonst Nichts hat verlangt noch gewollt. Und da sie es nun erlangt hat, weiß sie in den hochzeitlichen Empfängnißtagen von keinem geistlichen Mangel; sie hat so zu sagen Hülle und Fülle: es wird in ihr durch Blicke in das Geheimniß des Kreuzes ein unersättlicher Hunger nach Kreuz und Leiden, Schmach, Spott und Verachtung erweckt, denn sie verlangt sehnlich nach aller Jesusähnlichkeit. Endlich schließet sich der mitgetheilte Same der Herrlichkeit, eine Universalmaterie aller Gottes- und Geisteskräfte, in ein Centrum und Gebärmutter zum Wach-

sen und zur Reifung der Ausgeburt. Nach und nach verliert
sich alles Gefühl und auch das Wissen von Gefühl, und
kommen nun die widrigsten Umstände und Nichts ungefähr
über das gezeugte Kind und seine Mutter. Alles wird verdeckt und entzogen, was Gott je zuvor mitgetheilt und gegeben hatte. Denn jetzo muß Geist und Glaube bewährt,
gereinigt und geläutert werden und alles diesem zuwider
Laufende sich regen, um das wachsende Geistleben in Bewegung zu setzen und zu treiben. Nun werden Dinge der
Widrigkeit von außen, aus der Elementarwelt wirken, und
die abgründliche finstere Welt wird auch ihr Möglichstes durch
ihre Creaturen thun. Und nun kommt die Seele in den
Zustand Davids Psalm 18, 5. 6. mehr oder weniger, je
nachdem sie edler ist und es ertragen kann. Nun greifen
Todesengel nach ihr und ängstigen sie; nun wird sie das zwei-
felnde Geströdel der Kräfte der Hölle erfahren, nun werden
sie die abgründlichen Bäche Belials mit strudelnden Feuerwir-
beln in das finsterste Schlund hinunterziehen wollen. Nun wird
Glaube, Liebe, Hoffnung und Alles ferne, und nur Angst,
Entfernung und Verlassung Gottes seyn. Jetzt werden auf
einmal alle Wetter der Drangsal daherrauschend über die
Seele fahren, und sie wird sich weder zu rathen noch zu
helfen wissen, von Gott verlassen seyn und keinen Ausgang
sehen. Und so wird sich's noch viel mehr zutragen in ihren
Veränderungen, und wenn sie genug gereinigt und geläutert
ist, wird Gott erscheinen mit Hilfe und wird die selige Ge-
burtsfreude alle Angst vertreiben und Tod und Hölle verschlingen. VI. Psalm 307 f.

Ich bin, o Gott! auch ein veränderlicher Mensch, und
es ist Wechsel des Lichts und der Finsterniß, Freude und
Leid in mir; ich komme oft durch allerhand Umstände in
Etwas hinein, wo ich finster, dürr und verdrossen werde,
und ich finde in mir eine Confusion, ich verliere dein Gnadenlicht. Aber wenn ich mich untersuche, so ist dasselbe con-
fusmachende finstere Ding aus mir aufgestiegen und hat sich
in's Mittel zwischen mich und Dich gestellt und uns geschieden. Nun hat es nicht anders mögen gehoben werden, ich
mußte eben in den Grund gehen, um eine gedoppelte Quelle
zu suchen, aus welcher sich in Verkehrtheit wider Deine

Wahrheit ein finsteres Etwas empört und hervorgethan. Indem ich sie finde, so finde ich auch da das Band des Lebens und empfinde, wie Dein feurig lebendiges Wort durchrichtet und dreien Geburten das Ihre zutheilt. Indem ich
nun gelassen stehe, der Scheidung still haltend, sehe ich das
Rad des Lebens mit einem Feuer heiliger Kräfte durchdrungen,
und in ihrem Centro einen Punkt des Lichts sich öffnen.
Dieser dehnt sich aus in die umlaufende Quelle; in diesem
Licht erblickte ich das ewige Wort und sein Original, die
Weisheit, und komme zurecht, neuer Erfahrungen theilhaftig
gemacht, verständiger in den Aussprüchen der Wahrheit Deines
Wortes, o HErr! VI. Psalm 83 f.

Allerlei, auch oft ganz unerwartetes Ding offenbart sich
und stellt sich heraus bei uns in den finsteren Anfechtungsstunden; es erscheinen da Dinge, wie die Leviathansgestalten,
fürchterliche Gräueldinge, abscheuliche Gedanken, wie aus
einem strudelnden Höllenquell, allerhand Arten der Zweifel
und des Unglaubens. Es erscheinen besondere Geistesgelüste
und ein abscheulicher, unersättlicher Vorwitz. Und siehe! in
solchen finsteren Stunden trifft Inneres und Aeußeres wie
harmonisch zusammen; Gottes Licht ist entzogen, es hat sich
in das Innere concentrirt und die Quellen der Tiefe von
allen finsteren Eigenschaften sind in dieser Zeit wie voller
Fruchtbarkeit. II. Jak. 293 f.

Der Christ soll zur Gottähnlichkeit gelangen und ein
kleiner Gott und Christus werden aus Gnaden; dahero muß
er die Offenbarungen der Höllenwundergeburten erdulden,
wie sie Gott zuließ aus der Tiefe seiner Eigenschaften, daß
sie Christus besiegen konnte und also (insofern er ist Menschensohn) zum Erbrecht über das ganze All der Schöpfung käme.
Denn ziemete es der Gottheit, diesen Erzherzog durch's Leiden
zu vollenden, so ziemete es ihm auch, daß er alle die Seinen
also vollende. Dahero wird die Hölle durch allerlei äußere
Dinge, die wir alle mit dem Wort „Anfechtung" verstehen
wollen, zu allerlei Höllenoffenbarungen gereizt und sodann
durch den Gläubigen mit dem Beistand Jesu thätig und leidend überwunden. II. Jak. 295.

Der natürliche Mensch, wenn er nicht lebte, könnte auch
nicht gefühlt werden. Da er aber lebt und gefühlt wird, so

lange als wir im Leibe sind, so hat er auch immer zu sterben, so lange als er seine Lebensgefühle zeigt; diese zeigt er aber in leidenden Umständen, und zwar am ersten. Aber indem er sie hat fühlen lassen, weiß der im Geist lebende, Jesusinn habende Christ, was er zu thun hat, was leben oder sterben soll. Könnte denn aber ein Naturleben wieder und abermal sterben oder in's Sterben gegeben werden, ehe es sein Leben zu fühlen gab? II. Act. 474 f.

Freilich müssen wir ob uns selbst erstaunen, so wir die Abgründe der Verdorbenheit gewahr werden, und unsere Veränderlichkeit beobachten. Es sollte nicht möglich seyn, daß ein vernünftiges Geschöpf so ganz ungleiche Dinge sollte erfahren müssen. Aber wir sind keine Monaden, keine einfachen Dinge; wir haben ein mehrfaches Leben von mehrfachen Sinnen, auch die Hölle und der Zorn Gottes will sich durch uns offenbaren. IV. Hebr. 224.

§ 217.

Da die Sünde hienach zur Scheidung und Ueberwindung heraus gestellt wird, so ist das Gefühl derselben für den Wiedergeborenen demüthigend, aber nicht verdammlich.

„„Wir müssen unseren natürlichen Muth darum ganz verlieren, und unsere Naturschwäche darum so ganz fühlen, damit wir uns nicht auf uns selbst verlassen, sondern blos und allein auf Gott, der auch Todte auferwecken kann. III. Cor. 16.

Mir wurde gezeigt, wie keine angeborene Sünde und Finsterniß, wenn sie sich im Wiedergeborenen fühlen läßt, verdammlich sei, daferne wider sie in Kraft der angeborenen Lebensgerechtigkeit gestritten werde, welche dem Glauben angeboren wird aus Christo. Syst. 285.

Laßt es euch nicht wundern, wenn ihr alle Arten von Sünden auch fühlen müsset! Der Heiland fordert nicht von uns Gefühlsfreiheit, aber Treue und Ueberwindung. Aber da muß man dann freilich allen Kräften aufbieten, oder man kann nicht siegen, oder so wie Jesus es will, überwinden. V. Off. 95.

Es ficht uns die Sinnlichkeit oft ungeheuer an. Nur im Glauben an das Unsichtbare kann gesiegt werden, anders nicht. Wundern soll es uns nicht, wenn uns mancherlei Sinnlichkeiten sehr quälen. Wie oft haben wir auch dazu viel gethan! Wir sterben keinen Versöhntod, so wir uns Gott opfern. Aber im Priestergeist des HErrn ringen und streiten wir mit der Sinnlichkeit. Und so wir gestärkter und gläubiger, geistlicher und kraftvoller aus dem Kampf kommen, dann haben wir gesiegt. Aber ach! daß nicht hintendrein immer wieder der leidige Unglaube da wäre, so Etwas wider unsere Begriffe geht. Doch ja, es soll auch dieser besiegt werden, wenn wir im Glauben ausharren werden. Nicht zu einer Zeit, wie zur andern werden wir von den grobsinnlichen Dingen gequält und angefochten. Nie werden sie sich sehrer empören, als wenn wir am meisten dawider streiten wollen; denn das niedersinnliche thierische Leben ist mit dem Schlangengift inficiret. Dieses Giftleben zeigt seinen Trieb am sehresten, wenn es soll überwunden sich geben. Aber das soll den redlichen Streiter nicht schrecken, denn die empfangene Geisteskraft ist ja zur Ueberwindung gegeben. Er soll nur Alles anwenden und Allem aufbieten, so siegt er gewiß. Der Geist des Oberhaupts im Lichtsamen macht ihn zum Sieger, weil eben so gewiß das Geistesgesetz im Lichts- und Lebenssamen sich siegend enthüllen will, als sich im Schlangensamen das Sündengesetz zum Treiben der Todesfrucht geschäftig erzeigt. Also nur nicht nachgegeben, noch nachgelassen; es geht ja so den rechten Gang und ist nichts Seltenes; es geht, wie es noch bei allen wahren Streitern Jesu Christi ergangen; man muß es ja nicht anders und besser wollen! IV. Hebr. 669 f.

Gar oft sind es den wahren Christen die schwersten Züchtigungen, wenn sie Sünde fühlen müssen, ja! es ist ihnen gewiß eines der schwersten Leiden, sie können es nicht lange ertragen, und müssen doch gar oft wider allen Willen solcherlei Anfechtungen erdulden, denn das Innere muß heraus gestellt seyn, daß es bekämpft werde. Da kann dann manche Seele dieß nicht reimen, und oft will sie fast verzagen. Sie betet ernstlich und möchte los werden und siehe: es wird oft ärger. Denn da geht der Zweikampf erst recht an. Aber da soll sie ja die fürchterliche Sache nicht gering achten, noch auf die leichte Achsel nehmen, als schadete das nicht, sie soll aber auch nicht in das andere Extrem verfallen, nämlich ja nicht verzagen, und nicht denken: „wenn ich ein Kind Gottes wäre, würde es mir also nicht gehen.“ Denn Gott läßt die Seinen nur zu ihrem Besten oft also versucht werden. **IV. Hebr. 672.**

§ 218.

Wenn die Seele im Feuertiegel der Anfechtung sich befindet, da sie einerseits das sündliche Verderben erfahren muß, andererseits alles göttlichen Lichtes und Trostes sowohl mittelbar als unmittelbar beraubt ist, so wird sie von derjenigen Feuersangst ergriffen, durch welche die Scheidung der Principien vollzogen und das Licht des göttlichen Lebens ausgeboren wird.   (cfr. § 25.)

„„Es ist ein Wunderding den Unerfahrenen, daß die Blicke in das Kreuzgeheimniß immer seltener werden, just wenn der innern und äußeren Anfechtungen am meisten sind. Aber auch das gehört mit zur Bewährung des Glaubens. Denn wenn die Freudenblicke vorhanden sind, kann keine Versuchung zur Anfechtung seyn: die Seele ist sammt dem Geist in's Licht versetzt; in diesen Stunden kann der Versucher nicht ankommen, denn die Mittheilungen der perlenförmigen Unvergänglichkeitswesen müssen vor erhalten werden, ehe sie durch allerhand widrige Einwirkungen können, wurzelhafter zu werden, Anfechtungen erfahren. Es geht also nach der Ordnung, wie es sich nicht anders erwarten läßt vom Gott der Ordnung. Die Schwangerschaft hat ihre eigenen Folgen, verstehet im Geistlichen wie im Leiblichen. Aber o wohl dem, der von der göttlichen Weisheit und ihrem jungfräulichen Liebesspiel gereizt, sich weder dieß noch das abhalten läßt, durch den Geist der Wahrheit den Kuß des verherrlichten Gottmenschen zu begehren und dadurch den Samen des ewigen Lebens zu erhalten! Und wenn ihm auch nachher in dunkeln Stunden der Anfechtung sollten die Gedanken kommen, daß er sagen möchte: ach, da mir's also sollte gehen, warum bin ich schwanger worden? so verlieren sich doch solche Dunkelheiten wieder, wenn abermal ein neues Licht ausgeboren ist. Sollte es nicht der Mühe werth seyn, ein wenig Angst zu ertragen um einer unvergleichlich edeln Lichtgeburt willen, die man doch gewiß hoffen darf? II. Jak. 256 f.

Wen Gott nicht erniedrigen kann, den kann er auch nicht erhöhen; wen er nicht kann arm und klein machen, dem kann er auch keinen Reichthum anvertrauen; wo die Finsterniß nicht so steigen kann auf den höchsten Grad, daß die Seele glaubt, sie sei in die tiefste Hölle geführt, da kann er die Seele auch nicht in die innerste Lichtsklarheit führen. Darum lasset euch der Führung des Geistes Gottes über, wollt ihr anders recht gedeihen; lasset euch allen Grund des Herzensverderbens offenbaren, so kann euch Gott auch sein Erkenntniß schenken! denn wo das Eine nicht vorher gehet, kann das Andere nicht nachfolgen. III. Eph. 176.

Es hält hart, bis der kindliche Geist in der Geradheit des Verlangens über sich steigt, und aus dem Chaos der Confusion, darin der Grimm Gottes wüthet, lauterlich in's Licht dringt und sich von aller Finsterniß im Feuer scheidet. Denn er kann nicht eher, bis das, was er Theil an der Sünde genommen, gleichsam abgebrannt ist. Das Seelen- oder Lebensrad kommt in die Enge und die Bangigkeit steigt und aus der strengsten Angst bricht es, das Licht, hervor und der sich von der Finsterniß scheidende Wille ist selig darin. VI. Ps. 214 f.

Zu den Zeiten der ernstlichen Sichtung feiert der Satan freilich nicht, der Seele arge Gedanken gegen Gott beizubringen, welche ihr das größte Leiden sind. Sie wünschet, aber nur heimlich, wenn sie lieber nicht geboren oder nie eine Creatur geworden wäre. Sie wird zum Bösen auf's Heftigste versucht und will es doch nicht; sie möchte es im Glauben wegschaffen und hat doch keinen Glauben; sie will glauben und kann sich doch selber Nichts geben oder nehmen und es ist also bei ihr ein jämmerlicher Zustand, den sie nicht ändern kann. Was soll, was kann sie denn thun, die arme, Gott getreue Seele, in solchen fürchterlichen Anfechtungen? Nichts kann sie thun, als sie muß sie erdulden; sie muß sie aber erdulden weislich, als Anfechtungen. Es versteht sich, daß hier nicht die Rede ist von Menschen, denen solche Dinge eine Lust sind; sondern von solchen, denen sie die unerträglichste Marter seyn müssen; dann erst gehört es mit zu denen Leiden, die sie bewähren. II. Jak. 294.

Wer sollte euch versichern können, daß nicht noch sehr schwere, innere Glaubensanfechtungen über euch kommen sollten? kennen wir nicht Seelen, die so angefochten waren, daß sie ihr Leben und Daseyn nicht begreifen konnten, daß es ihnen dastand, als ob Alles ein bloses Ungefähr wäre; da sie sogar gewünscht haben, lieber keine Creaturen geworden zu seyn, und nicht zu existiren? dieß sind nun freilich schreckliche Dinge, allein wer muß sie erfahren? Nicht wahr? sehr angefochtene Seelen und denkende Geister, wenn ihnen das Licht Gottes entzogen ist? sie begreifen dann freilich nicht, was Gott mit seiner Offenbarung in der Creatürlichkeit will. Es ist ihnen verdeckt, daß es das Wohlgefallen Gottes also war, und verdeckt, warum es das war. III. Eph. 201 f.

Es ist zwar gut, daß man das Böse hasset; aber der Wunsch, Nichts mehr zu fühlen, Nichts mehr zu haben zum Bestreiten, kommt gewiß aus Faulheit her; und es ist kein Verstand bei einem Menschen, der es nicht anders einsiehet von denen drei Principien. Es ist etwas Schweres, wenn Gott sein Gnadenangesicht vor uns verbirgt, und in sein Lichtscentrum gleichsam zurückzeucht und wie eine schwarze Gewitterwolke uns sein Licht verdeckt. Schwer ist es, wenn in finstern Dunkelheitsstunden uns alles das genommen scheint, was uns Gott zuvor mitgetheilet hatte. O, es thut der Seele sehr bange! denn nun weiß sie nicht hinter noch vor sich. Wenn dann noch dazu kommen Nöthen von außen, die das Innere vermehren, so daß der Seele aller göttliche und creatürliche Trost zugleich wie genommen und entzogen ist, weiß sie weder aus noch an und glaubt, Gott und Creatur könne sie weder dulden noch leiden, Gott habe sie gar verworfen und vergessen und liege ihm gar nichts dran, wie es ihr gehe und was man ihr auch thue, bis, wenn es auf's Höchste gestiegen und sie in die Gelassenheit sinkt, eine Erholungsstunde kommt, daß sie wieder ein Verlangen nach Gott spüren kann. VI. Pf. 272.

Wenn du, o Seele, in Dunkelheit geführt wirst, so sei nur nicht zweifelhaft, ob es auch der Weg Gottes sei. Denn der HErr führet die Heiligen wunderlich, er führet sie die härtesten Wege. Wenn sich dir in Verdeckung des göttlichen Lichts alle Abgründe der Hölle öffnen, wenn Todesengel nach deinen Lebenswurzeln greifen, wenn aus dem erschrecklichen Urdunkel der schwindelhaftesten Finsterniß ungeheure Schreckgestalten auf dich dringen; wenn du in einen gränzenlosen Ungrund der verdrießlichsten Langwierigkeit oder in einen seelenbangen engen Raum der Zusammenpressung gesetzt wirst; wenn du wie auf einem bodenlosen Meer stürmende, über dir zusammenschlagende Wellen erblickst, nicht wissend, wann du untersinkest; wenn dich bedünket, daß Gott vor dir sich vermauert habe und sich Ewigkeiten weit von dir entfernt; wenn ein rauschendes Gezisch von tausend Zweifeln, und noch ein ungeheureres, dunkles Donnergewitter des Zornes Gottes dir entgegentobet; wenn — sage ich — aller Grimm der zeitlichen und ewigen Natur dir drohet, dann bist du erst recht wohl daran, und in den Augen Gottes geachtet, mehr als viele Andere. Die Freude, die du hernach erleben und haben wirst, ist unaussprechlich. Wahr ist es, dein Zustand ist beschwerlich und wer es nicht erfahren hat, kann es nicht glauben oder begreifen. Niemand ist, der dich trösten oder aufrichten kann; denn aller göttliche und creatürliche Trost ist verdeckt und dringt nicht durch, und das, was dich ehemals aufgemuntert hat, macht dich verschloßener, als du warst. Und so dir ja Etwas zum Trost und einer kleinen Ergötzung wird, mußt du bald wieder in einen Zustand, der noch härter ist, als ob du das Versäumte hereinbringen müßtest. Und ob du alle das schwere Leiden hättest, wolltest du es gerne, wenn du nur so viele Versicherung hättest, daß es der Weg Gottes gewiß also wäre; aber auch das ist dir genommen. Man sage, was man will, dich geht es nicht an; Alles wird zuletzt an dir stutzig und hält dich für verkehrt; nur einige Kinder Gottes nicht, die es entweder mehr oder weniger also erfahren haben. Aber auch diese, wohlwissend, wie du zu behandeln, machen wenig mit dir, und es ist, als ob sie also müßten: denn es ist des HErrn Werk und soll ihm keine Creatur helfen mitwirken, Niemand soll drein schwätzen. Halte ihm aus, er hilft dir gewiß und führet Alles herrlich hinaus zu deinem

Heil und seiner Verherrlichung. VI. Pf. 308 f. 948—961. (cfr. Psalm 88.)

§ 219.

Gott läßt die Versuchung nicht über Vermögen steigen; das Vermögen aber, in Geduld stille zu halten und auszuharren, liegt in dem neuen Lebenstrieb und Glaubens-geist, als dem göttlichen Bewährungsgrunde.

„„Dieserlei Dinge läßt Gott über die Seinen zu und es ist durch Zulaffung auch bestimmt, wie lang und weit das gehen darf und soll. Es ist Alles genau gemeffen und er-wogen; es hat seine Zeit und Kraft genau; denn es kennet Gott das geistliche Vermögen, das er gab. Er weiß, was es wirkete, und da alle diese Anfechtungsarten, sowie alle Versuchungen im Menschen selbst erwachen und hervorkommen, weil der Höllen-, Fundament- und Qualquell in der menschlichen Seele auch ist, so läßt doch Gott alle den Schwall der Höllengeburten und des Höllenvermögens nicht auf Einmal hervorbrechen, sondern hat Schranken gesetzt, und läßt uns nicht versucht werden über Vermögen, schafft aber und veranstaltet, daß alle Versuchung so einen Aus-gang und Ende gewinne, daß wir's können ertragen. II. Jak. 294 f.

Wenn uns Etwas sehr anfällt und zum Unglauben oder Mißtrauen gegen Gott versucht, so ist es nicht darum kom-men und zugelassen worden, daß es uns verderben soll, sondern daß wir eben dadurch sollen im Glauben und Ver-trauen auf Gott zunehmen und bewährt werden. Darum laßt uns keine verzagten Klagen führen, daß wir Gott nicht zur Unehre werden! denn so viel ist ganz gewiß, daß Gott kei-nen über sein Geistesvermögen läßt versucht werden; aber freilich doch immer nach Vermögen. Und darum soll man auch zu aller Zeit dieses Kraftvermögen nicht nur halb, sondern fein ganz anwenden. IV. Hebr. 668.

Das ist kein rechtschaffener Glaube, der sich nicht kann bewähren laffen. Er ist vielleicht eine um Anderer willen ange-nommene Sache, wie es bei gutwilligen, gutmüthigen See-len öfters der Fall ist. Aber ein Nachdenklicher, wenn er aller Dinge ihr Ende ergründet, und hinter das scheinende

Erdenglück, wie hinter das Tod und Verderben Bringende der Welt und Sinnenlust geblicket hat, dieser wird überzeugt, daß für ihn Nichts übrig bleibt zur ewigen Beruhigung des Herzens, als der Baum des Lebens. Denn er hat gefunden, daß Gott dem Menschen die Ewigkeit in's Herz gab, die mit keiner Zeitlichkeit und Vergänglichkeit vergnügt werden kann. Dieser also, der das Göttliche darum wählt und will, weil es allgenugsam und ewig allvergnügend ist, sucht es mit ganzem Herzen, mit voller Glaubensbegierde, und kann es auch ganz erhalten, und dann, wenn er's erhalten hat, kann er auch Bewährungsproben ertragen und aushalten. Das kann aber der nicht, der nur eine gute Sache darum begehrt, weil sie Andere hochhalten; er hat keine gegründeten Ursachen, da ihn gleichsam keine Noth dazu getrieben; er kann im Zweikampf nicht bestehen. II. Jak. 258.

Das Bewegtwerden geht noch an, aber das Wegbewegtwerden wäre erschrecklich. Alle Bäume werden von den Stürmen bewegt, aber nicht alle entwurzelt. Alle glaubigen Seelen haben auch Anfechtungen und werden bewegt; aber unter solchen Anfechtungen gründen sie tiefer und wurzeln fester ein, wenn sie getreu sind. Hingegen die Untreuen werden entwurzelt; sie haben auf Sand gebaut, darum fällt ihr Gebäude ein. Aber auch die edelsten Seelen, die als die größten Bäume zu betrachten sind, haben die größten Stürme zu bestehen, aber je länger, je weniger lassen sie sich wegbewegen, denn sie haben auf den rechten Felsengrund gegründet, darum bleibt ihr Gebäude stehen. III. Col. 142 f.

§ 220.

Vermöge dieses in ihm liegenden Bewährungsgrundes kann sich der Wiedergeborene, ob er gleich Anfechtungen des Unglaubens erfährt, doch mit Gelassenheit in Gottes Willen ersenken und im Bewährungsfeuer ausharren.

„„Das, was den Christen am Guten verhindert, kann ihn am ersten außer Fassung bringen, weil er nicht begreifen kann, daß ihm auch dieß zum Besten dienen soll. Indessen glaubt er aber, was er nicht begreift, und faßt sich, bricht durch und findet, daß er vom Feind ist geäfft worden.

Er greift muthig an, und macht die Hindernisse zu Förde=
rungsmitteln, denn den wahren Christen kann Nichts von
Gott und seiner Liebe scheiden; ihn kann nicht leicht Etwas
veranlassen, arg von Gott zu denken. Muß er aber solche
Gedanken fühlen und erfahren, so trägt er sie nicht heimlich
in sich herum; er klagt sie seinem lieben Gott selbst, als
die größte und unerträglichste Last und wird wieder herzlich
mit ihm in solcher kindlichen Unterredung. Und siehe, auch
dieß dient dem Kinde der Weisheit zum Besten: denn die
tiefe Demüthigung, die es erlangt durch ein solch Leiden,
macht es noch größerer Gnade empfänglich. II. Jak. 269.

Es ist begreiflich, daß der Unglaube nicht mit Gott wir=
ket, folglich nicht Gottesruhe in dem Seelengrund gebären
kann. Aber das ist auch begreiflich, daß die mit dem Un=
glauben kämpfende Seele wirklich daran seyn kann, daß Licht
und Ruhe erzeugt wird in den Kräften der Seele. Darum
lasset die Angst doch steigen und die Geburtsschmerzen groß
werden, die Geburt wird desto herrlicher seyn! Denn die
mit dem Unglauben ringende Seele thut ihre Pflicht und
es dienen ihr die Anfechtungen zum Besten, weil sie ohne
dieselben zu einer solchen Lichtgeburt nicht käme. IV. Hebr. 225.

Im Geist und Glauben gesunde, kräftige Seelen können
gewisse Tritte thun, gerade der Freude und Gnade entge=
gen. Diese wissen mit ihren Begegnissen und Schicksalen
auszukommen, weil sie dieselben von Gott annehmen. Kom=
men sie zu Zeiten in dunkeln, finstern Versuchungsstunden
so weit in die Klemme, daß sie nicht fürder sehen, ey! so
haben sie ein Gott übergebenes und überlassenes Herz und
weichen auch da nicht Einen Schritt, sondern harren des
HErrn, ihres Gottes, und siehe! der göttlich=menschliche Mut=
tergeist hilft ihres Geistes Schwachheit auf und wenn sie
auch so dunkel werden, daß sie nicht wissen und verstehen,
wie oder was sie beten sollen, was nämlich Gott gefalle
und ihnen eigentlich am dienlichsten sei, dann vertritt der
Muttergeist Jesu die Stelle ihres neugeborenen Geistes mit
Seufzern, die sie nicht aussprechen können, und also gehet
ihnen das Licht immer wieder auf und es folget auf eine
sehr dunkle Nacht ein sehr lichthellem Tag. IV. Hebr. 684.

Ich spreche zu dem zagenden Theil meiner Seele: was

betrübest du dich doch so sehr, meine Seele, und rührest
wie im Wasser den Boden auf, daß es trübe wird? Schaue
über dich; was machst du dich selber so unruhig in mir
drinnen, o du qualvoller Lebensumlauf, du feurig, allbegie-
riges Rad? Laß das fahren, was dich nicht laben kann!
blicke auf das unsichtbare, ewige, wahre Gut! Ach siehe
meine Seele! so geht's nicht. So fährest du, gleich einem
schwärmenden Bienenschwarm, zertheilet in tausend Arten
der Allbegierlichkeit um, und kommst zu keiner Ruhe. Gib
dich gelassen; fasse dich ins Eins deiner Ursprünglichkeit am
Kreuz; und harre nur noch ein wenig auf deinen Gott.
Sein Licht wird anbrechen, seine Hilfe erscheinen; auf einmal
wird aller Kummer verschwinden, auf einmal dir leicht
und wohl werden. Alsdann werde ich, das weiß ich schon
gewiß, dem HErrn danken, daß er mir unter allen Versuchungen und aus aller Noth hilft mit seinem Angesicht,
das er mir in Gnaden freundlich zukehret. **VI. Pf. 531.**

   Man muß sich eben in solchem Zustand gelassen halten,
bis Gott es ändert. Man muß sich eben im Glauben damit trösten, daß Gott deßwegen immer noch der alte Gott
ist, und muß sich im Angedenken seiner alten Führung erneuern. Als ich mich lange hin und her gewälzt und ge-
grämt hatte, kam ich auf die Gedanken, daß freilich die
Tage der Geistervermischung und geistlichen Zeugung angenehmer seien, als die Tage der Schwangerschaft und die
Stunden der Geburt, daß aber doch das, was Gott mir
mitgetheilet, noch in mir wäre. Ich beruhigte also meine
Seele und sprach zu mir selbst: ich muß das, was ich jetzt
leide, in Gelassenheit leiden. Denn was ich leide, das ist
eben meine eigene Schwachheit, die für mich gehört: ich will
mir an der mir mitgetheilten Gnade genügen lassen; die
Kraft Gottes wird sich schon an mir Schwachen noch verherrlichen. Wie ich vorher war, war ich in Gottes Kraft,
und wie ich jetzt bin, so bin ich in mir selber. Nur Geduld also, meine Seele! laß dich nur bewähren und auserwählt machen, harre nur im Tiegel aus, bis dich Gott
herausnimmt; gehe nicht heraus, ob du auch könntest; du
hast dir freilich vorher immer noch einige Hilfe geben können; aber dieses Selberkönnen und Selberhelfen ist dir jetzt

entzogen und genommen. Bleibe nur wie Gott will; seine rechte Hand, seine unendliche Kraft kann Alles, also auch deinen Zustand ändern und das Licht wieder aus der Finsterniß hervorrufen. VI. Pf. 856.

cc. Der juridische Leidensproceß.

§ 221.

Alle durch den Läuterungsproceß in's Licht gestellte und ausgeschiedene Sünde muß nun gerichtlich abgethan und am Kreuz getödtet werden.

„„Die in dir durch die Trübsal erkannte und aus deiner Natur hervorgebrachte Ungeduld wird zum Tode verurtheilt, und innerlich am Kreuze, da sich Feuer und Licht, Leben und Tod, Himmel und Hölle in dir scheidet, getödtet. Syst. 244.

Wir denken oft in unserem Unverstand, wunder meinend, wie gerecht, heilig und billig: wenn nur dieß und jenes nicht wäre oder gewesen wäre, wenn nur dieß und das uns nicht begegnet, dieß und jenes nicht dazwischen gerathen, dieß und das sich nicht zugetragen hätte und so mehr. Aber nicht so; es mußte also seyn und geschehen; denn also wird unser Inneres herausgekehrt, zum Kreuz verurtheilt und wir gerichtlich und nach Rechten erlöset. Schicke dich, Seele, nur zur Anfechtung; Alles muß uns zum Besten dienen, wenn wir den Sinn und Geist Jesu haben. VI. Pf. 198.

§ 222.

Dieß geschieht durch den Geist, welcher mit seiner zerstörenden Kraft die Sünde in ihrer Kraft tödtet, mit seiner heiligenden Kraft aber die Seele durchdringt, also daß aus dem Tode der sündlichen Natur das heilige Leben der Gnade geboren wird. (cfr § 196.)

„„Wenn denn nun das Wort des Lebens lichtfeurig, scharfdurchdringend Alles blosstellen, richten und entscheiden kann, und alle Quellen des zerschiedenen Lebens, auch in einem Mischmasch durch einander geworfen, dennoch nach allen Geburten kennet, und entweder da, in dieser Welt, oder einst dort verdammen wird, was verdammlich ist; so

23 *

kommt es darauf an, wer sich ernstlich durchrichten läffet, nachdem er schon durchleuchtet ist. Hat er, ohne daß er geflohen ist, sich Beides, durchleuchten und durchrichten lassen, so wird er nun auch in dem Lämmleinsblute gereiniget; denn das will er ja, und ist einig mit Gott im Lichte und will, wie er will. Der Geist des Ausbrennens, die sieben Hörner des Lämmleins, ertödten die Sünde in ihrer Kraft und widerstehen dem gottwidrigen Naturleben, und der Geist der Heiligung durchheiliget einen solchen, und macht ihn zu einem heiligen, herrlichen Gottestempel und lebendigen Stein an der Geistesbehausung, und an einem solchen Glücklichen hat Wort und Weisheit ihr Werk herrlich vollenden und ausführen können. IV. Hebr. 219.

Im Tode der erkannten und bekannten und gerichteten, am Kreuz jetzt sterbenden, durch die Widerwärtigkeit offenbar gewordenen Ungeduld wird nun das Leben der Geduld, der Himmel, und also Versöhnung, Friede, Ruhe, Freude und Lust geboren. Und so und nicht anders bringt Trübsal Geduld, oder der Tod das Leben, oder Leid Freud, oder die Hölle den Himmel. Syst. 244.

Donnerstrahlen der göttlichen Gerechtigkeit gehen aus von dem Prachtthrone der Herrlichkeit Gottes auf der linken Seite seines sich drehenden Geburtsrades; sie fahren gerichtlich und gerade zum Ziele, wie aus einem hartgespannten Bogen, und treffen geradezu das in unserem Geburtsrade sich regende, wüthende Drachenleben, zur Freude des neugeborenen Geisteslebens in uns und zur Aufhilfe des göttlichen Samenkorns. Da schweigt und beugt sich Alles in uns; da müssen die wider das Leben und Königreich Jesu in uns streitenden Feinde zu Boden fallen und das Reich der menschlichen Natur muß unseres Gottes und seines Christus werden. Denn also muß es gehen: der Himmel muß aus der Hölle, das Licht aus der Finsterniß, das Leben aus dem Tode, der Friede aus dem Unfrieden, der Glaube aus dem Zweifel, die Tugend aus der Sünde geboren werden. XI. I. 433 f.

§ 223.

Alle diese Sündentödtungen sind die Opfer, welche der wiedergeborene Christ als geistlicher Priester auf dem Opfer-altar des Kreuzes Jesu darbringt.

„„Freilich begreifen es erleuchtete Seelen, als geistliche Priester, daß, wenn sie sich auf den Altar des Kreuzes Jesu geben, wenn sie allen Neigungen, Lüsten und Begierden ihres Fleisches und niedersinnlichen Naturlebens absterben wollen, daß sie sich selbst opfern, gesalzen mit dem vollkommenen Opfersalze des durch den Geist der Ewigkeit geopferten Jesus-Blutes; und daß also auch die durch die Hörner des Altars abgebildeten vier ersten Urkräfte und Eigenschaften des sich offenbarenden Schöpfungsquells damit besprengt und bestrichen werden, damit das Naturleben gezähmt, geheiligt und veredelt werde. Ebendarum finden sie sich fleißig ein und übersehen sich Nichts. Alles muß hin, daß es gerichtlich und proceßmäßig abgethan werde. Denn die sieben Hörner des Lämmleins wirken zerstörend allem Leben und Wesen, das in Gott nicht Anfang und Ursprung hat. Und hoffentlich sind alle geistlichen Priester mit diesem einig und geben sich her, sowie es die Ordnung melchisedekischer Priester erfordert. IV. Hebr. 331.

Wenn ihr denn nun ein geistliches Leben habt, so weiß ich zwar wohl, daß wir noch Fleisch und Blut an uns tra-gen, daß sich also das Naturleben auch noch zu fühlen gibt, aber das Geistleben ist ja zum Herrschen geboren; es ist gleichsam ein königlich-priesterliches Leben, es soll herrschen und soll opfern und schlachten. Herrschen soll es über alle Neigungen, Lüste und Begierden des Naturlebens, über den sinnlichen Theil der niederen Seelenkräfte. Es soll schlachten und tödten als Priester Alles, was es in den Ställen seines Herzens und des Sündengesetzes in den Gliedern findet; es soll es geben und bringen auf den Altar des Kreuzes Jesu, daß es vom Oberpriester an die Hörner der vier ersten Ei-genschaften und Kräfte der ewigen Natur gesprengt werde. So wird durch solche Aufopferung das alte Leben ertödtet und das neue immer mehr erneuert und wachsthümlich ge-macht; das heißt dann seine Pflicht gethan und dem Kleinode nachgejagt! Wo aber das Gegentheil ist, da kann freilich kein Gedeihen seyn. Weil ihr geistliche Priesterkönige seyn sollt und wollt, darum tödtet eure Glieder und das Sündengesetz in euren Gliedern, die freilich noch auf Erden sind, denn der äußere Mensch soll so, wie er ist, ganz Gott zum heiligen Opfer hingegeben werden; denn er ist nicht geistlich, aber heilig, und Gott zum Opfer soll er geweihet und geheiligt werden, als ein fruchtbares Mutterthier, das immer wieder hunderttausend Thierarten erzeuget und gebieret. Ihr sollt diese Thiere ertödten und nicht leben lassen wie Saul; sie nicht austheilen wollen, damit ihr immer welche habt; nicht etlichen Pardon geben und etwa noch eine Zeitlang leben lassen. Alles soll sterben, was gefunden wird; denn es wird nie an Opfern gebrechen, der Stall wird immer wieder voll seyn, das Herz wird immer wieder den Irrweg wollen, und sein Dichten und Trachten wird immer wieder böse seyn. Greifet dieß Alles und bekennet es dem HErrn; ringet mit Gewalt in's Licht, laßt euch die Finsterniß nicht halten! Schlachtet und tödtet, was ihr wisset und könnet, so werdet ihr dabei viel gewinnen und endlich den völligen Sieg davon tragen. III. Kol. 182 f.

Hat nicht unser Vorwitz, wo nicht durch Sündenausübungen, doch durch allerhand unnütze Vorstellungen Bilder gefaßt, die uns zur Versuchung werden können, wenn sie wie unbemerkt hervortreten? Billig werden wir aufgeschreckt und erstaunen über uns selbst ob einem solchen fremden Lebenserscheinen. Aber was ist da zu thun einer priesterlichen Seele? Weißest du nicht, daß eben die Dinge auf den geheiligten Opferaltar des Kreuzes Jesu gehören? Denn nun hast du ja gesehen, in welchem Stall die Opferthiere geholt werden können. Ruhe nicht, bis du sie gefangen hast und gefesselt. Stehe nicht hin, lange zu lamentiren, zu verzweifeln und zu zagen. Frage nicht lange: woher kommt mir das? sondern alsbald greife an, und führe es hin, dahin du sollst, und gib's in's Sterben. Denn das sollst du. Und dann wirst du leben, und wirst von dem heiligen Opferaltar das verklärte Fleisch und Blut Jesu zu genießen bekommen, von welchem nicht zu essen bekommen, die nur am Aeußern hangen. IV. Hebr. 670 f.

§ 224.

Auch fremde Sünden nimmt derselbe als Etwas, wozu die Möglichkeit auch in ihm liegt, auf sich und opfert sich darin als ein geistlicher Priester für die Menschheit, deren Glied er ist.

„„Stehen wir nicht in der Verbindung mit der ganzen Menschheit, ja mit der ganzen Sinnenwelt? kann denn nun Einer von uns fordern, daß wir glauben sollen, er habe den Sinn und Geist unseres Oberpriesters und sei also mit demselben gesalbet und geweihet, wenn er nicht theilnehmend, erbarmend und leidtragend ist über den ganzen Adamsfall und allen Jammer der Sünde? wenn er nicht Alles auf sich andringen läßt und es für kein Ungefähr achtet, daß es auf ihn andringet und auf ihm abstellen will, damit er solches vor seinen königlichen Oberpriester bringe und also durch ihn die Sache ausgemittelt werde? Oder glaubet ihr denn, daß man anderer Art zur königlich-priesterlichen Würde gelange? Nicht oberflächliche, nur auf sich und etliche Geliebte denkende, sich selbst suchende Seelen sind die wahren Priesterseelen, sondern leidtragende und mit dem Erbarmen Gottes erfüllte Seelen sind sie, als Auserwählte Gottes, als Heilige und Geliebte, Grundeinfältige, daß auch etwas Unverschuldetes auf sie andringen kann, so daß sie sich mitschuldig finden. Denn sie suchen in sich selber auf nicht allein die sich regenden Wirklichkeiten, sondern auch die Möglichkeiten. Sollten sie also, da sie ja in Verbindung mit dem Ganzen stehen, nicht auch Etwas vom Ganzen auf sich bekommen können? Längst würde die Welt als ein salzloses Ding umgekehrt worden seyn, wenn nicht noch geistliche Priester auf Erden wären; aber wohlweislich ließ sie Gott nicht Alle in Einem Jahrhundert geboren werden. Denn er kannte sie zuvor, darum hat er sie auch zuvor verordnet, wann, wo und wie sie sollten geboren werden, auf daß in allen Jahrhunderten welche vorhanden wären, und also das Salz recht eingemenget wäre. IV. Hebr. 332 f.

§ 225.

Gleichwie alle Sünde durch den Willen lebendig und

kräftig wird (§ 108), so geschieht die Tödtung und Opferung derselben durch das Brechen, Verläugnen und Verlieren des Willens.

„„Gehet der Hoffnungsanker einer gottgeheiligten Seele hinein in das Allerheiligste Gottes, in die allerinnerste, reinste Lichtsgeburt, je nun so will sie ja mit Gott, wie Gott! Sollte sie denn etwas Finsteres wollen können, und nicht mit solchem Wollen sich trennen von dem, in welchen sie den Anker geworfen? Oder sollte ein geistliches Leben ohne und außer demselben Hoffnungs- und Muttergrunde bestehen können? Da nun dieß seine Richtigkeit hat, so ist ja klar, daß die sich in der Natur regenden, lichtswidrigen Dinge alle als Opferthiere betrachtet und geachtet, und als solche auf den Altar hingegeben werden müssen, und dieß ist Pflicht melchisedekischer Priester, wenn sie solch Priesteramt sammt dem damit verbundenen Königsadel nicht verlieren wollen. IV. Hebr. 331 f.

Wir müssen unsern Willen dem Priester opfern, wie er den seinen Gott geopfert hat, und ihm, und nur ihm allein leben, leiden und sterben wollen; wir müssen mit unserem menschlich-creatürlichen Willen beständig im Kampf begriffen seyn, und einen manchen harten Kampf und Strauß mit dem Willen des Fleisches und der Vernunft zu aller Zeit bestehen. IV. Hebr. 456.

Alle die Seinen ersenken ihren Willen in den seinen, und werden auf die Art gottgeheiligte, ganze Opfer. Aber ach! wie rar sind diese edlen Opfer; wie rar diese heiligen Willensbrecher! Wie viele sind doch der eigenwilligen, eigensinnigen Kinder! IV. Hebr. 458.

Sehet das Willenbrechen für keine so geringe Sache an, wie es der Fall bei den Leichtsinnigen oft ist! Ich denke, es kann euch nicht verhohlen seyn, was am Willenbrechen gelegen ist. IV. Hebr. 456.

Warum willst du dich lassen veranlassen, die höllische Welt in der äußern Welt durch Thun und Reden zu offenbaren? wer wird die Frucht einst für dich essen? Kehre ein an das Kreuz, im Scheideziel der Lebensprincipien und

bringe hernach die himmlische Welt in Geisteskraft und Mitwirkung Gottes hervor! VI. Pf. 506.

§ 226.

Es muß aber hiebei der ganze Wille in Lauterkeit, ohne
Rückhalt und ohne Aufschub, geopfert und alle falsche Lebens-
rettung vermieden werden.

„„Wer eine nicht mit Jesu gleichwollende, lautere Glau-
bens- und Geistesbegierde, von allem Ungöttlichen frei zu
seyn, nach Jesu ausstrecket, dessen Opfer ist krüppelhaft und
unvollkommen, und Gottes Geist zündet es nicht mit Salz
der feurigen Lichtskräfte an, daß es sich in's Heiligthum
Gottes auflösen und Gott angenehm werden könnte durch
die Hand und das geschäftige Mitwirken des Oberpriesters
Jesu. XI. I. 441.

Es gibt Leute, die nur Luftstreiche thun, und solche gibt
es unter des HErrn seiner Armee. Diese richten sich nicht
genau nach seinen Vorschriften. Ja diese meinen, wenn's
nur geschossen und geschlagen sei, so gelte das schon, ob
Natur und Eigenheit dabei fortlebt oder nicht. Sie überwinden sich in Etwas und sehen schon, wie sie sich in Etwas
dafür entschädigen; sie treiben das Natur- und Eigenheitsleben nur aus einem Winkel in den andern, und was sind
das anders als Spiegelfechtereien, die nur Zeit und Kraft
verzehren und falsche Meinungen nähren und keine Frucht
gewähren? Denn wo der eigene Geist treibt, hat er natürlich auch einen Zweck seiner Art im Aug; bei solchen Aktio-
nen stirbt der alte Mensch auf einer Seite, daß seine Eigenheit mehrfältig leben möge. Aber nicht so die wahren
Gläubigen; denn sie haben ein höher Ziel, einen edleren
Geist und eine reinere Gesinnung. IV. Hebr. 655 f.

Mit dem leidigen Verschieben ist's nicht gethan. Wenn
das Ding zu lang Platz behält, gewinnt es Gestalt. V. Offenb. 442 f.

Es können Sünden und sündliche Bilder sich so wesentlich in der Menschenseele machen, daß sie Nichts zerstören
und vertilgen kann, daß nur das Blut Jesu, die allerheiligste Tinkturkraft uns zu reinigen vermag. ibid. 498. .

§ 227.

So herrscht in dem Wiedergeborenen der Geist über das Fleisch. Die Regungen des Fleisches werden zwar gefühlt, aber durch den Geist getödtet.

„„Wo demnach das Geistesleben ist, da ist das Geistes-gesetz das Herrschende, zum Herrschen geboren; soll es aber herrschen, so begreift sich's, daß es Etwas zum Herrschen haben muß. So ist denn nun das sinnliche Leben des sinn-lichen Leibes sein Wirkungskreis, seine Herrschaft, und eine ewige Magia darin mit unersättlichen Begierlichkeiten, Lüsten, Neigungen und Dürftigkeiten seine Unterthanen, die es be-herrschen soll und muß, sammt den unverschämten Leidenschaften. Daraus erhellt aber sonnenklar, daß derjenige nicht recht daran seyn kann, und daß er widerrechtlich fordert, der keine Sünde, kein Verderben fühlen will. Das hieße eben so gethan, als wenn ein König alle Unterthanen todtschlagen ließe und er selbst schlüge den letzten todt, und das Alles aus dem Grund, daß er's recht ruhig hätte; sagt mir, über was wäre er als-dann König? oder wer sollte ihn für einen König halten? Herrschen soll er ja als König, oder er ist's nicht! Also der Christ über sich selbst. Lernt er das so an sich selbst in der Zeit, so wird sein Geist zum Herrschen ausgeboren, und so gelangt er zu einem königlichen Priesterthum. So ist dem-nach das Kind des Lichts nicht darum da, daß es seine Be-dürfnisse befriedige, die es in dem sinnlichen Leibe hat, in welchem eine unsättige Magia ist, sondern daß es sie ertödte, beschränke, beherrsche, bezähme. Nein, verzagen bei dem immer wieder Sünde Fühlen macht's nicht aus. Du kannst und magst das Sündengefühl nicht tödten, aber es mag und kann und soll dich zum Licht des Lebens, zum Baum des Lebens treiben, der dich sättigen und hinlänglich befriedigen kann. II. Act. 513 f.

Die Seelen, die Christi Sinn und Geist haben, fühlen die Sünde wohl auch noch in ihren Naturen, solange sie im Fleisch leben; aber dieses Naturleben halten sie als gekreu-ziget mit seinen Lüsten und Begierden. Denn sie glauben, daß sie, mit Christo gekreuzigt, allen diesen Dingen gestorben seyn sollen, und dafür halten sie sich auch und lassen derlei Dinge nicht leben. **II. Gal. 94.**

§ 228.

In dieser Ertödtung der Natur ist durch Unterscheidung zwischen Sünde und Bedürfniß das Maß des Geistes zu halten, der weder zu viel noch zu wenig thut.

-„„Der Christ hat zu wachen, daß nicht die untern Kräfte über die oberen herrschen und also er ein Sklave der Sinnlichkeit sei. Denn ihm ist ein herrschendes Glaubens- und Geistesleben in seine oberen Kräfte gegeben; diese sollen also herrschen, so kann er Ueberwinder werden; und das ist Forderung Gottes an ihn, aber nicht, die Sinnlichkeit gar ertödten, vertilgen und also den Acker verderben, darin der Geist wachsen soll und muß; denn der natürliche Mensch ist der erste und muß seyn, sonst kann kein geistlicher werden. Das was ohne den natürlichen Menschen geistlich ist, das ist kein Mensch, sondern ein Wesen von ganz einer andern Art und Natur. Es ist also ein kindischer Unverstand, wenn man die Knechte Gottes überfordert, und sie sind wahrhaftig überfordert, wenn man Engel ohne alle menschlichen Schwachheiten an ihnen haben will. Oder warum sollten wir verlangen, daß sie heucheln und Menschen gefällig seyn sollen? Denn so gewiß Gott ein versöhnter Gott ist, so gewiß sind das Heuchler, die ihre Schwachheiten verhehlen und alles Menschliche verbergen wollen. Man muß mit redlichen, aufrichtigen Herzen im Licht Gottes den Unterschied machen unter Schwachheiten und Bosheiten, und sich sorgfältig hüten, daß man nicht Bosheiten unter dem Namen Schwachheiten mit einbringe und stehen lasse. Wer gegen der Sinnlichkeit nachlässig und gleichgiltig ist, der hat mehr Bedürfnisse, als er haben soll; das ist aber dann nicht mehr Schwachheit, sondern Bosheit. Wer aber fast gar nicht essen, nicht schlafen, nicht ruhen wollte, der würde der Natur seine Nothdurft versagen und also die Sache übertreiben. Das soll nicht seyn! Damit werden weder Sinnen noch alter Mensch ertödtet, aber wohl das Leben abgekürzt; denn das hieße das Wanderzelt verderben, ehe man am Ziel der Reise

ist und ehe das Haus des Lichtleibes gebaut ist. Wer aber
der Natur zu viel Gehör gibt, und sich nach der Sinnlichkeit zu viel richtet, macht damit, daß nie kein himmlisch
Haus kann gebaut werden, weil er Baumaterialien verderbet
an seinem eigenen Leibe. Man soll also der Natur so viel
widerstehen und abbrechen, als es der Geist Jesu haben will
und wie er es fordert. II. Act. 348 f.

Es gibt Dinge, mit denen man eine eigene Gerechtigkeit aufrichten will und die zwar den Namen haben von
einer Weisheit bei freiwilliger Verehrung, Sinnesniedrigkeit
und großer Strenge über den armen Leib, dem man bei
solcher Gottesdienstart viel abschneidet, und auch unschuldi-
ges Vergnügen abschneidet. Aber diese Dinge haben vor
Gott keinen Werth, darum, daß sich der Fleischessinn dabei
kitzelt, weil er sich dabei sucht und meinet und seine Sättigung dabei findet. Er ist ja ausgemachte Erfahrungssache,
daß der Strenge, so er nicht grundeinfältig ist, sich selbst
zum Götzen setzt. Er ist aber schon nicht einfältig, wenn er
seine Strenge selber weiß und schätzt und damit gesehen
seyn will; ja es ist noch ärger, wenn er sich gar zum Mu-
ster will machen. III. Kol. 171.

Alle Seelen, welche aus dem Uebersinnlichen in's Sinnliche fallen, werden der Gnadenzucht ungetreu, und sträuben
sich lange dagegen, wenn sie das ungöttliche Wesen und die
weltlichen, sinnlichen Lüste verläugnen sollen; dahero werden
sie begieriger nach diesen sinnlichen Lüsten, als andere Leute,
und in ihren Anfechtungen suchen sie gegen der Gnade Licht
und Zucht Vertheidigungen und Auswege. Und darum
kommen aus den Gemeinschaften Bileamiten, Nicolaiten,
Isabelliten, falsche Lehrer, die solche Gräuel vertheidigen und
auf allerlei Arten einführen, und auf solche Art sündigen
sie wider das Licht, werden aber mit Finsterniß gestraft.
II. Petr. 232. f.

§ 229.

Eben deßhalb ist auch die Gabe der Geschlechtsvermehrung, welche an sich nicht sündlich ist, in der göttlichen Ordnung des Ehestandes mäßig zu gebrauchen und soll nicht

durch Mißbrauch entheiligt werden; die Gabe der Enthaltung aber soll nirgends eigenwillig erzwungen werden. (cfr. § 211.)

„„Daß Gott dem Menschen das Fortpflanzungsvermögen anerschaffen, lehrt Schrift und Erfahrung; daher rührt das Zusammenverlangen der getheilten Tinkturen und der in den meisten Menschen sich regende, heftige und unwiderstehliche Trieb. Aber wer sagt denn, daß dieser an sich selbst Sünde sei, da er doch vom Schöpfer ist? Er ist ja nach der Schrift Gottes Gabe, ob er gleich Naturgabe ist. Er ist nicht Gabe der Enthaltung, sondern Gabe der Geschlechtsvermehrung; dahero auch alle die, welche diese Gabe und also einen solchen unwiderstehlichen Trieb und Neigung zum andern Geschlechte haben, nicht sollen aus Unmöglichkeit wollen möglich machen; sie sollen nicht absolute mit der Gabe dienen wollen, die sie nicht haben, die ihnen nicht gegeben ist. I. Lebensl. 142.

Nur auf eine einzige Weise kann und soll die Gabe der Geschlechtsvermehrung gebraucht werden, nämlich in der Ordnung Gottes; aber was ist dieß anders für eine Weise, als der geheiligte Stand? Aber auch in diesem Stand soll sie rechter Art, in Ordnung und Mäßigkeit, nur um der Absicht willen gebraucht werden, die der Seelenschöpfer dabei hat, damit nicht der Stand durch Mißbrauch entheiligt werde. Und so mag denn nun ein Kind Gottes in oder außer der Ehe seyn, soll es eben heilig seyn, und auch seinen Leib heilig halten. Hiezu gehört dann eine wohlgeordnete Mäßigkeit in Allem, daß man nicht zu viel thue. III. Thess. 77.

Jesus ist der HErr und Geist, eine männliche Jungfrau, und was er wiedergebieret, ist männlich-jungfräulich und hat keine Lust an dem Schlangenbild, auch kein Vergnügen, mit Ruhe verbunden, an der niederträchtigen Sinnenlust. Daher solche Menschen eben die sind, die den Ehestand hoch und heilig schätzen, und deßwegen nicht beflecken und zu einem privilegirten Verderbensstand machen. Ihre Vermischung hat nur Geschlechtsvermehrung zum Grund, was drüber ist, hassen sie als böse. Syst. 95.

Wer die Gabe der Enthaltung nicht, aber die Gabe des Fortpflanzungsvermögens hat, der wende sie in der von

Gott gemachten Ordnung wohl an; er habe oder suche sich einen eigenen Ehegatten, und lebe mit demselben in Mäßigkeit, so thut er nicht nur keine Sünde, sondern er thut den guten, wohlgefälligen Willen Gottes, der es so geordnet hat: weil doch Einer vor ein natürlicher Mensch seyn muß, ehe er ein geistlicher werden kann. Was aber nun diejenigen betrifft, die keinen unwiderstehlichen Trieb und Neigung zum andern Geschlecht haben, denen also die Gabe der Enthaltung gegeben ist entweder schon durch die natürliche Geburt, oder aber durch die Gnade der Wiedergeburt, so haben diese denselben unwiderstehlichen Trieb nicht, sie können gar wohl siegen in Kraft der Gnade über die Anfechtungen des Fleisches von dieser Seite. Diese haben eine starke Vorneigung zur Keuschheit, als der ersten Eigenschaft der Weisheitskinder, und einen unwiderstehlichen Trieb, ein ganzes Opfer Gottes zu werden und sich um des Himmelreiches willen geistlich zu verschneiden, nicht um heiliger zu seyn, als andere Leute, sondern Gott ungehinderter dienen zu können. Daß aber diese Seelen zu aller Zeit rar gewesen, lehrt die Erfahrung aller Zeiten, und ja noch jetzo sind sie rarer, als Gold und Perlen. I. Lebensl. 142 f.

So soll denn also Keiner just das wollen erzwingen, was ihm nicht möglich ist und was ihm Gott nicht gegeben hat, noch geben will. Denn da es ja nicht nur nicht Sünde, sondern vielmehr Gottes Befehl und Wille ist, daß ein Mensch, der die Gabe hat, ehlich werde, und mäßig lebe im Ehestand, und als Christ sich und seinen Gatten als Tempel Gottes betrachte und halte, — soll er also nicht ein Barfüßer und Taugenichts wollen seyn mit unnützem Ledigbleiben, er möchte sonst schändliche und sündliche Wege gehen. Und es ist erst noch nicht bewiesen, daß just Alle, die sich um des Himmelreiches willen verschnitten haben, gerade seliger werden, als recht christliche Eheleute es auch werden können; denn es gedeihen bei Weitem nicht alle Ledige. Die aber gedeihen, sind dann auch Lammesjungfrauen, die dem Lämmlein nachfolgen auf Zion. I. Lebensl. S. 143.

Man hat schon rechtschaffene Männer hören unsere Gemeinschaften herausstrechen und über viele erheben. Aber ich sage: wenn nur Etwas nie darin grassirt hätte! Nämlich, es sind viele ledige Leute darinnen, und unter den Vielen die Meisten, die nicht sollten ledig geblieben seyn, dieweil sie das Naturbedürfniß zu stark fühlen. Nun, diese Menschen suchen sich, zwar auf eine unschuldig scheinende Art, zu entschädigen durch gegenseitige Anhänglichkeit und sodann, da nicht bald entgegengehandelt wird, kann daraus entstehen Bileamiterei, Nicolaiterei und Isabelliterei. II. Gal. 25.

Ich weiß es mit Gewißheit, daß hie und da Seelen sind, die es wider die Absicht des Seelenschöpfers in der Enthaltung zu weit treiben, aber nicht aus den besten Absichten. An dem will ich unschuldig seyn; sie mögen zusehen, ob es mit Gottes Genehmigung sei. Sie mögen prüfen, ob der Ehestand nur zur Unfruchtbarkeit sei eingesetzt worden, und warum sie die belobte Mäßigkeit im Ehestand zu weit treiben! Denn ich dächte, dieselben Seelen, die Gott dazu dispensirt, sind sehr rar; aber zu einem mäßigen Ehestandsgebrauch sind nicht nur Alle berechtiget, sondern deutlich aufgefordert, obgleich keine Regeln können und sollen vorgeschrieben werden weder von uns, noch von Andern der Unsrigen. III. Eph. 258.

§ 230.

Der göttlichen Gerechtigkeit, welche sich durch das gerichtliche Abthun der Sünde vollzieht, entspricht es, daß lang geübte Sünden und Gewohnheitsleidenschaften so lange als Versuchung stehen bleiben, bis sie der Seele zur unerträglichen Last geworden sind.

„„Es gibt gewisse Versuchungen, die den Geisteskräften des armen versuchten Menschen überlegen und zu stark sind, die als Leidenschaften in ihm haften zur Gewohnheit Lohn. — Wer Etwas nicht endlich auch überwindet, der hat nicht genug dagegen gestritten; es war ihm nicht genug zur Last. Darum hat er es noch und so lange, bis es ihm genug zur Last ist, als ein Gericht. II. Gal. 99. 100.

§ 231.

Dasjenige, was dem Wiedergeborenen Trieb und Kraft

gibt, durch Verläugnung des eigenen Willens sich selbst Gott zu opfern und der Sünde abzusterben (cfr. § 222.), ist der in ihm wohnende Geist Jesu, als das Lichtssalz, welches die Opfer des Gläubigen Gott angenehm macht (Mark. 9. 49.) und von allen Büßungen und Selbstverläugnungen der Ungläubigen wesentlich unterscheidet.

„„Es gibt allerlei Arten von Opfern, die man Gott bringen kann. Es kann Einer seinen eigenen Leib dem HErrn hingeben zu einem Opfer, das da lebendig, heilig und Gott wohlgefällig ist. Dieß Opfer kann mit Lichtssalz gesalzen und mit dem Feuerleben des Blutes Jesu angezündet seyn. Je völliger dieß Opfer ist, je angenehmer ist es auch unserem Gott. Aber was macht's zum Opfer? Und was macht's so angenehm? Das allgültige Opfer Jesu, womit es gesalzen und angezündet ist, und auch der Opferaltar des Kreuzes Jesu, auf den man es bringt. Sonst wären ja alle Büßungs- arten und Verläugnungsweisen der Ungläubigen Gott ange- nehm, die doch durchaus zum vernünftigen Gottesdienst nicht gerechnet werden können. Durch Jesu, des Hohenpriesters, Hand muß gehen, was zu Gott kommen soll, und mit dem Kraftsalz seines Blutes und Geistes muß zum Opfer ge- macht werden, so Etwas Gottes Opfer seyn soll. Wer wollte das für Opfer halten, die Gott angenehm seyn sollten, wenn sie im Triebe des eigenen Geistes und aus allerhand Ne- benabsichten gebracht sind? Und ja, die verdammlichen Ne- benabsichten verderben gar oft die heiligsten Sachen. Wäre es in solchen Fällen nicht gut, wenn man auch sogleich diese ergriffe und führte sie zum Tode? IV. Hebr. 785 f.

Alles Opfer wurde ehmals mit Salz gesalzen, und noch jetzt muß der Mensch, der ein Opfer Gottes werden und der Hölle entgehen soll, mit dem Salz des Lebens gesalzen werden. Dasselbe Salz ist aus feurigen Waffern und aus wässerigen Feuern durch den Geist der Ewigkeit, durch den Geist der Herrlichkeit geboren und mit zweifachen Lebens- kräften begabt, alles Ungeistliche und Ungöttliche zu zerstören und alles Göttliche und Geistliche mitzutheilen und zu geben. V. Off. 768.

§ 232.

Das Lichtssalz des Geistestriebs offenbart sich als eine, in den Schranken der Gelassenheit in Gottes Willen sich haltende Lust zum Leiden, welches als Trübsalssalz zum Opfer hinzukommt.

„„Das sanfte Treiben des Geistes der Herrlichkeit ist auch mit Leidenslust verbunden; aber sie will so viel als möglich mit Christo in Gott verborgen bleiben. Sintemal, wo Geist der Herrlichkeit herrscht, muß Einfalt und Herzenslauterkeit zu Grunde liegen und kein voreiliges Selbstgesuch stattfinden. II. Act. 286.

Es ist unmöglich, ein Kind Gottes seyn und doch ohne Zucht bleiben. Aber sollten wir uns in diese oder jene Zuchtart vergaffen und so gezüchtigt werden? Sollten wir um diese oder jene Art von Leiden und Züchtigungen bitten und darnach streben, oder Etwas beitragen, so oder so gezüchtigt zu werden? Hieße das einfältig und absichtslos zu Werke gegangen oder kann sich das einem Kind Gottes geziemen? Ich denke: Nein! Und eben darum denke ich, es sei genug, die Zucht des Vaters begehren und dann, wie sie kommt, annehmen als Vaterszucht: denn begreiflich weiß nur er, welche für jedes Kind die beste ist. Haben die Kinder nicht einerlei Art und Unart, so brauchen sie auch nicht einerlei Zuchtart. III. Eph. 196.

Wer den Geist der Kraft und der Liebe in der Wahrheit von dem HErrn empfangen hat, der hat auch zugleich den Geist der Zucht, den Geist der verständigen Aufführung erlangt. Daher kann ein solcher um Christi willen, aus Liebe zu Christo, Alles wagen, was er soll, es sei dulden oder verläugnen. Nichts ist ihm zu schwer in solcher Liebeskraft; aber da er den Geist verständiger Aufführung empfangen hat, so ziehet er sich nicht im Unverstand und Eigensinn Leiden zu, die nicht von Gott in seinen Lauf verordnet sind; er bürdet sich auch keine Verläugnungslasten selber auf, die eben nicht seyn sollen. Denn also ermattet sich die Seele unnöthig, daß sie hernach das, was sie sollte können, nicht mehr kann, weil sie sich überspannt hat. Es ist also Mangel am Geist verständiger Aufführung, wenn Seelen etwas übertreiben in Eigenheit und sich selber Leiden machen, die im Grund nicht bessern. Kommen dann bei der Führung dieses verständigen Geistes dennoch Leiden über uns, so sind sie vom HErrn und übersteigen nicht die uns gegebene Liebeskraft. Denn wir haben uns nicht selber in Versuchung geführt. Der uns also hineinführt, führt uns auch hinaus; wer sich selber hineinführt, wird schwer herauskommen. IV. Tim. 142 f.

Was das Lichtssalz nicht vermögend ist, auszurichten, das thut dann der Zusatz des Trübsals-Salzes. II. Petr. 233.

Nur Kraft des Lichtssalzes, verbunden mit Jesu Blutstinkturkraft, ist allvermögend; oft wird das Feuer der Trübsal dazu genommen. V. Off. 498.

§ 233.

Die Leiden selbst, welche den einzigen und allgemeinen Kreuzesweg in's Himmelreich bilden, sind von der göttlichen Weisheit und Liebe einem jeden Kinde Gottes speciell verordnet und zugemessen nach Maßgabe seiner Fähigkeit und des ihm gesteckten Zieles.

„„Das wahre Kind Gottes ist nach der Vorerkenntniß Gottes vorsätzlich berufen; denn in der Mutter göttlicher Weisheit sind ihre Erstlinge ersehen. Es ist ihnen zu ihrem Ziel ein Weg verordnet, der sie zu demselben bereiten hilft. Das sind Dinge, die ein Kind Gottes erkennen soll, wenn es zu einem schönen, hohen Ziel zu gelangen bestimmt ist. II. Jak. 269.

Wir sollen wissen, daß Gott nach seiner Weisheit uns selbst in unsern Lauf hinein geordnet habe, was uns am besten zu unserem Ziele fördert. Hieraus erhellet, daß es thöricht ist, wenn wir mit unserem Stand und Beruf, mit unsern Schicksalen und Begegnissen unzufrieden sind. XII. I. 15.

Obschon ein einziger Weg in's Himmelreich Gottes ist, nämlich der Weg des Kreuzes zur Herrlichkeit, so glaube ich doch, daß einem jeden in diesen Weg hinein immer wieder etwas Anderes verordnet sei, daß folglich das gesteckte

Ziel darum ungleich sei, weil mehr oder weniger Leiden in den Lauf hinein verordnet seyn können, je nachdem es Gott, als der Verordner, zuvor sahe und erkannte, was und wie viel er der Seele hinein verordnen konnte. Dieß sollte meines Bedünkens jede Seele mit ihren Schickungen und Begegnissen zufrieden machen, eingedenk, daß der, welcher es so verordnete, es mit jeder besonders am besten, und besser, herzlicher, als sie selbst, meine, und daß er auch weise genug sei, das Beste für jeden zu wählen. Dieß glauben mit Ueberzeugung beruhigt das Herz mehr als Alles. Dieß bewahrt trefflich vor Unmuth und Verzagtheit; es kann aber auch vor Uebermuth bewahren, wenn man seiner Abhängigkeit nachdenkt. Da nun aber kein anderer Weg zur Herrlichkeit ist, als der Weg des Kreuzes, wie man solches gleich bald erblickt, wenn das Geheimniß des Kreuzes aufgeschlossen wird, so soll sich der, welchem viel beschieden ist, nicht für unglücklich halten, sondern es für ein großes Glück ansehen, und den Unmuth, der sich regen kann, damit mäßigen. Hingegen der, welcher dessen im Vergleich mit Andern wenig hat, soll seinen Uebermuth damit kühlen, daß er denkt: Gott hat eben mir in meinen Lauf hinein nicht weiter verordnen können, weil er meine Schwachheit zuvor erkannte. Jedoch können einerlei Leiden an Qualität und Quantität bei zweierlei Seelen sehr ungleich wirken; der Eine kann dabei übermüthig bleiben, der Andere fast dabei verzagen vor Unmuth und Muthlosigkeit. Dieß verursacht die Ungleichheit der Naturen, Complexionen und Gemüthseigenschaften; darnach richtet sich der weise, gnädige Schöpfer; er weiß, daß bei Manchem Worte gedeiblicher wirken, als bei einem Andern harte Schläge. IV. Hebr. 652 f.

§ 234.

Hienach liegt es auch in der Vorherbestimmung und Verordnung Gottes, ob ein Mensch in oder außer außer dem Eheftande sein Kreuz und Leiden finden soll.

„„Der ledige Stand hat seine gewissen Vortheile, aber nur für gewisse Personen. Hingegen hat der eheliche Stand auch wieder gewisse Vortheile, aber wieder für gewisse Per-

fonen. Wir sind nicht im Stande vorauszubestimmen: da
werden es diese und dort werden es jene seyn, ob wir schon
muthmaßen und meinen können. Am besten ist's, wenn wir
die Menschen zum Herrn weisen, daß sie sich ihm mit Wil-
lenlosigkeit ergeben und seiner Leitung und Regierung an-
befehlen sollen, daß sie sich in Nichts sollen nach eigenem
Willen festsetzen und Gottes Vorhaben mit ihnen hindern.
XII. I. 43 f.

Du mußt nur in dem dir verordneten Wege bleiben und
fortlaufen, so kommst du zu dem Ziele deiner Bestimmung.
Was willst du eines Andern Weg erwählen und die Weisheit tadeln, hat sie doch besser durchgesehen als du? Du
kannst nicht sagen, an welcherlei Kreuzen du sterben und
zum Leben ausgeboren werden willst; du würdest gewiß solche
erwählen, daran Vieles von deinem alten Menschen unge-
tödtet bliebe. Manche Menschen könnte Gott ohne die Haus-
standslasten nicht demüthigen und in der Demuth erhalten,
und manche im Ehestand nicht unbeschadet durchbringen,
oder zu dem brauchen, was er will. Wer aber auf der Meinung ist, als gebe es keine Demüthigungslasten, als die
im Hausstande, der hat es noch nicht recht eingesehen. Denn
auch diejenigen, die sich mit der himmlischen Weisheit verbinden und nur sorgen, was dem Herrn angehöret, sich also
gar nicht in Nahrungsdinge mischen, haben auch Haushaltungen und Haushaltungskreuze, wie Paulus sagt: ich trage
Sorge für alle Gemeinen. Wer wollte nun glauben, daß
diese Lasten nicht schwerer seien als jene? Gewiß nur der,
der es noch nicht versucht hat. VI. Psf. 1341 f.

Hiemit ist nicht gesagt, was einige unserer ehemaligen
Brüder sollen gesagt und gelehrt haben, daß die, welche ledig seyen berufen worden, ohne Ausnahme dieß auch sollen
bleiben. Denn wenn es das wäre, so müßte auch allen,
die ledig erweckt und berufen werden, die Gabe der Enthaltung schon gegeben und anerschaffen seyn, und die Gabe
der Geschlechtsvermehrung müßte ihnen allen fehlen. Da
nun aber die Erfahrung lehrt, daß Beides nicht sei, so
kann sich jeder Christ, der auch ledig berufen ist, in den
Ehestand begeben, wenn er will, denn so ist's biblisch rich-

tig; so er aber auch nicht will, muß er auch nicht, es wäre denn, daß er nicht enthaltsam lebte. IV. Hebr. 772.

§ 235.

Die Leiden der Glaubigen sind nicht als Opfer zu betrachten, durch welche das Versöhnungsopfer Jesu ergänzt werden sollte oder könnte; vielmehr sind sie ein Sterben in und mit Christo nach dem alten Menschen, welches das Leben in und mit Christo in der Herrlichkeit zur Folge hat.

„„Alle Arten der Leiden und Verfolgungen wahrer Christen zu allen Zeiten müssen nie als ein, die Versöhnung ergänzendes Opfer betrachtet werden. Denn Gott ist auf einmal und immer versöhnt durch den Opfertod Jesu mit der ganzen Welt; und alle Schlachtopfer, die je geopfert worden sind und noch geopfert werden sollen, sind durch das allein gültige Versöhnopfer geheiligt und zu angenehmen Opfern gemacht. Daher ist alle Art Leiden, Trübsal und Verfolgung aller Jesusglieder zu allen Zeiten nur als eine Verähnlichungssache zu betrachten, als Sache, die dem leidenden Jesus ähnlich machen soll alle die, welche ihm dort sollen ähnlich werden, alle die, welche wahre Glieder seiner verherrlichten Braut werden sollen. Wer also nicht in das Verähnlichungs-Labyrinth aller der Unbegreiflichkeits- und Unerforschlichkeitswege geführt werden kann, weil er irr und verderbt würde, der kann auch nicht zur Aehnlichkeit des verherrlichten Gottmenschen gelangen. III. Phil. 27.

Wer dem Ebenbilde des leidenden Jesu nicht hier ähnlich gemacht wird, der kann unmöglich dort dem verherrlichten Jesu gleichen und mit einem Wort nicht in den Himmel taugen. Syst. 239.

§. 236.

Ebendeßhalb sind die Leiden der Glaubigen Gnadengerichte, durch welche Gott dieselben rechtlich zur Erhöhung in die Herrlichkeit zubereitet.

„„Warum werden manche, ja alle Nachfolger Jesu, einige mehr, einige weniger, gepeitscht, da doch Jesus für Alle ge-

peitſcht worden? Antw.: Wer mit Chriſto herrlich ſeyn und
herrſchen will, muß mit ihm vorher dulden; ſo wir vorher
mit leiden, werden wir auch mit verherrlichet. Gott hat
gegen andere Creaturen keine Rechte, uns zu verherrlichen,
ohne uns durch's Leiden vollkommen zu machen vor der
Verherrlichung. Wir haben ihm ja gar nichts zuvor gegeben, das er uns vergelten müßte. Syſt. 238 f.

Bedenket, daß der ſeidene Rock ſeiner Braut aus lauter
Rechten der Heiligen gemacht iſt, die er ſich ſammelte, wenn
ſie in ſeiner Geduldskraft unſchuldig litten. Alle, euch in
euren Lauf hinein verordneten Leiden, welche ihr in der
euch theuer erworbenen und aus Gnaden mitgetheilten Geduldskraft Jeſu leidet, verſchaffen Rechte dem Quell aller
Gerechtigkeit, euch zu verherrlichen, wenn euch die Leiden
ſchön veredelt haben; denn ſo und nicht anders reifen die
Kinder Gottes zur Herrlichkeit aus. III. Theſſ. 134 f.

Warum wird nicht bedacht, daß das Böſe das Gute
treiben muß zu ſeinem Wachsthum? und warum nicht bedacht, daß Gott dem Teufel, den ein Jeder für ſeine Perſon in Jeſu Geiſtes- und Blutskraft rechtlich überwinden
muß, nicht zugeben kann, Alles auf einmal zu verſuchen,
weil wir ſonſt über Vermögen verſucht würden? Warum
bedenkt man doch nicht, daß alſo Gott ſo, wie die Geiſtes-
ſtärke des Chriſten zunimmt, es dem Feind geſtatten muß,
den Chriſten ſtärker zu verſuchen und zu probiren, ſoll er
anders Alles beſiegen und überwinden? Iſt es denn anders
ſonſt auch rechtlich, den Rechten der Heiligkeit Gottes geziemend, daß Einer zum Königreich und Prieſterthum gelange? V. Off. 237.

Es iſt freilich eine der Natur unangenehme Schule, in
welcher man die Rechte Gottes erfahrungsmäßig verſtehen
lernt. Allein es muß alſo geſchehen; es ſcheinet uns freilich
zu lange; aber es hat eben immer noch Gott nicht an uns
erreicht, was er will haben. Er blickt weiter hinaus; er
wird einmal aufweiſen wollen, wenn er uns erhöhen will,
wie er uns erniedrigt habe. Er wird wollen Satisfaktion
geben können denen, die im Gericht mit ihm proceſſiren, wenn
iſt richtig Alles herausgeſtellt und gerichtet würde an uns:

wir würden nicht gerechtfertigt im Geistleib auferweckt werden, wie Jesus. VI. Pf. 297.

Sollte Jemand denken: was will doch der Apostel, wenn
er haben will, man solle sich freuen, wenn man in mancherlei Anfechtungen falle? sollte er nicht viel lieber gesagt haben:
freuet euch, wenn ihr vor mancherlei Anfechtungen verwah-
ret werdet? Nein, nicht also! Denn wodurch sollte man geläutert, gereinigt und bewährt werden? woraus sollte sich
Gott Rechte sammeln zur vorzüglichen Verherrlichung seiner
Erstlinge? woraus sollten sie mit ihrem Herzen bekannt werden, und was sollte sie antreiben, ganz aus ihnen selbst
auszugeben? wie sollten sie können Ueberwinder werden und
an was Beute machen? Wie sollte der Satan sein Heil an
ihnen probiren und proceßmäßig besiegt werden? wodurch
sollten sie können zu königlich-priesterlichen Kronen und Würden und zu einem Vorzugsrecht, in die Stadt Gottes zu
kommen, gelangen können? Denn obschon ewig wahr ist,
daß ihnen Jesus Christus das Alles erworben hat, so ist es
doch auch ewig wahr, daß sie auf keinem andern Wege dazu gelangen können, als auf diesem. II. Jaf. 261 f.

Ich will nicht hoffen, daß es euch verborgen ist, daß man
auch das Leiden sich selbst verderben kann. Euch ist ja bekannt, daß wer für die Beleidiger nicht bittet und die Flu-
cher nicht segnet, also die Feinde nicht liebet und den Has-
sern nicht Wohlthaten erzeiget, keine rechten Christen und
Kinder Gottes seien, und daß solche den königlich-priesterlichen Geist und Sinn Jesu nicht haben. Ei, so müsset ihr
ja gut begreifen, daß ein Seufzen wider die Feinde wider
allen Jesussinn sei, folglich kein von seinem Geist gewirktes
Seufzen sei, also Naturgeistes, aus dem eigenen Leben und
Mitleiden gegen sich selbst entstehendes Seufzen seyn müsse,
das eine Art Rachsucht in sich hat und den Richter ruft.
Und dieß verderbt das Spiel im Leiden, daß Gott der HErr
kein Recht herausbringt zur königlich-priesterlichen Würde,
weils nicht Frucht seines Geistes ist; und darum ist es auch
nicht Seide zum Brautgeschmeide der Jesusauserwählten,
welche Seide ist die Rechte der Heiligen. Diese heiligen
Rechte sammelt Gott selbst denen, die nicht seufzen wider,

ſondern für die Feinde, die alſo das Recht nicht ſelbſt ſammeln. II. Act. 472.

§ 237.

Es iſt daher von wichtigem Einfluß auf unſer zukünftiges Loos in der Ewigkeit, wenn die Gnadengerichte jetzt in der Zeit an uns ausgeführt werden.

„„Betrachten wir nur die, von David bekannten und aufgezeichneten Fehler, ſo ſcheint er vor vielen Anderen wenig Vorzüge zu verdienen. Aber das geht nicht an. Betrachte ihn auf der Seite, wie ihn Gott betrachtet. Schaue auf ſeine Grundredlichkeit. Du haſt mit vielen Anderen eine Menge Sünden auf dir; du weißt ſie fein zu verbergen; die Ewigkeit wird ſie offenbaren. An David iſt Alles herausgeſtellt; der Tag Jeſu darf Nichts mehr offenbaren. Gott ruhete nicht: Alles mußte heraus und gerichtlich abgethan ſeyn, daß er bereit und fertig in jene Welt gehen konnte. Und da hat er große Vorzüge vor viel tauſend Anderen. Merke dir bei dieſer Gelegenheit, wie Gott ſeine Gerichte in dieſer Welt an ſeinem liebſten Haus und Kindern ausführet und Nichts ungeahndet, ungerichtet und verborgen bleiben läßt. Der, welcher ſein Herze nicht findet, kann ſich über ſie erheben und emporſchwingen; aber wenn einſt der Haufen verborgen gebliebener, ungerichteter Sünden herauskommt, wird das Blatt ſich wenden. VI. Pſ. 609 f.

Wie gerne wäre ich von Leiden frei, nemlich von der Sünde in mir und von der Strafe, die auf mich gefallen um der gethanen Sünde willen. Gut iſt es gemeinet, daß deine Gerichte in der Zeit an mir ausgeführt werden. Denn es wird ſchrecklich ſeyn, wenn ſich dein ewiger Geiſt bewegen und deinen Zorn in aller Natur und Creatur anzünden wird, um alles gottwidrige, lichts- und wahrheitswidrige Leben und Unweſen wegzuſchaffen. VI. Pſ. 495.

§ 238.

Die Erkenntniß des Kreuzgeheimniſſes iſt göttliche Weisheit und gibt den chriſtlichen Leidensſinn, der Geduld und Treue hält bis in den Tod.

„„Urtheilt ſelbſt, ob es möglich iſt, ohne die Weisheit

Gottes diesen Weg zu gehen oder zu diesem Ziel zu gelangen? urtheilet selbst, ob Glauben möglich sei ohne Weisheit? und ob man die Proben des Glaubens aushalten kann ohne Weisheit? II. Jak. 292.

Da Gott kein ander Vorhaben in sich hegen kann, als Lichts- und Liebes-Offenbarung, Seligkeit und Ruhe in seiner Herrlichkeit, so kann auch sein Vorsatz kein anderer seyn in seiner Weisheit, als alle Geschöpfe im Sichtbaren und Unsichtbaren aus seiner Herrlichkeit, durch seine Herrlichkeit, zu seiner Herrlichkeit zu bestimmen, und da er also wirkungsweise Niemand versuchen kann, so kann er auch nur seinem Plan gemäß wirkende und zur Erreichung seines Zwecks mit dienende Versuchungen, Leiden und Anfechtungen zugeben, also daß das, was er zugibt, wieder nichts Anderes, als väterliche Liebesabsicht seyn kann. Dieß einzusehen und zu erkennen, auch in den dunkelsten Anfechtungsstunden zu glauben und in Hoffnung fest zu halten, erfordert göttliche Weisheit, eben die Weisheit des Gottes, der Licht und Liebe ist. Wer sie empfangen hat, ist ein Auserwählter des Herrn, ein in Christo in eben dieser Weisheit und Herrlichkeit Gottes erwählter, zuvor ersehener und zuvor verordneter Gläubiger, ein mit einem heiligen Ruf Gerufener, folglich ein Sohn der Weisheit von oben. Ein solcher also hat die Weisheit Gottes mit Hintansetzung und Geringschätzung aller Dinge verlangt und begehrt, welch Verlangen auch Gott zuvor erkannte und also erwählte. Diesen zur Herrlichkeit Christi bestimmten Seelen muß Alles zum Besten dienen; so ist's von Gott verordnet. Dieß glauben und erkennen sie, und darum beweisen sie auch ausharrende Geduld und werden bewährt. Gott erreicht also seinen Zweck, und sie gelangen zum Ziel, nemlich zu ihrer Bestimmung, zur Seligkeit und Ruhe in der Herrlichkeit Gottes in Christo, der die Herrlichkeit Gottes ist. II. Jak. 298 f.

Ziehet den Leidenssinn Jesu an, denn er gehört zum Glaubenslauf. Der leidende Gläubige ist der zur Herrlichkeit bestimmte Erstling, und ihm stehet Nichts so vortrefflich an, als der Leidensmuth. Denn wo Leidenssinn ist, da ist auch Herrlichkeitslust; denn ohne Leidenslauf wird das Ziel der Herrlichkeit nicht erreicht. Wenn also eine Seele

gewürdigt wird, Blicke in das Geheimniß des Kreuzes zu
thun, so kann sich in ihr regen die lautere Leidenslust und
der rechte, reine Leidenssinn. III. Eph. 191.

Alle Lehrarten, aus welchen nicht auch Blicke in das
Geheimniß des Kreuzes leuchten, sind von der besten Art
nicht, da ja die göttliche Weisheit nur Einen Weg zur
Herrlichkeit verordnet hat, nämlich den Kreuzesweg. Kehre
dich, Seele, nicht daran, daß dieser Weg den Weisen dieser
Welt wahre Thorheit scheinet! III. Kor. 86.

β. Die subjektive Bedingung des Wachsthums.

§ 239.

Da zum Wachsthum in der Wiedergeburt alle objektive
Bedingung in der Gnade gegeben ist, so hängt das Gedeihen
des göttlichen Werkes nur von dem subjektiven Verhalten
des Wiedergeborenen ab, welcher nach seiner freien Wahl
in der Kraft der Gnade mitwirken oder muthwillig durch Untreue dieselbe hindern kann.

„„Der göttlich-menschliche Geist des HErrn, der den Grundstoff der Wiedergeburt in euch gelegt hat, der wird ihn auch
entwickeln und vollenden. Er wird das Werk vollführen, und
sollte er erst damit fertig werden können bis auf den Tag Jesu
Christi. Er wird durch keinen Widerstand sich abhalten lassen,
wenn anders ihr ihm treu seid und in ihm, als in eurer Mutter bleibet. Nichts wird ihn hindern können; auf seiner Seite
wird es gar nicht fehlen. Nur ihr wäret im Stande, durch
muthwilliges Weichen sein Werk zu unterbrechen. III. Phil. 16.

Auf's Vollenden ist's schon beim Anfangen von ihm angesehen. Aber nur wir können es hindern, wenn wir muthwillig nicht mehr wollen, wie er will; wenn wir uns von
ihm trennen. ibid. 17.

Man braucht uns nicht erst zu sagen, daß wir ohne
Christum gar Nichts können, als sündigen, es ist uns gut
bekannt. Aber das muß man uns zu bereden auch nicht
erdreisten, daß wir nicht mit dabei seyn müssen, wenn Jesus Alles das in uns und durch uns thut, was er gethan
haben will, oder daß wir nicht dabei mitwirken sollen! Die

Gnade thut freilich Alles; aber wenn wir ihr nicht treu sind, kann sie in uns Nichts thun noch ausrichten. Sobald du glaubst, daß Jesus Alles für dich gethan habe, so glaubst du recht; sobald du aber glaubst, du habest also Nichts zu thun beim Seligwerden, so glaubst du gar nicht biblisch und bist irre. Denn Alles muß auch in dir und durch dich im Kleinen vollbracht und durchgemacht werden, und da mußt du also mit dabei seyn und mitwirken; aber freilich Alles in der Kraft der Gnade und im Trieb seines Gottes-Geistes. IV. Hebr. 699.

Wo Geist vom Geist gezeugt ist, da ist die Seele des Lebens, das aus Gott ist, wieder theilhaftig, weil sie durchs Wort der Wahrheit geistlich gezeuget ist nach Gottes Willen. Also kann die Seele, kraft dieser empfangenen Gnade und um dieser empfangenen Wiedergeburtsgnade willen, immer wieder Gnade aus der Fülle der Herrlichkeit Gottes nehmen, und es wird ihr geschenket Alles, was zum göttlichen Leben und Wandel dienet; sie kann theilhaftig werden der göttlichen Natur, ja sie ist derselben samentlich theilhaftig worden und kann, wenn sie treu ist, zur Gottes- und Jesusähnlichkeit gelangen, mithin herrlich ausgeboren werden. Aber das ist doch sehr wohl in Acht zu nehmen, daß durch Treue das geistliche Leben in seinen kraftvollen Enthüllungs- und Entwicklungstrieben kann gefördert und durch Untreue aufgehalten und gehindert werden. Denn es ist begreiflich, daß, da nur Die Kinder Gottes sind, die sich von dem Geist Gottes treiben lassen, der Alle treiben will, es doch auch welche gibt, die seine Triebe hemmen, dämpfen und unterdrücken, wenn sie nämlich der innern Zucht nicht genugsam Folge leisten, wenn sie nicht alle Sinnlichkeit und Ungöttlichkeiten fliehen, hassen, meiden und verleugnen, und also auch nicht züchtig, gerecht und gottselig leben; wenn sie nicht fleißig ringen, beten, lesen und Geistesnahrung suchen; wenn sie nicht fleißig sich sammeln, einkehren und sich erneuern, also nicht sorgfältig fliehen alle vergängliche Lust der Welt und alle Stricke des Weltgeistes, der sie so zu sagen tagtäglich fesseln will. III. Phil. 88 f.

Nachdem es nun an der keinem fehlt, was die geistliche Frucht treiben und bringen kann, und auf Seiten Gottes

Nichts ermangelt, so lasset es auch an euch und auf eurer Seite an Nichts fehlen, diese Frucht des Geistes zu bringen. Es ist nicht genug, daß ihr im Glauben den Kraftsamen des Lebens aus Gott angenommen habt, sondern ihr müsset nun auch das vermeiden, was ihn einschränken und in seiner Enthüllung aufhalten könnte. Ihr müsset den inneren Ueberzeugungen des Geistes folgen und eurer inneren Mutter im Schoos bleiben, daß sie euch ausgebären kann. Denn die Sache verhält sich ja nicht, wie bei einem natürlichen Kinde im mütterlichen Leibe, welches weder etwas beitragen kann zur Beförderung noch zur Verhinderung seiner Ausbildung und Geburt. Es ist bei uns etwas ganz Anderes; denn wir haben noch ein Leben, ein natürliches neben dem geistlichen; wir haben nicht nur Sinne für himmlische Welt; die anderen, die natürlichen, sind auch noch da. Wir leben in der Naturwelt, und unsere Natur ist zu natürlichen Dingen geneigt, neben dem, daß wir ein geistlich Leben haben, das sich an geistlichen Dingen ergötzt und von geistlichen Dingen lebt. Aus diesem Grund ist auch der Streit in uns zwischen Geist und Fleisch, zwischen Natur und Gnade. Denn das Fleisch gelüstet nach Dingen, die dem Geiste oder der geistlichen Geburt zuwider sind und ihr Untergang wären. Hingegen der Geist oder die Lebensquelle der Geistesgeburt gelüstet nach Dingen, die dem natürlichen oder fleischlichen Leben sein Untergang sind. Soll also das Geistesleben gedeihen und aufkommen, so ist sehr viel an euch selbst hiebei gelegen, wohin ihr euch wendet und mit welchem ihr es haltet. Es steht natürlich immer in eurer Wahl, weil ihr Menschen seyd, und weil keiner ein Mensch ist, er habe denn ein mehrfaches Leben und einen freien Willen, es zu halten, mit welchem er will. II. Petr. 174 f.

§ 240.

In dieser Freiheit liegt die Möglichkeit für den Wiedergeborenen nicht blos des Falles, aus dem er wieder aufstehen kann, sondern auch des völligen Abfalles, aus dem kaum eine Erneuerung mehr möglich ist.

„„Der Apostel hat nicht geglaubt, solche Seelen, von

deren Gnadenwahl man einmal sichere Beweise habe, kön=
nen nicht mehr fallen, fehlen oder stille stehen. Sonst
hätte er gesagt: „Nun bin ich wegen euch, Thesalonicher,
ganz ruhig, nachdem ich einmal weiß, daß ihr Theil habt
an der Drangsal, an der Geduld und am Reich des HErrn.
Nein! das hat er nicht gesagt, sondern ob er das schon
also glaubte, glaubte er eben doch, daß sie sehr nöthig ha=
ben, daß für sie gebetet werde. Und es ist daher kein gutes
Zeichen, daß wenn Seelen sich der Gnadenwahl versichert
halten, daß sie alsdann darauf loshausen und glauben, nun
könne es auf keinen Fall mehr fehlen, da doch Adam im
Paradies selbst fallen konnte. III. Thess. 137.

　　Wer den Worten der heiligen Schrift von Herzen glaubt,
kann auch keinen Augenblick mehr zweifeln, daß Seelen wie=
der aus der Gnade Gottes fallen und von Gott weichen
können. Ich denke, deutlicher kann ja kein Wort Gottes
seyn, als 2 Petr. 2, 20 ff., denn es heißt ja deutlich:
den abgefallenen Seelen wäre es besser, daß sie den wahren
Weg der einzigen, wahren Gerechtigkeit zum Eingang in's
Königreich der Himmel gar nie erkannt hätten, als daß sie
ihn nicht nur gehört, gewußt, erkannt, sondern auch betre=
ten haben, und haben sich doch innerlich wieder abgewendet
von dem heiligen Gebot, das ihnen begreiflich in's Herz ge=
geben war. Diese armen Seelen hatten den Unflath der
Sünden an= und ausgespieen und die verderblichen Sinnen=
lüste geflohen und angeeckelt, und doch hernach noch viel
geizgieriger wieder in sich gefressen, als zuvor. — Sollte
es denn auch möglich seyn, daß ein erleuchteter Mensch wie=
der sollte so verstockt und von der Sünde wieder so betro=
gen werden? Sollte eine Seele, die schon Kräfte und Wesen
Gottes mit höheren Sinnen genossen und geschmecket hat,
wieder so verfallen können? Ja, es ist leider möglich, und
die traurige Erfahrung lehrt es uns eben so deutlich, als
die Schrift. Und leider ist dieß nach der Schrift leichter
möglich, als daß ein solch zweimal Abgefallener wieder er=
neuert werde zur nochmaligen Sinnesveränderung. Denn
wo das Kraftsalz des Lichts einmal ist unkräftig worden,
erlangt es seine Kraft nicht leicht wieder. Jedoch, was bei
den Menschen unmöglich scheint und ist, das ist's noch nicht

bei Gott. Denn bei ihm sind alle Dinge möglich, die wir weder fassen noch begreifen können. Wir möchten also einem schwer Gefallenen, der auch lange im Falle gelegen ist, dennoch den Muth nicht nehmen, wenn er nach dem Wiederaufstehen ein herzliches Verlangen hätte, da ja der HErr auch Gaben für die Abtrünnigen empfangen, also theuer erworben hat. Ich für meinen Theil mache einen merklichen Unterschied unter Sündenfällen und unter Abfallen vom HErrn, obschon ein jeder Sündenfall vom HErrn gewichen heißt, denn sonst hieße es ja nicht gefallen. Ganz ein Anderes aber ist es, von der Wahrheit abirren und dann aus Irrthum in Lüsten leben, wie sie 2 Petr. 2. beschreibt. Denn das heißt schrecklich abgefallen und noch dazu Andere verführt und betrogen. Es heißt wider das Licht und die Gnadenzucht im Zusammenhang sündigen und immer sehrer sündigen und in der Sünde gelebt wie in seinem Element. Das ist dann aber der Fall nicht bei denen, die mit Unruhe sündigten, weil sie den Sünden nicht gewachsen waren, also nicht siegen konnten, ob sie sich solches schon vorgenommen hatten; solche, denke ich, können nüchtern werden, den Sinn ändern und also aufstehen und angenommen werden. Doch auch jenen wollen wir nicht absprechen, wenn sie zu sich selber kämen durch etwaige Gerichte und Strafen, die über sie verhängt werden könnten, wie über eine hurische Isabel. II. Petr. 230 f.

Es werde nur Keiner matt in allen Anfechtungen und allen Arten der Versuchungen! Es lasse sich nur Keiner auch begangene Untreue zurückschlagen und matt machen, so kann es nicht fehlen mit der Vollendung! Auch der Gefallene stehe nur immer wieder auf! Nur Liegenbleiben macht, daß es ganz gefehlt ist! III. Phil. 18.

Es ist gar wohl möglich, daß auch wahrhaft begnadigte Seelen wieder aus der Gnade können fallen; aber nicht wohl möglich ist, daß sie wieder zurecht gebracht werden, welches denn billig ein Bedenken machen mag allen denen, welche zu stehen glauben. Freilich aber ist unter einem solchen Abfall nicht nur eine schlechte Handlung, sondern ein anhaltender Zustand zu verstehen, und soll also die Sache nicht zu weit ausgedehnt werden. — Erst wenn eine Seele freiwillig fündiget, und im Zusammenhang fort wissentlich fündiget, ist sie wirklich abgefallen. **IV. Hebr. 488. 489.**

Mit abgefallenen Seelen ist Nichts mehr auszurichten; ich denke und das nicht ohne Grund: sie haben sich so nach und nach durch Anreizungen der Finsternißliebe von Gott und seinem Sohne, also aus der Lichtsgemeinschaft Gottes entfernt und der böse Geist, der sie hiezu verführt und verleitet hat, gewann durch ihre Nachläßigkeit im Wachen und Beten die Oberhand wieder, die er vor ihrer Bekehrung mag gehabt haben. Jetzt, da er wieder Oberhand gewonnen, weil die Seele nachläßig war, hat derselbe böse Geist noch sieben ärgere zu sich genommen, und haben die arme Seele gleichsam besessen und behaupten eine Macht über sie, weil sie ihnen eingeräumt worden und nun zieht sich das Licht und Geistesleben in den tiefsten Grund seiner Gottesgeburt zurück in der Seele, wie im Falle Adams, doch so, daß eine Möglichkeit überbleibt für Gott, dasselbe Leben wieder in Bewegung zu setzen. Wenn denn aber die Seele so herausgekehrt und besessen ist, so ist sie weniger, denn andere Menschen, recht vollkommen bei Sinnen, und in ihren natürlichen Empfindungsorganen ist ein wahrer Eckel an Gottes Licht und Wort. Denn in demselben haben die bösen Geister Sitz genommen, sie können also die Wahrheit nicht hören noch ertragen. Solches ist aber mehr den bösen Geistern, als den armen Seelen, die sie überwunden haben, zuzuschreiben; wenn es denn aber mit einer Seele dahin zurückgekommen ist, dann ist freilich ohne Gottes sonderliche Mitwirkung Nichts auszurichten. **IV. Hebr. 318.**

§ 241.

Soll nun das Wachsthum der neuen Geburt seinen gedeihlichen Fortgang haben, so ist nöthig, daß der Willensgeist sich beständig in Jesum einwende und in ihm als der Mutter, in der er ausgeboren werden muß, inne bleibe.

„„Nachdem wir einmal Geist von Geist gezeuget sind, also Geist von Geist empfangen haben, sind wir freilich Gottespflanzen und der Geist, den wir als Stoff und Samen der neuen Geburt erlangt haben, kann nicht abgetrennt, obgleich zugetheilt, betrachtet werden, kann also nicht außer

seiner Mutter bestehen, welche Geist ist. Dahero sind auch
nur das wahre Kinder Gottes, die im Geist leben und wandeln, und also geistlich gesinnt sind. Und wenn auch solche
Seelen etwa durch äußere Verrichtungen und Begebenheiten
zerstreut werden, können sie doch das nicht lange aushalten;
begreiflich bleibt ihr Geist in seiner Mutter, und Seele und
Sinn muß dem herrschenden Leben nach, weil es dem un-
tergeben seyn muß. Es könnte kein Gedeihen seyn, so das
nicht wäre, weil kein Wirken von innen heraus begehrend
und keines von außen hinein mittheilend seyn könnte und
könnte also das Geistesleben nicht das herrschende werden.
Dieß ist die Ursache, warum nicht alle gedeihen, die doch
Geist erhalten und bekommen haben. II. Act. 33 f.

Wo es nur ist, daß ein ernstes Gottesbegehren und
Streben des Geistes nach Volljährigkeit und Jesusähnlichkeit
ist, da ist ein Bleiben in Christo, ein Bleiben in seinem
Wort, in seiner Liebe und Gemeinschaft und hier ist also
eine Möglichkeit, Frucht zu bringen. Ein solcher Glaubensbaum steht mit der Wurzel seiner magischen Glaubensbegierde im Element der Herrlichkeit und göttlichen Barmherzigkeit gewurzelt, zieht da wirklich an Alles, was ihm zum
Leben des Geistes und zum göttlichen Wandel dient, lebt
und grünt, blüht und trägt sehr viele Glaubens- und Geistesfrucht. II. Petr. 192.

Der verherrlichte Gottmensch, Jesus Christus, ist unsere
Mutter, in der wir müssen ausgebildet und ausgeboren
werden. Der Herr ist der Geist, sagt Paulus; also der
Geist, der jetzt unsere Mutter ist, der ist der Herr. Er ist
auch der Stammvater des geistlichen Lebens, der andere
Adam. In dieser väterlichen, jungfräulichen Mutter müssen
alle die, welche herrlich ausgeboren werden wollen, bleiben
und sich Nichts von derselben trennen lassen, wollen sie anders herrliche Früchte bringen, und zu rechter Zeit in Jesusähnlichkeit ausgeboren werden. Ein erst gezeugtes Kind,
das nicht in seiner natürlichen Mutter bleibt bis zur rechten
Geburtsstunde, kann nicht recht und reif ausgeboren werden.
Ein Kind Gottes oder eine aus Gott gezeugte Seele kann
auch nicht außer Christo zu ihrer Reife gelangen; daher
muß der, welcher den Lichts- und Lebenssamen aus Gott

empfangen hat, mit allem Fleiß in seiner Mutter bleiben. II. Petr. 188.

Christus, in sofern er die Mutter, nämlich die jungfräuliche Herrlichkeits-Mutter der wahren Glaubigen ist, ist in der Seele des Menschen zu suchen, so wie er überall in dem allerheiligsten Lichtraum Gottes als das ewige Eins alldurchdringlich, allgegenwärtig, aber unberührlich jungfräulich ist. Da also die Wiedergeburt in uns geschiehet, und die Mutter, die uns wiedergebieret, innig, alldurchdringlich in ihrem eigenen Lichtsraum nahe ist, so muß demnach der Mensch immer einkehren und innen bleiben, so er in Christo als in seiner Mutter bleiben will; denn soferne wir Christum als den Stammvater des geistlichen Lebens auf dem Thron der Majestät Gottes persönlich betrachten, soferne geben wir zu, daß er von Außen in uns hineinwirke; wir schreien zu ihm, aber nicht allein zu ihm aus uns hinaus, da er überall allgegenwärtig ist, sondern auch zu ihm hinein, da er im Allerinwendigsten nahe ist. II. Petr. 189 f.

Es ist ein einiges Leben, das Leben Jesu und seines Leibes Glieder; ein einziges Lebensrad, in dem sie wurzelmäßig leben, als im Leibe der Herrlichkeit, den das Rad der Geburt immer gebiert, und nicht von demselben zu trennen ist. Es ist eben darum ein beständiger Kreislauf der sieben Geister oder Lebenskräfte, ein Ein- und Ausgehen und doch ein beständiges Bleiben und Wirken im Leibe der Herrlichkeit. Wer erfahren hat, daß diese in ihm sich geburtsmäßig eröffnet hat, der steht in beständiger Circulation mit dem Lebensgeist und ist Ein Geist mit ihm, und eben darum ein Tempel Gottes und lebendiger Stein mit sieben Augen. Und wie kann es anders seyn, als daß ein solcher Mensch ein lebendiges Glied an dem lebendigen Haupte genannt werden sollte? V. Off. 750.

Das Auskehren ist unserer Zeit wie eigen worden; das macht auch, daß wir so wenig Kraftchristen haben. Reine Entwicklungstriebe zeigen sich nur im Umgang mit der Sonne der Lichtwelt. III. Phil. 21 f.

§ 242.

Aus diesem Grunde geht die Versuchung des Satans

besonders darauf, den Gläubigen auf allerlei Weise zu zerstreuen und in die Sinnlichkeit heraus zu zaubern.

„„Sobald sich eine Seele etwan durch nothwendige Besorgungen und Beschäftigungen nur ein wenig verstreut und ausgekehrt hat, sieht sie sich schon in Gefahr, von allerlei angefochten zu werden. Ihr Seelengeist seufzet; sie kehrt wieder ein in die Ruhe ihres Gottes, in ihren allerheiligsten und allerseligsten Muttergrund. Von diesem nun sucht die Schlange einen Manchen nicht allein abzuhalten, sondern auch wegzuzaubern durch allerhand taschenspielerische Künste und geistlich scheinende Gaukeleien. Kurz er wendet allen Fleiß an, den Menschen herauszukriegen, auch, wie gesagt, mit geistlichen Dingen, wo er ja nicht anders zukommen kann. Da erhascht er Manchen, der ein edler Baum in dem Garten der Gemeine Gottes war, durch Allgeschäftigkeit und Vielwirksamkeit, daß er nicht mehr mit dem HErrn zusammenfließt, also nicht Kraft zum Fruchttragen anzeucht. Einen Andern macht er nach geistlich scheinenden Wissenschaften begierig, daß er lieber ohne Gottes Geist forschet und liefet, als betet und eindringet; wieder einen Andern beredet er, was er für ein nothwendiges Gotteswerkzeug werde, wenn er sich in diesen und jenen Umtrieb einlasse, viel gewinne, und dann der Gemeine des HErrn damit diene. Abermal einen Andern weiset er unthätiges Horchen in der Eigenheit an, damit er ja allerhand Gaukeleien in seiner Phantasie erwecken oder ihm recht viel ungegründetes Zeug träumen möge, und so mehr dergleichen Verführungsarten gibt es leider! II. Petr. 192 f.

§ 243.

Vornehmlich in Zeiten der Anfechtung geschieht es leicht, daß die Seele, statt in Geduld zu harren, nach sinnlichem Troste greift und dadurch ausgekehrt wird.

„„Wenn wir Seelen kennen, die mit ihrem ganzen Liebesverlangen gleich jener Maria nur Jesum lieben und nur ihm in reinen jungfräulichen Tinkturbegierden geöffnet sind, nur ihn hören, fassen und anziehen wollen, so betrachten wir solche Seelen als reine jungfräuliche Brautseelen, die

ihren Bräutigam mit ihrem in ihn allein verliebten Seelen=
auge der lauterſten Einfalt brünſtig verliebt machen, daß er
gleichſam ſich ſelbſt nicht enthalten kann, ſie zu ſeiner Herr=
lichkeit zu machen und ſich ihnen mit ſeiner Lichts= und Le=
benskraft tinkturreich mitzutheilen. Hoh. Lied 4, 9.; 6, 4.
Wenn aber ſolche Seelen alsdann, wenn ihr Freund ſich
ein wenig verbirgt, gleich anfangen, auszuarten, und ſuchen
ſinnlichen Troſt und wenden ſich zur dürftigen Creatur in
creatürlicher Bedürftigkeit, ſo verfallen ſie nach und nach auf
ein geiſtlich ſcheinendes Vielwiſſen unnützer Dinge, und wer=
den nach und nach immer geiſtleerer, je mehr ſie von aller=
lei Dingen zu ſchwätzen wiſſen. Denn dieſes juſt zeigt ihre
Vielfältigkeit und ihr Abkommen von Jeſu ſehr deutlich an.
Wenn die Seelen einmal in geiſtliche Vielfältigkeiten heraus=
gereizt ſind, gleichſam herausgezaubert von dem alleinigen
Lichts= und Lebensquell, ſo kommen ſie nicht urplötzlich aus
dem Ueberſinnlichen auf die unterſte Staffel der Grobſinn=
lichkeiten, ſondern der gereizte Geiſtesvorwitz ſchwärmt mit
geiſtlichen, aber nicht mit Gott=geiſtlichen Dingen, in falſch=
geiſtlichen, vorwitzigen Dingen um. III. Kor. 236 f.

§ 244.

Das Bleiben in Jeſu ſchließt den treuen und fleißigen
Gehorſam gegen die heilſame Gnadenzucht in ſich, durch wel=
chen das Wachsthum im Geiſt befördert wird.

„„Wir ſind angewieſen, um den heiligen Geiſt zu bitten,
dieß iſt der Weg, ihn zu erlangen. Wenn man ihn aber
hat, ſo hat man ihn nicht auf Einmal ſtromweiſe. Mit
edeln Züchtigungen fangt er an im Herzen ſein Daſeyn zu
zeigen; wer ihm folgt, wird weiſe in Gottesfurcht und be=
kommt ſein noch mehr, als er ſchon hat. Iſt er nun ſeiner
edeln Zucht immer noch getreuer und ſtets treuer, ſo erlangt
er endlich die Fülle. II. Act. 495.
Sowie ſich der Menſch gegen innere Zucht untreu hält,
wird er Fleiſch und verliert Geiſt, verfällt alſo neuerdings
in das Niederſinnliche. Nur durch mehrfache Gerichte kann
er wieder losgefeſſelt werden. II. Petr. 223.
Indem ihr der Heiligung nachjaget, ſehet auch haupt=

25 *

sächlich darauf, daß nicht Jemand unter euch Gottes Gnade versäume und den Trieb des Lichtsalzes dumm, taub und unkräftig werden lasse. Denn wenn Einer die Zeit der Gnadentriebe nicht genugsam benützet, und dieß Kraftsalz nicht zur Tödtung seiner selbst anwendet, daß er ein ganzes Opfer Gottes werde, so verlieren sich solche Triebe, und ziehen sich ebenso stark hinein in ihr Lichtscentrum, als sich die Finsterniß liebende Seele herauskehrt. IV. Hebr. 690.

Im Gewissen, als dem Wahrheitsgefühl, zeigt sich die Gnade mit ihrer Zucht, und wo man ihr Gehör gibt und folgt, da setzt sie ihr heilbringendes Zuchtgeschäft fort bis zur gänzlichen Verläugnung alles ungöttlichen Wesens und aller sinnlichen, weltlichen Lüste, und treibt ihre getreuen Liebhaber an, züchtig gegen sich selbst, gerecht gegen den Nebenmenschen und gottselig gegen Gott in dieser Welt zu leben. Da es nun aber Seelen gibt, die sich nicht ganz ergeben, die wohl auch Manches, aber nicht Alles verläugnen wollen, welche also accordiren möchten (welches aber die Gnade nicht eingeht), so fangen sie an, derselben auszuweichen und untreu zu werden. Und diese nun sind es, die die Gnade versäumen; denn sie hätten bei ihrer Zucht können, so sie ernstlich hätten wollen, so sie mitgewirkt hätten. IV. Hebr. 693.

§ 245.

Dieser Treue entspricht ein eigenwirksamer Eifer ebensowenig, als eine Lauheit und Trägheit, welche in falsche Beruhigung, Fleischesfreiheit, Finsterniß und Tod führt.

„„Diejenigen, die von Jehu, d. i. vom Trieb des eigenen Geistes aus allerlei Eigengesuch getrieben werden, treibens nicht in die Länge; sintemal der Eigenheitsgeist treibt, als ob er, wie Jehu, unsinnig wäre. Und auf solche Weise übertreibet und überspannt er die Kräfte; dann werden Seelen schlaff und erliegen und alle ihre Anstrengungen sind Luftfechtereien, haben dem alten Leben auf einer Seite Streiche versetzt und auf der andern ihm geliebkoset. Dergleichen Wirkungen und Triebe sind nicht von dem Geist des HErrn. Wir wollen aber dennoch nicht sagen, daß solche Seelen gar nichts Gutes haben können; nur so viel wollen wir noch zu verstehen geben, daß da, wo man im Nachjagen der Heiligung anfangs so ernstlich und eifrig war, und nachher so lau und gleichgültig wird, müsse viel Treiben des eigenen Geistes mitgewirkt haben; welches dann freilich nicht Probe hält. IV. Hebr. 689.

Es kommt mir nichts Wunderlicheres für, als daß es Seelen gibt, welche meinen, das müsse bei Allen so seyn, daß sie von dem ersten Ernst abkommen, und etwas nachlässiger werden. Es ist aber durchaus nicht noth und soll nicht seyn. Obwohl sich viele Eigenheiten und Unlauterkeiten verlieren müssen, die man im Anfang kann gehabt haben, so muß doch das Eigentliche des Ernstes täglich wachsen und zunehmen, wenn es rechter Art fortgehen soll. Das Gewissen muß immer zärter, reiner, gefühliger und gewissermaßen enger, das Herz aber weiter und vertragsamer mit Andern werden. ibid. 494.

Wenn eine Seele in der sogenannten geistlosen Christenheit geboren und erzogen ist, wenn sie, wie Alle, unter dem Apfelbaum der Augenlust, Fleischeslust und hoffärtigen Wesens gelegen und geschlafen hat mit ihrer ganzen Familie, und hat immer nur das wahre Christenthum verspotten und verlästern hören, — wird aber dessen ungeachtet aufgeweckt und ergriffen von dem HErrn, kriegt lebendige Erfahrung und Erkenntniß Gottes und seines Wortes, hält aber nicht aus im Ernst, wird nach und nach lau und träge, und hört auf, die Weltgesellschaften zu fliehen, kriegt einen Eckel an den Christenleiden und Verfolgungen, und läßt den Reiz der Sinnenlust einschleichen, und Welt und Creaturliebe einnisten, so kann sie endlich freiwillig und oft gar muthwillig sündigen und ist im Stande, auch mitzulästern wider das Gute. ibid. 489 f.

Habt ihr nicht selbst schon wahrgenommen, daß gewisse Seelen im Anfang sehr ernstlich waren, weil sie Gnade empfangen hatten, weil die züchtigende Gnade in ihnen wirkte? Da sie aber aus etwaiger Neigung zu dieser oder jener Finsterniß der Gnade untreu geworden, haben sie dieselbe verloren, also versäumt. Denn wer Treue hat, dem wird immer mehr gegeben; wer aber nicht die Treue hat, der

Gnadenzucht zu folgen, der verliert sie nach und nach, und ihm wird genommen, was er hatte. Denn die Gnade richtet sich nach der Treue oder Untreue gegen ihre Zucht. Wenn demnach Einer, der ihr aus Neigung zu dieser oder jener Finsterniß untreu geworden, endlich aus einem Nichtganzwollen in ein Nichtganzkönnen verfallen ist, so schließt er auch so von Andern und denkt, daß es allerdings unmöglich sei, der Heiligung nachzujagen und sie zu vollenden, ja unmöglich sei es, vollkommen zu werden. Er streitet gegen solche Lehrart und Gesinnung und hält Seelen, die den rechten Gang gehen in Kraft wahrer Gnade, für irrig und übertrieben. Er agirt auch sogar gegen sie aus innerem Lichtshaß und wirkt aus Erbitterung auf Andere und macht Andere verdächtig und sich wichtig. Er räumt ihnen allerlei Freiheiten ein, die gern angenommen werden, sucht sie durch falsch=evangelische Lehrsätze in falsche Ruhe zu versetzen. Er führt sie heraus und von der innern Zucht weg in gewisse Formen und Uebungen, handelt also der wahren Gnade entgegen und richtet groß Verderben an. ibid. 691 f.

Menschen, die der Gnade Gottes untreu geworden sind, der Gnade, die sie selbst hatten, der sie aber nicht Folge geleistet, — diese und solcherlei Seelen verfallen auf Allerlei, sich zu beruhigen; aber von welcher Art ihre Ruhe sei, kann der bezeugen, der in dergleichen Dingen Ruhe gesucht, aber nicht gefunden hat. ibid. 695.

Wo das Sündengefühl nicht zu Gott treibt, ist keine Reinigung durch's Lammes=Blut, und da verliert sich auch die Zucht nach und nach; die Seele kommt allmälig von Gott ab, Finsterniß mehrt sich und Fleischesfreiheiten nehmen überhand und dringen ein, wie die Kälte, und die Seele wird lau. ibid. 673.

Versündigungen am Licht werden mit Finsterniß gestraft, und je höher der Grad des Gnadenlichts war, je größer wird der Grad der Finsterniß seyn, wenn man diese sich hat bethören lassen, wenn man dem Licht nicht treulich nachgegangen, und sich dieß zu Nutz gemacht, wenn man noch gar demselben ausgewichen ist. ibid. 710.

Uns hat die betrübendste Erfahrung auch durch Exempel

gelehrt, daß das Vielgehör des Wortes Gottes, wenn es nicht in's Leben verwandelt wird, den Menschen fühllofer und schlimmer macht; daß er oft weniger Gewissensunruhe hat, als andere Leute, die nicht so viel gehört haben. Denn ein solcher armer Mensch hat, da er noch gewissensunruhiger war, immer auch Dinge gehört, die evangelisch klingen; diese hat er auf sich gedeutet, und solche auf eine räuberische Weise sich zugeeignet, und hat damit seine geheime Finsternißliebe beruhigt und zufrieden gestellt. Darum hat er auch angefangen, geistlich zu kränkeln, und aus seiner Lauigkeit und Trägheit kann ein allmäliges Auszehren und Sterben erfolgen. ibid. 308 f.

§ 246.

Durch die Treue gegen die Zucht des Geistes bleibt die Seele an der lautern Wahrheit und bewahrt sich vor falschen Geistern und Lehren, die den Geist beflecken.

„„Es gibt Seelen, die sich die Zucht der Gnade bis zu Jesu treiben lassen, die auch wirklich den Samen und Grundstoff der Wiedergeburt empfangen, aber durch falsche Lehre verdorben werden, den Geist wieder verlieren, oder aber sehr befleckt davon kommen an Geist und Fleisch. II. Petr. 218.

Irrige Begriffe bringen in Glaubensverlegenheit, und Unlauterkeit des Herzens macht irrigen Begriffen die Bahn. Wo einmal die Welt- und Creaturliebe im Herzen einige Statt findet, da wird auf derselben Vertheidigung reflectirt. Unter diesen Vernunftsreflexionen schleichen Glauben und Wahrheit verdrängende Irrthümer ein; haben dieselben sich eingeschlichen, so kann man nimmer Glaubenswerke wirken, noch Glaubensleiden aushalten; man weicht aus, wo man kann, und da dann der äußere Gottesdienst auch ohne Glauben mitgemacht werden kann, und also nicht verfolgt wird, bekommt er im weltliebenden Herzen einen Vorzug; denn man hat doch noch Religion und kann gelten. Allein das geistliche Leben kann dabei entweder schon verloren seyn, oder doch verloren werden: was hilft dann alles Schattenwerk und alles ceremonialische Wesen? IV. Hebr. 10.

Wie Viele gerathen eben darum, weil sie der Gnadenzucht ausweichen, in Geistesbeflectungen und unrichtige Begriffe, die ein unrichtiges Wesen in sich haben nnd gleichsam in unrichtiges Wesen eingekleidet sind! Je nun, so hat der Geist ein Gift genossen; das dringet auf seinen Grund und macht ihn krank. III. Kor. 147.

Falsche Lehre, welche begreiflich nicht aus Gott ist, folglich nicht beseelt mit seiner Tinktur und wahrem Geisteswesen, denn sonst wäre sie ja nicht falsch, kann keinen andern Ursprung haben, als den Lügengrund; sie kann denn auch keine andere Tinktur und Verwandlungskraft haben, als eine falsche, kann mithin kein anderes Wesen geben, als ein vermengtes, falsches. Wenn nun eine Seele, die einen guten Grund hat, der Geist heißt, in unlauteren Absichten einem falschen Geist unter die Hände geräth und unlautere Dinge annimmt, nämlich Dinge, die mit der Wahrheit nicht eins und harmonisch sind, Dinge, die eine falsche Tinktur begleitet, und die also ein falsch Tinkturwesen geben, so wird dadurch der Geist befleckt, den man aus der Wahrheit hatte, und läßt man sich das nicht nehmen, so kommt's in's Feuer. III. Kor. 146.

Es ist um die falschen Lehrer ein Dunstkreis her verbreitet von höllischen Geisterdünsten, ist also in ihrem Umgang nicht ohne Schaden zu seyn. Selbst der, welcher wider sie agiret, kann etwas Anstectendes in sich hinein bekommen; denn die höllische und falsche Tinkturkraft hat und besitzt auch Transmutationskraft und gibt finstern Samen. Wer aus Gründen der Finsternißliebe der Wahrheit Gottes nicht beitritt, der gibt klar zu verstehen, daß er die Finsterniß mehr liebt, als das Licht. Somit hat also ein Solcher kein reines Lichtsverlangen, mithin kein reines, jungfräulich-magnetisches Anziehungsvermögen, sondern das Gemeng seines Begehrens steht auch den unlautern Geistern offen, welche auch begierig sind, ihres Gleichen zu finden, da sie ja so gerne auch in der äußern Welt offenbar seyn wollen. Hiemit also kommen unlautere Tinkturen zusammen, und das kann dann eine feine Art von Erzeugungen geben, die eine Arbeit für das höllische Feuer seyn mögen. IV. Timoth. 113.

Der Geister sind viele und sind vielerlei Arten derselben und alle können inspiriren oder eingeisten aus der unsichtbaren Welt in die Menschen, welche noch im Fleische sind und doch geistliche Dinge suchen und denken. Es können nun jene Geister vollkommen oder unvollkommen seyn, alle aber sind heftig begierig, einzugeisten in gemüthliche, aus dem Irdischen ausgehende Menschen. Unter den vollkommenen guten Geistern verstehe ich allein die sieben Geister Gottes aus Christo. Dieselben bewirken die an Jesu bleibenden Seelen und erfüllen sie mit seinem Sinn und Wesen. Unter den unvollkommenen aber verstehe ich zwar im Glauben verstorbene, aus Gott geborene, aber nicht ganz vollendete Seelengeister. Diese nun führen den Seelen ihr Wesen und ihre Gedanken ein. Daferne nun eine Seele an Jesu bleibt, und die Salbung von dem heiligen Geist hat, nimmt sie Nichts an, als was im Geist aus Gott Amen ist. So aber eine Seele von diesen Dingen Nichts weiß und alle Eingeistungen in den eigenen Geist annimmt, kann sie betrogen werden und ein Werkzeug einer unsichtbaren Wirkung seyn müssen, die eben nicht die beste ist. XI. I. 620.

§ 247.

Das Bleiben in Jesu muß seinen Ausdruck und seine Uebung finden in dem ernstlichen und anhaltenden Gebet, welches ein Zusammenfließen mit Gott und die unumgängliche Bedingung alles geistlichen Wachsthums ist.

„„Ich bete täglich mehr um Einfluß des göttlich-menschlichen, heiligen und heiligenden Geistes, weil ich es geheißen und angewiesen bin von meinem Heiland und ich werde auch erhört. Denn je ernstlicher ich bete, desto mehr erlange ich auch, und ich weiß, daß wo Geistesmangel ist, da ist Gebetsmangel schuld daran, dahero ich Andere anweise, herzlich, glaubig, kindlich um Gottes Geist und Geistes-Gaben zu bitten, und die, welche in lauterem Sinn und Gesuch gefolget haben, die haben erlangt und gefunden, was sie begehrten. II. Act. 494.

Es kann allerdings keine Seele, kein Christenmensch geistlich gedeihen, grünen und blühen in dem Garten der lebendigen Gemeine des HErrn ohne herzliches Gebet. Gar bald wird ein Mensch, so wie er dieß versäumt und nicht fleißig übet, nach allen Theilen abnehmen und abkommen, und ob er lange noch den Schein eines gottseligen Wesens behält, werden es doch alle wahren Gottespflanzen vermerken und fühlen, daß ihm der wahre Tinktur- und Geistesgeruch des Lebens Jesu fehlt. Denn es kann nicht anders seyn. Wer nicht herzlich betend immer in das göttliche Wesen eindringt, in den kann es auch nicht eindringen, weil er demselben verschlossen ist. Denn nur die blühenden Kraftblumen, die ihm, dem HErrn, als der Sonne der Lichtwelt offen sind, können seine Gottesfülle anziehen und fassen. Sie allein, da sie im Geist mit Gott zusammenfließen, können zur Gottähnlichkeit Jesu herrlich ausreifen. Die Nichtbetenden können, wie der Faule, über ihrem Wünschen arm und elend sterben und die Wenigbetenden nicht zu rechter Zeit ausreifen. IV. Tim. 35 f.

Ein Christ, der nicht immer im Geist und Wahrheit, auch mündlich, betet, ist einem Menschen gleich, der nicht isset, und wer wenig betet, ist dem gleich, der zu wenig Nahrung hat. Wie sie bestehen, lehrt Jeden die Erfahrung. II. Gal. 48.

Des wahren Glaubens und Geistes Gebet ist auch Frucht des Geistes; die wird Keines vergebens für sich und Andere ausgestreut haben. Wohl dem also, der viele solcher Früchte in dem Heiligthum Gottes hat; welch ein elender fauler Baum wird der im Himmel erscheinen, der diese Glaubens- und Geistesfrüchte nicht bringt, und der also nicht lebt, wie er betet, und betet, wie er lebt! Man kann einem ungeheuchelten Menschen, wenn er das wahre Gebet nur etliche Tage versäumt, schon anspüren, daß er schwächer an Geisteskräften ist, als er seyn würde, wenn er es nicht verabsäumt hätte. Die Rede ist aber begreiflich vom wahren, gläubigen Herzensgebet. Es gibt aber Viele, die da sagen, man solle nicht mündlich, sondern innerlich im Geiste beten, und das ist nicht recht gesagt. Sondern man muß sagen: sehr ernstlich und oft mündlich, und im Geist ohne Unterlaß! Denn ich fand, da ich darauf achtete, in meinem langen Lauf, daß die, welche nicht, wie Jesus unser HErr, oft und viel mündlich beten, auch sehr wenig innerlich im Geist beten.

Denn bei wahren Jesusjüngern ist Beides beisammen und kann nicht getrennt werden. II. Gal. 49 f.

Es ist nicht immer damit ausgerichtet, daß du innerlich im Geist zu Gott gekehret bist, und ohne Worte betest. Es trägt sich oft zu, du wirst herausgelockt durch Etwas; dann mußt du durch ein ringendes und anhaltendes Gebet mit deiner Stimme zum HErrn rufen, der seine Hofhaltung auf dem heiligen Berg Sion hat. Aber du mußt nicht gleich nachlassen und davon laufen; bis zum Durchbruch mußt du kämpfen. Der Berg Sion ist ein rein Element in der Tinkturwelt; brich durch die kleine Welt und durch alle Natureigenschaften und durch das Feuer, das um's Paradies, und solltest du es, wie Elias, siebenmal nach einander probiren müssen. VI. Pf. 199.

Wirke ich im Geist mit Gott und ist mein Beten ein wahres Zusammenfließen mit Gott, der ein Geist ist? Oder ist es ein gewohnheitliches Geplauder? Plappere ich aus dem Buch oder aus dem Gedächtniß, wo gar Nichts zu Gott steigt, das der Geist des Glaubens getrieben hätte? Oder bete ich, wenn ich auch recht bete, nicht anhaltend genug, dringe etwa nicht genug ein, und ringe vielleicht nicht aus allen Kräften? Dieß und noch mehr soll und darf ich mich fragen; denn es heißt Alles gebetet und ist doch wenig recht im Geist und in der Wahrheit gebetet, wie es der Vater im Himmel sucht und will. II. Act. 214.

Gottes Kräfte sind in immerwährender Bewegung. Wenn denn die Kräfte der Menschenseele zerstreut sind und unnöthig wirken, so können nicht Licht- und Geisteskräfte in ihr und durch sie wirken. Wer aber das Wirken Gottes tief in sich fühlet und in seinen Bedürfnissen zu Gott sich wendet und in Gott eindringet, der thut es in Kraft des innern Zuges und wirket dann mit Gott. Und die Mitwirkung der Seele mit den Kräften Gottes ergreifet dann mit ihrer geschöpflichen Unmächtigkeit die Kräfte der Allmächtigkeit, und der Seele geschiehet nach ihrem Glauben, welcher die Kräfte der Allwirksamkeit faßte, indem er mit denselben wirkte. Und so empfähet der Glaube in seinen Gebeten Hilfe und auch Gnade. Wer es aber unterläßt, zu beten, kann wohl auch oft ein Wünschen hegen; kann aber, wie alle Faulen, über seinen faulen Wünschen sterben. Darum soll und muß es glaubend, ringend, ernstlich und kindlich gebeten seyn, will man gedeihen; denn das Himmelreich leidet Ernst, Gewalt und Ringen. III. Kol. 114.

c. Ausgeburt und Vollendung.

aa. Auferstehung.

§ 248.

Der wachsthümliche Wiedergeburtsproceß hat sein Ziel in der Auferstehung, in welcher, als in der Ausgeburt und Volljährigkeit des neuen Menschen, diese Entwicklung ihren Abschluß und ihre Vollendung erreicht.

„„Die Auferstehung zum Licht und Leben wird durch den Geist der Herrlichkeit bewirkt, und die Auferweckung ist eigentlich der geistliche Geburtstag. Syst. 431.

Ich kann unthätig nicht bleiben; das Leben Jesu ist nun einmal in mir, und dieses treibt in mir zur Ausgeburt und Volljährigkeit. Auferstehung ist völlige Ausgeburt. Nach diesem Kleinod strebt und sehnt mein Geist. Diesem Ziel eile ich entgegen. Nichts soll mich aufhalten, es sei in dieser oder jener Welt! III. Phil. 38.

Wahre Christen haben den Geist der Herrlichkeit in sich. Wenn denn nun dieser Geist in ihnen gewohnt hat, so ist es ja eben der Geist, der Jesum auferweckte, und eben dieser wird dann auch uns auferwecken und aus dem Tode führen, wenn er anders in uns wohnen konnte. Denn er wohnt nicht in Allen gleich ganz und immer; erst dann, wenn sie sich Gott ganz und gar ergeben haben. Doch im Samen der Wiedergeburt wirkt derselbe Geist, weil es Samen der Herrlichkeit ist; aber wer nicht ausgeboren, kann nicht erweckt werden. IV. Hebr. 798.

§ 249.

Nur in der Auferstehung mit einem neuen Leibe erreicht der Mensch seine völlige Wiederherstellung, da Leiblichkeit ein

integrirender Bestandtheil des menschlichen Wesens und Geistleiblichkeit eine Grundbedingung vollkommener Seligkeit ist.

„„Kann denn ein Geist ohne Leiblichkeit (im eigentlichen
Sinn genommen) auch wissen, was er ist? Oder wie kann
ein Mensch wissen, daß er Mensch war, wenn er weder
Wanderhütte noch Lichtsleib hat? III. Kor. 92 f.

Was wüßte ich, so ich als Geist nur selig würde, was
ich wäre. Ich wäre Nichts als Geist und mir wäre unbe-
wußt, ob ich dieses oder jenes gewesen sei; was kann ein
Geist ohne Seele und Leib! Ich denke, der ist einestheils
eben der spiritus mundi und anderntheils ein Gedankenbild
ohne Seele. Ja ohne Seele ist er Nichts; ist er je aus
Gott und gut, so ist er ohne Seele wieder in Gott und
eine Creaturseele kann nicht ohne Geist seyn, und Geist in
der Creatur nicht ohne Seele, beide aber nicht ohne Leib
und Wesen. IX. I. 781 f.

Ich verlange Volljährigkeit und Vollkommenheit. Du
weißt zum Voraus, daß du mein Alles bist, und daß ich
am Allerliebsten in dem Allerinnersten deines Heiligthums
seyn möchte. Es ist wohl denen Mystici, die das Alles
überguckt, nicht übel zu nehmen, aber sie werden es ganz
anders finden; ich begehre Nichts zu überspringen. Du
hast mir gezeigt Räume der Seligkeiten, in denen du dich
unterschiedlich offenbarst; ich begehre mich in keinen gränzenlosen Raum der Unergründlichkeit auf Einmal zu verlieren, wo alle Geschöpflichkeit gleichsam aufhören soll. Du
hast mir gezeigt, daß Geistleiblichkeit vollkommene Seligkeit
sei und Harmonie mit vollkommenen Geistern in Geistleibern vollkommenes Vergnügen; ich will also nicht einem
heiligen Weiß nicht was? wie ein Unding überlassen seyn.
Es ist auch nicht dein Wille, daß ich das wollen solle, mein
Gott! Denn so ich das wollte, würde es nur Mangel des
Verstandes und wahren Begriffs der Sache seyn. Ich habe
die geistliche Sinnlichkeit in Körperlichkeit unsterblicher, unzerstörlicher Substanzen in deinem Lichte erkennen dürfen;
darum ist mein Seelengeist in Mäßigung, Nichts zu über-
fliegen, ohne vorher die Flügel zu haben, daß ich nicht falle.
VI. Pf. 914 f.

Vollendet möchte ich seyn, und wenn ich es einst werden
sollte, muß ich denn da auch noch Sünde fühlen? Wenn's
das ist, werde ich nicht selig. Denn so lange ich etwas
Gottwidriges fühlen muß, ist es mir bange und ich kann
nicht selig seyn. Erst dann glaube ich, daß ich ganz selig
seyn werde, wenn ich ganz heilig bin, wenn ich ganz göttlicher Natur theilhaftig seyn werde. I. Lebensl. 164.

§ 250.

Durch den Auferstehungsleib empfängt der Mensch die
entsprechende leibliche Organisation sowohl zu himmlischem
Genießen, als zu himmlischer Wirksamkeit.

„„Nur im Lebenslicht, in der Gottesherrlichkeit, worin
die Kräfte Gottes ruhen und wirken, kann die Seele wahre
Ruhe und wahre Genüge finden, also nur durch Wiedertheilhaf-
tigwerdung und Genuß derselben wird sie in den Leib der Unverweslichkeit, Herrlichkeit und Jesusähnlichkeit eingehüllet,
darin sie mit höheren Organen das genießen kann und darf,
nach allen Rechten, was ihr genüget, und mich bedünket,
dieß heiße dann Seligkeit. II. Act. 512.

Das Fleisch und Blut, d. i. seelische, irdische Menschen können nicht das Reich Gottes ererben, sintemal dieselben in das tinkturialische Lichtreich der Herrlichkeit nicht
taugen, haben sie doch keine Geistleiber, folglich sind sie auch
nicht für das Lichtreich organisirt und gebildet. Syst. 435.

Wir wissen, daß, wenn unser für diese äußere Welt
passendes, irdisches Hüttenhaus, welches mehr einem Reise-
zelte, als einem Bürgerhause, ähnlich ist, endlich durch den
zeitlichen Tod zerbrochen wird, wir alsdann ein geborenes
Lichtgebäude aus Gott haben, ein Lichthaus, das in das
Lichtreich tauget; ein Haus, das nicht mit Händen gemacht,
sondern ebenfalls, wie der irdische Leib von der irdischen Mutter geboren ist für diese Welt, von der himmlischen Mutter
für jene Welt geboren seyn wird. Dieß ist dann ein Lichtleib in's Lichtreich; ein Bürgerhaus, das ewig ist, in den
Himmel passend. III. Kor. 102.

Soll ich sterben, soll ich von der gebrechlichen, elenden
Wanderhütte scheiden, was verspiele ich dann, wenn ich einen

himmlischen Lichtsleib bekomme? Gewinne ich denn nicht, wenn ich in einer edleren, vollkommeneren Welt einen edlen, vollkommenen Leib bekomme, der die Aehnlichkeit Jesu, seiner väterlichen Mutter, haben wird? Verspiele ich dann Etwas, wenn ich dort leidensfrei wirken und mich kraftvoll ergießen kann? III. Phil. 38.

Die Lichtsleiber sind nicht so beschränkt, wie man in den Demüthigungsleibern beschränkt ist; denn sie können sich ausdehnen und wieder zusammenziehen in Gotteskräften. V. Off. 645.

§ 251.

Der neue Leib ist eine männlich-jungfräuliche Geistleiblichkeit, ähnlich dem verklärten Leibe Christi, und verhält sich vermöge seiner Unauflöslichkeit zu dem sterblichen Fleischesleib, wie Bürgerhaus und Bleibstätte zum vorübergehenden Reisezelt.

„„Ein Lichtsleib ist ein vollkommenes, Jesus-ähnliches Wesen. Es ist ein bleibendes Bürgerhaus, gegen welches der äußere elementische Leib nur ein Wanderzelt ist und eine Reisehütte genannt werden kann. Der Lichtleib ist von einer unsterblichen Mutter geboren; sie heißt Herrlichkeit Gottes; sie ist männlich-jungfräulich und ihre ausgeborenen Kinder sind ihr ganz ähnlich. Sie haben ganz ihre Art, Natur und Eigenschaften, auch sogar im Kleinen ihre edlen Vollkommenheiten, sie haben also auch Unsterblichkeit, Herrlichkeit und unvergängliches Wesen. V. Off. 645.

Hat uns Adam um den Paradiesleib gebracht und hat uns Mutter Eva das Kleid der Schande, den äußern Thiermenschen, angeboren; sehet, Christus, der andere Adam, zeugt uns den Paradiesleib wieder an, und die obere Mutter gebiert ihn aus zu ihrer vollkommenen Aehnlichkeit in Engelgestalt als männliche Jungfrauen. Syst. 271.

Speise und Bauch, d. h. alle die Kanäle, in denen die Speise zubereitet wird, werden nicht am neuen Leibe seyn; auch die Geschlechtsglieder nicht, deren wir uns schon hier schämen. Alle diese Dinge fallen weg; denn sie gehören ja nur für die elementisch-seelische Natur, aber nicht für den

geiſtlichen, wiedergeborenen Menſchen; der iſt freilich ſeiner
väterlichen Mutter, Jeſu, dem HErrn der Herrlichkeit, ſo
ähnlich, als alle Adamskinder Adam und Eva ähnlich ſind.
Syſt. 434.

So gewiß man hier einen für dieſe elementiſche Welt
tauglichen Leib gehabt und getragen, ſo gewiß wird das
vom Stammvater des geiſtlichen Lebens geborene Kind auch
ein himmliſches Bürgerhaus, einen für die Licht- und Geiſt-
Welt tauglichen Licht- und Geiſt-Leib haben; einen Leib,
welcher gegen den jetzigen, der nur ein Wanderzelt zu nennen iſt, ein wahres Bürgerhaus ſeyn wird. IV. Hebr. 578.

§ 252.

Die Auferſtehung ſelbſt iſt nicht eine unvermittelte Wie-
derherſtellung des gegenwärtigen Leibes, ſondern die wachsthümlich ſich entwickelnde Bildung eines neuen geiſtlichen Leibes aus dem Wiedergeburtſamen des Geiſtes, welcher einer-
ſeits aus dem verklärten Leib der Herrlichkeit Chriſti Lichts-
weſen an ſich zieht.

„„Daß ich eine Auferſtehung des Leibes glaube und mit
allen wahren Bibelchriſten glauben darf, das wiſſet ihr ſchon.
In dieſem Artikel aber, ich muß es geſtehen, weiche ich etwas ab von dem ſymboliſchen Glauben unſerer Kirche. Denn
ich glaube nicht, daß mich einſt eben dieſe Haut, die ich
jetzt habe, umgeben werde und daß eben dieſer Leib aufer-
ſtehen werde; ſondern ich glaube von dieſer äußerſt wichtigen Sache Folgendes: Es wird nämlich der Geiſt Chriſti
den, der ihn empfangen hatte, auferwecken und lebendig
machen, wenn er anders in ihm wohnhaft geweſen; denn
dieß wird nicht ſeyn bei dem, in dem er nicht wohnte. Wer
ihn aber empfangen hat und hat ihn nicht vertrieben, der
hat ein Samkorn, den Samen der Herrlichkeit, empfangen
und Chriſti verklärtes Fleiſch und Blut genoſſen, und der
Lebensgeiſtesſamen aus dem HErrn, dem Geiſt, liegt mit
allen ſeinen Geiſteskräften nicht müßig in der Natur und
dem Leibe, ſondern iſt wirkſam. IV. Hebr. 576.

Das Geiſtesleben ziehet mit ſeinem Glaubensverlangen
Geiſtes- und Lebens-, ja Lichteskräfte und Weſen an. Daraus

bildet der Geist Gottes einen unverweslichen Lichtsleib, in welchem die Seele als Himmelsbürger erscheint, sobald sie das Reisezelt, den äußern Leib, abgelegt hat. Dieß ist dann ein glückseliger Mensch und recht wohl geboren. ibid. 217.

§ 253.

Andererseits zieht derselbe aus dem gegenwärtigen Leibe diejenigen Kräfte aus, welche zum Bau des neuen Leibes taugen und fügt sie in denselben ein.

„„Der Lebensgeistessamen zieht zur Ausbildung der Frucht des Geistes, das ist: zur neuen Creatur aus dem Leibe an, was dazu gehört, und ist also die Natur des äußern Leibes betrachtet als der Acker, in welchem die Geistesfrucht des geistlichen Lebens wachsen soll. Das Andere ist Erde und wird wieder zu Erden. IV. Hebr. 577.

So Jesus Christus und sein Geist durch den Glauben in euch lebt, so daß in euch ein neuer Geistesleib aus Christi Geist und Wesen aufwächst, im seelischen Leben ein geistliches, in dem grobfleischlichen Acker des irdischen Fleisches ein reines, zartes, feines Fleisch und Blut, mit Christi gottmenschlichem Wesen vereint, daß ihr also göttlicher Natur aus Gott durch Christum theilhaftig seid, nach dem neuen Menschen mit Christo in Gott verborgen lebt, und das Gesetz der Sünde in euch durch und in Christi Kraft ganz überwunden ist, daß ihr, d. h. das neue Wesen, zur Auferstehung reif seid und der Acker alle seine Kraft hergegeben hat und die sieben Geister in den sieben Kräften einen andern, neuen Geistesleib gebildet haben — so ist der Leib zwar todt — aber der Geistesleib aus Gott ist das Leben um der Gabe der Gerechtigkeit willen. Der neue Geistleib ist das Leben aus Gott durch Christum nach dem gottmenschlichen Bilde, nach dem lebendigmachenden Geist. VII. Röm. 134.

Du hast mit dem Samen Gottes nicht nur blos Geist empfangen, sondern Leben, Licht, Wesen, Kraft, Geist und Herrlichkeit. Dieser Same wächset zu einem neuen Leibe im Acker des Fleisches und nimmt von dem Acker die Kraft und läßt das Andere gehen. IX. I. 782.

§ 254.

Endlich wird in der Verwesung des irdischen Leibes noch
dasjenige zum neuen Leibe Gehörige, das zurückgeblieben ist,
vollends ausgezogen, während alles Uebrige von der irdischen
Leiblichkeit dahinfällt. Dieß ist die Lebendigmachung des
sterblichen Leichnams, deren Zeitpunkt im Verhältniß zur
Bildung des neuen Leibes aus göttlichem Samen nicht zu
bestimmen ist. (§ 252 f.)

„„Es ist dieser alte Leib der Acker, darin der Geistesleib wächset. Er ist auch ein Samenkorn in dem Betracht,
wie er in die Erde gesäet wird. Wiewohl das neue ge-
wachsene Korn, der neue Leib, nicht seyn wird wie der alte;
er wird solche Gedärme nicht haben, aber etwas Edleres aus
Christo. Denn der Same ist aus ihm, und liegt nur ein
Same im alten Leib verborgen, der wird vom Himmel
zum Gottessamen angezogen und diese beiden gehen miteinander in den Tod. Und da der Eine Leben ist, erweckt er
den Andern und beide wachsen zu einem Leib der Herrlichkeit. IX. 1. 783.

In dem empfangenen Lebensgeist Christi ist der edle
Samenstoff des Lichts und Lebens; dieser hat zum Theil
schon die aus dem Acker der Natur oder deren natürlichem
Leibe zum neuen Leibe gehörigen Kräfte und Wesen angezogen und was er zum Theil noch nicht angezogen hat,
wird er in der Verwesungs- und Auflösungszeit anziehen,
und daraus ist nun klar, daß aus unserem jetzigen Leibe
Etwas zum Auferstehungsleibe gehört, aber bei weitem nicht
Alles. Denn es sind bei unserem jetzigen Leibe Dinge und
Wesen, die vom Falle zeugen und nicht dazu gehören; diese
wird Gott zernichten und hinrichten. Und o! wie werden
sich edle Geister freuen, wenn sie die elende Hütte, der sie
sich gewissermaßen zu schämen haben, abgelegt haben werden,
wenn sie dagegen mit Christo in einem ihrem Geistesadel
passenden Jesus-ähnlichen Lichtsleibe erscheinen können.
IV. Hebr. 579.

Der Lebendigmachende Geist der Herrlichkeit, der Christum von den Todten auferweckt hat, wird eure um der

Sünde willen zwar sterblichen, durch Wiedergeburt aber in
die göttliche Natur erhöheten, geistlichen Seelenleiber lebendig machen und zwar um deßwillen, weil sein Geist der
Herrlichkeit in euch wohnt und wirkt und sich einen neuen,
unsterblichen Leib in euch gebildet hat. Ihr werdet also
zwar den Tod, den ihr durch die Erbsünde von Adam ererbt, ausstehen müssen, aber ihr seid auch der Erbschaft der
Gerechtigkeit Christi und mit derselben seines lebendigmachenden Lebensgeistes aus Gnaden theilhaftig geworden.
Wegen des Todesgifts, das als ein Trieb zur Verwesung
um der Sünde willen in der alten, thierischen Natur wirkt,
die unter dem Fluch liegt, muß der neue Leib mit dem alten Sündenleib auch sterben, und wie das Waizenkorn in
die Erde gelegt werden, wo dann aber der Geist des Lebens nur das Kraftwesen, welches im Sündenleib verschlungen war, absondert und zum neuen Leibe anzieht, welcher
dann als ein geistlicher Leib durch die Kraft des Geistes
der Herrlichkeit im Bilde des himmlischen Adams im Tri-
umph auferstehen und in's Lichtreich eingehen wird. So
schreibt Paulus Röm. 8, 10. 11. — Ich verläugne die Auferstehung des Leibes nicht. Paulus schreibt hier ja doch:
Gott werde den sterblichen Leib lebendig machen um des
neuen Geistes willen. Ich will nun zeigen, daß es gewiß
sei, daß die sterblichen Leiber lebendig gemacht werden, daß
aber demungeachtet Fleisch und Blut das Reich Gottes nicht
ererben werde. Wenn aber dieß erwiesen werden soll, so
muß man wissen, welches der sterbliche Leib sei, von welchem
Paulus redet. Antwort: Es ist der Leib, welcher in Adam
ein paradiesischer, unsterblicher Leib war, als ein Extrakt
von Allem von Gott geschaffen aus dem Mark der Erde,
ehe sie verflucht wurde nicht nur durch einen moralischen
Ausspruch, sondern wesentlich durch Zurückziehung des paradiesischen Segens. Dieser unsterbliche Leib, welcher von
Gott gut geschaffen war zu einer lebendigen Seele in's gutnatürliche Leben, wurde durch Ungehorsam, durch das Essen
vom Baume des Todes sterblich und verweslich. Denn die
Frucht vom Todesbaum wirkte in ihm den Tod, weil bei
und in dem Essen dieser verbotenen Frucht Todesgift und
finsteres, tödtliches Wesen des Fluchs in ihn eingedrungen

ift, welches ihm den Tod brachte, so daß der paradiesische, gutnatürliche, seelische Leib von dem Leib der Sünde und des Todes verschlungen wurde, wie es denn jetzt bei allen Menschenkindern ist, und daher muß auch ein neugeborener Mensch mit dem in's natürliche Leben gutgeschaffenen Leib dennoch sterben, weil um der Sünde des Ungehorsams willen durch das Essen vom Todesbaum der Tod und das tödtende Gift des Todes zu allen Menschen hindurchgedrungen ist, dieweil sie alle gesündigt haben. Es wird aber bei den Gläubigen dieser Seelenleib, welcher in's natürliche Leben von Gott gut geschaffen ist, in's geistliche, ewige Leben tüchtig gemacht durch die Wiedergeburt aus Gott, — und ob schon er mit dem Sündenleib in den Tod und in die Verwesung übergehen muß, so legt er doch nur das Sündliche, den Fluch, das Böse ab und steht durch Kraft des in ihm wohnenden Geistes auf als Geistleib in's ewige, geistliche, göttlich natürliche Leben. Nun sollte man also schon verstehen, welches der sterbliche Leib wäre, welcher lebendig gemacht werden soll. Wie sollte der Sündenleib auferstehen, der den guten Paradiesleib in den Tod gezogen hat? Er ist Fleisch und Blut und kann Gottes Reich nicht erben. VIII. I. 402 f.

Der neugeborene Geist wird alle wesentlichen und zum Leibe gehörigen Bestandtheile anziehen in der Verwesung; denn der Tod wird eine solche Seele nicht halten können, weil ihre Lebenswurzel im Geist der Herrlichkeit gegründet ist und ihr Seelenmagnet von unten und oben anziehen kann. Der, welcher den Schlüssel der Hölle und des Todes hat, ist in ihr dem Samen nach, und der Geist desselben wird mit einer solchen Seele zur Ausbildung und Vollständigkeit und endlich zur Auferweckung eilen. Zwei Lebensprinzipien oder Geburtsquellen treten in lieblichster Harmonie zusammen und gebären sich ein Drittes, ihre Vermögenheiten und Vollkommenheiten zu offenbaren. V. Off. 749.

Der Sündenleib muß zwar sterben um der Sünde willen, die in ihm war, und um seines animalischen Lebens willen in dem äußern Reiche, um des Fluchs willen, den er noch an dem äußeren Menschen, als die Sünde selber, trägt, nämlich um des Gedärmwerkes willen, (Gott wird diese sammt der Speise hinrichten). — So nun der glaubige Mensch ganz neugeboren ist, und die äußere Leibeshütte ablegt im Tode, so daß er wie Christus in das Grab gelegt wird, und er doch den Geist dessen, der Christum von den Todten auferweckt hat, in sich hatte, der einen neuen Leib in ihm bildete, so wird dieser ihn auch auferwecken und seinen Leichnam lebendig machen, nachdem das abgelegt ist, was abgelegt seyn soll. Eben darum wird es geschehen, weil derselbe Gottesgeist in einem solchen Gläubigen, als in einem Tempel gewohnt. Wiewohl das Lebendigmachen des sterblichen Leichnams ein wenig länger anstehen mag, als das Aufstehen des neuen Menschen, aus göttlichem Samen aufgewachsen. Das lassen wir dahin gestellt seyn. Gott thue in Allem, was er will! **VII.** Röm. 134 f.

bb. Interimsstände.

§ 255.

Da diese Auferstehung die Vollendung des Wiedergeburtsprozesses (§ 248.), dieser selbst aber von dem subjectiven Verhalten des Wiedergeborenen abhängig ist (§ 239.), so tritt sie bei dem Einzelnen nach dessen Treue früher oder später ein und ist deßhalb eine bis zum bestimmten Zeitpunkt ihres allgemeinen Abschlusses fortdauernde, indem sie sich in den einzelnen Auferstehungen successiv vollendet. (cfr. § 330.)

„„Wenn Einer den Geist Jesu ungehindert wirken läßt, so kann er desto ungehinderter nach einander anziehen und ausbilden die neue Creatur und kann mithin der Mensch bälder und früher zur Auferstehung reifen; je mehr ihn aber die Seele aufhält und hindert, je mehr verspätet sie ihre Auferstehung. Denn die Auferstehung dauert nach meinem Erachten seit der Auferstehung Christi immer fort, so wie eine Seele dazu reif wird. Dazu trägt also ihr Lebenswandel Vieles bei. **IV.** Hebr. 577.

Die Auferstehung geht fort von Christi Auferstehung an; bei dem Einen folgt sie bälder, bei dem Andern später, je nachdem Einer mehr oder minder in Christo als der Mutter geblieben; je nachdem ihm Einer lebend, leidend und ster-

bend ähnlicher geworden, oder zurückgeblieben ist, je nachdem Einer Geistes-, Seelen- und Leibeskräfte mehr oder weniger Gott dem HErrn aufgeopfert hat oder nicht. III.
Phil. 80.

Die Auferweckung geschieht in zerschiedenen Zeiten und
in unterschiedenen Graden der Herrlichkeit und Jesusähnlichkeit. Je mehr sich eine Creatur dem wiedergebärenden
Jesusgeist widersetzt, je mehr sie sich der Wahrheit in Un-
gerechtigkeitsliebe entgegensetzt, je länger hält sie das Königreich und Leben Gottes in ihr zurück und fällt in spätere
Zeiten. Je mehr eine Seele, die den Samen der Wiedergeburt in sich hat, das Leben Jesu in ihr hindert, je später
kommt sie zur Ausgeburt und Auferweckung und wird auch
nicht so herrlich und Jesus-ähnlich. Je mehr geistlich gesinnt
und eingekehrt der Mensch ist, je besser geht es von Statten
mit seiner Wiedergeburt. Syst. 302.

Gottes Geist wohnt und ist in den Glaubigen; macht
sie zu seinen Tempeln und Gefässen. Und je mehr sie diesen Geist der Herrlichkeit, diesen Geist der Gottmenschheit,
ungehindert in sich wirken und machen lassen, je bälder kommen sie zum Ziel. Je mehr sie das Fleisch und Blut Jesu
genießen und an ihrem Haupt, Christo, in allen Stücken
wachsen, je bälder werden sie volljährig zum Erbe und reif
zur Auferstehung. Sie werden also zu unterschiedlichen Zeiten und in zerschiedener Herrlichkeit und Jesusähnlichkeit erweckt. Syst. 424.

Habe ich mit meiner Glaubensmagia die Herrlichkeit
Gottes gefaßt und das Tinkturialwesen des verklärten Fleisches und Blutes genossen, so habe ich den Geistesstoff,
Geist vom Geist gezeugt, ja den Stoff des ewigen Lebens,
die lebendige Hoffnung desselben, und sogar in diesem Lebenssamen den Auferstehungstrieb empfangen. Denn in ebendemselben Herrlichkeits-, Lichts- und Lebensstoff liegt das
Geistesgesetz der göttlichen Lichtsnatur, das sich nur zur
Aehnlichkeit seiner licht- und geist-väterlichen Mutter enthüllen kann. Wo also das Geistesgesetz in der Seele mehr
oder weniger herrschend ist, da folgt auch die Ausgeburt der
Auferstehung früher oder später, ähnlicher oder minder ähnlich der Herrlichkeit Gottes. H. Act. 512.

Wir wollen annehmen, daß es muthwillige und weniger muthwillige Versäumnisse, Geistesversäumnisse und Geburtsunterdrückungen gebe, wo die Seelen die Hindernisse sich hindern lassen und also die hindernde Ursache nicht zum Förderungsmittel machen, welches geschehen sollte, so sie in Kraft des empfangenen Geistes würden überwinden, so daß sie in solchem Geistesstreit stärker aus dem Kampf gingen, als sie darein gegangen sind. Ich sage, statt dessen gehen sie schwächer davon. Der Geist wird beladen, wird unterdrückt und ermangelt des Lichts- und Geisteseinflusses aus der Sonne der Lichtwelt, läßt also die Geistespflanze oft lange, was sie ist. Oft gehet es etwa wieder ein wenig voran, etwa auch einigermaßen wieder zurück. Die Grundlage bleibt wohl, aber die Frucht kann weder von unten noch oben, weder vom Acker des Leibes der Natur, noch vom Leibe der Herrlichkeit Kraft anziehen, daß er sich enthüllen und ausgeboren werden könnte. Und ist demnach ein ungleiches Ausreifen und Ausgeborenwerden, ist auch eigentliche Zeit der Geistesgeburt nicht zu bestimmen. III. Kor. 95 f.

§ 256.

Die Vollendung der Wiedergeburt und damit die Auferstehung wird durch alle ungeordneten Entzündungen des Naturrades, vornehmlich durch die Sünden der Fleischeslust verzögert, weil dadurch wichtige Baumaterialien des neuen Leibes (§ 253 f.) zerstört werden.

„„Ist's denn nicht wahr, daß Affekte, Lüste, Begierden u. dgl. erregt und erzeugt werden? Dann wirst du sobald anders, entweder geärgert oder entzündet, und wenn dir dann das Rad der Natur auf diese oder jene Weise in flammende Bewegung kommt, glaubst du nicht, daß das Etwas von den eigentlichen Kräften raube und verderbe? Das thut aber Nichts, wenn du keine Auferstehung des Leibes glaubst, oder nicht weißt, daß es in dem Fleisch Kräfte und Wesen gibt, die zum Auferstehungsleibe gehören. III. Kor. 142 f.

Verstehe mich doch: Wenn sich die Seele des Menschen ergrimmt und ihr Lebensrad entzündet, so greift das wesentliche Theile an, und verderbt das, worein sich die

Seele kleidet; so sie aber in das Blut Jesu ersinkt, indem
sie sich in seinem leidenden Sinne erneuert, wird das auf-
gewachte, erregte Feuer gelöscht und gedämpft, die Seele
fällt in's Erbarmen Gottes und in's Lebenswasser, und erhält also Erhaltungswesen zu einem weißen Kleide. V. Off. 220 f.

Wie schon gesagt, in der Auferstehung wird keine Zeit
gehalten; da kommt es durchaus auf das Mitwirken oder
Entgegenwirken an. Darum merket es euch, wie dieser be-
deutenden Sache entgegen gewirkt und wodurch sie aufgehalten
und verzögert wird! Alle Auskehrungen und Zerstreuungen
brechen die kraftvollen Strahlen der Sonne der Lichtwelt,
und dieses Strahlenbrechen verhindert das Ausreifen der
edeln Tinkturpflanzen, die edle Wiedergeburt. Alle Sünden,
die das Lebensrad entflammen, verderben edle Theile der
Tinkturkraft, also Kräfte, die zum Auferstehungsleibe gehören.
Keine Sünde aber raubet mehr Auferstehungskräfte oder
Kraftwesen, das zum Auferstehungsleibe gehört, als die
Fleischeslust. Denn alle Sünden, die der Mensch thut, die
thut er meist außer seinem Leibe; wer aber huret oder sonst
Werke des Fleisches ausübt, der sündiget an seinem eigenen
Leibe, d. h. an den edlen Theilen, die zu dem eigentlichen
Auferstehungsleibe gehören. Darum schreibt der Apostel fer-
ner, es seien gewisse Theile am menschlichen Leibe, die nicht
zum Auferstehungsleibe gehören, und macht manche namhaft,
wenn es da heißet: der Bauch gehöre der Speise und die
Speise dem Bauche, sie seien also beide für einander bestimmt. Der Leib aber sei nicht für die Hurerei und Fleischeslust gemacht oder bestimmt, sondern er sei des HErrn Eigenthum. Der, welcher also seinen Leib zur Hurerei hergebe
und mißbrauche, der vergreife sich am Eigenthum Jesu.
Wer seinen Leib durch Sünde und Unreinigkeit verderbe,
der verderbe dem heiligen Geist seinen Tempel. Syst. 433 f.

Keine Sünde raubt so den Stoff dem ewigen Geiste
zur nöthigen Leiblichkeit, als die Unkeuschheit aller Arten.
II. Act. 507.

Ihr sollt ertödten die bösen, fleischlichen Begierden, die
durch die äußeren Sinne erregt werden. Denn das sind
lauter Sachen, die man nicht geringe achten, sondern sehr
hoch anschlagen soll. Denn durch diese Dinge wird der Tem-

pel des heiligen Geistes verdorben und der wesentliche Theil der tinkturialischen Kraft, die zum Auferstehungsleibe gehört, wird ruinirt. Darum soll ein Kind Gottes nicht einmal unreinen Gedanken Gehör und Raum geben, sondern in allem Ernst dagegen zu Felde liegen, geschweige daß es je so Etwas thun oder ausüben sollte. Es soll lieber wollen sterben, als in solchen Dingen wollen leben oder diese herrschen lassen. Denn die Weisheit Gottes bleibt nicht in unreinen Leibern und Seelen. III. Kol. 183 f.

Die fleischlichen Lüste streiten wider die Seele und sind eigentlich den Liebesabsichten Jesu mit uns ganz entgegen; denn er will uns geistlich und geistleiblich machen und zur baldigen Auferstehung ausgebären, und die Ausübung fleischlicher Lüste beraubet den Menschen der edelsten Kräfte seines eigentlichen Auferstehungsleibes, nämlich des edeln Lebensbalsams, der zu dem Auferstehungsleibe gehört. Alles unreine Leben in und außer der Ehe, der unmäßige Gebrauch des Ehestandes selbst ist eine schädliche, dem HErrn mißfällige Sache und wird sehr billig von allen Kindern des Lichts vermieden. V. Off. 65 f.

Die fleischlichen Lüste streiten wider die Seele, das Leben, sie zielen auf's Herz und verderben den Menschen im Grunde. Es ist dieß nicht eine Sache, die nur Außenwerke an der Menschheit ruinirt, welche man leicht wieder verbessern kann, nein, sie greift Dinge an, die eigentlich der Grund des Lebens sind. VII. Petr. 191 f.

§ 257.

Der Wiedergeburtsproceß ist von dem leiblichen Tode unabhängig, und wird durch denselben weder abgeschlossen noch dem Ziele näher gerückt; vielmehr hängt dieß lediglich vom Stand der innern Geistesentwicklung ab.

""Nicht Alle gelangen sogleich zum Ziele. Nur so nahe, als man demselben hier gekommen, so nahe ist man ihm nach dem Tode. Der Weg, der also noch nicht gemacht worden ist, muß noch gemacht werden. V. Off. 440.

Der zeitliche Tod endet wohl den Lebensgang auf Erden, aber nicht das Ausgebären des Lichtleibes, oder das Ausbauen des himmlischen Bürgerhauses. I. Lebensl. 162.

So weit der Himmel und das Paradies in einem Menschen hier offenbar wird, so weit ist er in demselben, wenn
er von dem Schau- und Kampfplatz dieser Welt abtritt, und
weiter nicht.   Syst. 376 f.

§ 258.

Weil nun einerseits nicht alle Einzelnen zugleich zur Auferstehung gelangen (§ 255.), andererseits die Auferstehung
bei keinem Wiedergeborenen unmittelbar auf seinen Tod folgt
(§ 257.), so entstehen hiedurch zwei Interimsstände, in welche
die Seele nach der Analogie Christi (§ 155. 158.) eintritt,
und von denen der erste die Zeit vom Tode des glaubigen
Individuums bis zu dessen Auferstehung, der zweite aber die
Zeit von der individuellen Auferstehung an bis zum allgemeinen Abschluß dieser ganzen Auferstehungsperiode umfaßt.

„„Nun Etwas von dem gedoppelten oder zweifachen In-
terims- oder Zwischenstand, den Christus der HErr erfahren und durchgemacht hat, und den auch alle die Seinen
durchgehen und durchmachen sollen. Der erste fängt sich an
bei Ablegung der Leibeshütte und dauert bis zur Auferstehung im Geistleibe. Der andere fängt also gleich bei der
Auferstehung an und dauerte bei Christo bis zur Himmelfahrt. Bei den Glaubigen aber vermuthlich, bis alle Erstlinge der Herrlichkeit, die zu dem Weibe des Lammes gehören, beisammen sind, bis alle vollendet sind in der Geistleiblichkeit. Bei Christo währete der erste Interims- oder
Zustand zwischen Tod und Auferstehung nur 40 Stunden,
vermuthlich so lange, als Adam geschlafen hat, da er bei
seinem Erwachen seine Eva hatte und mit derselben in den
Garten Eden, d. i. in einen räumlichen Ort, in dem das
Paradies sich noch offenbarte, gesetzt wurde. Der zweite
Interims- oder Zwischenstand währete bei Christo 40 Tage,
so lang, als seine Versuchung vorher gedauert hatte. In
diesem Zustand war also Christus im eigentlichen Gottesparadies, welches durch's ganze Sonnensystem unberührlich
durch Alles ist, dem irdischen Auge ganz unsichtbar und
verdeckt; denn es ist in der neunten Zahl offenbar, und

das Auge des Sterblichen siehet nur in die achte, wenn es blitzet. In diesem Paradies war Adam vor seinem Falle dem Geist und der Seele nach; es war in ihm offenbar und er konnte darein wirken. Denn er hatte nicht allein einen vierelementischen, sondern auch einen in demselben qualificirenden, rein- und einelementischen paradiesischen Leib. Diesen verlor er in seinem Schlaf, da er eine irdische Gehülfin verlangte, und so kam er auch um das Paradies. Hingegen Christus stand aus seinem 40stündigen Todesschlaf auf im Geiste und Paradiesleib und war 40 Tage noch auf Erden im Paradies. Vermuthlich war Adam vor seinem ersten Falle so lange darinnen. Da nun Alles wieder zurückgemacht werden muß, hinein nämlich, was sich mit Adam herausgemacht hat, so muß sich demnach mit Christo wieder auf dem nämlichen Weg hinein machen, was in Adam herausgekehrt ist. Daher kommt die Seele in die Interimsstände. In den ersten gleich nach dem Tode, wo sie aber auf unbestimmte Zeit ist, weil sie unvollendet ist. Je näher sie dem Kleinod gekommen, nämlich dem Ziel der Auferstehung, (denn das ist eigentlich ihre Ausgeburt), je bälder kommt sie aus diesem Zwischenstand in den zweiten, nämlich in das Paradies. In diesem Zwischenstande sind vermuthlich alle Glieder der Erstgeborenen, bis Alle, die dazu gehören, beisammen sind, und sie werden nicht im vollkommenen Sinne ohne uns vollendet, die wir noch dazu gehören. Unsere Vollendung ist dann auch die ihrige. Die ganze Braut mit all ihren Gliedern gehört zusammen. Syst. 414 ff.

§ 259.

Der erste Interimsstand ist eine Vorbereitung zur Auferstehung, welche je nach dem in diesem Leben erreichten Wiedergeburtsgrad länger oder kürzer bei dem Einzelnen dauern kann. Eben deßhalb ist er auch für die vollendeteren Seelen ein seliger Stand, während er für die minder Vollendeten, welche noch vieler Abstreifungen und Reinigungen bedürfen und vom andern Tode beleidigt werden können, mehr oder weniger Ungemach mit sich führt.

„„Schon der erste Interimsstand ist selig, wo die Seele

den **Lichtleib erwartet; geschweige der zweite Stand, da sie**
diesen ausgeboren hat. In dem Zustande gleich nach dem
Tode heißt es: „je nachdem man hier gethan, trifft man es
dort wieder an!" Manche Seelen sind gar nicht lange darinnen, und auch das kurze Darinnenseyn ist ihnen schon
große Seligkeit. Denn sie kommen da in selige Gesellschaften der Geister und werden da sammt jenen zubereitet zur
Auferstehung. Leset doch, was da Alles den Ueberwinden-
den verheißen ist in den sieben Gemeindebriefen des HErrn!
Dann macht die Anwendung davon auf den ersten und zweiten
Interimsstand. O was ist da für ein englisches Freuden-
und Kinderleben! Denn Alle sind im eigentlichen Sinn wahre
und unschuldige Kinder geworden, indem sie sonst an diesen
herrlichen Dingen nicht Antheil haben könnten, da ja das
Reich Gottes nur Kinder aufnimmt. Erst. 416 f.

Freilich ist der Interims- oder Zwischenstand einer Seele,
die ein schwachgeistliches Leben hat, die noch Abstreifungen
und Reinigungen bedarf, ganz ein anderer. Einer solchen
Seele, wenn sie nicht als Ueberwinderin einen weißen Stein
hat, können auf dem Weg durch Tod und Hölle viele Un-
gemache widerfahren. Sie kann im Thale des Todes vom
andern Tode viele Beleidigungen erfahren und vielen Schreck-
nissen des Todes ausgesetzt seyn. Sie kann gehalten werden,
eingekerkert werden, und mehrmal vor Gericht kommen und
verhört werden, und immer kann sie nicht durch das Feuer-
schwert des Cherubs passiren, sie begehre denn die völlige
Abstreifung und Reinigung. Dieß wird geschehen, so sie
einmal des Immerumgestaltens ganz und gar müde ist und
sie sich im wahren Erkenntniß ihrer selbst in das ewige Liebeserbarmen Gottes ersenket. O wie ungleich ist es mit
den Seelen in diesem Stücke! Denn da dauert es bei
Manchen sehr lange und bei Manchen nur kurz. Denn Manche
finden und geben sich bald, Manche aber erschweren sich durch
tausend Rechthabereien und tief eingewurzelte, ungöttliche
Dinge die Sache recht sehr. Gott helfe uns doch dazu,
daß wir hier Alles aufsuchen und auffinden, daß wir Alles
in's Sterben und in Verleugnung geben, denn dorten hält
es sehr hart. Keiner verlasse sich auf die Wiederbringungs-
Anstalten in jener Welt; denn hier hat man sie ja reichlich.

Es leidet keinen Verschub; denn man muß es büßen, wenn man hatte, und man hielt sich so, daß es Einem entzogen und genommen werden mußte. Schwer kommt man wieder zu Etwas! Syst. 417 f.

Es ist hoffentlich Allen begreiflich, daß wenn eine Seele im Thun und Leiden ihren Glauben bis an das Ende bewiesen, sie unter die Vollendeten gehört. Ich wüßte nicht, wozu sie im Todtenreich noch sollte vom Höllenreich angefochten werden. Denn wenn eine Seele hier von Nichts gehalten und gehindert werden kann, dem Kleinod nachzujagen in der vielbedürftigen Hütte, was sollte sie dort halten? Ist die Seele durch Verleugnung vom Unnöthigen los, so daß sie das Nöthige nicht mit Lust, sondern als mit Last noch braucht, was wird's dann seyn, das sie halten und hindern sollte? Wenn eine Seele Alles duldet, was ihr vom HErrn in ihren Leidensgang hinein verordnet ist — und das kann sie, so lange sie glaubt, Alles habe ihr Jesus aus weisen Absichten hinein verordnet, gleichsam als eine nothwendige Sache, die zu ihrer Vollendung mitwirken müsse — wenn sie, sage ich, das Alles weislich erduldet hat, so ist sie dadurch bewährt worden. Sie hat einen fixen Lichts- und Auferstehungsleib aus Christi Fleisch und Blut bekommen. Was sollte sie halten können? Selbst das Cherubsschwert, das Feuer der Natur um das Paradies her kann sie nicht halten. Und hat sie im Glauben Alles, auch sich selbst verleugnet, was sollte sie nöthig haben, ihrer Verwesung abzupassen und auf Etwas zu harren von ihrer hier gehabten Hülle? Im Glaubenswirken hat sie die Kräfte in Gott verzehrt und ist ein Opfer Gottes worden: was sollte dann noch fehlen von der eigentlichen Leiblichkeit zum Auferstehungsleibe? Seelen, in denen die Jesusliebe alle Creaturenliebe verdrungen, die alle ihre Bedürfnisse nur ihn befriedigen ließen — welche Bedürftigkeiten sollten ihnen dort noch kommen? Wer allem gottwidrigen Wesen und Leben erstarb, der stirbt des gottgefälligen Todes in dem HErrn. Selig also kann er seyn vom Nu seines Todes an; Ruhe kann und wird er haben von seinen Arbeiten und Leiden; frei kann er reisen und wandeln als Ueberwinder, wie sein Glaubensheld und Vater Jesus. V. Off. 440 f.

Läſſeſt du gerne nach den ſchärfſten Rechten der Heiligkeit Gottes mit dir handeln, ſo haſt du den Geiſt Jeſu gewiß und deine Sache kann in dieſer Welt ausgeführt werden. Wo nicht, ſo bleibt dir ein Manches bis in jene Welt
ſtehen, ob du ſchon glaubend und ſelig ſtirbſt. Meine ja
nicht, daß der unparteiiſche Gott ſeinen Kindern Etwas
überſehen und ſchenken werde; du mußt es auch nicht von
ihm verlangen, oder du verlangſt nicht Vollendung und Ausgeburt. Und das, was um deiner Zärtlichkeit willen aufge-
ſchoben iſt, das iſt darum nicht gehoben. Glaube nicht, daß
es in jener Welt leichter, glaube lieber, daß es ſchwerer gehoben werde; wer den Reifen ſcheuet, auf den wird der
Schnee fallen. VI. Pf. 262.

Wer nicht Baum und Frucht mit Gewißheit und recht
geburtsmäßig wirkſam und lebhaft hat, der iſt blind und
tappet mit der Hand, und vergißt der Reinigung aller
ſeiner vorigen Sünden; ein ſolcher Menſch iſt ſeiner Seligkeit nicht gewiß, ob er es ſchon vorgibt. Denn er ſiehet
ja als ein Blinder in die Zukunft nicht. Er weiß es nicht,
wie es ausſiehet im Zuſtand nach dem Tode und wie es
mit ihm allda gehalten werden wird. Er hat es nicht er-
wogen noch bedacht, daß Nichts, als ein wieder zum Bild
Gottes Erneuerter in das Reich der Himmel eingehen kann;
er ſiehet nicht, was nothwendig vom Menſchen weg und
abgeſtreift ſeyn muß, ehe er in das Paradies eingehen kann.
Er weiß es nicht und will es auch nicht wiſſen, was für
Abſtreifungen ſeiner warten. Er denkt über dieß Alles nicht,
wenigſtens nicht mit Ernſt. Er denkt ſich ſeinen Gott gnädig und barmherzig, und ſo gnädig und barmherzig, daß er
auch ſeinen Himmel mit Ungeänderten und Unwiedergeborenen,
Fleiſchlichgeſinnten anfüllet. II. Petr. 204.

Ich geſtehe es hiemit öffentlich, daß es mir ſehr wehe thut,
wenn ich hören muß, wie man die edelſten Wahrheiten mißkennet oder umgehet; wenn man noch gar auf die Liebhaber
der ganzen Wahrheit eine Verachtung legt und zum Beweis
ſchließet, es müſſe nicht gar gut um ſie ſtehen, wenn ſie
nicht auch Freudigkeit zu ſterben haben. Mein Gott! wer
doch Kenntniſſe vom Zuſtande der Seelen nach dem Tode
hat, wie kann der ſo getroſt ſcheiden und hingehen, als wie

der, welcher sie nicht hat, der ohne Ueberlegung hinfähret? Wird es ihm aber darum anders und besser gehen, als jenem, der es wußte? Oder ist denn Nichts daran gelegen, wie es dort gehet, wenn er nur in guter Fassung und auf eine rühmliche Weise dahingefahren ist? Sollte denn der, welcher es weiß, sich nicht auch einigermaßen darnach richten, und dort, weil er mit sehr gedemüthigtem Geist ankommt, es vermuthlich besser antreffen, als er sich's eingebildet hat? Darum so dächte ich, es sollen es Alle wissen, und wenn sie sich dann nicht darnach richten, so ist die Schuld ihnen selbst und das Gehörte richtet sie einst. **III. Eph. 15.**

Es ist sehr artig, daß sich manche, auch wiedergeborene Seelen nicht gar zu viel aus dem Sterben machen und so in ihrem Anfang gerne sterben und aus der elenden Leibeshütte auswandern möchten. Aber diese armen Kinder bedenken eben nicht, daß in ein neues Haus erst, wenn es ausgebaut ist, eingezogen werden kann. Doch sie werden endlich schon auch noch verständiger. Die Seelen der Brüdergesellschaft stoßen sich an uns und an unseren Gemeinschaftsgliedern, wenn sie hören, daß wir nicht so gerne sterben, wie sie. Allein es ist blos Mißbegriff. Wir, wenn wir unser Unvollendetes spüren, sterben darum nicht gerne, weil wir gerne vorher ein ausgebautes Haus haben möchten, von Gott erbaut, ein geborenes Haus, einen vollendeten Lichtleib, in dem man sich dort darf sehen lassen. Das sind thörichte Gedanken, wenn man glaubt, man habe nur deßwegen Todesbangigkeiten und Schrecken, weil man seiner Sache nicht gewiß sei, nämlich der Seligkeit und also der Vergebung der Sünden. — Nicht also! sondern weil man denkt, der andere Tod möchte noch Dinge zum Halten finden. Und wenn man hier Lebensfrüchte genossen hat, möchte man dort nicht erst durch Lebensblätter genesen. Sagt mir doch, ihr Uebelberichteten, wer stirbt Jesus-ähnlicher, der, welcher leichtgläubig hinüberschlummert, oder der, welcher um seiner Unvollkommenheiten willen bekümmert ist, obgleich er weiß, daß bei Christo allein etwas Verdienstliches für uns ist? **V. Off. 680 f.**

§ 260.

Hieraus ergibt sich von selbst, welchen Werth die frühere Auferstehung hat.

„„Gesetzt, es wäre Einer nur durch den Gewinn einer ganzen Welt, da er übrigens selig würde, doch um 70 oder 80 Jahre an der früheren Auferstehung gehindert oder gar an dieser verkürzt worden, ist es dann auch der Mühe werth? Ich meine doch nicht. Wenn allenfalls eine Seele an ihrer Vollendung wäre gehindert worden, nur in Etwas, sie hätte aber eben indessen eine ganze Welt gewonnen, ist's der Mühe werth? Kann sie sich mit dieser Welt jetzt, wenn sie in Todes-behältnissen eingekerkert ist, loskaufen, mit ihrer gewonnenen Welt? Gewiß nicht. VI. Pf. 588 f.

§ 261.

Wer die Vollendung der Wiedergeburt noch vor der Zu-kunft Jesu zur Hochzeit mit seiner Braut erreicht, der kommt zu derjenigen Auferstehung der Glaubigen, welche die erste Auferstehung heißt und mit dieser Zukunft Jesu abgeschlossen wird. (§ 329. 330.)

„„Die Auferstehung ist Ausgeburt; wer dieß Kleinod er-reicht, ehe Jesus Hochzeit hält mit seiner Braut, kommt zur ersten Auferstehung, also selbst zur Braut; mithin ist er ein Erstling der Herrlichkeit. Wer aber so weit zurückgeblieben ist, daß er bis dahin keinen ausgeborenen Lichtsleib in Jesus-ähnlichkeit hat, kann nur zum zweiten und nicht zum ersten Erstling kommen. (cfr. § 336 f.) Bei einem solchen sind ver-muthlich auch muthwillige Versäumnisse vorgekommen, und er hat sich gewiß selbst zu viel in den Schatten gestellt und mit allerlei unnöthigen Dingen abgegeben, also seinen Gesuchen der Natur nicht genug widerstanden: kurz, er ist kein Ueber-winder worden, kann also vom andern Tode beleidigt wer-den, oder der kann gar einige Macht über ihn bekommen. III. Kor. 96.

Wer zur Braut Jesu gehört, muß zur ersten Auferste-hung gelangt seyn, wenn Er kommt, Hochzeit zu halten. Und diese Auferstehung der Erstlinge des HErrn hub sich an mit der Auferstehung Christi und endet sich, wenn er zur Lammes-Hochzeit erscheint. III. Phil. 80.

§ 262.

Während der Zeit, welche zwischen der Auferstehung des Einzelnen und der Zukunft Jesu liegt, befindet sich der in Geistleiblichkeit Hergestellte in dem zweiten Interimsstand, als dem seligen Wartestand, in welchem die einzelnen Auf-erstandenen auf die Vollendung aller Erstlinge und auf die Hochzeit des Lammes warten. (cfr. § 258.)

„„In diesem Zwischenstande sind vermuthlich alle Glieder der Erstgeborenen, bis Alle, die dazu gehören, beisammen sind, und sie werden nicht im vollkommenen Sinne ohne uns vollendet, die wir noch dazu gehören. Unsere Vollen-dung ist dann auch die ihrige. Die ganze Braut mit all ihren Gliedern gehört zusammen. Aber meinet ja nicht, als wäre dieser Stand ein betrübter und kümmerlicher Stand; denn er ist hochselig, obschon die Seligen, die darinnen sind, auf unsere Vollendung mitwirken. Syst. 416.

Aber hat die Seele ein geistliches Leben, wird er, der zweite Stand, endlich erreicht; aber gewiß und wahrhaftig ist's eben, daß aus dem zweiten Stand Keiner entweicht; da warten Alle, mit Jesu zu kommen. — Alle Vollendeten harren dort oben in zwar verschiedenen Ständen schon lang, über das Sinnliche gänzlich erhoben, freilich begreiflich nicht ängstlich und bang, auf die Erscheinung des HErrn auf der Erden, weil sie alsdann erst ganz angethan werden. I. 299. 9. 13.

§ 263.

Diejenigen Brautglieder Jesu, welche die Zukunft Jesu noch im Leibe erleben, werden durch schnelle Verwandlung den Auferstandenen gleich gestellt.

„„Was hat es denn für eine Beschaffenheit mit denen, die den letzten Tag erleben und die von demselben lebendig ergriffen werden? Antw. Diesen geht es, wie wir von de-

nen gesagt haben, die als ein heiliger Same in das tausendjährige Reich kommen, die Gott darum hat stehen lassen,
ob sie schon zu den herrlichen Erstlingen der Herrlichkeit gehören, daß er einen herrlichen Samen und eine edle Grundlage an ihnen habe. (cfr. § 329.) Diese werden dann meines
Erachtens schnell verwandelt und dem HErrn in der Luft
schnell entgegen gerückt und werden also bei dem HErrn
allezeit seyn; denn sie gehören zu seiner Braut. Ebenso wird
es denen Glaubigen, Wiedergeborenen ergehen, die der Tag
Jesu ergreift im Leibesleben; sie werden schnell dem HErrn
entgegengerückt werden in der Luft. Denn meines Erachtens wird der HErr in der obern Luft Gericht halten mit
seiner vollendeten Braut. Syst. 437 f.

Diejenigen, welche bis dahin lebendig geblieben und im
Leibesleben vom Tag des HErrn ergriffen worden sind, werden zum Theil gleich mit den Auferstandenen hingerückt werden
in weißen Wolken in die obere reine Luftregion. Auf weißen Wolken, als auf schönen Prachtwagen werden sie mit
jenen, die mit dem HErrn herniedergekommen sind, hingerückt werden in der Luft in die obere Luft, und daselbst
werden sie allezeit tagtäglich tausend Jahre lang bei dem
HErrn seyn. Und die, welche noch als ein heiliger Same
eine Zeitlang auf Erden im tausendjährigen Reiche werden
gelassen werden, die werden ein henochäisches Leben haben,
und weil sie doch noch zur Braut des HErrn gehören, werden sie nach und nach hingerückt und verwandelt werden
und dann auch allezeit bei Christo und seinen Brautgliedern
seyn. III. Thess. 98.

Wenn wir diesen Tag sollten im irdischen Leibe erleben,
dann erlebten wir eine Verwandlung, und dann dürften wir
nicht sterben, nicht aus dem Reisezelt ausziehen und eine
kleine Zeit bloß seyn, bis wir in der Auferstehung im Lichtleibe erscheinen könnten. Dann würde an demselben Tage
das Sterbliche des alten Leibs, des gebrechlichen Wanderzeltes, von dem Kraftleben des neuen Leibes durch eine
plötzliche Verwandlung verschlungen. III. Kor. 102 f.

cc. Stufen der Herrlichkeit.

§ 264.

Obgleich die Wiedergeborenen alle selig werden, so werden sie doch nicht alle in der Herrlichkeit gleich seyn. Vielmehr, wie die frühere oder spätere Auferstehung von der Treue des Einzelnen abhängt, so auch die größere oder kleinere Herrlichkeit.

„„Der Eine überwindet alles und ererbt auch alles; der Andere überwindet viel, und ererbt auch viel; wieder ein Anderer überwindet wenig, weil er der empfangenen Gnade nicht recht treu ist und ererbt begreiflich auch weniger. Der Eine kommt bälder zum Ziel, weil er demselben eifriger nachjagt; der Andere folgt weniger den Trieben des Geistes Gottes und hält sich mit mancherlei auf, kommt also entweder gar nicht oder später zum Ziel. Einer treibt's näher zur Volljährigkeit und Jesusähnlichkeit, freilich allein durch Triebe der Gnade; ein Anderer wendet sie nicht so treulich an und bleibt zurück. Sollte nun daraus kein Unterschied entstehen in der Herrlichkeit? Beide werden selig; aber werden sodann auch Beide gleich an Herrlichkeit? Nimmermehr! V. Off. 607.

Das gegenwärtige Leben ist nur ein Zubereitungsleben auf das eigentliche, wahre, ewige Leben; wiewohlen sehr Vieles davon abhängt auf jene Welt. Es ist sehr darauf geachtet, wie wir uns hie verhalten und betragen; denn Kinder des Himmels müssen hie in der Schule der Zubereitung Vieles erlernen. Alle aus Gott geborenen Seelen sind Kinder des Himmelreichs; denn sind sie ganz gewiß Kinder, ey, so sind sie auch ganz gewiß Erben. Wer sollte denn bei der Kindschaft an der Erbschaft zweifeln? Alle Kinder Gottes sind Erben Gottes, ihres Vaters, und sind Miterben Christi, des Haupterben, der den Seinen längst die Verheißung gegeben: Ich will euch das Reich bescheiden und testamentlich zusichern, wie es mir mein Vater beschieden und vermacht hat, daß ihr nicht nur ein und etliche Mal mit mir sollet essen und trinken über meinem Tisch in

meines Vaters Reich, sondern ihr sollt als Kinder in demselben behandelt werden, und wenn ihr vollendet und zur
Volljährigkeit gelangt seid, sollt ihr das verheißene ewige
Erbe empfangen und in Besitz kriegen. Denn wer alles
überwindet, wird alles ererben; wer wenig überwindet, wird
wenig ererben; und wer gar nichts überwindet, der ist auch
kein Kind in's Lichtreich geboren, wird also auch allda gar
nicht erben; denn, wie gesagt, es erben dort nur Kinder
das neue All; Andere haben kein Erbrecht, weil das
Geburtsrecht das Erbrecht bringen und geben muß.   IV.
Hebr. 386 f.

§ 265.

Dieser Stufenunterschied der Herrlichkeit offenbart sich
vor Allem schon in der Beschaffenheit und Kraft des Auferstehungsleibes selbst.

„„Sie werden zu unterschiedlichen Zeiten und in zerschiedener Herrlichkeit und Jesusähnlichkeit erweckt.   Syst. 424.

Den im Beten tief und oft eindringenden Priestern wird
man es in der Ewigkeit ansehen; sie werden viele Perlen
von Andern an ihre Kronen bekommen und sehr große himmlische Lichtsleiber haben.   Syst. 246.

Wer aus Jesu, in dem alle Gottesverheißungen Ja und
Amen sind, aus dessen Fülle sie mitgetheilt werden, Alles,
was ihm zum Leben und göttlichen Wandel dient, nimmt,
der wird göttlicher Natur theilhaftig und er wird nicht nur
in das göttlich-menschliche Urbild Jesu verklärt, sondern wesentlich mit ihm vereiniget, und bekommt aus Christi Wesen,
Leben und Licht einen neuen Leib im alten, als ein unzer-
störliches, himmlisches Haus, und ist ein lebendiger Stein
und ein Glied am Leibe Jesu, zu seiner Braut gehörig und
wird mit ihr erscheinen, wenn er kommt. Ein solcher wird einen
sehr großen Lichtsleib in der Herrlichkeit haben, denn er hat
viel Geist, Licht, Verstand, Salbung durch den Trieb des
Geistes aus Lebens-, Gemüths- und Sinnkräften und Arten
ausgeboren durch oftmaliges ernstliches Beten, Ringen, Streiten und Kämpfen.   Syst. 223.

Der neue Leib wird Jesus-ähnlich seyn.   Aber ganz na-

türlich wird an Herrlichkeit und Größe eine Verschiedenheit
stattfinden. Sagt ja der Apostel dieß ganz eigentlich und
klar. Auch wird meines Erachtens eine Zerschiedenheit seyn
in den Kräften der Seelenmagia, in der Kraft der Ausdehnung und des Zusammenziehens. Aber ob dieser Unterschied nur bis an das Ziel der Ewigkeiten oder unendlich
seyn werde, das weiß ich nicht. Syst. 434 f.

§ 266.

Nach der Auferstehung erscheint unter den Wiedergebo-
renen sowohl in Betreff des hochzeitlichen Genusses, als des
Regiments mit Christo im tausendjährigen Reiche eine große
Ungleichheit.

„„Ich weiß, daß viererlei Leute bei des Lämmleins Hochzeit seyn werden: Braut, Gespielen, Gäste und Zuschauer;
ich weiß, daß die alle an Graden der Heiligkeit und Vollkommenheit sehr zerschieden seyn werden. III. Theff. 150.

Bei der Hochzeit sind viererlei Seelen zu sehen, erstlich
die Braut des HErrn in auferstandenen Lichtsleibern, zweitens die noch nicht zur Auferstehung gediehenen Gespielinnen
der Braut, die klugen Jungfrauen, und dann die Gäste,
welche drittens zwar selig, aber nicht Heilige sind, hier also
Himmelsmanier erst lernen und auch zur Auferstehung zubereitet werden, welches aber nicht mehr die erste, sondern
die zweite seyn wird. Sodann sind viertens bei dieser Hochzeit auch Zuschauer; das sind solche, die hier dem Reiche
Gottes nicht ferne und abhold waren, die sich hier manchen
Glaubigen zum Freund machten; dort also empfangen sie
von denselben gleichsam Etwas von der Tafel. XII. 1. 583.

Mir ist sehr wahrscheinlich, daß bei der Hochzeit des
Lammes viererlei Seelengattungen seyn mögen. Erstens die
Braut, zweitens derselben Gespielen, drittens die Gäste und viertens die Zuschauer. Die Braut besteht aus lauter getreuen,
berufenen Auserwählten, aus auferstandenen, vollendeten
Seelen, die in Lichtsleibern mit Christo kommen, die sich
also in dieser Welt von Allem reinigen, läutern und bewähren ließen. Diese Brautseelen sind darin von den Gespielen oder Jungfrauen unterschieden, daß sie, wenn der
HErr kommt, wach sind und gar nicht schlafen, daß sie den

HErrn recht und lebendig erkannt haben, welches aber bei
den Gespielen nicht der Fall ist. Denn diese zweite Gattung
von Seelen hat zwar auch vieles Gute, aber nicht sowohl
unmittelbar, als mittelbar, hat sich also nie so ganz in das
Bild des HErrn verwandeln und verklären lassen, ließ sich
also nie recht zu einer Herrlichkeit des HErrn zubereiten, daß
sie nur ihm und seinem Einflusse offen gestanden wäre.
Daher hat diese Seelengattung auch nicht zur Ausgeburt und
Volljährigkeit, also nicht zur ersten Auferstehung ausreifen können, kann also nicht in Lichtsleibern, sondern nur in Typus-
Gestalt bei der Hochzeit erscheinen und nicht zur Braut, sondern
zu Gespielen der Braut gezählt werden. Die dritte Gattung
sind dann die Gäste. Von diesen sagt die Schrift: Selig
sind die Seelen, die zu dem Abendmahl der Hochzeit des
Lammes berufen sind. Diese sind also selig und gerettet,
aber vermuthlich in dieser Welt keine eigentlichen Ueberwinder geworden, daß sie zur ersten Auferstehung hätten kommen können. Denn wenn das wäre, so hieße es von ihnen:
Heilig und selig sind die, welche Theil haben an der ersten
Auferstehung; denn über diese hat der andere Tod keine
Macht. Demnach, weil es nur heißt: „selig ist" und nicht:
„heilig und selig," muß über diese der andere Tod noch einige
Macht gehabt haben, daß sie also wohl noch bis zur Hochzeit des Lammes gerettet werden, aber nicht zur ersten Auferstehung gelangen konnten. Mithin sind sie zwar vom andern Tode gerettet und das Abendmahl der Hochzeit des
Lammes ist für sie ein Interims- oder Zwischenstand, wo
sie zur Auferstehung zubereitet werden, gleichwie auch die
Gespielen der Braut im zweiten Grad, die aber noch früher
zubereitet werden, da hingegen die vierte Gattung, nämlich
die Zuschauer, noch später dahin gelangen werden. Dieß
sind nun endlich solche Seelen, die dem Guten zwar nicht
feind, vielmehr hold waren, also nicht ferne waren vom
Reich Gottes, jedoch nie darein eingegangen sind, daß sie
eines herrschenden Geisteslebens theilhaftig geworden wären.
XIII. I. 310 f.

Vielleicht ist es für die Gäste bei der Hochzeit des Lammes ein Interimsstand. Sie werden vielleicht dabei volljährig und ausgeboren zur Jesusähnlichkeit, mithin reif

zur Auferstehung. Eben das kann es auch seyn für die Brautgespielen, welche, wenn sie in auferweckten Lichtleibern mitgekommen wären, zur Braut gehören würden. Aber selig ist dieser Zustand dennoch und hat auch seine gewissen Vorzugsrechte vor denen, die nicht berufen sind. Vor solchen, die berufen wären und nicht kommen, und nun nicht einmal des HErrn Hochzeitmahl zu schmecken bekommen, vor diesen haben auch die Zuschauer gewisse Vorzugsrechte; denn diese dürfen doch das Abendmahl schmecken und beim Zuschauen manch Nützliches hören; denn es sind doch gewiß Seelen gewesen, die nicht ferne vom Reich Gottes, also der guten Sache nicht abgeneigt waren im Erdenleben. V. Off. 608 f.

Wer matt und lau ist und sich mehr in's Aeußere herauskehrt, viel darnach fragt und sich groß darum bekümmert, der kann gewiß nicht gedeihen, kann nicht ausgeboren werden, kann also, da er ja nicht Herrlichkeit Christi ist, weil er seinem Einfluß nicht offen steht, nicht zu seiner Braut gelangen, und muß gut gehen, so er ein Gast bei des Lämmleins Hochzeit seyn soll oder darf. III. Kol. 182.

Wenn einst Jesus im Unsichtbaren, in dem Luftkreis mit den Seinen regieren wird, und er und sie also allein Einfluß haben werden auf alle regierenden, lehrenden und unterweisenden Personen in dem Hausstand und allen Gesellschaften, da wirds freilich ein Anderes seyn! Mancher wird im Unsichtbaren Einfluß haben über fünf, ein Anderer über zwei Städte. (Luc. 19, 17. 19.) V. Off. 613 f.

Der Braut Jesu, der in neu auferstandenen Lichtsleibern vollendeten Jesusgemeine, die ihren Einfluß in Natur und Creatur haben wird, werden Kinder geboren werden, wie der Thau aus der Morgenröthe. Ihre Einflüsse und Einwirkung in die Kräfte der Natur und Creatur werden gerecht und ihnen von den Rechten der Heiligkeit Gottes zuerkannt seyn, weil sie nie Erden-, Natur- und Creaturen-Verderber waren, sondern segnende Priester der Natur und Creatur, die allen Fluch getragen, der ihnen zufiel, um Jesus ähnlich zu werden, im Leiden Rechte zu bekommen, ihm ähnlich zu werden in Herrlichkeit. Syst. 498.

§ 267.

Auch im Gericht wird sich die Herrlichkeit der Heiligen nicht blos durch die Feuerbeständigkeit ihres Leibes offenbaren, sondern auch durch ihre rechtlicherlangte Befähigung, mitzurichten.

„„Wohl dem, der sich im Blute des Lammes, in dem allerheiligsten Feuerlicht, hat reinigen lassen! denn ihm wird das Feuer des großen Tages nicht schaden. Er hat eine Arche gefunden, in der er sicher seyn wird. Wer einen feuerbeständigen Lichtleib hat aus dem Wesen des Fleisches und Blutes Jesu, der kann am Feuertage bestehen, so wie das Licht im Feuer besteht. Syst. 446.

Lasset euch zu Heiligen Gottes machen, so werdet ihr mitrichten. Denn es heißt deutlich, daß die Heiligen die Welt richten werden. Auch sogar über die bösen Engel und Geister werden die Heiligen richten. Aber wohlgemerkt: nur die Heiligen! Man muß ihnen ja nicht auf den Leib kommen können; sie müssen also schon frei gerichtet seyn oder es kann durch sie nicht rechtlich geschehen. Syst. 442.

§ 268.

Endlich werden auf der neuen Erde und in der Stadt Gottes sehr verschiedene Stufen der Herrlichkeit und Seligkeit seyn.

„„Sehr ungleich wird die Herrlichkeit und Seligkeit der Seligen seyn; nicht gleich wird seyn das Erbrecht am neuen All. Wer Alles überwindet, nur der wird Alles ererben. Jedoch wird die geringste Seligkeit auch groß und viel seyn. Auch die geringsten Seligen auf der neuen Erde, die das schwächste Geistesleben hatten, genießen doch Vorzüge, theils auf der neuen Erde im Lichtelement, theils durch die Könige der neuen Erde, die ihnen Lebenswasser, Lebensfrüchte, oder auch nur Lebensblätter, zur völligen Genesung und Volljährigkeit, Geistleiblichkeit und Jesusähnlichkeit zu gelangen, mittheilen können. Ich sage, sie genießen Vorzüge vor denen im Feuersee, denen zum Theil Ewigkeiten lang das Alles mangelt, und an deßen Statt sie Qual und Leid eingeschenkt bekommen nach ihrem Sündenmaß. V. Off. 1009.

Wer die Gesinnung Jesu nicht hat, ist nicht aus Gott gezeuget, noch von der oberen Mutter geboren und darf sich keine Rechnung machen zu jenem Stadt- und Bürgerrecht. O wie Viele werden durchfallen, die sich's jetzt nicht einbilden! Zu dem Sinn Jesu aber gehört viel. Viele haben viel, Viele wenig, Viele aber gar nichts von demselben. Die, welche Bürger auf der neuen Erde werden sollen, müssen doch wenigstens viel von dem Sinn und Geist Jesu haben. Die, welche in dem neuen Jerusalem Bürger werden sollen, müssen seinen ganzen Sinn haben. Die aber nur wenig von dem Sinn und Geist Jesu haben, werden auf der neuen Erde nur Beisitzer, Kranke und Bettler, nur Fremdlinge und Knechte seyn. Die, welche gar nichts davon haben, von denen heißt's „draußen sind sie," und wo anders als im Feuersee? Je Jesus-ähnlicher in Sinn und Geist, je Jesus-ähnlicher wird man dort an Herrlichkeit und Klarheit seyn. Nach der Fähigkeit des geistlichen Lebens und der Aehnlichkeit Jesu werden die Stände dort höher oder niederer seyn. Je mehr Einer hier den Geist Jesu in sich wirken läßt, je mehr wird er in sein Bild verklärt. Je mehr Einer Gott in Heiligkeit und Gerechtigkeit und Wahrheit dienet im Geist und Sinn Jesu, je näher ist er dort dem Rang jener Könige und Priester in der Stadt Gottes. In derselben Stadt wird Gott von Angesicht zu Angesicht gesehen von den königlichen priesterlichen Bürgern: aber wer ist hiezu tüchtig? Selig sind, die reines Herzens sind, denn sie werden Gott schauen! Syst. 372 f.

Gott sammelt sich Rechte und bereitet dir Wahlstimmen zum Königreich, wenn du in Kraft des Geistes Jesu Naturrechte fahren lässest. Priestergeschick bekommst du, wenn du für die Beleidiger und Verfolger bittest; sie bekommen Eindrücke, die sie in jene Welt nehmen, dich zu wählen zu ihrem Priesterkönig. VI. Pf. 204.

Ebenbilder Jesu, deren Speise das Thun des Willens Gottes ist, sind Lichter der Welt und ein Salz der Erden. Nichts verweigert ihnen die Natur; Nichts wird ihnen die Wahlstimme versagen, wenn sie zu Königen erwählt werden sollen. Denn priesterlich gehen sie mit Allem um und segnen, was unter Fluchsbanden seufzet. Syst. 310.

Selig, wer aus dem Grund der göttlichen Geburt züchtig gegen sich selbst, gerecht gegen seinen Nebenmenschen und
gottselig gegen Gott in dieser Welt lebt! Der kann freudig
auf die Erscheinung Christi warten. Ein solcher Mensch ist
ein Sohn der oberen Mutter, Neujerusalems, und folglich
ein Bürger allda. Er ist ein Erbe Gottes und Miterbe
Christi, folglich ein Erbe am neuen Schöpfungsall, und er
wird nicht nur Beisitzers-, Zöllings-, Knechts- und Fremd-
lingsrechte und Vorzüge auf der neuen Erde genießen und
nicht nur Rechte, wie die Bürger der neuen Erde, sondern
erbliche Stadtrechte wird er genießen und alle Privilegien
haben — welcher vorzügliche Seligkeitstheil Vielen mangeln
wird, die zwar die Gebote Jesu auch beobachten und thun,
aber nicht nach ihrem reinsten, edelsten und ganzen Sinn.
Der Heiland sagt ja selber, wer Eines der kleinsten seiner
Gebote auflöse und durch Lehre und Leben leichter und ge-
ringer mache, werde klein im Himmelreich seyn und heißen,
und wenn man nach ihm frage, nicht viel zu bedeuten haben.
Hingegen werde der, welcher sie nach ihrem eigentlichen ganzen Sinn beobachte und lehre, groß heißen und viel zu bedeuten haben im Himmelreich. V. Off. 1007 f.

3. Die Geistesgemeinschaft.

a.   Die gliedliche Handreichung.

§ 269.

Jede in der Wiedergeburt stehende Seele, welche ein lebendiges Glied des Leibes Jesu ist, wird von dem HErrn mit
Gaben des Geistes ausgerüstet: mit Heiligungsgaben zu
ihrem eigenen Wachsthum und mit Bedienungsgaben zur
Förderung ihrer Mitglieder.

„„Selig, wer von dem Stammvater des geistlichen Lebens den Lebensgeist empfangen hat! Selig, wer so weit
gefördert ist, daß er ihn kann ausrüsten zu seiner Verklärung!
Denn kein lebendiges Glied seiner Gemeine lässet er ohne
eine Bedienungsgabe, der göttlich-menschliche Geist des HErrn.

In jedem wahren Gliede des HErrn erzeigen sich seine Gaben; also wer ihn hat, der hat Heiligungsgaben, für seine Person heilig, Jesus-ähnlich zu werden; er hat aber auch Bedienungsgaben für Andere, als für seine Mitglieder an eben demselben Haupt. II. Act. 51.

Wenn jedes Glied eine Gabe hat, so hat es dieselbe für den ganzen Leib und es ist also seine Pflicht, demselben damit zu dienen. Hat es aber keine, so kann es desselben gesunden Leibes Glied nicht seyn. Wer sieht das nicht selber ein? Freilich hat Eins mehr, als das Andere von dem priesterlichen Geist und Sinn Jesu, aber Keines ist ganz leer. Jeder also erwecke die Gabe, die in ihm ist, so wird sie sich beim Gebrauch gewiß herrlich vermehren. IV. Hebr. 260.

Wer den heiligen Geist für sich und seine Person nicht selbst empfangen hat, ist ja selbst kein lebendiger Stein zum Tempel Gottes, zur Behausung Gottes im Geistleib; wie kann er denn von Gottes Geist angestellt seyn, daran zu arbeiten? Nur ein lebendiges Glied der lebendigen Gemeine hat Gaben des Geistes zu der Gemeine Nutz empfangen. Wo also der heilige Geist die Heiligungsgaben nicht hat anbringen können, da wird er auch die Bedienungsgaben nicht geben. Denn wo die Heiligungsgaben nicht anwendbar geworden sind, da sind die Naturgaben nicht geheiliget. Seien solche also immerhin schön und groß, so taugen sie doch nicht recht zur Sache des Geistes. Diesem nach, so muß der Geist Gottes als alleiniger Baumeister, auch Werkmeister des großen heiligen Werks, selber Leute ausrüsten und dingen und brauchen, wo es am besten ihm gefallen wird, wozu er sie am tauglichsten wird finden. II. Act. 63 f.

Hat Jemand seine Gabe von Gottes Geist, so hat er Bedienungsgaben. Sollte aber der Geist Gottes Bedienungsgaben dem geben, der seine Heiligungsgaben nicht annimmt und herzlich verlangt? Darum ist es mir nicht gut beibringen, daß der ächt und gut lehren werde, der nicht richtig wandelt. IV. Tit. 251.

Wer die Heiligungsgaben nicht hat, dessen Bedienungsgaben taugen in der Gemeine nichts, und wer keine Bedienungsgabe hat, ist kein lebendiges Glied der Gemeine. XII. II. 261. Pft. 16.

Christus, als die Heiligung, ist uns von Gott gegeben; wer
ihn aber recht hat, der hat mit ihm nicht nur Heiligungsgaben,
sondern auch Bedienungsgaben; aber weder diese, noch jene hat
ein Jeder gleich groß. Soviel ist gewiß, daß in einem Ganzen
von einem Ganzen, wie klein es auch immer ist, doch alle
Theile des großen sind, sonst wäre es nicht ein Ganzes.
Mithin, hat man Christum, die Heiligungsgabe, so hat man
alle Theile derselben. Hat Christus Bedienungsgaben als
König, Priester und Prophet, als Vater der Ewigkeiten,
durch welchen Alles ausgeführt werden soll, weil durch ihn
alle Weltzeiten gemacht und auf ihn und seine Gemeine als
die Mutter der Ewigkeiten nach der Vorerkenntniß Gottes
Alles geschaffen ist, so müssen die, welche ihn haben als die
Heiligungsgabe, ihn auch haben als die Bedienungsgabe.
Aber gleichwie in den Heiligungsgaben nicht Alle gleich sind,
also auch nicht in den Bedienungsgaben; nicht um der Gabe
willen, als gäbe sie sich nicht gleich, sondern um des Neh-
mers willen, der nicht gleichsoviel nimmt oder das Genommene nicht, wie der Andere, in sich wachsen läßt. Alle,
welche Christum haben, die haben Alles in und mit ihm;
das ist gewiß, daß die Heiligungsgaben nicht ohne die Bedienungsgaben sind, so wenig, als das Licht ohne Glanz
und Schein oder ohne Feuer, so wenig als das Element
Feuer ohne Hitze. Wie aber das ist, so ist auch das Gegentheil; wahre Bedienungsgaben sind auch nicht ohne Heiligungsgaben, jedoch kann letztere eher ein Unwiedergeborener
zu haben vorgeben, als die ersteren; er kann durch Andere
Etwas zusammenbringen, aber sie werden nicht viel ausrichten. **IX. 1. 399 f.**

§ 270.

Diese Geistesgaben sind nicht bei Allen dieselben, sondern
in Art und Grad bei den einzelnen Glaubigen verschieden,
sowohl nach deren Treue im Glauben, als nach ihrem Naturell, welches einerseits zur Gabe des Geistes befähigt, andererseits durch diese geheiligt und erhöht wird.

„„Freilich erzeigen sich die Geistesgaben an dem Einen
merklicher, kräftiger, deutlicher auf diese oder jene Weise,

da es dann meines Erachtens auf Treue ankommen wird. Indessen lehrt aber auch ·Schrift und Erfahrung, daß sich der Geist Gottes auch nach den zerschiedenen Naturellen und Gemüthsarten richtet, weil schon darum der Eine besser zu diesem, der Andere besser zu jenem zu gebrauchen ist. II. Act. 52.

Es ist gewiß, daß die Geistes- und Gnadengaben in ihrer Art zerschieden sind und sich in ihrer Offenbarung durch die Brüder ungleich zeigen, ob's gleich Eine Quelle ist, daraus der Geist kommt; denn der Geist einiget sich und demüthiget sich nach dem Naturell, nach der Gemüthseigenschaft deß, der ihn hat. Darum werden auch zwölffarbige Steine am neuen Jerusalem seyn, darum hat es zwölf Thore. Es hat Alles in der Natur seinen Grund im Unsichtbaren, denn das Aeußere ist ein Bild von dem Innern und wird an dem Aeußern das Innere ersehen, als im Spiegel. Das Meiste dieser Weltwesen und ihre Gestalt vergehet, aber doch wird Gottes ewige Kraft darin wahrgenommen, wenn man die Augen aufthut. Da es nun also ist, so wird man nicht können streiten, daß der Geist Gottes in den Glaubigen sich nach ihren Gemüthseigenschaften offenbaret und hervorthut. Denn wie das Leben des Glaubens, des A und des O in der Seele, in dem Seelenrade ist, und das Seelenrad aus Christo, aus der Einheit nimmt alle Fülle, also wird der Geist im Seelen- und Lebensrade aus dem Wesen der Herrlichkeit die neue Creatur bilden, und diese wird seyn nach dem Gemüthscharakter des vierten Rades, darin die drei Räder als das A wirken und wird das Wort, das ein Solcher im Geist redet, schon von derselben Art und Beschaffenheit seyn und man kann den Geist an den Bildern und Signaturen gar bald kennen und wahrnehmen. IX. 1. 701.

Ganz ein Anderes ist es um Geistesgaben, als Naturgaben; wenn aber diese letzten durch die ersten geheiligt sind, dann ist es etwas Vortreffliches. Soll aber in einer wahren lebendigen Gemeine des HErrn je ein Mangel seyn, so ist's besser, es fehle ihr an Natur- als an Geistesgaben, weil diese durchaus unentbehrlich sind. Sind nun Glieder in der Gemeine, die herrliche Geistesgaben zeigen, und an denen auch vortreffliche Naturgaben vermerkt werden; deutlicher: hat eine Seele Weisheit, Erfahrung, Licht und Verstand mit edler Erkenntniß, so sind das Geistesgaben. Hat sie gute Fassungskraft, gutes Gedächtniß und andere Fähigkeiten mehr, so sind das Naturgaben. II. Act. 592 f.

So wie der gesegnete Thau, aus den Himmelskräften erzeugt, mit Universalsamen beseelt, der aus dem Hermon oder Sirion der oberen Gegenden des Luftkreises herabfällt auf die Berge und Gegenden Zions, eben also ist der kraftreiche Ausfluß der mit Jesu Geist und Sinn erfüllten Geistesmänner in des HErrn Gemeinde. Denn er fällt in sie herab aus dem Heiligthum Gottes und ist mit lauter Gotteskräften beseelt. Sie ziehen ihn an mit den lauteren Kraftmagneten ihrer Glaubensbegierden und das leidend-jungfräulich aus dem Luna der Menschheit Jesu, des verklärten HErrn, und nie, als von der Sonnenkraft der Lichtwelt, von der Gottheit Jesu gedrungen, fließen sie aus in dem Garten der Gemeine des HErrn. Gleichwie aber nicht eine einzige Pflanze auf Gottes Erdboden ist, die nicht auch mehr oder weniger, reiner oder vermischter nach ihrer Art, Natur und Eigenschaft die Kräfte des Himmels faßt und anzeucht, also ist kein einzig Kind des Lichts, das nicht auch unmittelbare Ausflüsse Jesu anzöge nach seiner Temperamentsart und Gemüthseigenschaft. Dahero auch Alle Gnaden- und Geistesgaben haben und in Allen sich Geistesgaben zum gemeinschaftlichen Nutzen auf unterschiedliche Art erzeigen. Es werden dahero nicht Alle einerlei Gaben haben, daß eine zu überflüssig und eine andere gar nicht in der Gemeine wäre; sonst wäre der Geist Gottes kein weiser Gärtner im Garten der Gemeine. VI. Pf. 1393.

Wenn zerschiedene Glieder einander dienen sollen, so haben sie nach Art der Leibesglieder zerschiedene Gaben, also auch zerschiedene Verrichtungen. Und es ist dieß nicht so zu verstehen, als ob Ein Glied nur Eine und sonst keine, ebensowenig als daß Eines alle gleich herrschend haben sollte. Ein jedes Glied kann von Allen Etwas, das Eine aber diese, das Andere hingegen jene Gabe vorherrschend haben. XII. II. 281.

Einem Jeglichen ist gegeben die Gnadengabe für die Gemeine nach dem Maß der Gabe Christi. Nicht gegeben nach einem gewissen, bestimmten Maß; denn Gott gibt den Geist nicht nach dem Maß, daß die Portion gleich ausgetheilt würde, sondern nach dem Gutfinden Jesu, des HErrn, der nach seinen vollkommenen Gedanken Gaben austheilt und sich nach den Fähigkeiten des Empfängers richtet, dessen Fleiß und Treue er kennt und weiß, dessen Lauterkeit oder Unlauterkeit ihm bekannt ist. III. Eph. 230.

Wann wird doch die Gemeine Gottes klug werden an allen Dingen in der ganzen sichtbaren Gottesnatur? Ist doch in derselben Alles mannigfaltig! Ist die Mannigfaltigkeit der Weisheit Schönheit, warum können die eigensinnigen Menschenseelen nicht auch dahin gebracht werden, daß sie nicht Alles einfärbig und einförmig verlangen? III. Kol. 78.

Es bauen die sieben Geister Gottes nach dem Rath und im Kleide der Weisheit in der schönsten harmonischen, symmetrischen Säulenordnung die Gemeine des lebendigen Gottes, die Behausung Gottes im Geistleib bestehend, wirkend in zerschiedenen, aber höchst harmonischen Geisteskräften, aus Jesu aus und in seine Geistesgemeine einfließend mit zerschiedenen Gaben, in die Naturelle und Gemüthseigenschaften eingehüllet. IV. Tim. 73 f.

§ 271.

Da das Wachsthum des Wiedergeborenen nicht von dem unmittelbaren göttlichen Einfluß allein abhängt, die Bedienungsgaben aber unter die einzelnen Glieder vertheilt sind, so ist hiedurch für die Glaubigen das Bedürfniß und Verlangen nach der Gemeinschaft der Heiligen begründet.

„„Neuerweckten Seelen kommt es gut, wenn sie unterstützt werden. Denn nicht alle Seelen sind so ganz alles unmittelbaren Einwirkens Gottes fähig, wie es manche Mystici durchaus fordern, welche alle Art der Erbauung verachten und für Eigenwirken erklären. Wobei es aber bei den Meisten unter ihnen auf Nichts, als ein geistloses Wesen hinausläuft. Ich sage, auf das Geschwätz dieser hochmüthigen Verächter aller öffentlich-gebräuchlichen Mittel, welche heimlich anderer Mittel sich bedienen und vorgeben, als wären sie zu Allem unmittelbar gekommen, kommt es

gar nicht an. — Wohl ist es unstreitig wahr, daß Alle, die
zu sehr am Aeußern hangen und sich auf's Mittelbare verlassen, mehr den thörichten, als den klugen Jungfrauen
ähnlich sind. Denn immer nur freuen sie sich bei Anderer
ihrem Licht und haben kein eigenes, weil es ihnen an Gei-
steöl gebricht. Aber das ist auch wiederum wahr, daß, da
die Gemeine Jesu einen einzigen Leib ausmacht, der aus
zerschiedenen Gliedern besteht, diese zerschiedenen Glieder
auch unterschiedlich begabt seien; daß also Eines des Andern bedürftig ist, und also Keines entbehrt werden kann.
Daher die gliedlichen Handreichungen allermeistens als etwas Mittelbares betrachtet werden müssen und zugleich als
etwas Unentbehrliches. Dagegen aber haben wir Nichts
einzuwenden, wenn man Nichts von denen will, von denen
man weiß und wissen kann, daß sie keine lebendigen Glieder
des Leibes Jesu sind. Denn wie sollte von daher etwas
Geistvolles zu erwarten seyn? III. Thess. 5 ff.

Eine Zerschiedenheit und Mannigfaltigkeit ist etwas Rares
und Edles bei zerschiedenen Gliedern; denn diese Austheilung
ist Weisheit Gottes, der da will, daß Eins des Andern
bedürftig soll seyn, damit die Liebe soll durch gegenseitiges
und allseitiges Dienen unterhalten werden. III. Eph. 44.

Wenn wir zugeben, wie es denn billig ist, daß wir bis
an unser Ende ein Wachsen und Weiterkommen nöthig haben,
daß wir erleuchteter und verständiger, ja erfahrener sollen
und müssen werden, so ist es eben, als sagten wir deutlich:
es gibt Seelen, die es schon mehr und solche, die es noch
weniger sind. Und so es das ist, so ist ja billig, daß Min-
dererleuchtete von Mehrerleuchteten Etwas annehmen. Nicht
ist es billig, daß eben der Mehrerleuchtete sich dafür halte
und sich aufdringe, sondern, so er dafür erkannt ist, muß er
von Andern gesucht werden. Wer ihn nun sucht und in
seine Gemeinschaft will, weiß ja, warum er will, und hat
die Wahl und mit dieser hat er gewählt, und lässet sich
gerne sagen, weil ihm bei allem Gesagten die Wahl gelassen
wird. So können sich Seelen an Seelen anschließen und
eine Gemeine bilden und einander mit den Gaben dienen
nach dem Sinne des HErrn. Dieß ist es auch, was wir
vorhaben; denn Andere haben Gaben, die auch uns ebenso

unentbehrlich sind, als ihnen die unsere immerhin seyn kann. Keiner hat alle Gaben. Jeder wahre Christ ist wahres Glied; jedes wahre Glied hat eine wahre Gabe. Ei, so sollte denn Keiner fragen: was treibt denn Einige zusammen? Denn die Antwort ist klar: die Bedürfniß der Gabe, die ich nicht habe, die aber ein Anderer hat, der auch die meine nicht entbehren kann. II. Act. 313 f.

§ 272.

So bilden die Glaubigen einen Leib mit vielen sich gegenseitig bedürfenden und bedienenden Gliedern; eine Gemeinde solcher, die im Verhältniß von Wirkenden und Leidenden, Gebenden und Empfangenden zu einander stehen und durch gegenseitigen Einfluß und Genuß sich im Wachsthum fördern. (cfr. § 199.)

„„Es ist die ganze lebendige Gemeine Gottes ein einziger Leib. Und dieser besteht aus unterschiedlichen Sinnen und Gliedern. An diesem heiligen Leibe ist Jesus Christus das herrliche, heilige Haupt; an diesem heiligen, herrlichen Leibe ist jedes lebendige Kind Gottes ein lebendiges Glied oder Organ. Der Eine ist ein Aug, der Andere ein Ohr, der Dritte eine Hand, der Vierte ein Fuß u. s. w. Ein jedes Glied ist am Leibe nothwendig, eines bedarf des andern, und keines ist dem andern entbehrlich; keines soll das andere verachten; keines sich über das andere erheben. Aber alle diese Glieder haben unterschiedene Verrichtungen; es kann auch eines edler seyn als das andere und doch soll jedes das seyn, was es ist und kein anderes seyn wollen. Denn der Geist des HErrn beseelt den ganzen Leib, also alle Glieder, und Jeder wird von ihm zu dem gebraucht, wozu er am besten taugt. Also der Eine ist an diesem Leibe ein Ohr zum Hören, der Andere ein Auge zum Sehen, ein Dritter eine Zunge zum Reden. Da nun der Leib Aller bedürftig ist, soll auch nicht jedes ein Aug oder eine Zunge seyn wollen, sondern das, was es ist, soll es seyn, und zu dem ist es am tauglichsten. II. Jak. 407.

Es kann vollständige und unvollständige Gemeinschaften geben; vollständige sind, die alle Glieder haben, die zu einer Gemeinde gehören, und alle Glaubensartikel lehrend treiben.

Eine Gemeinde muß unvollständig seyn, wenn ihr Gaben und Glieder mangeln, die zum Ganzen gehören, oder wenn sie nur einige und nicht alle Glaubensartikel lehrt und treibet. Eph. 4, 13. XII. II. 260. f.

Ist Jesus Christus selbst das Haupt der lebendigen Gemeine und aller lebendigen Glieder derselben, so findet nach den Grundlehren der heiligen Schrift ein mittelbarer und unmittelbarer Einfluß statt. Jesus selbst wirket, weil er Herrlichkeit Gottes ist, auf die stärkeren Glieder, welche seines unmittelbaren Einflusses fähiger geworden sind, die also seine Herrlichkeit sind, die von ihm die Fülle der Herrlichkeit empfangen können, die er selber vom Vater empfängt. Diese nun wirken mit ihren empfangenen Geistesgaben auf die Schwächeren, und das heißet dann mittelbarer Einfluß. Denn nicht Alle sind so ganz gleich des unmittelbaren Einflusses fähig, ob sie schon auch im Geist und Wahrheit den Vater anbeten und wahre Lichtskinder sind, weil sie ein reines Lichts- und Wahrheitsverlangen in sich tragen. Darum werden diese durch die erbauet, welchen es gegeben ist, so daß sie endlich Alle hinan und zum Ziele kommen. Das ist dann gliedliche Handreichung der Gemeine geistlicher Art. Es versteht sich also, daß die Gemeine männlich-jungfräulicher Art und Natur, Tinktur und Eigenschaft seyn müsse, daß sie aus leidenden und wirkenden, aus nehmenden und gebenden, aus ausfließenden und empfangenden Gliedern bestehen müsse, da jedes Glied einzeln im Kleinen dennoch wieder eben derselben Art und Natur ist, was die Gemeine im Größeren und Ganzen ist und seyn soll. XII. II. 280 f.

Es freut uns Nichts so sehr, als daß auch hin und wieder solche Wahrheitsfreunde sind, die hinwieder Andere mit ihrem Licht anstrahlen und also die Klarheit Jesu verbreiten. So will es der HErr von uns haben; so sollen wir wirken in seiner Gemeine; dieß soll die Beschäftigung unserer Lebenszeit seyn. Dieß sind die reinen, geistlichen Vermehrungstriebe, die uns allein wohl anstehen; diese sollen wir nicht dämpfen. II. Jak. 255.

Ein sanftes Empfinden des ewigen Liebeserbarmens hat Gott im Innersten bewogen, uns seinen Herzenssohn zu geben; ein solches Erbarmen hat seinen Sohn bewogen, sein

Leben für uns zum Schuldopfer darzulegen. Ein solches Liebeserbarmen ist in die Herzen der wahren Jesusboten gegeben, und dieses dringt und treibt sie, Alles um Jesu willen und für das Heil der Seelen zu thun und zu leiden. Dieß ewige Liebeserbarmen ist der edle, priester-königliche Geist, der in allen wahren Jesusgliedern so lange fortwirken wird, bis Gott Alles in Allen ist. Denn dieses wird billig für den allerheiligsten Lichtsgeschlechtstrieb gehalten, der sich mit den Jahren einfindet, in welchen der Geist Jesu die Seelen ganz in Besitz hat und sie nämlich ganz dem Einwirken Jesu offen sind. Weit unterschieden ist freilich dieser Lichts- und Liebestrieb in seinen sanften Wirkungen von den heftigen Wirkungen des eigenen Geistes und von den Gesuchen der Eigenliebe. Ein gut Gefühl erkennet deutlich den Unterschied. III. Kor. 114.

§ 273.

Dieser gegenseitige geistliche Einfluß und Genuß ist der hochzuschätzende Gemeinschaftssegen, der aber nur bei Liebe, Einigkeit und Demuth der Gemeinschaftsglieder möglich ist.

„O wie freuen sich die Bäume des Lebens im Garten Gottes miteinander und an einander über den mittelbaren und unmittelbaren Früchten der Gottesmittheilungen. Denn dieß ist der so hochbelobte Segen der wahren Gemeine des HErrn. II. Petr. 167.

Die Liebe ist bei den Geistesgaben gewiß, wenn man anders dieselben als Geistesgaben von Gott hat. Denn die Liebe Gottes wird mit denselben in's Herz gegossen und muß die Triebfeder des Wirkens, das Element seyn, das die Gaben treibet und wachsend macht. Liebe muß sich wollen ohne alles Eigengesuch mittheilen, ohne zu wissen, wo, was, wie und wem? auf diese und jene Weise, anders diesem, anders jenem. Also die Gaben sind, wenn sie rechter Art sind, nicht ohne Liebe, denn sonst nützten sie Nichts. Einer, der die Gaben hat, muß in alle Tiefe blickend und den ganzen Plan und Vorsatz Gottes verstehend, einmal für allemal Liebe haben. IX. I. 684 f.

Wenn man den Geist Gottes erlangen will in einer Gemeinschaft, so darf das Zanken, Streiten, Wissen und

Vielwissen nicht herrschen oder Hauptsache seyn; Einmüthigkeit, Geistesverlangen und edle Sehnsucht nach Gott muß obwalten. Es sind also fatale Gesellschaften, wo nur von historischer Vielwisserei, und wo etwa auch viel Wortkrämerei und Wortzänkerei gehandhabt wird. Denn da ist's nicht zu betrachten als eine Jesusgemeine, da kann er nicht Geisteskraft und Leben ausfließen lassen, sind doch da keine lebendigen Glieder seines Leibes, die ihr Geistesleben nur mit Geistesspeisen nähren. II. Act. 40.

Eine wahre Gemeinschaft der Kinder Gottes wird nur dann mit edlen Ordnungen bestehen können, wenn jedes Mitglied in der Gemeinde das kleinste seyn will; wenn eines das andere in ungeheuchelter Demuth des Herzens für höher als sich selbst achtet; wenn jedes sich freut, dem andern Dienst leisten zu können mit seiner Gabe; wenn also eines des andern Gabe schätzt, jedes seine Gabe kennt und nur mit der dient, die es empfangen hat. In einer solchen Gemeine kann kein Flattergeist, kein sich selbst suchender Neuling bestehen; denn er wird sammt seinen Eigengesuchen erkannt und kann da keinen Einfluß haben. II. Act. 554.

Man darf davor stehen, daß alle vorzügliche Gaben mehr schaden als nützen, wo keine Herzensdemuth ist, und man hätte mehr Ursache, einen vorzüglich Begabten zu bejammern, als zu bewundern, wenn man bei ihm nicht Herzensdemuth verspüret. Denn ach Gott! was muß aus einer Menschenseele werden, wenn sie dich zum Widerstande hat! Und wer hat dich so zum Widerstand, als der Hochmüthige? III. Eph. 145.

Wie manche schöne, hoffnungsvolle und edle Pflanzen verderben und verkrüppeln in dem Garten der lebendigen Gemeine Gottes durch den leidigen Hochmuth! Denn oft ist kaum ein wenig Licht in einer Seele aufgegangen, so steht der Drache der schändlichen Eigenheit schon parat und will das Lichtskind fressen. Nicht daß er so lichtbegierig wäre, sondern er will nur Alles in die Eigenheit eingeführt haben. Wer nun ob diesem sich zeigenden Drachen nicht erschrickt und vor ihm flieht, kann ferner nicht Licht empfangen und kein Glied werden von dem Weibe mit der Sonne bekleidet, d. h. er kann keine erleuchtete, brauchbare Seele dem

HErrn werden, weil er sich die Eigenheit beherrschen und das edle Gute verderben lässet. Zu diesem Verderben werden Lobeserhebungen, wenn sie angenommen oder gar gesucht und begehrt werden, sehr viel beitragen. Daher ist der ein Seelenmörder, der gleich lobt und nicht den Schaden bedenkt, den er anrichtet, weil er sich und Andere nicht kennt. III. Phil. 49.

Es ist durchaus nicht Noth, daß ihr die empfangenen Geisteskräfte, wenn ihr solche etwa mittelbar empfangen habt, wieder durch eben denselben Canal sollt zu Gott schicken oder in die Quelle zurückführen. Das heißt: es ist just nicht Noth, daß ihr dem, durch welchen euch Gott Licht und Leben zufließen ließ, solches auf die Nase bindet; er möchte ein Dieb seyn und Etwas davon behalten und verzehren. In Gott sollt ihr's einführen und euren Geist mit demselben, daß es euch immer kräftiger wieder zufließe und ein eigener Brunn werde, der aus dem ewigen Leben kommt und wieder in's ewige Leben fließt. Wäre es bei Allen also, dann würden so viele begabte Brüder nicht bald im Anfang verdorben und nicht so viele rein ausgesogen. Aber daß diesen das Empfangene wieder vorgetragen und bekannt wird, entsteht oft eine Prasserei und Schwelgerei, daß auch geistliche Gaben mit Sinnenhurerei verzehrt werden. II. Act. 597 f.

b. Die Privatversammlung.

Grundrechte.

§ 274.

Sowohl als allgemeines Menschenrecht, da für Glauben und Gewissen nur Ueberzeugung, nimmermehr aber äußerer Zwang statt hat, wie auch als Recht der christlichen Mündigkeit hat der Gläubige völlige Glaubens- und Gewissensfreiheit gegenüber von Staat und Kirche anzusprechen und zumal als Mitglied der protestantischen Kirche zu genießen.

„„Edler kann meines Bedünkens Nichts seyn unter vernünftigen Menschen, als Glaubens- und Gewissensfreiheit, aber auch Nichts abscheulicher, als Gewissenszwang. Will

sich eine Religion mir anpreisen, so habe sie nur Gewissensfreiheit zu Grunde, so erkenne ich sie, wo nicht für christlich,
doch für menschlich. Da mir hingegen die, welche dem
Menschen diese Freiheit raubt, eine höllische Diebin ist, und
nicht nur nicht christlich, sondern auch nicht einmal menschlich
vorkommt. Ich darf und soll belehren und überzeugen, der
Andere darf auch, aber die Wahl sollen beide einander lassen,
anzunehmen und zu glauben, was jeder will. Sobald eine
Religion verfolgt, wird sie sich in den Augen vernünftig
christlicher Menschen gräulich machen; denn Christi Geist
kann nicht bei dem Mordsinne seyn. Sich trennen und
scheiden, das heiße ich noch nicht verfolgen, und wenn man
Menschen, die sich in gute Ordnung nicht fügen wollen, weg-
weist, so heißt das nicht verfolgt, aber das Zurechtweisen
muß probirt seyn. Es kann eine Religion besser seyn, als
die andere; aber wenn ich glaube, ich habe etwas Besseres,
muß es denn nun Jedermann glauben, weil ich es glaube?
muß er es glauben, er mag überzeugt seyn oder nicht? Oder
ist es nicht gerechter und göttlicher, wenn ich ihn überzeuge,
als wenn ich ihn zwingen will? Aller Religionshaß ist
wahre Narrheit, denn wenn Einer auch meines Bedünkens
in Etwas mehr irre wäre, als ich, so ist er ja deßhalb nicht
desto mehr zu hassen, aber desto mehr zu bedauern. Wer
lieber haßt, als bedauert, mangelt des Geistes Christi. II.
Act. 166 f.

Gott läßt den Menschen die Wahl, ob sie glauben wollen oder nicht. Wenn Menschen andere Menschen zum
Glauben zwingen wollen, ist es himmelschreiende Sünde;
denn das heißt tief in die Rechte der Menschheit eingegrif-
fen. Wer kann das verantworten? Das aber ist nicht nur
erlaubt, sondern ist billig, den Menschen zu überzeugen und
durch Ueberzeugung zum Glauben zu bringen. III. Kor. 31.

Laßt euch die Wahl zu prüfen und zu wählen nicht
rauben! Laßt euch ja das Recht nicht rauben, als prote-
stantische Christen Alles zu prüfen! Erkennet keinen Gewissensherrscher an, als Christum, und behauptet Glaubens-
und Gewissensfreiheit. Haltet die, welche euch dieß Kleinod
rauben wollen, für die größten und gefährlichsten Diebe;
denn sie sind satansähnliche, böse Engel und stellen sich an,

als ob sie gegen euch Wesen von höherer Art wären, und
siehe, bei genauerer Untersuchung sind sie nur verfeinerte
Betrüger! Leset ihr getrost meine Schriften, wenn ihr wollt,
und laßt sie euch mit allen grellen Vorstellungen nicht verbieten; denn es nöthiget euch ja auch Niemand, Alles zu
glauben und anzunehmen, und ich selber am allerwenigsten.
Ich weiß, daß es solche in meine Schriften Verliebte gibt
und geben wird, welche zuviel aus meinen Schriften werden
machen, und die sie Andern mit allerhand Anpreisungen werden aufdringen wollen. Diese nun sind kein Haar besser, als
andere Päpstler und Gewissensherrscher. Laßt sie hingestellt
seyn, wie sie sind, unter und neben andern; die Waare
wird sich selbst anpreisen. III. Phil. 68.

Wir sind in der protestantischen Kirche geboren und erzogen, und diese Gnade verdanken wir Gott und halten uns
für glücklich, denn in der protestantischen Kirche ist Glaubens-
und Gewissensfreiheit anerkannt; wer sollte diesen edeln Vortheil nicht erkennen? Gewiß nur der nicht, der keinen
Gebrauch davon macht. Sollten wir also den edlen Schatz
evangelisch-protestantischer Gewissensfreiheit mißkennen, uns
trennen von unserer Mutter-Kirche und sollten uns unter
das Joch einer neuen Kirchenpartei fangen lassen, allwo
uns der edle Schatz genommen wäre, den wir so hoch anschlagen? Sollten wir uns von den Ansichten herzlich gutmei-
nender Männer beschränken und einzirkeln lassen, und das
darum, weil Manche die edle Gewissens- und Glaubensfrei-
heit mißbraucht haben? Sollten wir also blos deßwegen
uns in eine, nur Kindern und Minderjährigen wohlanstän-
dige Zucht begeben? Wer kann oder wer mag uns so Etwas zumuthen? III. Eph. 37 f.

Es ist klug von der Obrigkeit, wenn sie sich in Glaubens-,
Gewissens- und Lehrsachen nicht mengen will; denn es zeugt
allemal von einem eingeschränkten Verstande und einer miß-
brauchten Gewalt, wenn die Obrigkeit gar zu gerne in Glau-
benssachen richtet und schlichtet. II. Act. 380.

§ 275.

Die Glaubens- und Gewissensfreiheit schließt die unge-
schmälerte Rede- und Hörfreiheit in sich.

„„Freiheit zu denken, zu reden, zu glauben ist protestantischer Vortheil allein. Das was ich glaube, das darf
ich auch reden, aber ich muß Gott verantwortlich seyn.
Dieses Recht also gestehe ich Jeden und sie hinwiederum
billig mir ein. Jeder darf also den Grund offenbaren, was er
darüber auch müsse erfahren. „Glaube was du willst; du
sollst es nicht sagen!" hieße das Freiheit, die Gott uns
geschenkt? Heimlich nur Etwas im Herzen getragen, heißet
zwar Freiheit in dem, was man denkt; aber damit ist kein
Voraus gegeben; das ist bei Allen, die jeder Zeit leben. III.
Eph. 46.

Daß die Pfunde zerschieden ausgetheilt sind, das ist
wahr; daß die Arbeit ungleich zerschieden ist, das ist auch
wahr. Aber noch Etwas ist auch ebenso wahr, nämlich daß
sich ein jeder Geist nach seinem Geistes-Adel ein Haus baut,
oder vielmehr einen Lichtsleib bildet; und darum ist nicht
Allen allerlei Lehrvortrag einerlei. Selbst die Wahrheiten,
die vorgetragen werden, können entweder wortreicher oder
aber geistreicher seyn. Darum gibt es auch delicate Zuhörer,
denen nicht Alles gut genug ist, ob es schon wahr ist; es
muß ihren Geist nähren, wenn es ihnen behagen und schmecken soll. Denn wenn auch ein Lehrer schon nicht verbrenn-
liche Dinge, Holz, Heu, Stroh oder Werg vorträgt, so kann
er aber doch Silber oder Gold vortragen, und der edle
Geist will auf seinen Grund Perlen haben. Darum soll
und kann man Keinen binden oder bannen. Da muß man
Jedem seine Freiheit lassen, was er gerne liest oder hört;
denn der Geist weiß, was er für Baumaterialien braucht;
ihn muß man wählen lassen. Syst. 574 f.

§. 276.

Ebenso ist das freie Versammlungsrecht ein Grundrecht
der Gläubigen, mit welchem sich die obrigkeitliche Abwehr ge-
meinschädlicher Irrthümer und Werke wohl verträgt.

„„Wahr ist es, daß wo zuviel über Ordnung gehalten
wird und wo man zuviel auf den Ceremonien hat, können
die besten Christen nicht bestehen, weil sie ihrer Freiheit
beraubt werden. Deßwegen solle auch dem Gerechten kein

Gesetz aufgelegt werden. Es muß also in der Gemeine die
Freiheit existiren, daß sich jeder auf die Weise erbauen kann,
wie er am meisten Erbauung hat. Denn gesetzt, der Vater
im Himmel ist ein Geist, ist ein freies unsichtbares Wesen,
das sich weder an Ort noch Zeit weder ein= noch ausbannen
läßt, und sucht Anbeter, die ebenfalls weder an Ort noch
Zeit sich binden lassen, die ihn immer und überall im Geist
und Wahrheit anbeten; solche Anbeter sind edel, aber auch
rar. Daß dieß die besten sind, sieht ein Jeder selber ein
und wer wollte diese an gewisse Formen, Orte und Weisen
binden? Oder glaubt man, daß diese sich binden ließen?
Darum muß eine Freiheit stattfinden unter denen, die sie
recht zu benutzen wissen. Hoffentlich wird man doch diese
auch gut kennen und wissen? Könnten wir lauter solche
Anbeter zusammenbringen, ei, so brauchte man gar keine
Ordnungen und Uebungen zu veranstalten. Da es uns aber
so nicht gelingen wird, kann es auch nicht seyn, als daß
in gewissen angeordneten Stunden gewisse geistliche Uebungen
angeordnet werden; dieß wird dann hoffentlich denen nicht
unangenehm seyn, die es auch für ihre Person nicht nöthig
zu haben glauben; denn welcher Vater sollte sich nicht gerne
zu Dingen herablassen, die seinen Kindern heilsam sind? II.
Act. 306 f.

Die Gemeinen des Herrn haben jederzeit ihre eigenen
Vorsteher, Väter, Lehrer und Führer gehabt und haben sie
noch. Ihnen kann die Landesobrigkeit keine setzen und auf=
dringen, wenn sie es mit der äußern Kirche und ihren cere=
monialischen Kirchenverfassungen und Gebräuchen halten
und ihren von der Obrigkeit gesetzten und verordneten Leh=
rern nicht entgegen und zuwider handeln, sie nicht verachten,
wie auch ihre Gottesdienste und gottesdienstlichen Verhand=
lungen nicht. Denn sobald man ihnen ihre von Gott be=
gabten und von Gott aufgestellten und legitimirten Ver=
sammlungslehrer wegsprechen und wegnehmen wollte, würde
ihnen auch der gemeinschaftliche Segen geraubt. Denn es
können deren etliche in einer versammelten Gemeine seyn;
sobald diesen das Mittheilen ihrer Gaben — es soll just
nicht Lehren oder Predigen genannt werden — niedergelegt
würde, wäre das als eine Verfolgung zu betrachten. Nun

hat es zwar solcherlei Zeiten der Verfolgungen schon gegeben, welches aber Gott sei Dank! jetzt nicht ist. Wie lange
es aber so gut thun werde, können wir nicht wissen. Soviel
ist aber gewiß, daß wenn sich die Seelen der Gemeinschaftsglieder nicht mehr von den erprobten, in Lehre und Leben
legitimirten, von Gottes Geist gedrungenen und gedrungenen,
ausgerüsteten und gesalbten Vorstehern und Werkzeugen lehren, leiten und führen, warnen und zurechtweisen lassen,
und einem jeden sich selbst suchenden Neuling und Plauderer
Gehör geben, daß sich allerhand Unlauterkeiten in Lehre und
Leben einschleichen, dann ist eine Verfolgung unvermeidlich
und die Landesobrigkeit muß sich darein schlagen kraft ihrer
Landesverfassung. Und dann wird, weil sie keine Ausnahme
zu machen weiß, das Handwerk den Lauteren, Rechten, wie
den Unlauteren, Unächten niedergelegt. Dann hat man aber
die Verfolgung nicht der Obrigkeit, sondern den unbedacht-
samen, eigensinnigen und unlauteren Seelen zuzuschreiben
und zu verdanken. Um also die Obrigkeiten nicht aufzu-
reizen und zu nöthigen — denn sie sind da an Gottes
Statt, Zucht und Ordnung zu handhaben — sollten
freilich redliche Seelen sich warnen lassen und sollten der
treuen, erprobten Seelenführer Stimme hören und ihnen
folgen. Denn das ist der Wille des HErrn. So das nicht
ist, nimmt er den Stab, die Ungehorsamen zu züchtigen,
und diesen Stab hat er der Obrigkeit gegeben; es ist ihr
selber leid, wenn Unordnung ist, daß sie denselben brauchen
muß. **II. Sal. 19 f.**

§ 277.

Die Privatversammlungen sind aber nicht identisch mit
der Gemeine; vielmehr sind die lebendigen Glieder der letz-
teren allenthalben zerstreut und ihre räumliche Vereinigung
in Eine Gemeine ist zur Zeit nicht möglich.

„„Vielleicht haben noch nicht alle meine lesenden Freunde
genug bedacht, was eine rechte Lichtsgemeinschaft der Lichtskinder ist. Nicht die zahlreichen Privatversammlungen, die
in unserem Vaterlande so häufig angetroffen werden, als
vielleicht sonst in keinem auf der ganzen Erde. Nein, We-

liebte! das heißt noch keine Gemeine. Denn da ist der Durcheinander ebenso, wie in allen kirchlichen oder gottesdienstlichen Versammlungen. Aber unter diesen allen stecken die Kinder des Lichts, die im Licht wandeln und mit Gott, der Geist und Licht ist, Gemeinschaft haben. Wer aber mit Gott im Geist Umgang hat, ist in der Lichtsgemeinschaft mit ihm und könnte man lauter solche Lichtskinder zusammenbringen, so würde das eine schöne Lichtsgemeine des HErrn seyn. Eine solche aber wird auf Erden nicht so leicht zu Stande kommen, denn auf Erden ist und bleibt Alles unvollkommen; doch aber kann Eines vor dem Andern der Vollkommenheit näher kommen, wenn er sich dessen angelegen seyn läßt. II. Act. 304.

Ob ich schon viele wahre Lichtskinder hie und da kenne, weiß ich doch, daß man Bedenken tragen muß, solche alle auf Einen Platz zu ziehen und beisammen zu begehren. Dahero wird man sie nie an Einem Ort beisammen finden können, sondern sie werden an zerschiedenen Orten wohnen, und doch Gemeinschaft haben, und das Werk des HErrn gemeinschaftlich mit einander treiben; sie werden aus schwachen und starken Gliedern bestehen. II. Act. 305.

Die ganze, große Gottesgemeine auf der ganzen Erde zerstreut ist der Garten des HErrn. Da sind in allen Religionen Pflanzen, die Gott der Vater gepflanzet hat. Aber in den kleinen Wurzgärtlein sind die Pflanzen fast aller Arten beisammen, wenn es anders auch wahre Gemeinen des allerheiligsten Hauptes sind. II. Act. 555 f.

Obschon mehrere Religionen und Religionsparteien in der Welt sind, davon sich jede für die beste hält, so möchte ich doch nicht behaupten, diese oder jene ist es hauptsächlich. Und ob ich schon glaube und bekenne, daß Eine vor der Andern besser sei, und auch natürlich meine evangelische für die beste halte, weil man in derselben die Freiheit hat, die Schrift zu lesen, zu glauben und zu denken, so glaube ich doch nicht, daß diese sei die alleinseligmachende, sondern bekenne und glaube, daß in allen Religionen, Parteien und Sekten wahre Kinder Gottes und lebendige Glieder sich befinden, daß mithin die wahre christliche Kirche in der Welt hin und her zerstreut sei, am eigentlichsten nur Gott und seinen wahren Kindern bekannt. Unheilige Glieder, die sich gar der Heiligkeit schämen, kann ich für meinen Theil zu dieser Kirche nicht zählen, bis sie sich etwan auch ändern lassen. IV. Hebr. 573.

Begreiflich hat das wahre Christenthum eine ganz andere Gestalt und Art, als es an uns allen heutzutage gesehen wird. Wir wollen aber nicht sagen, daß nicht hin und her noch solche Seelen stecken, die gar bald also zuzurüsten wären. Wenn wir aber freilich an den Mißbrauch denken, dem eine solche Gemeine heutzutage ausgesetzt seyn würde, so zweifeln wir freilich an der Möglichkeit, eine solche einzurichten. Es ist der thörichten Jungfrauen bald vollends keine Zahl anzugeben, denn es stinkt höllisch vor lauter Unlauterkeit. Nichts desto weniger muß man Jesum malen und verklären und seine Gesinnung anpreisen. III. Phil. 55.

Es hat zu allen Zeiten heilige, geliebte, auserwählte Seelen in der Christenheit gegeben, wie es ehemalen unter dem jüdischen Volk Zioniten gab. Diese unter allen christlichen Parteien und Religionen steckenden, wahren Christen sind das eigentliche, wahre Volk Gottes; diese sind die Söhne des Vaters, der heilig ist. Diese, die Kinder des heiligen und heiligenden Stammvaters, der da ist der lebendigmachende Geist, sind dann im eigentlichen Sinn wahrhaftig heilig. Zu allen Zeiten haben sich die Kinder des Lichts, die mit Gott, dem allerheiligsten Lichtquell, Gemeinschaft haben, zusammengehalten und in eine Lichtsgemeinschaft gesammelt. Doch geschahe dieß zu keiner Zeit mehr und häufiger, als in unsern letzten Tagen. Aber so wie immer und zu allen Zeiten Unkraut unter dem Waizen wuchs, also ist es auch häufiger zu unserer Zeit, und die Gemeinschaften der Lichtskinder sind sehr vermengt mit Seelen, die nicht in der Lichtsgemeinschaft Gottes stehen. III. Kor. 136.

§ 278.

Der Gläubige ist daher ferne davon, die genannten Grundrechte zur Parteisucht und Sektenbildung zu mißbrauchen.

„„Frage dich selbst: kann das Gute auch ganz gut bleiben, wenn es in die Eigenheit eingeführt wird, oder muß es sich nicht wirklich entziehen, wenn es jungfräulich bleiben soll? Insoferne Gott selbst das wahre Gute ist, zieht er sich freilich zurück und kann durchaus mit Nichts vermengt werden. Was aber das Gute betrifft, das er mitgetheilet hat, so ist es möglich, daß es durch falsche Begriffe befleckt werden kann. Warum sollten sonst korinthische Christen sich von Geistes- und Fleischesbefleckungen reinigen? Daher ist sehr wohl zu vermuthen, daß es bei allen Parteien so ganz richtig nicht sei, auch bei der nicht, die über das Wort Gottes hinaus seyn will. III. Theff. 11.

Wahre Kinder Gottes sind Kinder der oberen Mutter und sind keiner Partei zugethan, sind aber auch keine Parteimacher; in allen christlichen Parteien sind welche. Jak. 3, 17. XII. II. 259.

Da der Weisheitskinder Art, Natur und Eigenschaft keine andere seyn kann, als ihrer Mutter selbst ist, welche ist unparteiisch und weder an diese noch jene gebunden, weder an Formen noch Ceremonien, weder an Orte noch Zeiten, weder an Arten der Meinungen noch Vorneigungen, so sind begreiflich ihre wahren Kinder auch also. Sie lassen sich weder den eigenen Eigensinn noch den Eigensinn Anderer an Etwas binden oder in Etwas ein- oder ausschließen. Ein Wort Gottes ist ihnen lieb wie das andere; sie haben es in völliger Verbindung mit einander am liebsten. Folglich sind sie keiner Partei ganz zugethan, sind aber auch keine Parteienmacher, denn dieß wäre ihnen eckelhaft und widernatürlich. Sie glauben aber gerne, daß in allen christlichen Parteien welche seyn können. Denn so sie das nicht glaubten, wären sie ja schon in vorzügliche Formen verliebt und verwickelt. Jedoch will das nicht so viel sagen, daß nicht in einer Partei mehr edle Weisheitskinder seyn können, als in der andern, daß nicht eine Partei edlere Grundsätze haben kann, als die andere. XII. II. 278 f.

Im Geist und in der Wahrheit kann ich den Vater, der ein Geist ist, aller Orten anbeten und finden, und ich lasse mich durchaus an keinen Ort binden, aber auch von keinem Orte verbannen. Durchaus läßt sich mein Geist die Freiheit, die er in Christo hat, nicht nehmen. Ich handle nach meiner innern Ueberzeugung und habe Ruhe darin.

Jedermann, der Rath von mir begehrt, wird angewiesen, seinen Ueberzeugungen zu folgen. Ist er redlich gegen Gott und meinet er es lauter, so ist er guter und edler Ueberzeugungen fähig vom Geist Jesu; ist er aber unredlich und der Wahrheit nicht getreu, so wird ihn Gottes Geist behandeln, wie er ist und wie er ihn werth findet. Bei den Meinen ist er rein und bei den Verkehrten ist er verkehrt. Was kann ich nun anders machen, will ich kein Parteienmacher werden und keine Sektenmeinungen aufrichten? Wie kann ich anders handeln? Das ist wahr, ich mache einen Unterschied unter Schwachen und Starken. Diejenigen halte ich für schwach, die einen Tag vor dem andern für heiliger halten oder einen Ort vor dem andern, es sei Kirchen- oder Pietisten-Versammlung. Ferner halte ich für schwach Alle, die am Aeußern überhaupt hangen, es sei an der äußern Person Christi, oder an dem Pfarrstand, oder an Brüdern aus den Gemeinschaften der Pietisten oder Separatisten. Diejenigen halte ich für stark im HErrn, die einen Tag und eine Zeit und einen Ort so heilig halten, als die andere oder den andern und einen innern Kraft-Christum haben. Nichts desto weniger ist mir der Schwache lieb und ist mir Etwas, und ich richte mich aus Liebe, ihn zu bessern, nach ihm und halte es mit solchen Starken nicht, die den Schwachen verderben, wenn sie ihn verachten und ihm Alles über den Haufen werfen. XI. I. 458 f.

Verfassung.

§ 279.

Obgleich jedes lebendige Glied der Gemeine von dem Gesetz des lebendig und frei machenden Geistes regiert wird, so bedarf die Gemeine doch zu ihrem gesegneten Bestande einer das Verhältniß der Wirkenden und Leidenden ordnenden Verfassung.

„„Die wahren Gottsucher und Gottanbeter sind kraftvolle Geistchristen, solche, die im Licht wandeln und also mit Vater, Sohn und Geist, ja mit allen Lichtskindern Gemeinschaft haben. Dieß sind dann die Gerechtgeborenen, die selbst lauter Gesetz sind. Denen braucht kein Gesetz gegeben zu werden zum Geistesgesetz, das sie regieret und regieren kann. 1 Tim. 1, 9. **XII. II. 259.**

Nichts ist dem Wahrheitsgefühl widriger und eckelhafter, als Gewissensfreiheit raubende Veranstaltungen; man kann dieß Ding unmöglich reimen mit Gottes und Christi Sinn. Denn sobald man zu viel auf Ordnungen und Gesetze, Einrichtungen und Ceremonien verfällt, fängt das Wesen der Sache an Noth zu leiden, und vom Geiste kommt man ab und vollendet im Fleisch. Lasse man dem Geist Jesu, dem Geist der Wahrheit die edle Alleinherrschaft, so wird es gut gehen. **Syst. 533.**

Wenn aber zerschiedene Glieder einander dienen sollen, muß nicht Ordnung und Subordination der Schwächeren unter die Stärkeren seyn, wenn der Starke das nicht einmal sucht? 1 Kor. 12. Da die Gemeine des HErrn zerschiedene Gaben hat, sollte sie nicht auch zerschiedene Aemter in zerschiedenen Gliedern haben? soll man diese Gaben nicht kennen und darnach bestimmen? **XII. II. 260.**

Daß Nichts ohne Ordnung bestehen kann, ist klar. Soll aber Ordnung seyn, so müssen bestimmte Regeln und Gesetze seyn, durch die sie festgestellt ist und erhalten werden mag. **XII. II. 261 f.**

Es muß in einer jeden Sache, soll sie Bestand haben, eine Ordnung seyn. Wäre es nicht ein kleines Babel um eine Gemeinschaft, wenn man gar nicht wüßte, wer Koch oder Kellner wäre, wenn sich nicht aus Liebe Eines unter das Andere ordnete? Und wie kann eine kleine Haushaltung bestehen ohne Ordnung? Muß so nicht Alles drunter und drüber gehen? Darum soll eine gewisse freiwillige Ordnung statthaben, welche nach gewissen Regeln eingerichtet werden soll. — Unter allen Nationen und Völkern der Erde, auch unter den Heiden sind Volkslehrer, die in Religionssachen Ordnungen halten und handhaben. In der Christenheit sind die dazu verordneten Lehrer und Prediger. Und ohne Ordnung kann Nichts in die Länge bestehen. Aber in den Zusammenkünften der Erweckten sollte lauter Unregelmäßigkeit seyn? Wer sollte dieß wünschen, oder welcher ordnungsliebende Mensch sollte da erscheinen wollen? Indessen ist es freilich

da, wo man allzuviel über Gebräuchen und Verordnungen
hält und eine Hauptsache daraus macht, zu schlecht um das
Wesentliche beschaffen. Man kann auch der Gewissensfreiheit, dieser so theuren, edlen Sache zu viel damit im Wege
stehen und zu nahe treten, und es ist schon geschehen, daß
wo man zu viel über solchen Nebensachen gehalten hat, das
Gute vertrieben worden ist. Syst. 572 ff.

§ 280.

Die Verfassung einer lebendigen Geistesgemeine kann
nicht äußerlich gemacht und gesetzlich-starr festgehalten werden;
vielmehr muß dieselbe der Ausdruck des in der Gemeine herrschenden Geistes seyn und von diesem durchdrungen und belebt werden.

„„„Ich bin bei Jahren, und schon lange bin ich mit den
Gemeinschaften und Zusammenkünften bekannt; schon Vieles
habe ich auch darinnen gethan und gewirkt. Aber in den
vielen Jahren konnte ich nie dazu kommen, Ordnungen zu
machen, Befehle zu geben und Einrichtungen zu treffen, uner-
achtet ich ein großer Freund der Ordnung und ein Liebhaber löblicher Einrichtungen bin. Denn sobald mir nur der
Wunsch zu so Etwas kommt, fangt es mir an zu eckeln und
ist mir sehr geisteswidrig, weil es das Ansehen alsdann hätte,
als wollte ich mehr seyn als Andere und eine Sache besser
wissen, als sie. Und dieses Hervorragenwollen ist päpstlich,
ist herrisch und wider den Kindersinn, als dem sanften kindlichen Jesusgeist heterogenisch und zuwider. Syst. 532 f.

Diese Regeln braucht kein Papst und Herrscher gemacht
zu haben, sondern die Gemeinschaft selbst, und nur sie kann
daran ändern und verbessern. Syst. 572 f.

Wenn unter den Ansichten gegenwärtiger Kirchenbeschaf-
fenheiten und deren Mangelhaftigkeiten einige lebendige Glieder der wahren Jesusgemeinde sich vereinigen wollten und
näher zusammen zu wohnen begehrten, also eine leibliche
Gemeinschaft nebst der geistlichen bilden wollten, so müßte
dieß durch Gesetze und Regeln, durch Verordnungen und
Anstalten geschehen, da es ja ohne Ordnung nicht angefangen
noch fortgeführt werden könnte. Wenn denn nun Gesetze und

Ordnungen von den anerkanntesten Gliedern aus den apostolischen Schriften und den ersten Christengemeinden genommen und festgestellt würden, und Jeder, der angenommen würde, sich dazu bekennen müßte oder nicht angenommen werden könnte, so müßten ja in dieser neuen Gemeinde (die sich alt nennen würde, weil sie sich auf die apostolischen Grundsätze gestellt zu seyn berufen würde) auch Leute an der Spitze stehen, die in zerschiedenen Rangordnungen die Gesetze und Ordnungen müßten handhaben, und müßte also auch diese Rangordnung auf die erste apostolische sich begründen, und die gewählten Personen nach dem vorzüglichen Geistesmaß und Charakter gewählt werden. Eine solche Gemeinde nun könnte eine Zeitlang herrlich bestehen, so lange nämlich solche weisheitsvolle Geistesmänner an der Spitze stünden. Sobald diese weg wären und es an solchen mangelte, würde es wiederum in's Aeußere ausarten, gleichwie das Erste ausgeartet und bisher alle Kirchenverfassungen ausgeartet haben, und weiter nichts seyn, als daß eine Babylonstochter weiter geboren wäre, die dann, ob ihre äußerliche Form etwas mehr Aehnliches mit der ersten apostolischen hätte, doch deßhalben auch nicht lebendige Jesusgemeine wäre, ob sie sich deß schon rühmen würde. Denn das thut ja nicht nur das alte Babel, sondern alle ihre Töchter. Verstehet aber unter Babel nichts Anderes, als die ausgeartete, geistlose Christenheit in allen Religionen, Parteien und Sekten auf Erden hie und da. IV. Tim. 90 f.

So viel gestehe ich ein, daß wenn ich heute anfienge, eine Gemeinde zu bilden, und ich müßte ihr die beste Verfassung und Einrichtung zu geben, und würde auch die, meinem Bedünken nach, edelsten Menschen dazu auswählen, so würde es in kurzer Zeit auch ein kleines Babel seyn, und ich würde nur ein kleines Gäßlein in der größeren Babel erbauen mit besonderen Formen und Ceremonien. V.Off. 554.

§ 281.

Die Gemeine regiert daher sich selbst, indem sie durch gemeinschaftliche Uebereinstimmung Aller sich freiwillig ihre Ordnung gibt, handhabt und befolgt oder ändert.

„„Eine gewisse Autorität muß in den Gemeinen seyn;

nicht als ob man sich dieser unterwerfen müßte, gleichwie
es bei dem Papstthum der Fall ist, sondern es kann nur
festgesetzt werden: wer sich in das nicht fügt, was von Verständigen ausgemacht und festgesetzt ist, kann in der Gemeine nicht bestehen. Indessen aber muß man einem Jeden
Bedenkzeit geben und einen Jeden anhören. Kann er uns
eines Bessern überzeugen, so muß man es annehmen; kann
er aber das nicht und man kann auch ihn nicht gründlich
überzeugen oder überweisen, so muß man über sein Gewissen
nicht wollen herrschen, sondern ihn seiner Meinung gewiß
seyn lassen; sonst ist es päpstlich und also verwerflich. Ich
für meinen Theil bin nicht geneigt, Jemand Etwas aufzu-
dringen; denn ich habe es auch nicht gerne. Doch kann
man mir nicht zumuthen, daß ich einen offenbaren Irrthum
billige, oder aber gut heiße oder ungeahndet lasse. Da aber
Keiner sagen kann: du mußt dich fügen, so bleibt die Sache
in eines Jeden seine Wahl gestellt. Vergibt also Einer die
Wahl, auf daß er mit dem Andern in Gemeinschaft seyn möge,
und er ist überzeugt, daß er seine Weise und Meinung daran geben kann, so glaubt er ja zu gewinnen, und seine
Wahl hat freiwillig gewählt. So können sie dann Gemeinschaft haben und einerlei Weise annehmen. II. Act. 310 f.

Wenn denn aber gesagt ist, daß in gewissen Fällen eine
Autorität seyn und stattfinden müsse, woher soll diese kommen,
und wer soll die handhaben? Ich weiß Niemand, der die
wird wollen, und wer die wollte, den würde ich verabscheuen.
Wenn denn nun Alle also denken, wo wird man Jemand auf-
treiben? Ich denke, unter wahren Christen wird Keiner funden. Und wenn denn doch eine seyn muß, woher soll sie
kommen? Da kann ich mir denn keine andere Vorstellung
machen, als es müssen nur die Einig-gewordenen Gesetze
und Regeln allgemein feststellen und annehmen, und diese
müssen dann, gemeinschaftlich anerkannt und angenommen,
die Autorität haben. Soll es aber eine gottgefällige Autorität seyn, so muß es geschehen, daß alle Regeln und Gesetze
auf das Allergenaueste mit dem Wort Gottes geprüft und
nach dem Wort Gottes festgestellt werden, auf daß eigentlich nur Gottes Wort und sein Geist die Autorität habe und
kein Mensch, er sei auch, wer er wolle; denn ein protestan-

tischer Christ hat und erkennt keinen Papst. Wenn nun
aber das seine Richtigkeit hat, ei, so muß ja ein Anderer
eben das Recht haben zu protestiren, welches vor ihm ein
Anderer auch hatte, und muß so lange, als Etwas zu verbessern ist, das Protestiren nicht mit Recht abgethan werden.
Mithin muß auch die Gemeinschaft verbundener protestantischer Glieder und Brüder Nichts so festsetzen, daß es nicht
könnte gebrochen werden, daferne es verbessert werden kann
nach dem Sinn des Wortes Gottes, welches eben darum
allein die Autorität haben muß und soll. So muß denn
also ein Jeder die Freiheit haben, seine Meinung zu sagen,
und er muß gehört werden. Und hat er mehr das Licht
und Recht auf seiner Seite, so wird ihm auch billig nachgegeben. Denn wenn wir nicht glauben, daß wir selbst eine
immer fortdauernde Verbesserung noth haben, so sind wir
schon irre, denn wozu sollten wir länger da seyn, als immer
weiter zu kommen? Und da wir also weiter zu kommen
und zu wachsen haben, beweisen wir unsere Unvollkommen-
heit; mithin ist auch das, was wir machen und beschließen,
noch unvollkommen zu betrachten. II. Act. 312 f.

Zucht.

§ 282.

Da der Geist in der lebendigen Geistesgemeine herrscht,
so muß Alles, was sich in ihr dem Geist entgegensetzt, bekämpft und ausgestoßen werden. Hierauf beruht Pflicht und
Trieb der Gemeine, an ihren Mitgliedern Zucht zu üben.

„„Wir lernen aus 1 Kor. 5., wie man es halten soll
in Ansehung der Versammlungen der Glaubigen und Wiedergeborenen. Das, was Paulus dem Blutschänder zu Korinth
gethan hätte, kann man jetzt nicht allen öffentlichen Laster-
menschen, die in die Kirchenversammlungen gehen, thun.
Wer so scharfe Kirchenzucht halten wollte in Ansehung des
Ganzen, der würde nicht viel Zuhörer behalten und eben
nicht viel Gutes stiften. Wer in der lutherischen Kirche im
Großen überall so streng fahren wollte, würde mehr verderben als gut machen, denn hier heißt es: lasset es mit
einander wachsen bis zur Ernte. Das Fischgarn hat jetzt

29 *

gute und böse Fische in sich; am Ende wird man es auseinander lesen und das Gute sammeln und das Andere wegwerfen. Jesus hatte allerhand Zuhörer, er ließ gehen und
kommen, wer wollte. Wer Etwas faßte, der hatte es, wer
ein Ohr hatte, der hörte, wer keines hatte, hörte nicht.
Und so muß man es noch gehen lassen; es wird Mancher
doch, nach langer Zeit erst, gerettet, und die Anstalten stehen
auch um eines Einzigen willen wohl, sie haben doch immer
ihren Nutzen. Aber in den besonderen Versammlungen der
wahren, wiedergeborenen Christen, da man Erbauungsstunden
hat und hält, da sollte man so scharf seyn, als zu der Apostel Zeiten, und offenbare Sünder nicht lassen dabei erscheinen,
bis sie Besserung zeigten. Da sollte man die draußen, die
unwiedergeborenen Nam- und Mund-Christen gehen lassen
und die, welche sich zur Brüdergemeinschaft gethan haben,
richten. Denn auf die siehet man genau, und unter denen
kann ein ärgerlicher Mensch Vieles schaden, einestheils an
denen draußen, daß sie nicht hereintreten um eines ärgerli-
chen Menschen willen, daß sie raisoniren und die Sache für
verdächtig halten und sich besser dünken; anderntheils daß
ein Solcher noch Mehrere ansteckt und als ein Sauerteig
noch Mehrere ansäuert. IX. L. 417 f.

Was Jesu und seiner Gemeine Unehre macht und Andern anstößig ist, kann nicht bestehen und muß ernstlich
geahndet werden, und wo keine Besserung ist, da ist Aus-
schließung nöthig. XII. II. 262.

Die wahre Gemeine des lebendigen Gottes wird nach
wie vor immer durch den Geist der Wahrheit in alle Wahrheit
geleitet. Wo also da oder dort sich Etwas zeigt, das von
ebendemselben Geist nicht ist, wird es auch nicht geduldet.
Wer sich also vom Irrthum nicht scheiden will, der muß
sammt demselben hinaus und kann in wahrer Gemeine nicht
bleiben. II. Act. 65 f.

**Wenn da oder dort Etwas anzubringen ist und es seyn
soll, werden wir nicht ermangeln, zu sagen, was zu sagen
ist und zu ahnden, was geahndet werden muß. Denn mir
und meinen Mitgehilfen geziemet es, in unserer Gemeinschaft ein wachsames Auge zu haben und allen Unlauterkeiten
in Lehre und Leben zu widerstehen, so viel als möglich ist.**

Dinge, die zu heimlich sind, daß wir sie nicht erkundschaften können, werden auch nicht von uns gefordert; aber gegen dem, was offenbar ist und ausgespäht werden kann, sind Alle verantwortlich, und so sie etwas Unrichtiges finden und nicht selbst ahnden wollen, sollen sie es denen anzeigen, die das Herz und die Freimüthigkeit haben, es zu ahnden. Denn so Jemand die Gabe des Ermahnens hat, soll er sie auch nützen und soll der Gemeine damit dienen und also ermahnen. Wer das nicht leiden will, weil er selbst schon Hahn im Korbe seyn will, der wird als ein Widerspenstiger mit allem Recht aus unserer Gemeine ausgeschlossen. II. Gal. 6 f.

Man muß reden und schreiben, wenn man es kann, wenn man dazu aufgefordert ist. Zweierlei Haupturfachen hat man: denn erstlich ist es Sache des HErrn, der eine lautere, reine Geistesgemeine haben will, die ihm auch Ehre und Freude machen will. Und dann zweitens ist es nothwendig um der Obrigkeit willen, in den Gemeinschaften alle Unordnungen zu verhüten, weil sie sonst die Hand darein schlagen muß, und ich weiß gewiß, daß sie daran keine Freude hat. II. Gal. 21.

Wer sich nicht will warnen lassen von denen, die doch erfahren sind, der entferne sich von ihrer Gemeinschaft und nehme es nicht für übel, wenn man die sauber haben will. III. Theff. 128.

§ 283.

Die Macht hiezu beruht in der lebendigen Gemeine nicht auf einer Unterstützung weltlicher Obrigkeit oder Gewalt, sondern lediglich in der Kraft des Geistes Gottes.

„„Unsere Volkslehrer in der Christenheit haben ihre Macht und Gewalt von der weltlichen Obrigkeit, hingegen die Apostel hatten sie unmittelbar von Christo empfangen. Daher rufen unsere Lehrer alsbald die Hülfe der Obrigkeit an und suchen Alles auf diese Art zu erzwingen. Gleich überantworten sie Jesum in seinen Gliedern den Dienern Herodis. Hingegen die wahren Gottesgesandten haben höhere Gewalt und rufen da, wo es nöthig ist, die Gerichte Gottes auf; können in der That die Sünden behalten, daß sie im Himmel ebenso behalten sind; sie können aber auch Sünden ver-

geben, daß es auch im Himmel vergeben heißt. Das können
Wenige mehr auf Erden, denn es sind die Gesandten Gottes
außerordentlich rar. III. Kor. 285 f.

§ 284.

Ebendeßhalb muß auch die Zucht in dem evangelischen
Sinn des Geistes geübt werden, welcher das Böse nicht tragen kann, aber des Reumüthigen sich annimmt.

„„Ein Starker braucht sich seiner Stärke nicht zu rüh-
men, sie wird am Tragen erkannt. Jedoch muß man nicht
denken, daß ein Starker Dinge tragen müsse, welche Gott
nicht getragen haben will. Denn es ist oft ein Zustand der
Seele mehr Bosheit als Schwachheit, und das ist denn eine
Sache, die nicht getragen werden muß; es könnte ein solch
Tragen in ein Eli-Priesterthum ausarten, wovor uns Gott
Alle bewahren wolle. IV. Hebr. 479.

Die erfahrensten Gemeindeglieder müssen sehr tolerant
seyn; diese müssen bestimmen, was in der Gemeine angehen
kann oder nicht. Diese haben über sich selbst und über die
ganze Heerde genau zu wachen. XII. II. 265.

Brüder! wenn auch ein Mensch einen Fehler macht und
in irgend einem Sündenfall erhascht und vor einem Andern
in einer Sache sehr schwach und leicht gefället wird, so vergesset nicht, daß er noch ein Mensch sei, und daß auch ihr
Menschen seid, und daß vielleicht ein Anderer, der ihn an-
klagt, in etwas Anderem stecken oder darein fallen kann.
Ist der Gefallene reumüthig, gebrochen und gebeugt, so ist's
unnöthig, daß man ihm eine strengere Strafpredigt hält;
sondern einen solchen fast Verzagten bringet ihr, die ihr
geistlich und des priesterlichen Sinnes theilhaftig seid, wieder zurecht mit mitleidigem Herzen und sanftmüthigem Geist.
II. Gal. 98.

Wenn freilich ein Gefallener nicht gefallen seyn will und
nicht will gefehlt haben, dann ist's ein Anderes. Einem
solchen soll und darf man Vorstellungen machen, das Gewissen schärfen und sein Verderben in's Licht stellen. Aber das
merket euch genau: es gibt gewisse Versuchungen, die den
Geisteskräften des armen versuchten Menschen überlegen und

zu ſtark ſind, die als Leidenſchaften in ihm haften zur Gewohnheit Lohn. Was iſt denn nun da zu thun? Iſt es
denn nicht billig, daß der Stärkere an dem Schwächeren das
trage, womit er in ſeinen ſchwachgeiſtlichen Kräften überladen
iſt? und kann es nicht auch Etwas geben, das ihm ſelbſt,
dem Starken, wie überlegen iſt, daß man an ihm hinwiederum auch zu tragen hat? II. Gal. 99.

So der Böſe ſich vom Böſen ſcheidet, ſoll er angenommen werden. Nur der, welcher ſich vom Böſen nicht ſcheidet und ſeparirt, vielmehr eins iſt und bleibt mit dem Böſen,
muß ſammt dem Böſen, von dem er ſich nicht ſcheiden will,
aus der Gemeinſchaft der Lichtskinder ausgeſchloſſen ſeyn,
gleichwie er auch von der Lichtsgemeinſchaft Gottes ausgeſchloſſen iſt. Wer aber ſich von Sünde und Finſterniß ſcheidet und Licht verlangt und liebt, kann in die Lichtsgemeinſchaft Gottes gelangen, ſoll alſo auch von den Lichtskindern
wieder angenommen werden; denn ihn wird das Blut Jeſu
von den Sünden reinigen, die er nun fliehet und haſſet.
III. Kor. 37.

Nicht alsbald Steine in die Taſche ſtecken, dann mit
dem armen Miſſethäter zum Richter eilen und ihn um Er-
laubniß bitten, denſelben auf friſcher That zu ſteinigen; ſondern in ſich gehend, hunderttauſend dergleichen Dinge in
ſich findend, in ein Erbarmen ſinkend, über Fallende und
Fehlende voll Mitleiden, zumal wenn ſie voll Reue und Zer-
knirſchung ſind — ſo ſollen wir uns finden laſſen und alſo
bereit ſeyn, die Gefallenen aufzurichten; dann ahmen wir
Paulum, ja ſogar unſerem höchſten Urbild nach. Solche
prieſterliche Seelen will er haben und machen. Gebt euch
her, Freunde! zu dieſem und betrachtet alle Dinge auch in
einem höheren Lichte! Was braucht ihr denn eine Strafpredigt zu halten dem, der ſchon zerknirſcht und zerſchlagen
iſt? Weislich und ſanft ſoll er behandelt ſeyn. Aber mit
Heuchlern laßt euch nicht ein; denn ob ſie ſchon bedaurungs-
würdige Seelen ſind, iſt's doch nicht angelegt, was man
an ſie wendet. Selig ſind die Leidtragenden mit den armen
Leidtragenden! IV. Philem. 310 f.

So ein Bruder unordentlich und nicht nach der Wahrheit wandelt, ſoll man ihn nach etlichen ernſtlichen Vermah-

nungen ausstoßen und heißen wegbleiben; doch soll man vorher und nachher ernstlich für ihn beten und ihm sagen, daß er mit erfolgender Besserung wieder an- und aufgenommen werde. Auch kann es also gehalten werden: wenn ein ungerechter Bruder nach etlichen und vielen Vermahnungen sich doch nicht bessert, muß man ihm eine Krankheit oder sonst eine Züchtigung bei Gott erbeten, daß seine Seele gerettet werde. Denn Paulus hätte den Blutschänder nicht dem Satan übergeben zur ewigen Höllenqual, daß er ihn hätte dürfen nach seinem Willen hinnehmen, wie er hätte wollen. Nein, nur so hätte er ihn hingegeben, daß er ihn hätte dürfen plagen mit Krankheit, daß sein wollüstiges Fleisch wäre gezüchtigt und gebändigt worden. IX. I. 418 f.

Cultus.

§ 285.

Der Gottesdienst der Wiedergeborenen ist eine Anbetung Gottes im Geist und in der Wahrheit, unabhängig von Zeit, Ort und Form.

„„Gott sucht Anbeter, die, wie er, weder an Ort noch Zeit, weder an Formen noch Ceremonien sich binden, die ihn, den Allgegenwärtigen, im Geist und Wahrheit anbeten und mit Gottes Kräften wirken. Joh. 4. **XII. II. 259.**

Es heißt Joh. 4., der Vater, der ein Geist, ein freies, ungebundenes Wesen sei, der sich weder an Orte noch an Zeiten binden lasse, suche auch solche Anbeter, die sich weder an Ort noch Zeit binden lassen, die allenthalben und überall mit Gott wirken, deren Glaube Gotteskräfte und* Gottes-Herrlichkeit, Herrlichkeitskräfte und Wesen faßt. Denn die Alles erfüllenden, durch Alles und gleichsam in Allem wirkenden Gotteskräfte brauchen sich nicht hin und her zu bewegen, sie erfüllen und durchdringen Alles, können von Nichts ein- noch ausgeschlossen seyn, sind jungfräulich, unberührlich, ungehalten und ungebunden, unfaßlich und unräumlich. Wer Gott nicht so kennt, bindet sich an Orte und Zeiten, weil er sich Räumlichkeit und Persönlichkeit denkt und vorstellt und ebendaher an den Dingen, welche die Sinnen rühren und zur Andacht bringen sollen, bindet. Diese Art Menschen kann wohl bei einer Gemeine bestehen; bleibt sie aber also, so ist sie umsonst dagewesen und ist kein Zweck an ihr erreicht. Denn das heißt ja Sinnlichkeit und ist bei Weitem keine übersinnliche Geistessache. XII. II. 273.

§ 286.

Das geistliche Priesterthum ist das Wesen und sein Verlust theils Ursache, theils Folge des Verfalls in's ceremonialische Schattenwerk.

„„Wenn sich nicht endlich Alles in geistlose Ceremonien ausartete, würden wir schon lange auch Ordnungen und Anstalten gemacht haben, da wir ja wohl wissen, daß ohne Ordnungen in's Große Nichts lange bestehen kann. Aber nein, wir wollen keine neue Sekte bilden, welche mit gewissen Formen sich auszeichnet, wohl wissend, daß auch die endlich in's Geistlose, Ceremonialische sich ausarten würde. Wir wollen unser Tagewerk treulich verrichten, bringe es Frucht, wo es will und wie viele es will. Könnten wir nur recht viel geistliche Priester bilden! Seelen, die mit vielen Herzensgebeten sich der Sache Gottes möchten recht annehmen, das würde uns ein Vergnügen seyn. IV. Hebr. 256.

Solltet ihr nicht einsehen, daß alle Religionen und Religionsparteien einen guten Anfang genommen haben und sich erst im natürlichen Grund und Boden durch die Länge der Zeit ausarteten? Daher das strenge Halten über den Formen und Gebräuchen. Denn die Nachkommen haben die Nebensache ihrer Vorväter zur Hauptsache gemacht, indem sie die Hauptsache so nach und nach verloren. Wenn wir heute die edelsten Kinder Gottes auf der ganzen Erde könnten zusammenbringen in eine Gemeine, die nahe beisammen wohnte, und sie würden gewisse Formen und Weisen als Nebensache annehmen, so würde in hundert oder mehr Jahren die Sache in's Aeußere ausarten. Denn die Seelen, die das Wesen des Schattens hatten, würden weg seyn und der Schatten würde bleiben. Wir erwarten das auch nicht anders. Aber das machts eben, daß wir darum den Schatten nicht für den Körper halten, daß wir oft vielleicht den

Schatten zu wenig achten um des Wesentlichen willen. Doch ists besser, als es im umgekehrten Falle ist. **IV. Tim. 53.**

Jede neue Babylonstochter artet wieder in's Aeußere aus und hält, da sie den Geist verliert, fest an den Hülsen und Schattengestalten, wie alle älteren Kirchenglieder von jeher gethan haben, und ist im Grunde wenig Unterschied unter alten und neuen. In allen können wahre Glieder der Gemeine Jesu stecken. Bei den andern ist's Eins, ob sie sich zu dieser oder jener Form bekennen, ob sie sich gleich Vorzüge vor Andern einbilden. Denn die Geistesgemeine macht nicht die Hauptsache zur Nebensache und die Nebensache zur Hauptsache, wie die geistlosen Glieder aller Religionen und Sekten thun, sondern nebst der Hauptsache — welche ist Wiedergeburt und Geisteskraft, Christi Geist und Sinn — haben sie meist die Form der Kirche, in der sie geboren sind, beibehalten, ohne daß sie die Kirche mit ihren Formalitäten und besonderen Meinungen für die alleinseligmachende halten. Sie, die wahren Glieder, hangen nicht am Aeußern; sie beten Gott im Geist und Wahrheit an und lassen sich, so wie Gott selbst, weder an Ort noch Zeit, weder an Form noch Meinung binden. Denn eben darum sind sie nichts weniger, als Babylons, sondern wahre Kinder der oberen Mutter, welche mit Geistesgesetzen regiert werden. Diese können also nicht anders als apostolisch und ursprünglich seyn, weil sich Gottes Geist nicht widerspricht. **IV. Tim. 89 f.**

§ 287.

Aeußerliche Cultusformen machen wohl auf den sinnlichen Menschen einen Eindruck, aber sie geben keine Geistesnahrung. Für den geistlichen Menschen taugen sie nicht viel.

„„Wir bekennen öffentlich, daß wir auf alle Arten und Weisen der Gottesdienstlichkeiten, Ceremonien und Arten derselben nicht viel setzen und keinen großen Werth darauf legen. Wenn nicht in einer Lehre auf wahre Wiedergeburt und eine neue Creatur gedrungen wird, so gilt sie bei uns nicht viel, und ob sie Wunder meinet und sich noch so sehr ausbreitet, das ist uns Eins. Genug, in unsern Augen wird Vieles nicht groß geachtet, also auch nicht hoch angeschlagen, was Manchen fast sehr erbaulich seyn sollte. Denn es ist oft nur für den sinnlichen Menschen und zieht ihn eine Weile vom Weltlichen ab, aber einen übersinnlichen, geistlichen Menschen, eine neue Creatur macht es nicht aus ihm. Ich kenne Seelen, die bis zum Erstaunen gerührt und fast enthusiastisch werden, wo große Feierlichkeiten celebrirt werden, daß man glaubte, sie würden beinahe entzückt werden. Allein nachher hat das Eitle noch mehr Eindruck auf sie gemacht, als vorher, und sind also um kein Haar verändert oder gebessert worden, und ist weiter Nichts, als auch Eitelkeit und Verzehrung des Geistes. Man fand sogar auch, daß solcherlei Seelen für die kräftigsten Gotteswahrheiten wenig oder gar kein Ohr haben, und daß dieselben wenig Eindruck auf sie machen. Denn was sie schätzen, muß in die Sinne fallen und für den sinnlichen Menschen Reiz haben. Nach erstgedachtem Satz kann also einen Reiz auf den sinnlichen Menschen machen entweder eine zahlreiche Anwesenheit versammelter Menschen, oder eine Gegenwart geachteter, angesehener Personen, oder das Ansehen eines geachteten Lehrers, oder schon seine ausgezeichnete Kleidung, oder auch die ceremonialischen Verrichtungen, Musik u. dgl. Handlungen. Reiz kann auch Eindruck, entweder schnell wieder vergehender oder auch dauernder Eindruck werden. Ob also schon solche Dinge alle nicht verwerflich sind, so haben sie doch den Werth nicht, der von Manchen ihnen beigelegt wird. Denn die Hauptsache ist eine neue Creatur. II. Gal. 109 f.

Was hat nicht der fleischlich Gesinnte auf heiligen Ceremonien und Andächteleien! wie wird er nicht gereizt, weil er überhaupt für das Irdische noch gar viele Reize hat? So aber nicht ein geistvolles Gotteskind. III. Kor. 249.

Ceremonielle Andachtsübungen geben wohl auch Eindruck, aber nicht Geistesnahrung. Geist und Leben wird entweder unmittelbar vom HErrn oder durch kraftvolle Worte von dem HErrn mittelbar gegeben. III. Kol. 105.

Es ist leider bekannt, daß alle nachlässigen Christen sehr verfallen und sich immer mehr nach und nach nach Andern richten; sie sind meistens, je mehr sie vom Innern abkommen, immer größere und ernstlichere Beobachter des Aeußern, weil sie doch die Heiligkeit und das Christenthum in Etwas setzen müssen. IV. Hebr. 10.

Alle abnehmenden und zurückkommenden Christen verfallen gern auf das Ceremonienwesen. IV. Hebr. 243.

Lehre.

§ 288.

In Betreff der Lehre läßt sich die Gemeine ebenso wenig durch eine confessionelle Lehrnorm beherrschen, als sie dieselbe der ungebundenen Willkühr des Einzelnen preisgibt. Vielmehr ist ihr die heilige Schrift einzige und absolute Norm und Quelle, aus welcher sie die ganze Wahrheit unparteiisch schöpft und nach welcher sie alle Lehre und Lehrer kraft der ihr inwohnenden Geistesgabe prüft.

„„Wer Mangel an Einsicht in Ein Wort Gottes hat, der hat begreiflich Mangel der Einsicht in alle. — Wir glauben nicht nur etliche, sondern alle Worte Gottes; darum vertheidigen wir auch alle. Es liegt gottlob! nicht mehr so hart auf uns das Joch der Symbolen und der Orthodoxie; darum reden wir freier von Gott und Christo, von der Wiedergeburt, vom Zustand nach dem Tode und den letzten Dingen. Auch kann es geschehen, daß wir von einem tausendjährigen Reich und von einer Wiederbringung aller Dinge reden, weil wir's glauben; wer es dann nicht glauben will, hat ja ebenso die Wahl, als auch wir. Wer nicht alle Wahrheiten der heiligen Schrift zu verstehen begehrt, ist kein ächter Bibelchrist, er mag nun übrigens so gut und heilig gesinnt seyn, als er will. Nicht sage ich, daß er gar kein Christ sei und nicht selig werde, sondern ich sagte nur, daß er kein Bibelchrist sei. — Wer nicht alle Schriftwahrheiten glaubt und alle respektirt und auch alle Schriftwahrheiten im Geist zu erkennen und zu verstehen verlangt, der mag übrigens Historiker oder Mystiker, Theolog oder Theosoph, er mag Philosoph oder Neolog, Herrnhuter oder Separatist, Quäker oder Wiedertäufer oder deß Etwas seyn, er mag so heilig und präcis seyn als er will — in unsere Gemeinschaft taugt er nicht, weil man darin alle Wahrheiten

glauben und verstehen will und mit einander zu reimen trachtet.
Wer das nicht auch also will, der will uns ja auf seine
Seite bekehren, die doch nur einseitige Grundsätze oder unvollständige Lehren hat. Darum kann er im Segen bei uns
nicht seyn und bestehen, ob er schon bei seiner Einseitigkeit
und bei der Unvollständigkeit seiner Begriffe ein Kind Gottes
seyn und selig werden kann und vielleicht auch wirklich besser
stehet, als wir. Er ist vielleicht in Gemeinschaft mit Gott
und uns im Lichte, aber nichts in unserer Zusammenkunft nütze. Denn alle die, welche in unserer gemeinschaftlichen Zusammenkunft Segen holen oder stiften wollen, müssen
alle Gotteswahrheiten zu verstehen verlangen oder sie wirklich verstehen. III. Kol. 14. 16 ff.

Kindern der Weisheit und Wahrheit, also nur Kindern
der oberen Mutter schrieb ich, als meinen Geschwistern —
denn nur die Kinder der oberen Mutter verstehen sich unter
einander in ihrer Muttersprache, die in ihrer Mutter Hause
üblich ist, und da sie nicht durch Säugammen erzogen sind,
hangen sie auch nicht an Menschen, menschlichen Lehrformen,
Sitten und Gebräuchen, sondern an der Wahrheit, und
darum sind sie unparteiisch. III. Kol. 25.

Wollen wir doch Niemand an unsere Meinungen gebunden haben, und der soll uns vergeben, der das bisher gemeint hat. Denn so soll's durchaus nicht seyn! Päpstliche,
an sich gerissene, nicht von Gott empfangene Gewalt ist es,
die Menschen an Meinungen, Confessionen und Legenden zu
binden. Schändlicher Gewissenszwang ist's, dessen sich ein
Kind Gottes schämt, vor dem es einen Gräuel hat, wie
vor dem Satan selbst und der finstern Feuerhölle. Lasset
doch den Menschengewissen den edlen Schatz ihrer Freiheit; raubet ihnen nicht, was Gott gab; seid nicht solche
Gottesdiebe, ihr meine Lieben! Hasset Niemand und achtet
Keinen geringe darum, daß er euren Sinn nicht hat und
nicht eurer Meinung ist. Denn es ist noch nicht entschieden,
ob eure Meinung besser sei, als die seine, oder ob die seine
besser sei, als die eure. Lasset keinen Papst in eurer Seele
aufkommen, denn er ist satanischer Hochmuth, kann also
nicht bestehen und muß über kurz oder lang untergehen.
Was will ich damit sagen? Es soll Niemand dem Andern

seine Meinung mittheilen? hat's etwa diesen Verstand? Nein! damit verurtheilte ich mich selbst, sondern es soll nur soviel gesagt seyn: man will Niemand an unsere Meinung gebunden wissen, so wie auch wir uns an keine binden lassen. V. Off. 516 f.

Es kann nicht jeder Kopf seinen Einfällen folgen; die Gemeine hat das Recht zu überlegen und nach Gottes Wort und Licht zu prüfen, weil sonst Unordnungen unvermeidliche Folge seyn würden. XII. II. 263.

Sollte man die sich selbst suchende Eigenheit unlauterer Mystiker nicht alsbald im Geist fühlen und doch den Geist Gottes in sich haben? Dieser sollte also in der Seele seyn und nicht bezeugen, ob Geist Wahrheit sei oder nicht? Woher dann Sympathie oder aber Antipathie? II. Act. 224.

Wenn ein Gesicht oder Offenbarung ein Wort Gottes klar zu machen scheint und es harmonirt nicht mit der ganzen Wahrheit, so ist auch das Eine, das es zu beleuchten geschienen hat, mißverstanden; folglich kann diese Disharmonie nicht vom Geiste Gottes seyn, d. h. er kann nicht mitgewirket haben. Mithin ist's falsch bei allem guten Schein. Fasset es als einen ewig festen Grundsatz, daß sich Gottes Geist und Wahrheit nicht widersprechen kann; alles Widersprechende beruht auf falschen Begriffen, und falsche Begriffe sind möglich, wo entweder nicht auf den Geist Gottes gemerkt oder wo aus unlauteren Absichten ihm vorgeloffen wird. II. Act. 225.

Sollte denn das, was nicht aus Gottes Lichts- und Liebeswillen Ursprung hat, auch ein wahres Licht- und Liebewesen seyn können? Oder sehet ihr denn solchen vermengten, scheinenden Betrug nicht ein? kennet ihr ihn nicht an seiner falschen Mercurialität? oder sollte euer Geist nicht alsbald kosten, daß solche Speise nicht Gottes Gartengewächse ist? Sollten denn Kinder Gottes Schein und Seyn, Schatten und Wesen nicht unterscheiden können? oder glaubt ihr nicht, daß etwas Unrichtiges zu Grund liegen muß, wenn man sich begaukeln oder von einer falschen Tinktur bezaubern läßt? Ich stehe dafür, lautere Seelen fühlen und riechen, was ein wenig schlangisch riecht und schmeckt. II. Petr. 214.

Sollten denn die Pflanzen in dem Garten der wahren Gemeine es nicht mit geistlichen, lauteren Sinnen riechen, wenn sich stinkende Pflanzen unter ihnen befinden, die in dem Mist der Sinnlichkeit grünen und in einer falschen Tinkturkraft blühen? Oder sollte sich ein Fleischlicher nicht mit seiner Schlangensprache bald verrathen? IV. Hebr. 764 f.

Die Geister soll man prüfen, die aber freilich nur der recht prüfen kann, der die gesunde Kost gewohnt ist und durch öfteren Genuß derselben gutgeübte Sinnen bekommen hat. IV. Hebr. 253 f.

§ 289.

Die Gemeine kann daher ihre Lehrer nicht von außen her empfangen, sondern wählt sie selbst nach dem in der Begabung angezeigten, göttlichen Berufe aus ihrer Mitte. Dieselben arbeiten in ihrem Kreise und ohne officiellen Beruf anspruchslos neben dem geordneten Kirchenamt am Tempel des HErrn.

„„Die Gemeinen des HErrn haben jeder Zeit ihre eigenen Vorsteher, Väter, Lehrer und Führer gehabt und haben sie noch; ihnen kann die Landesobrigkeit keine setzen und aufdringen, wenn sie es mit der äußeren Kirche und ihren ceremonialischen Kirchenverfassungen und Gebräuchen halten und ihren von der Obrigkeit gesetzten und verordneten Lehrern nicht entgegen und zuwider handeln, sie nicht verachten, wie auch ihre Gottesdienste und gottesdienstlichen Verhandlungen nicht. II. Gal. 19.

In unseren Tagen und ja schon in vielen Jahrhunderten her, seitdem nämlich die Geistlichen Gelehrte seyn müssen, ist die Sache des Wählens an vorzügliche Gelehrte gebunden und man kann nicht sagen, daß die Sache nicht nach Nothdurft für das Ganze eingerichtet sei. Zumal wird dadurch die Gelehrsamkeit noch nothwendiger, wenn man die unmittelbaren Einwirkungen des Geistes Gottes in die Ungelehrten verläugnet und mißkennet. Da aber in den Gemeinen der Kinder Gottes der unmittelbare Einfluß des göttlichmenschlichen Geistes geglaubt und erfahren wird, so hält man da die Gelehrsamkeit für keine so äußerst nothwendige

Sache und mag also die erleuchtete Gemeine unter sich selbsten Erbauungen veranstalten. IV. Tim. 60.

Die wahren Christengemeinen haben ihre eigenen Lehrer,
welche Gott und die Gemeinen berufen haben, welche aber
auch in den Graden der Erleuchtung freilich zerschieden sind,
folglich einander in so ferne unterzuordnen sind und einander christbrüderlich zu sagen haben und Folge leisten sollen,
wo es dann dem, der sagen und untersagen soll, eine Last
ist, daß er muß. II. Jud. 138.

Die wahre Jesusgemeine bedarf just keine Gelehrte; das
Gelehrtseyn muß nur das Geistlichseyn ersetzen, auf daß,
wenn man nicht Geist hat, man aus Gelehrsamkeit predigen
kann; nicht so zu verstehen, daß nicht ein Gelehrter auch
geistlich seyn könnte. Aber je geistlicher er wird, je weniger
bedarf er dann der Gelehrsamkeit zum Geistlich-reden.
Darum hat eine Gemeine, die mehr auf das Geistlich- als
Schönreden bedacht ist, nicht Noth, Gelehrte, außer sie seyen
geistlich, zu wählen und Niemand kann für sie wählen, als
sie selbst. Der heilige Geist hat die Aeltesten gesetzt und
aufgestellt in Ephesus (Act. 20, 28.) und das kann er ja wohl
auch noch heutzutage eben also. II. Act. 433.

Die Rede ist nur von Gemeinschaften der Christen, die
geistlich sind; denn sonst kann der heilige Geist keine Auf-
seher wählen. Eine Gemeine, die nicht geistreich ist, die ist
ja keine lebendige Jesusgemeine. Geistreich muß also doch
der meiste und größte Theil seyn, oder sie ist das nicht.
So also eine öffentliche Gemeine zwar auch lebendige Glieder hat, aber die Mehrzahl solches nicht ist, kann man nicht
sagen, daß es eine lebendige Gemeine sei. Oeffentliche
Gemeinen müssen in unsern Tagen öffentliche, examinirte,
privilegirte, gelehrte Prediger haben, die über der lauteren
Lehre halten. Hingegen die Gemeinen können nicht dazu
gehalten seyn in ihren Versammlungen, weilen sie selbsten
über der Reinheit der Lehre zu wachen verbunden sind, als
des HErrn Gemeinen, oder sie sind das auch nimmermehr.
II. Act. 433 f.

Daß es gut sei, daß öffentliche Gemeinen gelehrte Lehrer haben, beweisen wir damit, weil sonst bald ein elender Irrthum in der Christenheit seyn sollte. Doch, da es unter

—

den Gelehrten auch nicht mehr ächt sauber ist, haben die ächten
Christen mehr Ursache, sich in Gemeinen zu sammeln und
aus ihnen selbst ächte, geistreiche Vorsteher zu wählen, sie
mögen nun Schulgelehrte seyn oder nicht, wenn sie nur Licht,
Weisheit, Verstand und Erfahrung haben und in der Schrift
und den Kirchenhistorien bewandert sind. Denn es gibt
auch Gelehrte, die just keine Sprach- und Schulgelehrte sind,
aber diese sind nur für lebendige Gemeinen, deren es leider
wenige gibt. II. Act. 434.

Es gibt zu aller Zeit ordentliche und außerordentliche
Seelenführer oder Väter und Lehrer, wie man sie nennen
mag. Es gibt ordentliche, von der Kirche und Kirchenver-
fassung berufene Lehrer, die aber zugleich auch außerordentliche, von Gott begnadigte Gemeinschaftslehrer sind und seyn
können, wiewohl sie jeder Zeit rar und selten waren. Es gibt
aber auch außerordentliche Seelenführer und Lehrer, die just
keine ordentliche, verordnete Lehrer seyn müssen. Außerordentlich heißt just nicht, mit der öffentlichen Wundergabe
versehen und ausgerüstet, sondern mehr als sonst gewöhnlich
begabt, begnadigt und ausgerüstet unter den Seelen und
Gliedern der Gemeinschaft. II. Gal. 22.

Die Mitarbeiter im Weinberge Gottes haben nirgends
zu wirken, als in den Versammlungen, sie mögen groß oder
klein seyn, und wo sie im Umgang mit andern Menschen in
ihrem leiblichen Beruf Gelegenheit finden werden. Durchaus sollen sie in kein fremdes Amt greifen; denn sie sind
nicht berufen. Was sie berufen sind, ist vom Geist Christi
an seine Glieder und nur bei seinen Gliedern, wo sie Handreichung zu leisten haben. Wer sich weiter anmaßt, setzt sich
wider die eingeführte Ordnung und wird sich unnöthige Leiden zuziehen. Syst. 556.

Wahre Kinder Gottes, die mit ihren vom HErrn empfangenen Gaben in der Gemeine des lebendigen Gottes
dienen sollen, sind, wenn sie das sind, sehr demüthige, einfältige und redliche Seelen; sie verachten nicht die Anordnungen, Einrichtungen, Ceremonien und Gebräuche ihrer
Kirche, die heil. Sacramente, noch auch die verordneten Lehrer.
Sondern Alles dieses respectiren sie und sind froh, wenn
man sie unter solchen Verfassungen leben und passiren läßt.

Sie sehen sich nicht an und wollen nicht angesehen seyn als berufene ordentliche Lehrer, wollen auch keineswegs denselben gleichgehalten seyn. Demnach sehen sie sich blos an als Handlanger derer, die am geistlichen Tempel Gottes arbeiten. Daß nicht alle Lehrer der Kirche solche getreue Gottesarbeiter und Werkzeuge des Geistes Gottes sind, werden wir hier nicht erst beweisen sollen. Daß aber solche edle Gottesmänner von jeher unter den berufenen Lehrern der Kirche waren und wirklich noch sind, wird hoffentlich jeder Wahrheitsliebende glauben. Diese sind nun die werkzeuglichen Baumeister, wir ihre Handlanger. Syst. 534 f.

§ 290.

Die Gemeine läßt weder Jeden, noch Einen allein reden; indem sie einestheils erkennt, daß der Geist Gottes an Niemanden gebunden ist, anderntheils aber für die Reinheit und Gesundheit der Lehre Sorge zu tragen hat.

„„Wir wünschten von Herzen, daß es nicht von den Gliedern einer Gemeinschaft geduldet würde, daß ein jeder Schwätzer auskramen dürfte und daß man Jeden ohne Widerspruch eben so machen ließe nach Belieben. Syst. 557.

Lauter gesinnte Seelen, wenn es ihnen ernstlich um ihr Heil zu thun wäre, sollten nicht sogleich einem jeden sich selbst suchenden Schwätzer glauben, oder nur Gehör geben, und keinen anhören, bis er sich auch hinlänglich, als von vielen wahren Christen erprobt und legitimirt, darstellen kann als ein solcher, der von Jesu gedungen und gedrungen ist, von dessen unbescholtenem Wandel und untadelichen Lehrsätzen wahre Kinder Gottes zeugen könnten. II. Gal. 18 f.

Die traurige Erfahrung lehrt es uns, was herauskommt bei den Lehrern der Versammlungen, bei den Führern und Vorstehern gewisser Parteien, weil sich solche meistens aus unlautern Absichten selbst eingedrungen und aufgeworfen haben; leider kommt heraus Zank und Neid und allerlei Disputir- und Richtersucht, die Sekte und Partei als die beste zu vertheidigen. II. Jak. 412.

Zu einem Vorsteher der Geistesgemeinden unter den wahren Lichtskindern sollte sich ja Niemand aufwerfen, noch so sehr bereitwillig finden lassen. Es sollte ein Jeder wohl bedenken, was das sagen will und was es auf sich hat. Ich denke vielmehr, diese wichtige Sache sollte Jedem aufgedrungen und gleichsam aufgezwungen werden müssen. Es dünket mich, Mancher sei da zu eindringlich, aber nicht aus den besten Beweggründen; daher es auch oft nicht die besten Folgen hat. Ist doch sehr viel an dem Gesuch gelegen, ob das lauter oder unlauter sei; es ist nicht lauter Trieb des Geistes Jesu, es gibt auch ein Treiben des eigenen Geistes. Die Absicht des ersteren, nämlich des lauteren Geistes Jesu, ist eben Jesus und das Heil der Seelen; die Absicht des eigenen Geistes ist seyn und scheinen, glänzen und hervorragen wollen. Oft kommen noch zum Ehrgesuch auch Gesuche der Vergnüglichkeit und Behaglichkeit, und aus solcherlei Dingen kann denn am Ende nichts Gutes entstehen und entspringen. IV. Tim. 48.

Das melchisedekische Priesterthum ist kein aaronisches. Melchisedek braucht nicht eingesetzt zu werden; das Seyn macht ihn zu dem, was er ist, und nicht das Seyn-wollen. Nur bei dem melchisedekischen Priesterthum sind die Gesuche und alle unlautern Beweggründe entfernt. IV. Tim. 51.

Schon hat eine Gemeinschaft zuwenig die Gestalt und Form einer apostolischen Gemeinde, wenn man das Reden zuviel an Eine Person bindet; denn damals konnten wechselweise Einige reden und die Andern richten. Es ist auch nicht rechter Art, wenn sich Einer das Alleinreden anmaßet, und es zeugt solches von keinem demüthigen und kindlichen Herzen. Wohl ist es löblich und zugleich sehr billig, daß man Einen seine Gesinnung ausreden lasse; aber das ist auch billig, daß man einen Andern seine Gesinnung auch ausreden lasse. Syst. 564.

Merke, Gewissensherrscher! nicht eine Stunde hinstehen und einen ungeistlichen Plauderer hören reden! Tyrann, wer hat dir befohlen, zu plagen die Frommen! du schiltst sie hochmüthig, wenn sie deinem ungesalbten Geschwätz nicht zuhören wollen; stolzer Thor! wo stebt's denn geschrieben, daß Alles nur dich hören soll? ist denn das nicht Stolz, daß du Andere an dein Plaudern binden willst? dir stünde wohl an, wenn du hören würdest, was dir Erfahrene sagen;

denn du haſt doch Nichts, als was du von ihnen lernſt!
VI. Pſ. 398.

Gleichwie es einem Vater und einer Mutter eine Haupt-
angelegenheit iſt, daß die Kinder, die ſie haben, immer ge-
ſunde Nahrung bekommen mögen, um daß ſie ja nicht
ſollen erkranken oder gar ſterben; ebenſo hat die wahre
Gemeine Jeſu viele Sorgen, daß unter ihr keine falſchen
Lehren einſchleichen mögen, weilen dieſelben auf Herz und
Hirn, auf die edlen Theile wirken und am Glauben und
Verſtand, im Gewiſſen und Herzen krank machen können,
zumal wenn der hungrigen Magia etwas Unlauteres beigebracht wird, welche ohnehin die Gottgleichheit gerne an ſich
rauben möchte. IV. Tim. 10 f.

Am alleredelſten dünken mich die Gemeinen, in denen
das Reden an gar Niemand gebunden iſt, wo Jeder reden
kann, der einen Aufſchluß bekommt, wo Jeder fragen darf,
und wo Alle antworten können, wenn ihnen Licht geſchenket
iſt. Denn in einer ſolchen Gemeine wird zugegeben, daß
der Geiſt Gottes an Niemand gebunden ſei und ſich auch
nicht binden laſſe. Natürlich wird nicht leicht eine Gemeine
ſeyn, wo nicht auch eine Zerſchiedenheit anzutreffen wäre,
ich verſtehe nicht allein in den Gaben nach der Qualität,
ſondern auch nach der Quantität. Nichts iſt aber ſchöner,
als wenn auch der, welcher am allerfähigſten iſt zum Lehren,
ſelber auch zu lernen begierig iſt. Wer ausgelernt hat,
weiß nicht viel, wird auch wenig erfahren ſeyn; wer am
meiſten erfahren iſt, ſieht am erſten ein, daß noch weit
mehr zu lernen und zu erfahren iſt. Glückſelig iſt die Gemeine, die ihren Köcher voll ſolcher Pfeile hat; denn ſolche
fahren und treffen am allerherrlichſten zum Ziele! IV.
Tim. 60 f.

§ 291.

Die Befähigung der Lehrenden liegt theils in dem reinen Verhältniß zu dem Haupt (cfr. § 174.), theils in dem
prieſterlichen Sinn gegen die Mitglieder, theils in dem heiligen Wandel, theils in der geiſtlichen Erkenntniß und Erfahrung, theils auch in der gelehrten Bildung.

„„Ein jeder erleuchtete Chriſt iſt ein Lichtsträger und

eine Lichtsquelle, ein Wirkungsgefäß der sieben Geister Gottes. Er ist ein Gottestempel, Gotteswohnung und Träger. Betrachtet ihn recht, den lebendigen Kraftchristen; denn da sehet ihr ein Werkzeug der Gnaden und ein Gefäß der Erbarmungen Gottes, ja ihr sehet einen Charakter der Lichtwelt, in dem das Licht das Lebenslicht ausspricht. Ihr sehet da ein großes Wundergeschöpf; denn in diesem wirket Gott, der Alles durchdringende Geist, in Herrlichkeitsverlangen von innen heraus, und die sieben Geister, die aus der Herrlichkeit Gottes in alle Lande ausgehen, wirken in solche Seelen von außen hinein. Diese sind dann die wahren Gesandten des HErrn und weil sie der göttlichen Natur theilhaftig sind, können sie sich auch in Lichtskraft ergießen, so oft es ihr Jesus durch sie will. Diese sind die wahren Gottesboten, diese werden noch heute vom heiligen Geist gedungen und gedrungen oder getrieben zu Allem, was in Jesu Reich tauget. II. Petr. 213 f.

Den großen Unterschied eines Buchstabenlehrers und eines geist- und kraftvollen Christen werde ich euch nicht erst malen müssen. Ihr wisset selbst, welch ein Unterschied es ist, wenn eine Seele eine jungfräuliche Herrlichkeit Christi ist oder nicht ist. Ihr wisset, daß ein Kraftchrist mit dem HErrn im Geist zusammenfließt und tinkturalisch inqualiret; daß er also mit der Fülle der Herrlichkeit Gottes erfüllet wird durch den göttlich-menschlichen Geist, Jesus Christus, mit aller der Fülle, womit Gott der Vater seine Herrlichkeit, welche ist Christus selbst, erfüllet. Ihr wisset, daß ein solcher von dem durch den göttlichen Proceß vollendeten, geistlichen, lebendigen Stein mit sieben Augen berührt, tingiret und verwandelt, also auch zu einem lebendigen Stein gemacht ist, daß er also in tinkturreicher Kraft wirken und Projection thun kann, und das heißt mir ja von Gott bereitet, tüchtig gemacht und ausgerüstet seyn. Heißet nun also dieß nicht mehr als ein Buchstabenlehrer seyn? Lasset so einen Menschen in seiner Kraft auftreten; er ist mit Gott erfüllt. Was werden seine Worte für Salbung haben? III. Kor. 60 f.

Durch treue Arbeiter im Weinberge Gottes soll entstehen und ausgebreitet werden die wahre Erleuchtung. Diese Erleuchtungskraft müssen sie aber von der Klarheit Gottes aus dem Angesichte Jesu Christi aufzufassen geschickt seyn; sie müssen sich so anzustellen wissen, daß diese Gottesklarheit in sie einstrahlen kann; sie müssen ein reines Lichtsverlangen, eine lautere Gottesbegierde, ein einfältiges Aug auf Gott gerichtet haben, welches all ihr Begehren concentrirt, daß sich die Kraft der Wahrheit auch darin concentriren und faßen kann. Syst. 539.

Wahre Knechte des Herrn fühlen und haben auch noch menschliches Verderben, tragen den Schatz des göttlichen Lichts in zerbrechlichen Gefäßen, und haben viele Demüthigungen nothwendig. Und viele menschliche Schwachheiten halten sie herunter zu den Niedrigen und machen sie zu erbarmenden Priestern schwachgeistlicher Menschen. Diese so mannigfaltigen Demüthigungsarten sind ihre Begleitung und gleichsam ihre Verwahrung, daß sie nicht in allerhand Eigenheit ausarten, oder endlich das ihnen Mitgetheilte gar in Eigenheit einführen. II. Act. 346.

Suchet die recht tröstenden Lehrer aus der Drangsalschule herkommend; diese haben Erfahrung von euren Erfahrungen; diese können euch trösten und Auskunft geben. Vergeblich sucht ihr da Trost, wo schon der Stand meist alle Drangsale abweiset, wo schon Hülle und Fülle sammt aller Hilfe vorbereitet und zugerichtet ist. III. Kor. 12.

Vor allen Dingen sollen sich diejenigen Seelen, welche in dem Weinberge Gottes etwas wollen arbeiten und unserem liebwerthen Erlöser etwas wollen nütze seyn, durchaus bewährt und fest finden laßen in der Keuschheit des Leibes und des Geistes. Denn durch das Gegentheil können sie am meisten niederreißen. Syst. 544 f.

Laßet uns Niemand, er sei wer er wolle, irgendwo und mit keinerlei Verhalten ein Aergerniß geben, auf daß dadurch unser Amt und die gute Sache, die wir treiben, nicht verlästert werde! Syst. 541.

Einem unordentlich und ärgerlich wandelnden Bruder kann man allerdings das Lehren nicht gestatten. Syst. 543.

Wer die Gabe der Weißagung oder Schrifterklärung hat, der mag als ein solcher betrachtet werden, wie wir ihn vorstellen als einen Handlanger oder Mitarbeiter. Syst. 536.

Ferner soll sich ein treuer Arbeiter auch als einen Erleuchteten finden lassen in wahrer Gottes- und Jesuserkenntniß, nicht nur für einfältige unerfahrene Seelen, sondern auch für verständige und erfahrene Kinder Gottes; er soll nicht mit solchen Dingen daher kommen, die einander widersprechen und die der heilsamen Lehre zuwider sind. Syst. 545.

Recht daheim sollen sie sich lassen finden in dem Wort der Wahrheit, so daß man aus ihren Reden und Ausdrücken spüren und schließen kann, daß ihnen das ganze Wort Gottes bekannt ist und daß sie keinem widersprechen, vielmehr daß man es spürt, daß sie alle Worte der Wahrheit in einer einzigen und eine einzige in allen zusammenhangend verstehen, und daß sie nicht gewisse Wahrheiten übertreiben, darunter dann andere Noth leiden, nämlich so daß sie in keine Verbindung mehr zu bringen sind. Syst. 549.

Wir lesen deutlich, daß dem Einen gegeben sei zu reden durch den Geist, d. h. unmittelbar vom Geist selbst zu reden von den Weisheitstiefen, weil ein solcher centralisch hat erleuchtet werden können, und seinem einfältigen Auge und lauterlich Gott suchenden Herzen und seinem aus Herz und Hirn aufsteigenden Seelengeist in geistlicher Tinkturkraft gegeben ist, in die Tiefen seines geistlichen Muttergrundes zu gründen und zu forschen. Einem Andern sei gegeben die Erkenntniß nach dem Geist, mittelbar durch's Wort, daß er es rein verstehet und auch die Gabe des Ersten prüfen kann. Einem Dritten sei gegeben der Glaube und das Wahrheitsgefühl in eben demselbigen Geist, ohne daß er davon reden, aber doch mit Ueberzeugung Amen sagen könne. Daraus ist also klar, daß man nicht aus dem Letztern den Redner, und aus dem Ersten den Hörer machen soll, sonst wäre es ja verkehrt; so handelt keine erleuchtete Gemeine. XII. II. 284 f.

Es sollen diejenigen benützt werden, die das Erkenntniß Gottes und Jesu verbreiten können; man soll diese Augen des Leibes Jesu sich nicht verdunkeln lassen durch allerhand Kutter, das man in ihrem Wirkungskreis umherstreuet, um sie verdächtig zu machen. II. Petr. 201 f.

Daß alle Arten des Wissens und wissenschaftlichen Erkennens nicht beruhigend, auch nicht nährend und Geist-

stärkend seien, wenn sie nicht von innen heraus erkannt, erblickt und gesehen sind aus der Centralquelle des Urlichts, da
man gleichsam mit dem Auge des Allsehenden vom Centro
durch Abstufungen der Geburten in der ganzen Schöpfungsleiter siehet und das Edle hineinwärts Allem andern vor-
ziehet, das wird derjenige bezeugen, der Alles durchsucht und
Jenes gefunden hat. Denn eine vom Centro des Lichtquells
entfernte und doch suchende Seele kann auf allen Linien in
den Geburten-kreisen umherschwärmen, kann Ruhe und Gewißheit suchen und aber keine finden, bis sie in's Centrum
arm und bloß ersinkt. III. Kor. 238.

Ich sage, wenn eine Seele Heiligungsgaben, Bedienungsgaben und noch obendrein edle Naturgaben und Fähigkeiten
hat, sollte sie nicht auch Wissenschaften haben von nothwen-
digen Dingen? Sollte sie nicht mit Belesenheit oder durch
Belesenheit sich nützliche Kenntnisse aus reinen Schriften,
aus Kirchenhistorien und anerkannten Autoren sammeln?
Sollte ein solcher, wenn er je ein blos von der kleinen Gemeine berufener, vom heiligen Geist aber ausgerüsteter Vorsteher seyn soll, gar keine Wissenschaften und Kenntnisse
haben? Oder kann man die nirgend haben als bei der
Sprachgelehrsamkeit? kann man nicht allenthalben lesen
und forschen, also meditiren und nachdenken, als auf den
hohen Schulen? Oder gibt's nicht Zusammenkünfte erleuchteter Männer, da man Collegien hören kann von ganz be-
sonderer Art? Oder sollte dieses Alles von keinem Nutzen
seyn und keinen Werth haben? Ei, so laßt auch mein
Schreiben ungelesen, denn ich studire nun schon bei vierzig
Jahren fast Tag und Nacht mit Gebet. II. Act. 593.

Ein erleuchteter Vorsteher, ob er schon nicht nothwendig
Schulgelehrter seyn muß, darf und soll doch Wissenschaften
haben, und er soll sich allerdings auch solche erwerben, eben-
deßwegen, weil es manchmal und oft in den öffentlichen
Kirchen an Erleuchteten, ich sage nicht an Gelehrten, die
mit Wissenschaften und Kenntnissen begabt sind, sondern an
Erleuchtung des heiligen Geistes und allermeist an Heiligungsgaben fehlt; darum können gottgeheiligte, erleuchtete
Seelen nicht an dieselben gebunden seyn, noch sich binden

laffen. Denn fonst follten die Lebendigen ein Leben bei den Todten holen. II. Act. 594.

Sollten nicht Alle allen Fleiß anwenden, näher hinan zu kommen zu einerlei Glauben und Erkenntniß des Sohnes Gottes? follten fie hiezu nicht auch nützliche Wiffenfchaften profitiren? Gar gut kenne ich diejenigen Seelen, welche alle Belefenheit und Wiffenfchaft verachten; ich weiß auch, was fie für Arbeit machen! Sie reden fort und fort vom Unmittelbaren und haben es nicht; fie verwerfen die Mittel und haben doch auch welche, nur aber andere. Wir aber nicht alfo; fondern wir wollen wachfen in allen Stücken, und es nicht hindern, vielmehr fördern, daß der im An= fang empfangene Geistesgrund, diefelbe empfangene Geistes= lage der Salbung fich enthüllen kann und wie es feyn foll, entwickeln mag. II. Act. 595.

Nicht alles Wiffen ist unnüß; daß aber Christum lieb haben noch beffer ist, das ist wahr. Soll man aber das Gute wegwerfen darum, weil es etwas noch Befferes gibt? wäre das klug gethan? II. Act. 597.

c.   Sichtbare und unfichtbare Gemeinde.

§ 292.

Die unfichtbare Gemeine der relativ vollendeten Gerech= ten bildet mit der fichtbaren der noch im Leibe wallenden Glaubigen Eine zufammengehörige Gemeine, da jene nicht ohne diefe die absolute Vollendung erreichen.   (Hebr. 12, 22—24.; 11, 39. 40.)

„„Die Braut des Lammes besteht aus Seelen des alten und neuen Bundes und die lange Hochzeit wird nicht an= gehen, bis die leßten Glieder dazu bereitet find. Derent= halben wirken diefe hinüber und jene herüber, und ist im Grund nur Eine Kirche, die fichtbare und die unfichtbare und gehört nun und ewig zufammen. IV. Hebr. 641.

Gleichwie die Engel allzumal dienstbare Geister find, ausgefendet zum Dienst um dererwillen, die die Seligkeit ererben follen, d. h. unfere älteren Brüder und gleichfam unfere Kindermägde in unferer Minderjährigkeit — eben also hat es eine Beschaffenheit mit unseren vollendeten Brüdern und volljährigen Geschwistern. Auch sie sind eben in Ansehung unserer nicht so ganz gleichgültig, wohlwissend, daß ob sie schon vollendet seien, doch noch Etwas restirt, das sie nicht ohne uns erreichen und erlangen können. Sie gehören mit uns und wir mit ihnen zur Braut des Lämmleins. Und diese Lämmleins-Braut wird nicht vor der Hochzeit des Lämmleins das Weib des Lämmleins genennet. Es wird ja auch vorher die heilige himmlische Haushaltung auf der neuen Erde nicht angehen. Und daraus erkennet, daß unsern vollendeten Geschwistern auch an unserer Vollendung und Volljährigkeit gelegen ist, daß mithin die Vollendeten einen Einfluß auf uns Unvollendete haben möchten. Oder denket ihr, die unsichtbaren Glieder haben Nichts mit den sichtbaren zu thun und bekümmern sich Nichts um uns? Sind sie so sehr von einander geschieden, daß sie nicht zusammen wirken können? Ei, was denkt denn Paulus, daß er Lebenden schreibt: ihr seid zu ihnen in Gemeinschaft gekommen? IV. Hebr. 718 f.

§ 293.

Es besteht deßhalb eine Gemeinschaft zwischen der oberen und unteren Gemeine; jene übt einen Einfluß auf diese, nimmt an ihren Kämpfen Antheil und betet für sie, ohne daß aber dieser zu jener zu beten erlaubt wäre.

„„Die Hochzeit des Lammes kann nicht kommen, als bis sich die Braut im Ganzen bereitet hat. Da nun von der zwölf Apostel Zeiten an viel vollendete Seelen im Unsichtbaren sind, die auch zu diesem Weib gehören und in zwölferlei Gemüthseigenschaften getheilt betrachtet werden müssen, so ist es der unsichtbaren Gemeine nicht einerlei, wie es mit der sichtbaren hienieden geht und steht, sondern sie wirkt auf Jesu Geheiß auch auf die sichtbaren Glieder herunter, sowie diese auf andere wirken; und wenn's nur das wäre, daß man begieriger die Wahrheiten des göttlichen Wortes hörte, so wäre es schon sehr viel. Also der Ruhm des Weibes, daß sie zur unsichtbaren Gemeinde gehört und Ein Ganzes mit ihr ausmacht, und der Krafteinfluß der zwölf apostolischen Gemeinden ist der prachtvolle Kopfschmuck der sichtbaren Gemeinde Jesu auf Erden und also die edle Sternenkrone nach meinem Vermuthen. V. Offb. 334 f.

Man darf die unsichtbare Gemeinde nicht gar zu ferne von der sichtbaren betrachten noch wähnen, als bekümmerte sich die unsichtbare gar nichts um die sichtbare, da sie doch nicht ohne uns ganz vollendet wird, sintemal die Hochzeit des Lämmleins erst werden wird, wenn alle ihre Glieder beisammen sind. Wer wollte also behaupten, daß die unsichtbare Gemeinde gar keinen Einfluß auf die sichtbare habe, oder daß sie sich allerdings um das, was hienieden ist, gar nichts bekümmere und annehme? Ich für meinen Theil vermuthe einen gewissen Einfluß der unsichtbaren Gemeine des HErrn unter seiner Genehmigung auf seine hie noch streitende Gliedergemeine; und eben darum vermuthe ich auch, daß sie sich fast noch mehr, als die Engel Gottes, die sich freuen, so ein Sünder Buße thut, freuen über das Gedeihen ihrer Brüder und Mitglieder hie auf Erden. Nein, ich betrachte jene edlen Geister nicht als müssige Begaffer der Herrlichkeit Gottes, sondern ich denke, sie finden mit Gott Ruhe in Verbreitung seiner Herrlichkeit, da ja solch Gotteswirken lauter Ruhe ist. III. Eph. 114.

Ob die himmlischen Vollendeten auch für uns bitten, wird verläugnet, aber von uns vermuthet. So viel ist gewiß, daß sie uns wünschen werden die Vollendung und die Freiheit, die sie erreicht haben, und ihr Wirken auf die sichtbare Gemeine auf Erden gibt zu verstehen, daß sie selber in gewisser Maße an unserer Vollendung mitwirken. Sie möchten daher den Herrn flehen, daß er die noch zu seiner Braut gehörigen Seelen bald vollbereiten und aus dem Leibe des Todes und aller Gefangenschaft heim holen möchte. Oder sollen wir denn glauben, daß der Fürbitte Jesu was genommen sei, da wir doch auch für einander bitten sollen? Thun wir es im Geist Jesu und in seinem Drang, warum nicht vielmehr die Vollendeten? Oder was sollte ihnen das Recht nehmen? sollten sie etwa weniger von uns, als wir von ihnen wissen können? oder sollte es unmöglich seyn, daß sie Nachrichten von uns erhielten? Wir denken nicht so engherzig, wie unsere Religionspartei; wir haben auch nicht darauf geschworen, die Wahrheit zu verdecken! VI. Pf. 1323.

So wie im Reiche der Finsterniß ein Zusammenhalten und eine Verbindung ist und eine jede finstere Seele aus dem unsichtbaren Reiche der Finsterniß nach ihrer Art zu ihrem Gebrauch eine Unterstützung hat und einwirkender-weise erhält; so ist das auch im Gegentheil das Nämliche. Denn es ist der triumphirenden Kirche, den abgeschiedenen seligen Seelen nicht so ganz einerlei, wie es uns auf Erden ergehe, oder was uns begegne und treffe, so daß sie jenseits müssig säßen und also keine Aufmerksamkeit auf die streiten-den Glieder auf Erden hätten. Sondern, ob wir schon durchaus nicht zu ihnen beten oder beten sollen, glaube ich doch, daß sie Einfluß auf uns haben, auch wirklich auf uns wirken und uns in Manchem unterstützen können. Denn wenn es erschaffene Engel thun, warum nicht vom Fleisch geschiedene menschliche Engel? Ob sie schon nicht darum ge-beten seyn sollen noch wollen, wissen dieselben doch, daß wir nicht ohne sie, und sie nicht ohne uns vollendet werden. V. Off. 213.

Vierter Abschnitt.

Das königliche Regiment und Reich Christi.

1. Universalherrschaft Jesu zur Wieder-bringung aller Dinge.

§ 294.

Um den göttlichen Liebesvorsatz der Wiederbringung aller Dinge auszuführen, ist Jesus erhöhet zum HErrn über

Alles und hat die Universalherrschaft im Himmel und auf
Erden.

„„Wir glauben, Jesus unser HErr habe das Regiment
im Himmel und auf Erden, er selber regiere unsere und
aller Menschen Schicksale; wir glauben, daß er allmächtig und
allkräftig in Alles wirken könne, daß also alle Weltverände-
rungen, Zeiten und Zeitbegebenheiten unter seiner Direktion
laufen und stehen. Wir glauben, daß die Elementen und
Naturen der sichtbaren Dinge auch in aller ihrer Disharmonie und Widerwärtigkeit nicht ungefähr also seien, und
daß es aus weisen Zulassungen Jesu zur Ausführung seines
Planes also dazu gehöre und mitwirkend seyn müsse. V.
Off. 7.

Jesus, unser HErr und Heiland, ist König über das
ganze Schöpfungsall; er ist Universalkönig, ein König aller
Könige! — Das ist er gewesen als Gott, ehe er ist Mensch
worden; denn durch ihn ist Alles gemacht, was gemacht ist,
beide im Sichtbaren und Unsichtbaren; es ist Alles durch
ihn und zu ihm geschaffen; in ihm ist Alles zusammenbestanden, auch das, was sich im Fall abgerissen hat. Folglich ist Jesus als Gott König über alle seine Geschöpfe im
ganzen Schöpfungsreich. Er ist aber auch als Menschensohn zum Erbherrn und König eingesetzt über das ganze
Schöpfungsreich, über alle Werke der Hände Gottes und
ist, nachdem er seinen Versöhnungslauf auf Erden vollendet
hatte, auf den Thron der Majestät erhoben. Daselbst nun
sitzt unser königlicher Oberpriester über das Haus Gottes,
welches Haus sind wir, die wir glauben, und im vollen
Sinn des Wortes ist es das ganze Schöpfungsreich; denn
ich werde nicht erst beweisen müssen, daß Jesus auch HErr
über das Geisterreich und kurz über Alles ist als Gott und
Mensch. Syst. 343.

Warum hat der Vater dem Sohne Alles übergeben? —
darum, daß er Alles wiederbringen, neuschaffen und geistleiblich zu Gott führen soll. Da Jesus verklärt war, wurde
die Eröffnung des großen Schöpfungsbuches allen Creaturen
angetragen. Keine im ganzen Schöpfungsreich wurde gefunden; nur das geschlachtete Lamm mit sieben Augen und

sieben Hörnern, nur der überwindende Löwe aus Juda's Stamm war würdig, nur Er konnte in das All wirken; denn ihm war die Gewalt gegeben. Durch ihn, so fern er Gott ist, ist Alles gemacht; durch ihn mußte Alles versöhnt werden, durch ihn Alles wieder erneuert und zu Gott geführt. Also kurz: darum ist ihm Alles übergeben. Er ist der Menschensohn, dem es Gott übergeben konnte und wollte. Syst. 352 f.

Der Fall des Menschen hat die Absicht Gottes nicht vereitelt. Denn der Menschensohn, der durch seinen Opfergang und Versöhnungslauf zur lebendigen, Alles verwandelnden Tinktur, zum lebendigen Stein worden ist, wird als der von Gott gelegte Grundstein einen heiligen, herrlichen Gottheits-Ruhetempel bauen, und zwar aus lauter lebendigen Steinen. Dieser allerheiligste lebendige Gottestempel wird aus Ihm selbst gebauet werden. Denn er ist der Zämach, aus ihm wird er wachsen. Er ist der Stammvater des geistlichen Lebens; aus ihm und durch ihn und zu ihm wird sich's fortpflanzen, das Gottesgeschlecht. Und darum wird er Alles ausführen, der Menschensohn, und Alles wiederbringen. Und eben darum hat ihm der Vater Alles übergeben; darum ist ihm gegeben alle Gewalt in den Himmeln und auf Erden. Hätte sich Jesus als Menschensohn tiefer erniedrigen können, als unter das ganze All und für Alles den Tod schmecken und überwinden? Und ist er nicht darum als Menschensohn über das All erhöhet? Syst. 354 f.

§ 295.

Diese Universalherrschaft hat Jesus nicht außer oder ohne Gott, sondern in der Einheit mit dem Vater, als der mit der Fülle der Gottheit leibhaftig erfüllte Gottmensch, also als erste und höchste Mittelsubstanz, durch die der unkörperliche Gott von Innen heraus bis in's Aeußerste herabsteigt und wirkt. (§ 161.)

„„Was hat der Sohn Gottes ohne Nachtheil des Vaters unter sich? Antw.: Gar Nichts zum Nachtheil des Vaters, sondern Alles hat er unter sich, was geschaffen ist im Sichtbaren und Unsichtbaren, zur Freude und zum Wohlgefallen des Vaters. Nichts kann genannt werden, das ihm, dem Sohn, nicht unterthan wäre, als der Vater selbst. Durch Königreich und Priesterthum, durch königlich-priesterliche Anstalten soll und wird Jesus-Jehova Alles wiederbringen, auch die ärgsten Feinde und Rebellen des Königreichs Gottes. — Und wenn er, der von Gott erwählte Ausführer des Plans Gottes, des Vaters, Alles also ausführen soll, wie auch nur Er und kein Anderer es kann, sollte dieß nicht das Wohlgefallen und der Wille Gottes, des Vaters, seyn? Sollte er nicht alle seine Freude daran haben? Oder womit sollte dem Vater Eintrag geschehen können oder aber Nachtheil entstehen? Könnte denn anders und anderer Art allen Naturen und Creaturen der geschaffenen Dinge geholfen werden? War denn dem gefallenen Geschöpf anders zu helfen, als durch das Königreich und Priesterthum Jesu? Kann denn die purgeistige, unförperliche Gottheit — wie wir sie außer Christo, in dem alle Fülle der Gottheit leibhaftig ist, betrachten — ich sage, kann sie denn so auf die Sinnenwelt wirken? Hat es Gott nicht im alten Bund versucht, und was ist ausgerichtet worden durch Befehlen und Gesetzgeben? Die Erfahrung sagt es: nicht viel! Syst. 346 f.

Jesus ist die Mittelsubstanz, durch welche Gott auf die sinnliche und übersinnliche Welt wirkt; denn er ist Gottmensch, er ist die höchste und erste Mittelsubstanz von oben herab; aber von Innen heraus, nach seiner himmlischen Gottmenschheit und nachdem er den Tod für das ganze All geschmeckt und Alles mit Gott, dem Schöpfer, versöhnt hat, ist er auch das unterste der Substanzen in seiner Menschheit geworden. Denn er ist die Himmelsleiter, auf welcher die pure Gottheit von Innen heraus bis auf's Aeußerste herabsteigt und wirkt, und durch diese Leiter steigt stufenweise das Untere auf und wird zum Obern. Weil die himmlische Menschheit, die ehe denn Abraham war, das Oberste der Circumferenzleiter ist, so ist die Menschheit aus Maria, die für das ganze All starb, um Alles mit Gott zu versöhnen, das Unterste worden. Und nun ist's möglich, daß, so wie Alles in ihm zusammen bestanden, auch wieder Alles unter ihm als unter Ein Haupt verfaßt werde. Daher ist zu verstehen, daß die hohe theure Sache nicht zum Nachtheil oder

Verdruß, sondern zum Wohlgefallen des Vaters geschieht. Was Gott außer der Regierung und dem Königreich und Priesterthum gelassen hätte, das hätte keine Ansprache an die Versöhnung, noch an die Geistleiblichkeit, die Gott in seiner Herrlichkeit, in der Gottmenschheit Jesu hat. Folglich würden sich Engel und Geister unglücklich schätzen. Alles, was Gott geschaffen hat, das hat er durch sein Wort, welches Gott selbst ist, erschaffen. Und dieß Wort des Lebens ist unser königlicher Priester, denn dasselbe nämliche Wort ward Fleisch. Mithin solltest du auch verstehen, daß Vater, Sohn und Geist Eines sind, und wenn der Vater dem Sohn Etwas gibt, so ist es darum nicht weggegeben. Denn der Gebende und Nehmende ist Eines. Syst. 348 f.

§ 296.

Eben auf dieser Einheit Jesu mit dem Vater beruht seine Allmacht und Allwirksamkeit, mit der er als Universalkönig herrscht und regiert.

„„Jesus hat das Schwächliche, Menschliche abgelegt und lebt jetzt in der Kraft Gottes; denn er ist in die Centralkraft aller Kräfte Gottes, in den Urquell aller Kraft eingegangen. In der allerinnersten Geburt befindet er sich, das Aeußere hat sich in's Innere hineingewunden. Die Urkraft der Herrlichkeit ist er selbst, und seine Geistleiblichkeit ist Gottleiblichkeit, und seine Seele ist Eins mit den Kräften des Urgrundes im Ungrunde; darum ist er allkräftig, allmächtig und allwirksam. III. Kor. 283.

§ 297.

Als Universalherrscher zur Wiederbringung aller Dinge besitzt Jesus die Gerichtsmacht über alles Fleisch, d. h. die Macht, durch planmäßige Ausführung der göttlichen Gerichte und Gerechtigkeitswege alle inneren und äußeren Widerstände zu brechen und Alles zu Gott zu führen in der Kraft seines Blutes und Geistes. (Joh. 5, 22.)

„„Es lebe in die Ewigkeiten der Ewigkeiten Jehova-Jesus! Der Wiederbringer aller Dinge, unser hocherhabener,

hochgelobter, verherrlichter Gottmensch und himmlischer Hohepriester, der so herrliche Anstalten gemacht hat zu dem
Heil des Ganzen; der da will, daß Allen geholfen werde
und zur Erkenntniß aller Wahrheit kommen; der aber auch
erreichen kann und erreichen wird, was er will; der die in
Zeitfristen bestimmten Gerichte zu gedeihlichen Wirkungsmit-
teln machen wird und gemacht hat, der die Ungläubigen so
zum Glauben zu bringen weiß, daß er sich ihrer dann erbarmen kann. IV. Hebr. 393.

Dem Sohn hat der Vater Macht gegeben über alles
Fleisch, solches zu richten drei-, vier-, ja vielfach, bis er
Geist darein säen und Geist herausbringen kann. Syst. 248.

Gott hat Alles unter das Gericht beschlossen um des
Unglaubens willen und lässet also die Creatur um des Unglaubens willen unter dem Gericht seiner Gerechtigkeit so
lange liegen und schmachten, bis sie anfangt zu glauben und
sich nach seiner Barmherzigkeit zu sehnen; alsdann fangt er
an, sich ihrer zu erbarmen, und sein Erbarmen wird sich
endlich über Gerechtigkeit und Gericht rühmen. Und diese
Weise wird Gott mit allen seinen gefallenen Creaturen halten, auf daß er sich aller erbarme. Er wird es mit allen
dahin bringen, daß sie sein Erbarmen begehren und nach
demselben begierig werden und er es also anbringen kann.
Denn er hat Nichts zum Verderben geschaffen, wie Manche
meinen und behaupten, sondern Alles zum Licht und Leben.
Syst. 476.

Bei unserem König heißt es nicht: Ihr müßt mich haben,
ihr möchtet mich wollen oder nicht; nein, sondern es stehet
in des Menschen Wahl. Wer nicht will, muß ihm nicht
dienen, denn freiwillige Unterthanen will er, sonst keine. In
dem heiligen Schmucke seiner Gesinnung dient ihm freiwillig
sein Eigenthumsvolk. Alles, was ihm nicht dient und dienen
will, kommt in Umstände, daß es ihm endlich gerne dienen
wird. Nothgedrungen wird Mancher zu sich selber kommen.
Syst. 459.

Alle Gerichte Gottes, auch der andere Tod, sind dazu
eingerichtet und abzweckend, den Menschen zu sich selber zu
bringen, daß er sich endlich in das Erbarmen Gottes ein-
erfenkt. Syst. 429 f.

Jesus allein ist der bestimmte Richter des Menschengeschlechts; es kann aber auch kein Anderer seyn, denn es ist sonst Keiner Gottmensch; Keinen geht die ganze Creatur so nahe an, wie ihn; denn nur um seinetwillen ist sie da und hat durch ihn das Wesen. Er versöhnte sie mit der Gottheit, er ward Mensch und kennt die Menschennatur. Er hat als Mensch das Richten gelernt an sich selbst, er kann richten, daß alles Böse zerstört, die Seele aber erhalten und wiedergeboren werde. II. Act. 372.

§ 298.

Jesus herrscht und regiert als Wiederbringer aller Dinge mit vollkommener, das Ziel sicher erreichender Planmäßigkeit und Weisheit, sowohl kraft seiner Allwissenheit, mit der er Alles nach der Natur durchschaut, als auch vermöge der besonderen Offenbarung, die er, seit er zur Rechten Gottes sitzt, über den Verlauf seines Reiches empfangen hat.

„„Jesus schaut in's Herz der Ursprünglichkeit aller Dinge und kann die Centralquelle aller Entstehungsarten einsehen. Alles ist bloß und aufgedeckt vor dem allsehenden Auge des in das Fleisch gekommenen und nun in den Geist erhöheten Lebenswortes. Das Lämmlein mit sieben Augen hat das mit zeitlichen und ewigen Natureigenschaften versiegelte, siebenmal versiegelte große Schöpfungsbuch aller sichtbaren und unsichtbaren Dinge aufgesiegelt und sieht nun auch nach der Menschheit in alle ursprünglichen Kräfte und blickt aller Creatur in's Herz, weiß folglich alle Gegenstände des Höllenreiches vorher und weiß sie so zu drehen, daß sie zum Vortheil seines Reiches wirken müssen. II. Act. 287.

Sein Auge sieht heraus von Innen, kann alle Art der Dinge kennen, weil er im Centrum wohnt und sitzt. Er sieht entspringen die Gedanken, sein Blick hat weder Ziel noch Schranken, sein Aug ist lieblich, wenn's auch blitzt. V. Off. 68.

Jesus, seitdem er auf den Thron der Majestät erhöhet ist, hat als das Lämmlein mitten im Thron Gottes das siebenmal versiegelte große Schöpfungsbuch der sichtbaren und unsichtbaren Dinge aufgesiegelt. Verstehest du aber nicht,

wie das Blut Jesu eine gedoppelte, in Eins vereinigte Lebensquelle des Geistes der Ewigkeit und des Geistes der Herrlichkeit ist, so verstehst du auch nicht, wie er alle seinem
Leben und Königreich widerstehenden Abgrundskräfte der verkehrt sich offenbarenden Magien erblicken und sehen kann,
und wie er mit stärkeren Kräften der überwindenden Lichts-
magie sie, wenn er sie herausgelockt hat, überwinden wird.
VI. Pf. 1445.

Wir können nicht zu aller Zeit mit Gottes Auge von
Innen herausschauen, wenn's auch manchmal so seyn sollte.
Aber dem, der die Regierung vom ganzen Schöpfungsall
übernehmen sollte, dem mußte auch das Buch der Rathschlüsse
Gottes und das Buch aller geschaffenen Wesen aufgeschlossen
werden. Als Menschensohn sollte er alle Eigenschaften der
Kräfte in allen ihren Möglichkeiten und sogar in ihren
Wirklichkeiten kennen. Er sollte wissen, wie das Böse auf-
zureizen, damit es sein Aeußerstes möge versuchen, und mit
welcher Kraft und Weisheit es dann zu besiegen sei. Er,
Jesus, sollte in die innersten Entstehungsquellen aller Herzen und Seelen sehen und alle Gedanken, die noch unge-
dacht, wissen. — Sollte er also die Entstehungsquellen aller
Abstufungen der Gebärungen, Entwicklungen und Offenbarungen zur Rechten und Linken, in Liebe und Haß, in Licht
und Finsterniß, in Hölle und Himmel nicht wissen? Oder
sollte ihm ein geschöpflicher Gedanke, ein Wollen, ein Wählen und ein Wirken verborgen seyn? Oder er sollte nicht
seinen Plan auszuführen und seinen Zweck zu erreichen wissen? Seine Wege sollten ihm selbst unerforschlich und seine
Gerichte unbegreiflich seyn? Müßte ihm dann nicht das Thron-
gestell seiner ursprünglichen Kräfte und Eigenschaften selbst
unbekannt seyn, da er sich doch in einen Grund einführet
aus seinen verborgenen Untiefen, und das, um zu seyn im
Geschöpf, was er in denselben Tiefen war? IV. Philem. 306 f.

Als das Lamm Gottes, nach Befindung seiner Allein-
würdigkeit, die sieben Siegel des großen Schöpfungsbuches
erbrach, erkannte es Alles, was im Reiche der Sichtbarkeit
und im Reich der Unsichtbarkeit sich seinem Leben und Sinn,
seinem Königreich und Priesterthum entgegenstellen würde,
aus der Absicht, solches zu verdrängen oder doch zu hindern.

Es erkannte aber auch der auf dem Thron der Majestät
erhöhte Menschensohn als Menschensohn die Allmachts-
kräfte, mit welchen er siegen und alle Feinde Gottes unter
die Füße treten würde. Also erkannte und sahe er auch die
Zeit, in welcher es geschehen und ausgeführt werden soll.
Syst. 361.

Jesus, das Lamm, welches das große Buch aufgesiegelt
hat, weiß Alles, er weiß Gutes und Böses; er kennt ganz
genau alle Verhinderer und Beförderer seines Reiches; er
hat den Fürsten der Finsterniß mit aller seiner Höllenkraft
und Macht auf sich andringen lassen und ist selbst versuchter
Priester voll Mitleiden. Er weiß auch die Kräfte der finstern Eigenschaften im Abgrundsreiche; er weiß, was Satan
noch anrichten wird durch grausame, herzhinreißende Irrthümer, durch magisch-zauberische Kräfte; absonderlich was
er anrichten wird durch seinen verfluchten verdorbenen Sohn,
den Menschen der Sünde und das Kind des Verderbens;
aber er weiß auch mit stärkerer Lichtskraft dem Allem zu be-
gegnen. Er läßt das Böse herausreizen durch Lichtswerk-
zeuge, daß der Satan sich rüstet und zu Schanden wird.
Das heißt also Alles wissen, wie der HErr weiß; denn er
sieht durch Alles und allen Dingen recht auf den Grund
und Boden, auf die erste ursprünglichste Entstehung. So
weiß es Niemand, und so braucht es aber auch Niemand zu
wissen, wie er. Denn er regiert nicht eben nur im Großen
und Allgemeinen Alles, sogar bis auf das Genaueste, sondern er leitet alle Schicksale der Menschen, absonderlich die
seiner Auserwählten, und richtet Alles so ein, daß ihnen
Alles zum Besten dienen und im Guten beförderlich seyn
muß. V. Off. 175.

§ 299.

Wenn der Zweck der Universalherrschaft Jesu, die Wiederbringung aller Dinge, erreicht seyn wird, so wird dieselbe,
als solche, nicht mehr nothwendig, sondern Gott Alles in
Allen seyn. (§ 360. 361.)

„„Unser König ist Universalmonarch; er ist König der
Könige und Herr aller Herren. Er hat alle Gewalt in den
Himmeln und auf Erden. Er ist eingesetzt zum Erbherrn

über Alles im Sichtbaren und Unsichtbaren. Alles wird ihm auch in der That unterthan werden ohne Ausnahme. Alle seine Feinde werden zum Schemel seiner Füße gelegt werden. Syst. 456 f.

Es werden Jehova noch danken alle seine Schöpfungswerke, alle seine Creaturen, und alle Kniee werden sich beugen und alle Zungen bekennen, daß Jesus der rechtmäßige Erbherr über das ganze Schöpfungsall sei. Bekennen werden es alle Zungen, zur Ehre Gottes des Vaters. Und nun, wer oder was hat denn keine Kniee und keine Zunge? Etwa die gefallenen Engel? Ich meine doch, das sollten sie haben, und wenn sie auch nicht gerade so sind, wie die unseren. Es heißt ja: alle Zungen werden bekennen, und also nicht nur menschliche Zungen. Damit dieß aber noch deutlicher werde, so kommt in der Offenbarung Jesu Christi helle vor, daß Alles dem Lamm Gottes schon zum Voraus als dem rechtmäßigen Erbherrn gehuldigt hat, was im Himmel, auf Erden und unter der Erde ist, nämlich alles Geschöpf, das von seines Gotteswillens wegen war und geschaffen ist, Alles, was das Wesen hatte im ewigen Wort des Vaters derer Wesen. Satan hat zwar noch nicht gehuldigt, aber es wird geschehen. Es wird Satan nicht der letzte Feind seyn, der aufgehaben, besiegt und überwunden werden wird, sondern das wird wohl der andere, der ewige Tod seyn, und auch der wird aufgehaben werden. Syst. 477 f.

Wie lange ist ihm, unserem königlichen Priester, alle Gewalt gegeben? Dieß „wie lang?" beantwortet Paulus kurz und deutlich, wenn er sagt: „bis Gott seyn wird Alles in Allen." Wenn Alles, auch die ärgsten Feinde, unterthan und wiederbracht seyn werden, alsdann wird auch der Sohn, der königliche Priester, selbst unterthan seyn dem Gott und Vater, der ihm Alles unterthan hat. Das soll man nun nicht so verstehen, als wäre der Sohn Gottes, insofern er Menschensohn ist, nicht vorher auch Gott unterthan gewesen, sondern da nun der Plan Gottes ausgeführt und der Zweck Gottes mit der ganzen Creatur erreicht seyn wird, wird Königreich und Priesterthum aufhören nothwendig zu seyn. Dazu ist Königreich und Priesterthum eingesetzt und verordnet; dazu ist Jesus zum königlichen

Priester gemacht, daß Gott möge werden Alles in Allen. Und wenn er es dann worden ist, wozu sollten sie weiter noth seyn? Syst. 356 f.

Königlich-priesterlich wird Jesus mit seiner Braut herrschen und regieren, bis Gotte Alles unterthan seyn wird. Wenn aber Gott Alles in Allen seyn wird, so wird auch die Menschheit Christi der Gottheit des Vaters unterthan seyn. Syst. 302.

2. Die Wiederbringungsanstalten.

§ 300.

Jesus hat im ganzen Schöpfungsraum, im Himmel, auf Erden und unter der Erde, geeignete Anstalten getroffen, durch welche der Zweck seines hohepriesterlichen Königreichs, alles Abgerissene wieder unter Ein Haupt zu verfassen und mit Gott zu verbinden, befördert und erreicht wird.

„„Die Anstalten Gottes gehen dahin, daß alles Abgerissene und Getrennte wieder zusammen verfaßt und verbunden werde, es sei in den Himmelswelten oder auf dieser unserer sichtbaren Erde. III. Eph. 100.

Der hinabgestiegen war, ist auch derselbe, der hinaufgestiegen ist über alle Himmel hinauf, damit er Alles, das Höchste und das Tiefste, erfüllen und überall Anstalten zur Wiederbringung machen möchte. Er hat auf der Erde angefangen und dann in den Tiefen der Erde fortgesetzt, und nachdem er da Alles ausgerichtet hatte, ist er durch die Himmel über alle Himmel in die allerinnerste Quelle der Gottes-Offenbarung gegangen und hat sich auf den Thron der Majestät gesetzt als der Wiederbringer und Erbherr aller Dinge. III. Eph. 230 f.

Wir sollen Jesum ganz kennen, auch als den königlichen Hohepriester, der sein Blut in das allerheiligste Gottesheiligthum eingetragen, der durch dasselbe Alles erneuern und durch seinen göttlich-menschlichen Geist Alles in den Geist erhöhen und geistleiblich machen wird, als den, welcher schon alle Anstalten dazu gemacht hat, nicht allein in dieser sichtbaren Welt, sondern auch in den Himmeln, die er nun bald alle wird eingenommen haben. III. Kol. 108.

Anstalten sind gemacht zur Wiederbringung alles Verlorenen, die allerbesten und allertheuersten Mittel, Alles zu curiren, von Tod und Verwesung zu retten, sind bereit und liegen unter der Verwaltung des höchsten Priesters und Weltversöhners, der von den Todten erweckt, auf den Thron der Herrlichkeit gesetzt und mit aller Gottesfülle erfüllet ist. V. Off. 847.

Wenn unser himmlischer Hohepriester, der Stammvater des geistlichen Lebens, nicht ein Vater der Ewigkeiten wäre, wenn ihm also nicht in allen den auf einander folgenden Ewigkeiten immer wieder Geistes- und Lichtskinder geboren würden, so wäre die Hoffnung für Alle, die nicht aus Gott geboren, nicht vom Geist gezeugt sind, auf immer verschwunden. Aber da wäre dann Königreich und Priesterthum auch ganz umsonst: denn wozu sollte es nöthig seyn? Daß aber dieses ist, so sind ja Anstalten gemacht und getroffen, daß Alles soll und kann wiederbracht und in's Licht geboren werden, und darum kann auf solche Art Gott Alles in Allen seyn. IV. Hebr. 391 f.

a. Die unmittelbaren Heils- und Gnadenanstalten.

aa. Die Kirche auf Erden.

§ 301.

Die Anstalt Jesu auf Erden zum Heil der Menschen und zwar zunächst der Auserwählten ist die Kirche, in welcher das Amt, das die Versöhnung predigt, verwaltet wird.

„„Könnte es nicht auch Welten und Himmel geben, wo so viele Millionen Embryonen, zweifach oder einfach verderbte Menschensamen noch sollten können ausgeboren werden? Wo also zur Wiederbringung derselben auch die herrliche Anstalt des Königreichs und Priesterthums Jesu nöthig wäre? Sehet doch, was Jesus da für Anstalten zu treffen nöthig hatte! Und unter der Zeit, da er dieß im Unsichtbaren thut, hat er sein Gnadenreich und seine Kirche in dem sichtbaren Reiche der Schöpfung auf Erden in seiner getroffenen Ordnung mit allen Heils- und Gnadenanstalten erhalten und fortgepflanzet. Denn sein in alle Lande und Welten ausgehender siebenfacher Geist belebt und lehrt seine Glieder nach seinen vollkommenen Gedanken, und er geußt allezeit Geist und Leben aus in die Seinen. Demnach also wird unter der Zeit seiner unsichtbaren Anwesenheit und seiner sichtbaren Abwesenheit seine Braut, das Weib des Lammes, zubereitet und ausgeboren, so daß just zu der Zeit, da er mit der Einnahme der Himmel fertig seyn wird, die Anzahl der Glieder seiner Braut auch gesammelt und zur Lammeshochzeit angethan seyn wird. Syst. 481 f.

Die Anstalt, Alle zu gewinnen, hat also schon der HErr gemacht; er wirkt von außen und von innen, bis Alles ist herwiederbracht. Er hat Apostel, Hirten, Lehrer, Evangelisten und Bekehrer, daß alle Welt erleuchtet wird. Sein Glanz wird sich zu allen Zeiten je mehr je länger noch verbreiten, bis daß er ist alleine Hirt. I. 272. 30.

bb. Die Predigt bei den Todten.

§ 302.

Auch in der unsichtbaren Welt ist die Einrichtung getroffen, daß den Todten d. h. den abgeschiedenen Geistern das Evangelium von Jesu, dem Lebensfürsten, bekannt gemacht wird.

„„Nun kann er, was er eingenommen, nach seinem Willen richten ein; es können von ihm seine Frommen auch lehren hinter ihme drein. Wie er gethan hat, thut er immer; die Geisterwelt schweigt also nimmer, wie eh'mal, eh' der HErr gelehrt. Es wird auch dorten frei gesprochen, der Heiland hab' den Tod durchbrochen, daß sich ein Mancher noch bekehrt. I. 272. 39.

Das Reich unseres HErrn ist groß; er hat in der unsichtbaren Welt Anstalten getroffen zum Heil und Gedeihen abgeschiedener Geister. Es wird auch dort Arbeit geben nach der Weise der königlich-priesterlichen Anordnungen des HErrn. Es können abgeschiedene Seelengeister dort einen Paulus wünschen und verlangen, ebenso, wie manche Gemeinden des HErrn hier auf Erden. — Das Werk, das ich hier in der Kraft der Gnade getrieben habe, werde ich dort forttreiben, freilich auf eine vollkommenere, ungehinderte, herrliche Weise, wo Jesus-ähnliches Wirken lauter Genuß der Seligkeit ist; welches Wirken und Ausfließen der seligen Geister, welche die Herrlichkeit Christi sind, wie Christus die Herrlichkeit des Vaters, fortdauern wird, bis Gott Alles in Allen ist. III. Phil. 36. 37.

Geistesmenschen haben die Hoffnung, daß der HErr Anstalten getroffen, wo Allen geholfen werden soll und kann, und mit dieser Hoffnung gehen sie hinüber in's Lichtreich, und unterwegs treffen sie solche an, die sich Seligkeiten eingebildet, aber nicht erlangt haben, reden mit ihnen und bringen manchmal den Geistlebensstoff durch ein Evangelium in ihre Seelen, welches dann Same des Geistes ist. Und da ihnen diese Seelen dann nicht in's Paradies nachfolgen können, so können aber doch diese edlen Geister herein in's Todten- und Höllenreich wirken und priesterliche Verrichtungen machen, weil der Oberpriester Jesus den Schlüssel der Hölle und des Todtenreiches mit sich fort hat, und solche Reiche überwundene Reiche sind, die eigentlich seinem Reiche einverleibt sind und zu seinem Hause gehören, ob sie schon Keller oder Gefängnisse genannt werden mögen. Und so denn nun Seelen Etwas durch die Lichtskinder von Lichtssamen empfangen haben und solcher von ihrer Glaubensmagia gefaßt worden ist, sollten sie nicht können, nachdem sie ihre Fleischesgerichte ausgestanden haben, in das Kinderreich gebracht und gefördert werden, allwo sie dann volljährig werden und als Kinder der Braut Jesu mögen gehalten seyn, welche als Erstlinge der Erstlinge doch etwa könnten zu Fürsten gesetzt werden in dem großen Schöpfungsraum, als dem großen Reiche unseres großen HErrn? IV. Hebr. 390 f.

Wenn der Mensch das, was in dieser Welt ist, verlassen muß, so brennet sein feuriges Begehren roh und ohne Wesen im andern Tode in der größten Unmacht in Ansehung des Guten, geräth auch oft auf's lange, brennende Begehren in Schlaf auf einige Zeit, bis ihm dann Etwas vom Lebenslichtswesen gesagt wird, daß er solches anfängt zu begehren in und nach Ausstehung seiner Gerichte. Syst. 220 f.

cc. Die priesterlichen Einrichtungen der neuen Erde.

§ 303.

Auch auf der neuen Erde wird für die Vollendung der mit oder ohne ihre Schuld Zurückgebliebenen durch priesterliche Anstalt und Thätigkeit gesorgt.

„„Endlich wird Jesus alles Böse wegschaffen, eine neue Erde und ein neues Planeten- und Sonnensystem zum Vorschein bringen. Auf derselben neuen Erde werden herrliche Einrichtungen gemacht seyn zum Heil des Ganzen. Syst. 306. Das Paradies Gottes und unseres Heilandes, des Königs aller Könige, ist mitten in der königlich-priesterlichen Residenzstadt selbst. Der Thron Gottes und des Lammes sind in der Mitte des Gottesparadieses. Davon geht aus der Strom lebendigen Wassers, und auf beiden Seiten des Lebensstroms stehen lauter Lebensbäume, die alle Monate Früchte tragen. Die Früchte sind Lebensfrüchte, lauter Lebenskraft und Lichtsgenuß. Die Blätter dieser Lebensbäume dienen zur Genesung der geistlichkranken Nationen auf der entfernten neuen Erde, d. h. auf den entferntesten Theilen. Diese Lebensblätter werden den entfernten Bewohnern auf der neuen Erde von ihren königlichen Priestern zu ihrer Genesung zugebracht oder zugeschickt. Und überhaupt werden die königlichen Priester alle Gnaden- und Heilsmittel, Alles, was erbauen und belehren, ermuntern, erfreuen, Gottes- und Jesus-Erkenntniß verbreiten und befördern, also Seligkeit vermehren und Gottes- und Jesus-Aehnlichkeit je bälder je lieber herstellen kann, hinzu schaffen und senden. Denn das Alles, was durch sie aufwächst und zur Vollkommenheit kommt, also die durch Adam verlorene Herrlichkeit wieder erlangt, bringen sie in die Stadt Gottes, zum Herzens-Wohlgefallen Gottes und des Lammes. Syst. 486 f.

Es sind herrliche Anstalten, wodurch diejenigen auf der neuen Erde zur völligen Genesung kommen sollen, die mit einem schwachgeistlichen Leben aus dieser Welt geschieden sind. Durch die Heilsanstalten, die dort gemacht sind, können und sollen sie zur Volljährigkeit gelangen, daß sie endlich auch in die Stadt Gottes eingehen können. Die seligen, heiligen Anstalten sind erstlich der Lebenswasserstrom, zweitens die Blätter des Lebensholzes, drittens das priesterliche Amt der vollendeten Knechte Gottes, welche ihre Residenz als Könige in der Stadt Gottes, sowie ihre priesterlichen Verrichtungen bei Gott in derselben haben, welches beides in Ewigkeit währen wird. Denn durch solche Gnadenanstalten wird Gott und will Gott endlich ganz gewiß Alles in Allen werden. V. Off. 672 f.

Wer nicht lauterlich, rein und allein Gott sucht und verlangt, kann nicht zur Ausgeburt und Vollendung kommen. Sein vermengtes Begehren hält ihn ab vom Ziel seiner Bestimmung; er ist also ein armer Wurm, er kann dem Gericht der Gerechtigkeit nicht ganz entgehen. Und wenn er ihm einst um Jesu willen, durch den Glauben an ihn, hier oder dort entgangen ist, daß Gottes Erbarmen dann bei ihm anfängt, so ist er darum jetzt noch nicht zum Himmel oder in die Stadt Gottes ausgeboren. Aber für ihn und seines Gleichen sind die Gnadenanstalten schon hier und für Manche auf der neuen Erde. Denn natürlich, was nicht vollendet ist, wirft man nicht hinaus; man hilft zur Vollendung; es liegt dem HErrn und allen seinen Heiligen daran. Wer es aber mißbraucht, was hier gesagt ist, der mißbraucht die Gnade und Gnadenanstalten und wird es sehr bereuen! — Aber hiemit habe ich noch nicht alle Gattungen geschildert, welche meines Erachtens auf der neuen Erde an den Gnadenanstalten Theil nehmen werden. Gibt es nicht Seelen in der Welt, die hier in diesem Erdenleben mancher Gnadenmittel und Gnadenanstalten entbehren müssen? Hierunter verstehe ich natürlich zum Voraus die Heiden oder Nationen, aber nicht diese allein, sondern es gibt auch in der Christenheit viele Orte, wo man nicht so glücklich war, rechte, redliche Lehrer, wahre Knechte Gottes zu haben, wo also doch auch viele Verwahrloste seyn können. Meint ihr nicht, daß Gott dorten das Verwahrloste in Gnaden ansehen werde? Oder meint ihr, Tyrus und Sidon werden keinen Ersatz finden, da die Thaten dort nicht geschehen sind, die zu Capernaum geschahen, weil dieß durch Gnadenmittel bis an den Himmel erhoben war? Gewiß wird Manches dort erst ersetzt werden; denn es wird auf Alles Rücksicht genommen werden. V. Off. 675 f.

Die Gnadenanstalten und Heilsmittel sind also folgende: erstlich der Lebenswasserstrom. Was sollen wir unter diesem anders verstehen, als die Kraftausflüsse Gottes und des gottmenschlichen Geistes der Dreieinigkeit? Denn sowie aus der natürlichen Luft Wasser erzeugt wird, nämlich aus reiner Oberluft reines lichtfeuriges Oberwasser, so wird vom allerreinsten Quellbrunn der Gottesoffenbarung Licht vom Feuer der Vatersnatur, und aus dem Licht Kryftall aus der Feuerlichtsnatur geboren, und aus der feuerlichten Geistesnatur höchst reines, lichtfeuriges, geist und kraftvolles Lebenswasser. Was wir Alles zur Theilhaftigwerdung göttlicher Natur von Oben empfangen, ist aus der Fülle der Herrlichkeit Gottes, ist von dem verklärten Gott-Menschen. Insofern nun solches mittelbar durch die königlichen Priester vom HErrn gegeben wird, ist es Lebenswasser; und wenn solches durch recht reif ausgeborene höhere Begriffe den Seelen beigebracht seyn wird, ist es Lebensfrucht. — Vom Throne der allein anbetungswürdigen Gottheit geht der Lebensstrom aus. Am Strome der Lebenswasser stehen die Lebensbäume. Diese nun sind freilich zuerst die im Licht ausgeborenen königlich-priesterlichen Seelen; aber da es das zweite Gnadenmittel und die zweite Gnadenanstalt auf der neuen Erde ist, sollten es denn nicht ebenfalls auch wirkliche tinkturialische Lebensbäume seyn, sowie sie im ternario sancto, in der himmlischen paradiesischen Jungfrau-Erde wachsen können? Die Früchte dieser Lebensbäume tragen sie, die königlichen Priester, hinaus den Lieblingen auf der neuen Erde und die Blätter senden sie den entfernteren Nationen auf der neuen Erde zu ihrer Genesung. V. Off. 677 f.

Die Vollendeten auf der neuen Erde werden nicht nur königliche Priester heißen, sondern auch seyn; sie werden nicht nur die Titel, sondern auch die Aemter haben, werden also königlich regieren und priesterlich dienen und Amt und Verrichtung wird währen, bis Gott seyn wird Alles in Allen, bis kein Tod und keine Hölle mehr seyn wird und bis Alles herwiederbracht seyn wird. V. Off. 683.

b. **Die zubereitenden Gerichts-, Reinigungs- und Ausreifungs-Anstalten.**

§ 304.

Der Zustand der Seelen nach dem Tode ist ein sehr verschiedenartiger, da derselbe ein gerichtlicher ist und sich zu diesem Leben wie die Ernte zu der Aussaat verhält.

„„Daß der Zustand der Seelen nach dem Tode sehr zerschieden seyn werde, ist leicht zu erachten, weil der Zustand der Seelen schon in dieser Welt sehr zerschieden ist. Wer sollte sich mit gesunder Vernunft nicht einen sehr zerschiedenen Zustand der Seelen denken können nach diesem Leben, wenn er anders Unsterblichkeit der Seele glaubt und die große Zerschiedenheit auf Erden unter den Menschen wahrnimmt? Nun, es wird nicht Alles in Eine oder zwei Massen geworfen, wie es der Unbesonnene denkt; sondern so zerschieden die Denkungs- und Handlungsart der Menschen in dieser Welt ist, also zerschieden ist einst ihr Zustand. Anders wird es der Gläubige und Lichtliebende dort haben; anders aber der Ungläubige und Finsternißliebende. Selbst die lichtliebenden Gläubigen sind dieß mehr oder weniger. Darum ist auch ihr Zustand zerschieden. Ebenso ist die Verdammniß und der Zustand der Ungläubigen, Finsternißliebenden nicht durchgängig gleich, weilen der Grad des Unglaubens, der Finsternißliebe und Bosheit nicht gleich ist. Denn Qual und Leid wird nach dem Maß der Bosheit mehr oder weniger eingeschenkt werden, sagt die heilige Schrift selbst. Und was der Mensch säet, das wird er auch ernten. Wer viel säet, der wird viel ernten, es sei gut oder böse. Und wer dieß betrachtet, wird an erstaunlicher Zerschiedenheit nicht mehr zweifeln. Die Lebenszeit ist Saatzeit. Die zwei unsichtbaren Welten sind die Saatfelder. Das Thun des Glaubens im Licht und lichtliebenden Geistestrieb und das Thun des Unglaubens im Finsterniß-liebenden Satanstrieb sind die ungleiche Saat auf das ungleiche Feld. Die Zeit ist eine eingewickelte, unenthüllte Ewigkeit, und die Ewigkeit wird eine enthüllte und geoffenbarte Zeit seyn. Nach allen Rechten wird Gott Jedem vergelten, nachdem er geglaubt und gehandelt hat.

Und alsbald, so wie wir vom Leibe des Todes auswandern, wird der ungleiche Zustand ungleicher Seelen sich anfangen. Da, wo der Mensch nicht gesäet hat, kann und darf er nicht ernten. Säete er auf's Fleisch, so erntet er Verderben. Und wo kann man dieß anders ernten, als im Tod und Todtenbehältniß, im Reich der Hölle und Finsterniß? Also wo sollte Lichts-, Geistes- und Liebesfrucht anders geerntet werden, als im Lebens-, Lichts- und Geistesreich? Syst. 394 ff.

Wer wider einen höheren Grad des Lichts und der Erkenntniß sündiget, als viele Andere, der wird auch ein ungleich herber, schrecklicher Gericht und Schicksal haben, als Andere. Syst. 397.

Im Gegentheil, wo Mangel der Mittel des Heils gewesen, wird das Gericht erträglicher, und die Wiederbringungsmittel in jener Welt wieder bälder zu hoffen seyn. Syst. 400.

Ein anderer Zustand der glaubigen, ein anderer der unglaubigen Seelen wird nach dem Tode seyn; ein anderer Zustand der wenig, ein anderer der ganz vollendeten Seelengeister; ein anderer derer, die da hatten die Mittel des Heils zur Errettung, ein anderer derer, die sie nicht hatten; ein anderer derer, die sie hätten haben können, aber verachteten, ein anderer derer, die sie angenommen und angewendet hätten, wenn sie ihrer wären theilhaftig worden. Ein anderer Zustand wird es seyn mit denen, die viele und alle Mittel der Gnade hatten, ein anderer bei denen, welche Manches hatten und ein Manches mangelten. Syst. 401.

§ 305.

Da aber der Vorsatz der Wiederbringung aller Dinge in Christo besteht und realisirt wird, so entsprechen die Wiederbringungsanstalten diesen verschiedenen Seelenzuständen, und es gibt Gerichts- und Reinigungsanstalten, in welchen die Unglaubigen durch Gerichte und Feuersprocesse für die Gnade erst empfänglich und bedürftig gemacht werden.

„„Die Gefäße des Zorns ergreift die Eigenschaft der Gerechtigkeit im Gericht und hält sie so lange, bis die Sinnesänderung folgt, bis sie wollen, wie Gott im Licht will, und bis sich seine Barmherzigkeit über das Gericht rühmen und als Siegerin erscheinen kann. III. Kor. 51.

Folgt die Seele der Gnade nicht und kann das Trübsalssalz Nichts ausrichten, so ist freilich das Feuersalz unvermeidlich. IV. Tit. 261.

Alles Opfer wurde ehemals mit Salz gesalzen und noch jetzt muß der Mensch, der ein Opfer Gottes werden und der Hölle entgehen soll, mit dem Salz des Lebens gesalzen werden. Dasselbe Salz ist aus feurigen Wassern und aus wässerigen Feuern durch den Geist der Ewigkeit, durch den Geist der Herrlichkeit geboren, und mit zweifachen Lebenskräften begabt, alles Ungeistliche und Ungöttliche zu zerstören, und alles Göttliche und Geistliche mitzutheilen und zu geben. Wenn nun dieses Salz dumm wird, seine Kraft verliert und es mit dem Menschen nicht dahin bringen kann, so muß das höllische Feuer alles Widrige wegbrennen, und der Tod oder der Geist der Auflösung muß Alles auseinandersetzen. Kurz, der Geist muß doch heraus aus dem Fleisch, das Leben muß aus dem Tod, der Himmel aus der Hölle, das Licht aus der Finsterniß, die Liebe aus dem Haß, die Barmherzigkeit aus dem Gerichte und Gott selbst aus Allem. Das kann doch nicht gehindert werden. Weil der Geist der Ewigkeit in Allen ist, darum muß auch der Geist der Herrlichkeit in Alle kommen. Ergib dich demnach, arme Creatur! ꝛc. ꝛc. V. Off. 768.

§ 306.

Der Zweck dieser gerichtlichen Anstalten und Proceduren ist der, daß die Seelen auseinandergesetzt, geschieden und in die Gebärmutter der Ewigkeit zur Neugebärung zurückgerufen werden.

„„Seelen, die durch das Salz der Herrlichkeit mögen gemacht werden zu einem Opfer Gottes, bedürfen keinen Zusatz von besonderem Trübsalssalz, am Fleisch zu leiden; wo es aber nicht allein vermögend ist, kommt dieses dazu; wo aber diese beiden Nichts vermögen, da muß das höllische Feuer vorarbeiten; da muß vorher Leib und Seele in der Hölle geschieden und auseinander gesetzt werden und dann, wenn

Tod und Hölle ihre Todten vor das Gericht geben, werden beide in den Feuersee geworfen und als wieder zusammengesetzt in demselben, als in dem Faß der Verwesung, zur Fäulung gebracht und dann im Feuer abermal und öfters über sich und immer wieder herüber getrieben, daß endlich der Geist aus dem Fleisch herauskomme. Wer sollte sich nicht wünschen, hier durch das Blut Christi gereinigt zu werden? wer sollte sich nicht wollen lassen vom Licht Gottes durchleuchten, vom Wort des Lebens durchrichten, vom Blut Christi durchreinigen und vom Geist Jesu durchheiligen! Hier geht's sehr gnädig im Leibe der Demüthigung; dort ist's ganz was Anders! Am Auferstehungstage wird man's einander noch besser sagen können. VI. Pf. 93 f.

Geschieht es, daß wir sterben, und der natürliche Lebensanfang findet sein Ende und das Ende seinen Anfang, siehe! so sterben wir dir und der ewige Anfang unserer Seelen sucht dich, den Ursprung, wieder und findet dich auch, als den allmächtigen Wiedermacher. Hat die Seele den Samenstoff der Herrlichkeit, so wirst du sie versetzen in die wonnesamste Paradiesnähe, wo sie ausreift. Wo nicht, so wirst du sie — Alles in sich fassender, alle Räume in dich beschließender Geist! — in die Anfänge der Gebärmutter versetzen, wo sie nach abstufendem Kreis der Versetzung — du weißt, in welcher Ewigkeit — wiederum geboren wird in dem Leibe der Ewigkeit, die so zu sagen der äußerste Leib der ewigen Weisheit ist. Gott, der du die Erde und die Welt und die Berge nicht ohne große Geburtswehen im creatürlich-natürlichen Theil hervorgebracht, du bist es, der du die Menschen, wenn sie das Ziel des natürlichen Lebens gefunden haben, lässest sterben! Aber eben alsdann rufst du Alles wieder in seinen Ursprung zurück und nimmst es in dein Wiedermachen. Nichts vergeht, was je gewesen; was sich nicht verblühet hat, wird in seine Anfänge aufgelöst. Gleichwie du dich bei des Menschen Schöpfung sprechend in Allem bewegt hast, daß Alles Etwas zur Schöpfung des Menschen gab und mitwirkte, also nimmt auch Alles, wenn du ihn zurückrufst, das Seine; hat er anders keine höhere Geburt, so ist's also. Wenn er aber nun im Leibe des Alls ist, so ist er in deinem Machen, o Gott! entweder im Zurückrufen dort noch, oder schon im Rufen in's Wiederseyn. Denn einst wird deine allmächtige Schöpfungskraft Alles, was der Geist der Herrlichkeit nicht in's Machen bekommen hat durch den Glauben an Jesum, Alles, was er nicht gemacht hat oder im Neumachen hat, zum allgemeinen Gericht wiederrufen aus der Erde. Dann sind solche Gerichtete auch in dem Feuersee immer noch im Zurückrufen, bis sie am Ziel sind; dann rufest du sie durch den Geist der Herrlichkeit in's Wiederseyn deines Ebenbildes. — Es mögen aber die menschlichen Leiber noch so lange verfault seyn, als sie wollen, das hat nichts zu sagen; Gott wird sie mit seiner allmächtigen Beweglichkeit wiederrufen, und die nämliche Seele, die mitgewirket hat, als unterschöpferische werkzeugliche Kraft, zum ersten Seyn, wird wieder werkzeuglich mitwirken. Und wie Adams Seele zur seelischen Bestimmung mitgewirket, wird jede Seele, von innen heraus beseelt und bewegt, mitwirken zur Auferstehung. VI. Pf. 983 f.

Die strafende Gerechtigkeit wird auseinandersetzen Leib und Seele, entweder in der Verwesung durch den Geist der Auflösung; oder aber, bleibt da etwas Finsterleibliches mit der Seele verbunden, so geschiehet die Auseinandersetzung in dem ewigen Feuer, welches mit dem magischen Feuerrade der Seele völlig conform ist. II. Act. 508 f.

§ 307.

Auch für die unvollendeten Gläubigen bestehen Reinigungs- und Ausreifungsanstalten, durch welche sie vollends zubereitet werden zur Herrlichkeit. (cfr. § 259.)

„„Da solche Wiederbringungsanstalten ganz gewiß sind, so sind auch nach den Gerichtsorten hinwiederum näher dem Lichtreich Zubereitungsörter, wo Seelen zur Seligkeit zubereitet werden können. Und darum wird wohl mancher Unwiedergeborene, der sich Seligkeit einbildet, dieselbe sehr spät und auf ganz andere Art erlangen, als er sich's eingebildet und vorgestellt hat. IV. Hebr. 392.

Ein Kind Gottes macht sich keine Alltagsbegriffe vom Himmel, wie Einer, der gar keinen Begriff von Gott und göttlichen Dingen hat, oder wie es überhaupt Alltagsmode ist, davon zu lehren. Nein, es hat ihm der Geist Gottes

die Sache eigentlicher entdeckt: es stellt sich's nicht vor, als
wäre der Himmel ein großer, weiter Raum, und in demselben also Selige vor Gott versammelt, Einige näher, Andere entfernter. Es weiß, es sind unterschiedliche selige Geister, also
auch unterschiedliche Seligkeitsörter und Stufen der Seligen,
viele und vielerlei Wohnungen in dem großen Hause des
Allvaters. Es weiß, daß, wenn ein Gotteskind stirbt des
natürlichen Lebens, daß es noch ein Leben hat; dieß spürt
es in sich. Es weiß, daß es in Begleitung der Engel und
etwa derjenigen Geister, zu denen es kommen soll, durch
Tod und Hölle wandern soll, angezogen mit einem weißen
Kleid, einen weißen Stein in den Händen habend. Es
weiß, daß es von der keinem gehalten werden kann als ein
Ueberwinder; auch in den Planetenwelten, Gerichts- und
Feuerwelten nicht, die in der Kugel der Ewigkeit beschlossen
sind. Es weiß, daß es, wenn es den Ort der Freiheit erreicht hat, durch das Thal der Brunnen geht, nahe den
Vorhöfen des Paradieses. Es verlangt also nicht, im Abra-
hamsschoos, im Edensgarten zu verweilen, sondern nach dem
Paradies steht sein Verlangen, wo die auferstandenen Geister sind. VI. Pf. 913.

Stellet euch vor, daß der, welcher los ist von Natur
und Creatur, in sofern sie natürlich ist, so ist ein solcher
los von der Siebenzahl der Natureigenschaften. Soll er aber
durch die achte Zahl, als durch das Feuer der Natur passiren
können, so muß er die Feuerprobe halten, und hält er die,
so gehet er in die neunte Zahl, als in das Tinkturialische
ein. Da wir aber auch dieß als einen blühenden Zustand
betrachten — denn das Ausgereifte ist im siebenten Grad desselben, als in dem Paradies selbst, allwo der Lebensbaum ist —
stehet uns wohl an zu bedenken, was in den vorhergehenden
ersten sechs Stufen, als in den Vorhöfen oder Vorzimmern
vorgehen könne. Da können verschiedene selige Gesellschaften
verschiedene schöne Vorparadiese haben; es können da noch
verfeinerte Tinkturialitäten die minder feinen verfliegen
machen, und edlere Begriffe, die man da erlangt, können
die minder edlen verdrängen und vergehen machen. Folglich ist da ein Reisen möglich aus dem blühenden Zustand

in den fruchttragenden, kurz eine Ausgeburts- und Vollen-
dungsmöglichkeit. III. Kor. 100 f.

Auch die Ueberwinder, deren Bürgerhaus in's Reich der
Himmel ausgebaut, ja ausgeboren ist, mögen eine Zeitlang
in dem ersten Interims- oder Zwischenstande seyn, um noch
manchen Unterricht zu genießen, um noch besser einbalsamirt
und gekleidet zu werden in den jungfräulichen Brautzimmern
und Vorgemachen der Vorhöfe des Paradieses; denn auch
die Ueberwinder selbst sind in verschiedenen Zuständen, d. h.
auch die, welche allhie von Natur und Creatur sind los
worden, gleichwie auch von dem äußern Leib und Leben
und alle dem, was grob und leidenschaftlich genannt werden
kann, können doch auch noch an Subtilitäten, an feineren
Arten der Creatürlichkeiten gehangen und geklebet haben.
Das sind dazu aber Dinge, die auch nicht unter Geist,
Tinktur und Jungfrauerde zu verstehen sind, also doch auch
nicht in's Innere des Paradieses dringen lassen. Folglich
müssen Gesellschaften in Vorhöfen sich aufhalten, die in eben
diesen Vorzimmern zur Auferstehung zubereitet werden. Daß
da übersinnliche Schönheiten, die ganz von dem Niedersinnlichen abziehen, seyn werden, läßt sich gut schließen; sonst
wären nicht Zubereitungen daselbst möglich. III. Kor. 99 f.

§ 308.

Durch die ganze Schöpfung hindurch geht die magnetische
Kraft, vermöge der jeder Schöpfungskreis und jede Geburt
das Gleichartige an sich zieht. Deßhalb muß eine jede
Seele nach dem Tode des Leibes entweder zur Scheidung
und Auseinandersetzung, oder zur Reinigung und Ausreifung
durch die verschiedenen Orte und Stände stufenweise durchpassiren.

„„Alle, welche vom Leibe des Todes und der Sterblichkeit auswandern, müssen meines Erachtens durch Tod und
Hölle passiren, dem Paradies zu. Da wird Mancher, der
hier zuviel ausgewichen ist, nicht ausweichen können, und
vielleicht vielfältig vom andern Tode beleidigt werden. V.
Off. 75.

Gott ist durch Alles und in Allem; nur ist seine Offen-

32*

barung in den vielen Welten verschieden in Naturen und Creaturen, nach Verhältniß der Wesen und Elemente. Es ist Alles zusammen voll Kräfte und Magneten; ein jeder zieht das Seine in dem neunundvierzigfachen Rade an sich zu einem Körper, nach Art des Verhältnisses der Welt. Das Unsichtbare ist in dem Sichtbaren und durch dasselbige ungehalten, und alle sichtbaren Dinge bestehen aus guten und bösen, sowohl die Welten als Creaturen, und müssen jedes in's Eins geschieden werden, das Gute in's Gute und das Böse in's Böse. Nicht, daß Alles unsichtbar werde, sondern daß eine jede Welt das Ihre einsammle, die gute und böse, und Alles sichtbar werde. So ist also das Paradies, der Himmel und Alles, auch die Hölle und alle Welten im Menschen; aber in den Guten ist das Gute offenbar, qualificirend und wirkend, und in den Bösen ist das Böse offenbar und wirkend. Wenn ich nun ein Kind Gottes bin, so habe ich nicht weit in's Paradies; bin ich ein Kind des Teufels, so habe ich nicht weit in die Hölle; denn Alles ist in mir concentrirt. Syst. 519.

Es haben freilich alle Magneten durch ihre Kräfte in ihren Kreisen und Sphären auch ihre begränzten Körper und Welten in absonderlichen räumlichen Oertern, höher oder niederer, nach Art des Magnets; darum muß der Mensch, der aus dem Leibe scheidet, durch Alles durchpassiren, räumlich wie Christus. Denn der Mensch läßt den Leib der Erde, der er gehört. Hat er nun Etwas der Höllenwelten an sich und Nichts von dem Guten, so wird er daselbst von dem Ersten gehalten und so durch Alle und kann bald ein Erstling des Satans werden und zur bösen Auferstehung kommen. War er aber nicht so teuflisch-böse, so kann er, wenn er dennoch nicht neugeboren war, in dem finstern Theil der Planetenwelten gehalten werden; denn alle sind aus Gut und Böse in unserem System. War Einer bekehrt und doch nicht vollendet, soviel es hier seyn sollte, so reiset er, nach Ablegung des Finstern, in das gute Theil der Planeten; da wird ihm Alles kund im Durchmarsch. Ferner: ist eine Seele weiter gekommen, und kommt vor die Geister- und Gerichtswelten, da eine jede nach sieben Gattungen von Sündenarten am besten richten kann, und es wird die Seele nicht ganz richtig befunden, so wird sie zurück in die Planetenwelten gewiesen. Wird sie gut befunden und hat nur noch Unterricht und Lehre nöthig, zur Auferstehung zu kommen, so wird sie durch die Feuerwelten eingelassen. Diese sind die achte Zahl und die sieben Planeten sind die sieben vorhergehenden. Da, in diesen Feuerwelten, wird die Seele von Allem, das sie längst gern los gewesen wäre, freigemacht und geht ein in die Paradieswelten durch das Thal der Brunnen. Da bekommt sie Unterricht und Lehre, nachdem sie schon einen weißen Stein und ein neues Kleid bei ihrem Abscheiden bekommen hat durch ihre Begleiter aus der Engelwelt und Geisterwelt. In den Paradieswelten rückt sie von einer zur andern, gemach oder schnell, wie in den andern auch geschieht, je nachdem man mehr oder weniger abzulegen oder zu lernen hat. In den Paradieswelten kommt man zur Auferstehung und hat einen Interimsstand zum zweiten Mal, ehe man auffähret, wenn man fest ist. Dann geht es erst durch die Engelwelten und die Lichtswelten; von da in die reine Glorie, als das, was wir den leeren Lichtsraum nennen. Syst. 520 f.

§ 309.

In diesem Stufengang entsprechen die Zustände und Orte immer einander und fallen zusammen, so zwar, daß die zu durchlaufenden Stufen immer local und dynamisch zugleich, jedoch nicht immer an räumlich abgegränzte Localitäten gebunden sind.

„„Wenn ich z. B. schreibe Todesthal oder Brunnenthal, so will ich damit nicht just besondere Oerter, sondern besondere Zustände benennen; als mit dem Todesthal den Zustand einer vom Leibe des Todes ausgewanderten Seele, welcher, da sie noch nicht vollendet ist, vieles Ungemach und manche Beleidigungen noch widerfahren können, indem sie durch Tod und Hölle wandert. Ebenso ist's mit den Feuer- und Gerichtswelten. Da könnet ihr euch zerschiedene Zustände denken. Diese Welten können in sieben immer feinere Gerichts- und Reinigungsgrade getheilt seyn, welche die Seele durchpassiren soll, wenn es nicht schon im Leibesleben ge-

ſchehen und durchgemacht worden iſt. Es können aber auch
ſieben immer feinere Gerichts- und Feuerwelten ſeyn, die
nach Art der ſieben Planeten in ihren Eigenſchaften zer=
ſchieden. Sie ſind aber nicht im ganzen Schöpfungsreich,
ſondern nach ihrer Kraft und Wirkung im ganzen Sonnen=
ſyſtem gegenwärtig, und jeder muß ſie durchpaſſiren, bei dem
es nicht hier geſchah. Wer ſich hier durchleuchten, durch=
richten und durchreinigen läßt, bei dem iſt's geſchehen.
Ebenſo iſt's auch mit den Worten: Ort der Freiheit, Brun=
nenthal, Abrahamsſchoos oder Paradiesvorhöfe. Sie wollen
faſt einerlei ſagen. Ja, wer durch die Gerichts- und Feuer=
welten, durch das Cherubsſchwerdt und Todesthal durch iſt,
der kommt in den erſten Interims- oder Zwiſchenſtand, in
die Vorhöfe der Paradieswelten. Dieſe kann ich nun heißen:
Geiſterſchulen, weil die Seele, die da ankommt, von reiner
Erkenntniß Gottes und Jeſu gründlich unterwieſen, und zur
Auferſtehung zubereitet und angekleidet wird. Ich kann es
Brunnenthal nennen, weil die Seele da erquickt, erfreut und
geſtärkt wird. Ich kann es den Ort der Freiheit nennen,
denn da hat ſie eigentlich Alles beſiegt und überwunden.
Und weil ſie da die Auferſtehung erwartet, kann ich es mit
Recht Edensgarten nennen, oder auch Abrahamsſchoos. Ich
meine aber nichts Anderes damit, als die ſeligen Paradieswelten, oder die Vorhöfe des HErrn. Denn da iſt ein recht
engliſches Kinder- und Freudenleben; da ſind edle Gärten
und ſelige Geſellſchaften in denſelben. Hätte ich ſie nicht
ſelber geſehen, ich wollte nicht davon ſchreiben. Syſt. 412 f.

Alle jene Zuſtände ſind nicht an gewiſſe Räume und
Orte gebunden und können doch an allen Orten auch mit
ſeyn dem Raum nach. Denn ich werde euch die Sache
durch Zahlen ſuchen begreiflich zu machen, da ihr dann jene
Zuſtände allerwegen findet, wo Seelen ſind, die aus dem
Niedern in das Höhere übergehen, folglich aus einem ge=
ringern in einen beſſern Zuſtand, wie es denn der Wille un=
ſeres HErrn iſt, daß es gehen und geſchehen ſoll. — Wir
zählen ſieben Natureigenſchaften, ſieben Kräfte der Natur,
da je eine Eigenſchaft in einem Planeten herrſcht. Nicht
allein aber das — auch ſogar in allen geſchaffenen Dingen
der ſichtbaren Welt, Nichts ausgenommen, wirken dieſe ſie=

ben Kräfte und Natureigenschaften. Aber in dem Einen
Dinge (sei es Stern oder Mensch oder Thier, Kraut oder
Mineral oder was es sei) herrschet Eine der sieben Eigenschaften. Dahero ist alles Sichtbare in die sieben eingeschlossen. Sobald wir also weiter gehen, gehen wir ein in
das Unsichtbare. Die achte Zahl ist das astralische Feuer,
das elektrische oder Naturfeuer, das sich nur in Blitzen offenbart. Dieß ist's also, was wir als den gewalthabenden
Engel über das Feuer, als das Feuerschwerdt um das Paradies erkennen. Dieß ist also die Feuermauer um das
Paradies. Dieß ist die erste Staffel der Unsichtbarkeit und
offenbart sich nur in Blitzen. Dieß ist's also, was wir
unter den Feuer- und Gerichtswelten verstehen; denn in
diesem Feuer wird Alles abgestreift, was nicht in die neunte
Zahl eingehen kann und soll. Dieß ist das Cherubs-
schwerdt, zu bewahren den Eingang des Paradieses zum
Lebensbaum. Syst. 407. 409.

§ 310.

Der äußerste und finsterste Gerichtsort für die ausgereif-
ten Satanskinder ist die Hölle oder Gehenna, welche sich im
Innern der Erde befindet und durch den Feuerproceß des
jüngsten Tages zu einem vollständigen Feuersee werden wird.

„„Die Hölle heißt in der Schrift auch das Grab. Die
Gehenna aber ist die eigentliche Feuerhölle. Es gibt Seelen, die als Erstlinge des Satans im Bösen so ausgereift
und ausgeboren sind, daß sie bald nach ihrem Tode einer
früheren Auferstehung theilhaftig werden und meines Erachtens mit Leib und Seele in die Gehenna fahren. — Gehenna aber ist meines Erachtens in dem hohlen Raum der
Erde und ich glaube, daß die Vulkane und feuerspeienden
Berge Kamine der Gehenna sind, zugleich aber auch Ein-
fahrten für die, so mit Leib und Seele zur Hölle fahren
als Erstlinge und ausgeborene Satanssöhne. Daß ein solcher hohler Raum in der Erde und ein solches centralisches
Feuer in der Erde sei, vermuthe ich nicht ohne Grund, und
es gibt ihrer Mehrere, die es vermuthen. Wäre es nicht
in der Erde, so würde es einst am großen Feuertage nicht

losbrechen und Alles anzünden, verbunden mit dem astralischen Feuer im Luftkreis. Bis an den großen Feuertag, da
sich diese zwei Feuer durch den Zusammendruck entzünden
und conjungiren, wird die Gehenna und Feuerhölle seyn.
Alsdann aber wird Himmel, Meer und Erde von allem
Sünden- und Todesgift gereinigt werden und aus dem Unrath und Unflath wird der vollständige Feuersee, der vermuthlich die Halbkugel der Erde einnehmen wird. Dieß ist
dann das dem Teufel und den Seinen bereitete und bestimmte
Feuer. Also das ist die Hölle, so wie sie außer dem Menschen ist, der aber auch eine Hölle in sich hat, ein Feuer,
das eben so unauslöschlich ist, wenn es einmal in seiner
Qualität herrschend ist. In diese Hölle kommen also bald
nach ihrem Tode die im Bösen ausgeborenen Menschenseelen
und zwar mit Leib und Seele. Syst. 402 f.

§ 311.

Die Gerichtskerker und Reinigungsörter sind Vorstufen
der Hölle; sie sind innerhalb des Sonnensystems und für diejenigen Seelen bestimmt, welche in der Sünde nicht bis zum
höchsten Grade ausgeboren wurden.

„„Es gibt Seelen, die nicht so böse sind, daß sie gleich
nach ihrem Tode in die Gehenna oder Feuerhölle fahren,
und meines Erachtens auch nie darein fahren sollten, wenn
sie sich bessern ließen. Daß es aber nicht bei allen geschieht,
beweiset der Ausspruch des Weltrichters, wenn er zu vielen
am Gerichtsschluß sagt: Gehet hin, ihr Verfluchten in das
ewige Feuer, das dem Satan und seinen Engeln bereitet
ist! Wo kommen also diese Seelen vor dem Gerichtstag
hin? und wo sind die Gerichtskerker und Reinigungsörter?
— Sie sind theils auch in der Erde, theils in den zu unserem Sonnensystem gehörigen Planeten, theils in der oberen Luftregion. Daß dem Menschen gesetzt ist, Einmal zu
sterben, hernach aber sein Particulargericht, lesen wir ja
deutlich. Aber nicht Alle, o nein! der wenigste Theil erreicht sein bestimmtes Lebensziel. Denn der Eine verkürzt
sich sein zeitliches Leben auf diese, der Andere aber ebenfalls, auf andere Weise. Solche nun, die ihr Leben ab-

kürzen, haben sich noch nicht losgerissen vom Bande der
Sternregion, sind also mit ihrem astralischen Leibe und Leben an das astralische Band gebunden und werden also nicht
gleich gerichtet werden nach dem Tode, weil sie das gesetzte Ziel
nicht erreicht haben; sind also entweder, so vermuthe ich, in
der Luftregion, oder werden von den Naturkräften und
Eigenschaften der Planeten angezogen, daß sie allda ihre
Reinigungsörter finden. Der Eine im Saturn, der Andere
im Jupiter; der Eine im Mars, der Andere in der Venus;
der Eine im Merkur, der Andere im Monde; je nachdem
in einem solchen fleischlichen und fleischlich gesinnten Menschen diese oder jene Eigenschaft am meisten geherrscht hat.
Da kann der, welchen der Geiz beherrschte, im Saturn, der
Hochmüthige im Jupiter, der Zornige im Mars, der Fleisch-
liche, Unreine in der Venus, der Allgeschäftige im Mercur,
und der Faule in der Luna seyn und da hat ein jeder seine
Strafe. Denn der Geizige findet im Saturn viel Platz,
aber fast gar Nichts darauf. Der Hochmüthige findet im
Jupiter Viele, die gerne geehrt wären, aber Keinen, der
Ehre geben will; der Zornige findet im Mars viele zornige
Helden, die einander zum Satan jagen wollen. Und der
Unkeusche findet in der fruchtbaren Venus viel zu leben, und
kann's schändlicher Krankheiten halber nicht genießen. Der
Allgeschäftige findet im Merkur Viele seines Gleichen, die
einander treiben und plagen. Der Faule im Mond findet
Viele seines Gleichen, aber sie müssen dran, wollen sie auf
dem kleinen Körper ihr Auskommen haben. Und also haben
Alle ihre Plagen; aber ich denke: darum, daß sie zu sich
selber kommen, ermüden, sich ändern und bekehren. Denn dazu
sind auch meines Erachtens Anstalten gemacht und getroffen
vom HErrn, welcher hingegangen ist, die Himmel einzunehmen. Syst. 404 ff.

Unser Heiland ist abgestiegen, da er lebendig gemacht
war im Geist, als lebendigmachender Geist und HErr in
die untersten Oerter der Erde. Also ist die Gehenna unten
in der Erde, oder im hohlen tiefsten Raum, dem Centro
oder dem Mittelpunkt zu. Allda hat der HErr zweierlei gethan:
den Verdammten und Teufeln bezeugt, daß er das höllische
Reich zerstört habe, und da hat er die Schlüssel der Hölle

und des Todes mit fortgenommen als Ueberwinder. Hat aber auch zugleich Evangelium geprediget den Geistern in den Gefängnissen oder Todtenbehältnissen, solchen, die zu den Zeiten Noäh nicht glaubten, aber denen der Glaube durch die Sündfluth in die Hände gegeben wurde. Aus diesem erhellet, daß es auf dem Wege zur Hölle — Gehenna — Gefängnisse, Kerker des Gerichts und Vorhöllen gebe, die nirgends anders, als auf dem Wege zur Hölle aufzusuchen sind. Also die sind an Zeit und Orte gebunden und also dort zu suchen. Syst. 408.

§ 312.

Eine höhere Stufe bildet der Scheol, oder der Verwandlungsort, in welchem sich die unvollendeten Seelen, in denen Christus keine Gestalt gewinnen konnte, umgestalten, bis sie ermüden und bilderlos werden.

„„Selig sind die Todten, die in dem HErrn sterben, vom Nun ihres Todes an, denn ihre gethanen Glaubens- und Lichtswerke folgen ihnen stracks nach, und sie haben Lichtsleiber aus Christi Fleisch und Blut, also Christum im Wesen. Mithin brauchen sie sich nicht hundert- und tausendmal umzugestalten, weil Christus eine Gestalt in ihnen gewonnen hat, und dieß ist ja eine bleibende Gestalt. So dann aber freilich Einer im Reich der Todten ankommt, in dem Christus keine völlige Gestalt gewonnen hat, wird er sich auch noch in seiner Unruhe umgestalten. Syst. 399.

Es wird im Todtenreiche, im Scheol, kein geringes Reuen seyn in den Seelen, die sich tausendmal umwandeln und umgestalten, daß sie keine bleibende Jesusgestalt in ihrem Erdenleben angezogen haben; allein diese Reue ist zu spät! Die Seele soll und muß bilderlos werden, und wird sie es nicht, so ist des Umgestaltens kein Ende, bis sie endlich und endlich ermüdet. V. Off. 441.

Ich vermuthe, daß ein unvollendeter abgeschiedener Geist in sehr veränderlichen Umständen seyn werde. Er ist bloß und hat keinen im Licht ausgeborenen Leib, und die äußere Hütte, das Wanderzelt, hat er abgelegt. Ist er nun dem Ziele der Wanderschaft nahe gekommen, so kriegt er ein weißes Kleid, sich in den verschiedenen Zwischen- oder Interimsständen seliger Geister sehen zu lassen. Ist er noch allzufern gewesen, so war er's in seiner Natur, kann also auch solch Kleid nicht erlangen, ist also genöthiget, da er ja nicht an das Ziel der Reise gekommen ist, sich an sein hie gehabtes Wanderzelt, an seinen hie gehabten Leib zu halten und in seiner Magia den anzuziehen und darin zu erscheinen, daß er darin die Reise vollende, die er nicht durch Tod und Hölle vollendet hat. Da es aber nur angenommene, magische Gestalt seines hie gehabten Wanderzeltes ist, kann er dieselbe nur so lange heben, haben und halten, als ihm nichts Anderes dazwischen kommt, nämlich keine nicht überwundenen Leidenschaften, Lüste und Begierlichkeiten. Denn erwachen diese in seiner entblößten Seele, so erscheint er in einer derselben ähnlichen Thiergestalt; denn seine Magia kann die hier gehabte Gestalt alsdann nicht halten, jens zu verbergen. Das war also nur hier möglich im Todesleibe, der aber alsdann weg ist. Darum weichen alsbald solche Geister, wie sie auch erscheinen in hie gehabter Gestalt, wenn sie Schwäche fühlen, solche länger zu halten, indem sie etwas Anderes fühlen. Die Leidenschaften, die also hie nicht besiegt worden, zeigen sich also, als nicht besiegte, gerichtlich und als Strafe. Denn wie sie sich in ihren thierischen Gestalten zeigen, kann die Seele weder im Geisterreich oder im Kinderreich, noch unter guten Gesellschaften sonst sich zeigen; sie ist entweder zum Verwesungsleib hingezogen auf einige Zeit und leidet Fleischesgerichte, oder sie leidet im Scheol wegen ihrer Veränderlichkeit Schrecknisse und Beängstigungen der Hölle. Alles dieß aber erzeuget dann auch Reue, und sie sinket bald wieder in Gottes Erbarmen. Ihr fällt ein Wort Gottes ein, und sie wird Licht; das Böse schwindet, sie zeucht edlere Gestalt an und erscheint bei seligen Geistern, wird allda erbaut, faßt Ekel an dem, was sie so scheußlich macht und ihr so viel Qualen verursacht, und so rückt sie fort im Reich der Todten, im Thal des Todes, wird endlich los von der Welt und also auch vom Wanderzelt, und geht endlich über in den Ort der Freiheit, kommt in einen besseren Interimsstand und eilt dem Ziel entgegen. III. Kor. 97 ff.

Es ist kein eigentlicher, kein ganzer Mensch, der nicht nebst dem, daß er Leib und Seele hat, auch wirklich Geist hat. Wenn nun derselbe Halbmensch stirbt, so hat er ja keinen Leib und hat nicht Geist; folglich ist er blos Seele. Und was ist Seele nach dem Tod? Nicht mehr aus Zeit und Ewigkeit zusammengesetzt; das Sterbliche ist im Tode. Da stehest du also im Reiche der Todten Seelen, die einem sich selbstfressenden Feuerwurm ähnlich. Oder du findest sie in fremden, angenommenen, aber sehr veränderlichen Gestalten eine Zeitlang spielend im Scheol. — Kann denn ein Geist ohne Leiblichkeit auch wissen, was er ist? Oder wie kann ein Mensch wissen, daß er Mensch war, wenn er weder Wanderhütte noch Lichtsleib hat? Er kann sich's wohl noch einbilden zu gewissen Zeiten und Augenblicken, oft aber auch nicht. Woher sollte es sonst kommen, daß sich unselige Geister in allerlei angenommenen Gestalten sehen lassen, die nach den vorherrschenden Thiereigenschaften beschaffen sind, und weßhalben sie sich auch in den Orten der Verwandlungen oder Umgestaltungen befinden? Zeuget dieß nicht von dem unseligen Qualwurm und Feuerrad einer bloßgestellten, abgeschiedenen Seele? III. Kor. 92 f.

Je mehr ein Ding die Seele verwandelt, tingirt und anders gestaltet hat, je mehr ist dabei ursprüngliche Kraft der Verkehrtheit in Mitwirkung gestanden, je mehr von derselben mit eingeflossen. Je mehr aber das ist, je mehr Umgestaltungen sind noth, es wieder in seinen guten Stand zu stellen, worin es gestanden hat. VI. Ps. 183.

Was für erschreckliche Formen und Gestalten werden zum Vorschein kommen, wenn der Tod und die Hölle ihre Todten geben müssen! Und wie viel Gestalten verschiedener Arten werden sich in dem gestaltbegehrenden Scheol bei Seelen bilden, welche hernach nur im Feuersee, da alle Schlacken, aller Unrath aus allen wider einander streitenden Elementen, Naturen und Creaturen im ganzen Sonnensystem beisammen seyn werden, ihre Gestalten ablegen und so gereinigt werden können, daß sie nach Verfluß so mancher Ewigkeiten erst die rechte und wahre Gestalt annehmen und anziehen! V. Off. 748.

§ 313.

Der Scheol ist an keinen Ort gebunden, sondern in der ganzen zeitlichen Natur, so weit der bildende Weltgeist mit seiner Wirkung reicht.

„„Was den Scheol betrifft, so ist er nicht an Einem Ort allein, sondern allenthalben da, wo auch Wiederbringungs= anstalten gemacht sind. Syst. 408.

So wie die Natureigenschaften oder Naturkräfte in allem Naturleben wirken und gegenwärtig sind, also ist auch das Naturfeuer überall in der ganzen Natur, ich sage Natur, im ganzen Sonnensystem gegenwärtig, also auch in den Pla= neten, da je Eine Natureigenschaft herrscht. Ebenso ist auch das „Schuf“ Gottes, der Geist majoris mundi, der spiritus mundi und spiritus rector, oder wie man es nennen mag, (ich nenne es den Geist des Machens und Erhaltens) über= all in aller zeitlichen Natur und Creatur gegenwärtig. Wenn demnach unvollendete Seelen aus der sichtbaren Welt schei= den und sind im Machen begriffen, haben sich aber dem heiligen Geist, dem göttlichen Macher nicht ganz ergeben, so ergreift ihre Magia denselben Macher, denselben Geist, und er ergreift sie. Daher kommt das Umgestalten und das Verwandeln der Seelen nach dem Tode, und ist also dieser Scheol und Verwandlungsort, wo derlei Seelen sind, da ja dieser Geist in der ganzen Natur gegenwärtig ist und wirket. Merket aber wohl, ich habe nicht gesagt: dieser Geist sei im ganzen Schöpfungsreich allgegenwärtig, sondern nur in der ganzen zeitlichen Natur. Syst. 410.

§ 314.

Vom Scheol aus führt der Stufengang weiter in die Feuer= und Gerichtswelten, das Todesthal, das Thal der Brunnen, den Ort der Freiheit und zuletzt in das Paradies selbst, wo der Baum des Lebens ist und die Seelen zur Auferstehung ausreifen. (cfr. § 33.)

„„Was die Feuer= und Gerichtswelten, den Ort der Freiheit, das Todesthal, das Thal der Brunnen, das vor jenem Ort der Freiheit zu betrachten ist, betrifft, ferner

was von Abrahamsschoos und von den Vorhöfen des Paradieses zu sagen ist, — solche sind nicht an Einem Orte
allein, sondern allenthalben da, wo auch Wiederbringungs-
anstalten gemacht sind. Syst. 408.

- Derjenige, der des Verwandelns und Umgestaltens müde
ist, wird durch die Feuer- und Gerichts-Welten passiren.
Da wird er dann an den Ort der Freiheit gelangen und
sofort immer inniger hinein in's Natur- und Creaturfreiere
dringen, und so gelangt er in das sogenannte Thal der
Brunnen, ganz hindurch durch das Todesthal. Also freilich,
da er durch die achte Zahl, durch die Feuer- und Gerichtswelten gedrungen, ist er abgestreift und kommt in die Vorhöfe des Paradieses und endlich in das Paradies selbst zu
dem Baum des Lebens. Folglich reift er schnell zur Auferstehung, zum Kleinod, zu welchem er hie hätte gelangen
sollen. Denn jetzt hat er den ersten Interimsstand durchgemacht und kommt nun in den zweiten. (cfr. § 307. 309.)
Syst. 411.

3. Die Ordnung der Wiederbringung.

§ 315.

Das Werk der Wiederbringung, welches durch das königliche Regiment und Reich Jesu Christi vollzogen wird, hat
seinen successiven Verlauf in bestimmten Weltzeiten oder Ewigkeiten, mit deren Abschluß es vollendet und zum vorgesetzten
Ziel gebracht seyn wird.

„„In Christo sind sowohl die Welten, als auch die
Weltzeiten gemacht, und wird sich aus der Gebärmutter
seines göttlich-menschlichen Geistes im Leibe seiner verklärten
Natur nicht Alles auf einmal eröffnen, sondern stufenweise
entwickeln, und das in jedem Zeitlauf Ersehene wird sich
eröffnen durch eine ihm ähnliche Ausgeburt. Syst. 299.

Gott hat ihn, unsern HErrn Gott Jehova zu einem solchen
HErrn und Christ oder Gesalbten und zu seiner Gottesherrlichkeit gemacht und ihn mit aller seiner Gottesfülle er-

füllt, daß er damit das ganze Schöpfungs-All erfüllen kann, und in den bestimmten Ewigkeiten erfüllen wird. II. Act. 60.

Der Stammvater des geistlichen Lebens soll und wird Alle geistlich beleben, die in Adam gestorben sind. Aber Ewigkeiten sind verordnet und bestimmt, in welchen die erbarmenden Lichts- und Liebesabsichten an Allen erreicht werden können. III. Eph. 141.

Gesetzt, die Welt steht in Allem nur 7000 Jahre und die ganze Weltwährung wäre weiter nicht, und das siebente Jahr ist ein Ruhejahr, also ein tausendjähriges Jahr, so geht also die Zeit von sieben kleinen Zeiten vorbei mit dem Ende der Welt, und fangt also mit der neuen Erde und dem neuen Himmel eine neue Weltzeit an. Da nun mehr aufeinanderfolgende Weltzeiten sind, wie ich aus den Worten Jesu schließe, als er sagte: „die Sünde wider den heiligen Geist werde weder in dieser noch in jener Weltzeit erlassen," so fragt es sich, wie lange mag denn eine jede Weltzeit seyn? Die Antwort wäre schon gegeben, 7000 Jahre, wenn wir das Obere annehmen. Und wir wollen auch für dießmal dabei bleiben und wollen setzen: Es sind sieben Ewigkeiten und also sieben Welten und Weltzeiten durch den Abglanz der Herrlichkeit Gottes, durch Christum, gemacht. Eine jede Weltzeit ist 7000 Jahre; siebenmal gezählt ist 49,000 Jahre. Nach diesen 49,000 Jahren, glaube ich gewiß, werde alle von Gott abgefallene Creatur wieder zu ihrer verlorenen Habe und Herrlichkeit kommen. Denn das 50,000ste Jahr wird das große Jubel- und Erlaßjahr seyn für alle Creatur, die Gott geschaffen, und meiner Meinung nach hat das große Jubeljahr unter Israel darauf zielen und deuten sollen. Syst. 504 f.

Tausend Jahre können Ein Tag des HErrn seyn. Vermuthlich steht die Erde 6000 Werktage oder 6000 Jahre und einen tausendjährigen Sabbath lang. Das wären dann 7000 Jahre oder eine große 7000jährige Woche. Wenn nun der letzte Tag, der auch ein Tag des HErrn heißt, nämlich der Feuergerichtstag, auch ein tausendjähriger Tag wäre, so wären es 8000 Jahre, bis das neue Jerusalem herniederkäme, wie eine schöngeschmückte Braut ihrem Manne, und

bis also die neue Haushaltung begänne, von der erſten
Schöpfung an gerechnet. II. Petr. 244 f.

§ 316.

Innerhalb dieſer beſtimmten Zeiten iſt auch in Betreff
der wiederzubringenden Creaturen eine beſtimmte Ordnung
und Reihenfolge gemacht, deren Hauptſtufen dieſe drei ſind:
a. die Lebendigmachung des Haupts, b. die Erfüllung der
Gemeinde, c. die Wiederbringung des Uebrigen und Ganzen
als das Ende. (cfr. 1 Kor. 15, 22—24.)·

„„Unſer Gott, der Jehova-Jeſus, hatte es ſich nach
Eph. 1, 10. alſo vorgeſetzt und vorgenommen: erſtlich Chriſtum, als ſeine Herrlichkeit, mit aller Gottesfülle zu erfüllen,
zweitens die lebendige Gemeine durch Chriſtum, und dann
drittens durch die edle Brautgemeine das ganze All der
Schöpfung nach und nach. Darum hat ſich Gott nach ſeinem
ewigen Liebesrath, Willen und Wohlgefallen ſo überfließend
gnädig mitgetheilt; denn er will in den von ihm beſtimmten
Zeitfriſten und Ewigkeiten ſeinen Zweck an Allen erreichen.
III. Eph. 99.

Paulus ſagt 1 Kor. 15: der Erſtling Chriſtus, darnach
die ihm angehörigen Brautglieder, darnach erſt das Ende.
Es hat ſeine Ordnungen und Stufen, daher ſind die Erſten
Erſtlinge. Es ſind nicht alle Menſchen auf Einen Tag von
und aus Adam gekommen, ſie kommen Einer aus und von
dem Andern, und alle von Adam, ja von Gott. So ſterben auch nicht alle auf Einmal, obſchon ſamentlich alle in
Adam auf Einmal geweſen und geſtorben ſind. So iſt es
auch in Chriſto. Alle ſind ſamentlich auf Einmal lebendig
gemacht, alle in's himmliſche Weſen verſetzt, und werden
doch perſönlich nach und nach durch Vermehrung des Vaters
der Ewigkeiten geiſtlichlebendig und herrlich. Dieſes erkannte
Gott und ſahe ſich den Einen in dieſem, den Andern in
jenem Zeitlauf geben. Er ſahe alſo, wie Einer in der Gebärmutter des Vaters der Ewigkeiten und der oberen Gebärerin früh oder ſpät ſich eröffnen würde. Zuerſt wird Chriſti
Weib, die geiſtliche Eva, aus ihm genommen; dieſe iſt ſeine
Herrlichkeit, wie er Gottes Herrlichkeit iſt. Ja, durch ſie

wirkt Jesus Christus auf Andere und erfüllt sie auch. Das zeigt die Offenbarung Jesu Christi deutlich, wenn sich Jesus der HErr zeigt in Mitten seiner sieben goldenen Leuchter wandelnd, sieben Sterne in seiner Hand und sieben Geister Gottes habend.   Syst. 299 f.

a. Die Lebendigmachung des Haupts.

§ 317.

Die Ordnung der Wiederbringung aller Dinge nach dem göttlichen Liebes=Vorsatz in Christo beginnt mit Christo selbst als demjenigen Menschen, welcher nicht blos nach seiner himm= lischen Menschheit Erbherr vom Schöpfungs=All ist, sondern auch als irdischer Menschensohn durch seine Geistwerdung der Erstgeborene aus den Todten, d. h. der erste Geistleibliche, und als solcher der Stammvater des geistlichen Lebens, das Haupt der Gemeine, der Grundstein des Gottestempels, der Erb= herr der ganzen Schöpfung geworden ist. (§ 163.)

„„Jesus Christus ist nicht allein Erstgeborener vor aller Creatur und nach seiner himmlischen vorweltlichen Mensch= heit Erbherr vom ganzen Schöpfungs=All, sondern er ist auch in Ansehung seiner aus der Menschheit angenommenen Menschheit Erstgeborener aus den Todten, der erste, der im Geistleibe auferstanden. Folglich ist er auch als Menschen= sohn Erbherr vom All. III. Kol. 129.

Wie er als Erstgeborener alles Geschöpfs Haupt aller geschaffenen Dinge, ja Eigenthümer und Herr derselben war, weil sie alle aus ihm, durch ihn und zu ihm sind, ebenso ist er nun, seitdem er im Geistleibe auferstanden, auch als Menschensohn die Herrlichkeit Gottes und ist mit aller Got= tesfülle erfüllt, so daß aus ihm, durch ihn und zu ihm die neue Schöpfung in Geistleiblichkeit komme, fließe und her= vorgehe und mit ihm Einen Leib, Eine Geistesbehausung Gottes ausmache, in welchem Gott Alles seyn will und wird, was er in seinen ungründlichen Verborgenheitstiefen war. ibid. 130 f.

Der Anfang ist gemacht, er ist in den Geist erhöhet,

Stroh, M. Hahn's Lehre.   33

der Mariensohn, durch den HErrn vom Himmel, und von ihm gehen die sieben Geister Gottes aus. Er ist das Näheste an Gott als Creatur, und auch an der Creatur edelsten Theilen ist er das Näheste, er ist die Mittelsubstanz, durch welche sich Gott seiner Creatur mittheilt. Ein solcher ist Christus nach seiner himmlischen und irdischen, jetzt in den Geist erhöheten Menschheit. Syst. 264 f.

Jesus ist der Anfang aller Creaturen in den gottmensch= lichen Naturen, der Erste in dem Geistesleib, also der Erste, der vollkommen, so wie es Gott sich vorgenommen, daß Alles werde und dann bleib'. I. 272, 11.

Der, welcher sagt: ich bin das A und das O, sagt wei= ter: ich bin auch der Anfang und das Endziel der Schöpfung selbst, dem Anfang, Raum und Inbegriff nach. Ich bin aber auch der Erste und der Letzte, und so wie ich der erste Geistleibliche im Erstgeborenen bin, so will und werde ich auch im Allerletzten seyn. Der Eingeborene ist auch der Erstgeborene aus den Todten, der erste Geistleibliche; die= ser ist der Stammvater des geistlichen Lebens. III. Kor. 119 f.

Jesus ist der erste Geistleibliche im Ersten, das ist in seiner angenommenen Menschheit, und wird auch der Letzte im Letzten seyn, der zur Geistleiblichkeit gelangt. IV. Hebr. 550.

Der erste Adam ist geschaffen in's natürliche, seelische Leben, und ist ihm anerschaffen das Generationsvermögen, sich zu vermehren in viel tausend mal tausend. Solches Ver= mögen sich zu vermehren aber ist, seitdem er in's natürliche Leben geschaffen ist, getheilt und gleichsam getrennt und wird erst durch Vermischung weiblicher und männlicher Tinkturen und Leiber vereinigt. Der andere Adam ist der HErr vom Himmel und ist nunmehr nach seiner Auferweckung der Geist. Dieser ist geschaffen in's geistliche Leben oder zu einem lebendigmachenden Geist, sich in's Unendliche zu vermehren durch Vereinigung seiner göttlichen Tinktur mit der mensch= lichen, und wie Adam der Stammvater der natürlichen Menschen ist, also ist Christus der Stammvater der geistli= chen, göttlichen Menschen. Darum ist er genannt der Vater der Ewigkeiten, der in die Ewigkeiten hinein sich geistlich vermehren wird. V. Off. 723.

Es war göttlicher Vorsatz und Wille, daß er auch als

Menschensohn sollte Herr über das Todtenbehältniß werden, Tod und Verwesung sollte er beherrschen, also vorher besiegen. Er mußte also damit in den Kampf. Dieß ist geschehen. Er hat gesiegt im Kampfe. Er hat durch seinen Tod dem Tod alle seine Macht genommen, hat ja Leben und unvergängliches Wesen an's Licht gebracht! Darum ist er, als der erste geistleiblich Vollendete, Erstgeborener, darum ist er Anfang, Haupt, Fürst und Heerführer. Er wird nicht ruhen, bis er Tod und Hölle leer gemacht und Alles ausgeführet hat. Tod und Hölle wird er ganz verschlingen. III. Kol. 132.

Jesus ist der Grund und Eckstein der Behausung Gottes, welche aus lauter lebendigen Steinen besteht, und diese lebendigen Steine sind lauter von dem Grundstein verwandelte, tingirte, erhöhte und auferweckte Geistleiber. Sagte ich denn nicht, daß er, der Grund- und Eckstein, durch den Proceß der Heiligkeit und Gerechtigkeit Gottes geführt, vollendet und ausgeboren worden sei? daß er nun eine Alles verwandelnde Kraft besitze, was er mit seiner Blut- und Geisteskraft berühre, in den Geist zu erhöhen und in seine Natur zu verwandeln? Heißt nun das nicht Erstgeborener, Erzherzog und Heerführer, ja Herr und Haupt, oder gar Stammvater des geistlichen Lebens seyn? III. Kol. 134.

Da nun der verherrlichte Gottmensch die Herrlichkeit Gottes ist, die mit aller Herrlichkeitsfülle erfüllt ist, so ist also in ihr aller Gnadenreichthum Gottes, welcher ergossen werden soll in das große Haus der ganzen Schöpfung, durch die ganze große Leiter aller Geburtsstufen in allen Geschöpfsgattungen; denn diese Alle sind das große Erbe des rechtmäßigen Erbherrn, der für das ganze All den Tod geschmeckt hat und es durch sein Blut erneuern soll und will. III. Eph. 225.

b. Die Erfüllung der Gemeinde.

aa. Die Erstlinge und Auserwählten.

§ 318.

Die Zahl derjenigen Menschen, welche innerhalb des zwischen der ersten und zweiten Zukunft Jesu liegenden Zeitraums durch das königliche Hohepriesterthum des verklärten Hauptes bekehrt und zur Herrlichkeit in der Geistleiblichkeit geführt werden, bildet die Gemeine der Erstlinge und Auserwählten, zu denen sich alle in späteren Zeiten Geretteten als Nachgeborene verhalten.

„„Gott, die ewige Liebe, hat Liebes- und Friedensgedanken über alle Menschenseelen, absonderlich aber über seine Auserwählten. Denn begreiflich ist's, daß er das, was er machte, nicht hassen kann, und am allerwenigsten den Menschen, zu seinem Bilde geschaffen. Wenn er nun den gefallenen Menschen in Christo wieder hergestellt erblickt, und zuvor erkennet, welche es sind, die sich im ersten Zeitlauf herstellen lassen, so hat er über diese seine Auserwählten besondere Liebes- und Friedensgedanken. III. Eph. 48 f.

Am Versöhnungsfest mußte der Priester zuerst sich und das Haus der Priester versöhnen, dann erst das übrige Volk; als Vorbild davon, daß die Versöhnung zuerst und in dieser Welt die Gemeine der Auserwählten und Erstlinge angeht, wogegen die übrige Menschheit als das gemeine Volk erst später daran Theil nimmt. I. 270, 2—6.

Zuerst sollte seine Braut von ihm genommen werden, welche ist sein Leib. Diese soll durch den Glauben, als zuvor erkannt, berufen und aus ihm eines Lichtslebens-Wesens zuerst theilhaftig werden und durch diese hernach auch andere Creaturen zu einem andern Leben und Wesen kommen. Syst. 230.

Sein erstes magisches Kind, das aus ihm durch die allgebärenden Lebenskräfte des göttlichen, geistlichen Geburtsrades geboren wird, ist seine Geistesgemeinde und Braut, die in lauter Geistleibern der Unverweslichkeit seine Herrlichkeitsgestalt und Aehnlichkeit trägt, und ist aus seinem in den Geist erhöhten Fleisch und Blut gemacht und genommen, und durch sie vermehrt er sich geistlich in dieser und jener Welt. Syst. 278.

Soll man verschweigen, daß er als Vater der Ewigkeiten mehrere Söhne habe, folglich in jeder Ewigkeit Andere zur

Herrlichkeit, Geistleiblichkeit und Gottähnlichkeit führen werde? IV. Hebr. 302.

Vergesset doch ja nicht, daß da, wo erstgeborene Erstlinge sind, da sind gewiß auch Nachgeborene. III. Eph. 142.

§ 319.

Alle einzelnen Glieder dieser Erstlingsgemeinde hat Gott von Ewigkeit in Christo auserwählt, weil er ihren künftigen Glauben voraussah und daran Wohlgefallen hatte.

„„Hier gilt kein Philosophiren. Unsere orthodoxen Theologen haben in diesem Punkt Recht, wir wollen es ihnen lassen gelten: Gott hat nicht auf das Wohl- oder Uebelverhalten, nicht auf die gute oder böse Natur gesehen bei unserer Erwählung. Denn es haben Alle böse Naturen, der Eine in Diesem, der Andere in Jenem; daran liegt nichts zur Auswahl. Er hat auch nicht das Ueberbleibsel des Guten eigentlich erwählt, denn in Allen ist Etwas; sondern den Glauben, den er zuvor erkannte, hat er erwählet, und diesem gibt er Macht, Gottes Kind und ein Erstling seiner Herrlichkeit zu werden. XI. II. 366.

Gott erwählt nicht unser Wohl- oder Uebelverhalten, (das verstehen wir vor der Bekehrung) insofern er das zuvor sahe; er erwählt aber den — seine vor ihm geltende Gerechtigkeit annehmenden Willen des Glaubens; denn auf diesen siehet Gott mit einem großen Wohlgefallen in Gnade. XI. II. 370.

Die Gnadenwahl gründet sich nach Eph. 1, 5 auf das Wohlgefallen des Willens Gottes, und ist also die Gnadenwahl Gottes freie Willenswahl nach seinem Wohlgefallen. Diesem nach muß doch Etwas seyn, das Gott gefällt, welches er dann will und wählt. — Wenn sich demnach die Willenswahl auf Wohlgefallen und das Wohlgefallen auf Vorerkenntniß gründet, so wäre die allernöthigste und wichtigste Frage, die man machen könnte, folgende: Was mag denn nach dem Grund der Schrift ein so sonderliches Gotteswohlgefallen seyn, daß er es in seine Gnadenwahl aufnimmt? Hat er etwa die Geschlechter der Generationen aller Zeiten vor Augen gehabt und auf diese sein Auge gerichtet, die

aus allerhand Absichten am unsträflichsten wandeln würden?
Oder etwa auf die, welche eben nicht so vorzüglich zum
Bösen würden geneigt und versucht seyn? Oder auf die,
welche sich am meisten bestreben würden, sich eine Gerechtigkeit zu verschaffen, mit welcher oder bei welcher sie der
Hölle trotzen könnten? Oder die, welche etwa auf Herkunft
und Väterreligion sich verlassen u. dgl. mehr? Antwort:
Nein, diese alle nicht, nach dem Schriftsinn; alle die sind
kein besonderes Wohlgefallen Gottes, ob sie es schon meinen,
ob sie schon starke Einbildungen hegen möchten. Es liegt
nicht an Jemands eigensinnigem Wollen, noch an Jemands
eigenwirksamem Laufen, sondern an Gottes ewigem Liebeserbarmen.   Denn Gott hat Alles unter die Gerichte um des
Unglaubens willen so lange beschlossen, bis die Gerichte zum
Besinnen bringen, daß die Seele ganz ausgezogen, sich auf
Nichts verlassend, in das Erbarmen Gottes ersinkt. So hat
er beschlossen, und dahin wird er es mit Allen in den bestimmten Ewigkeiten bringen, und so wird er sich dann auch
nach und nach Aller erbarmen. Diesem nach erkannte er
diejenigen zuvor, welche am ersten aus dem ganzen verdorbenen Sündergeschlechte in sein Erbarmen sinken, welche also
mit einem ernsten Gottesgesuch und Gottesverlangen nur
Gnade und Erbarmen Gottes würden begehren. Diese edlen,
lauterabsichtigen Gottsucher können leidenschaftliche, oft sehr
angefochtene Menschen seyn, es können sogar Hurer und
Zöllner gewesen seyn, und doch können sie, wie ein David,
schnell zu überzeugen seyn, daß sie in Gottes Liebeserbarmen
einersinken. Gott erkannte also zuvor, wer ihn erwählen
würde; sahe freilich auch, daß oft die geplagtesten Seelen,
vom Sündenverderben am meisten gequält und gemartert
und bis zum tiefsten Seufzen angefochten, oft nicht eher in
sein Gottes-Liebeserbarmen sinken, bis sie zu hinlänglicher
Demüthigung in Dieß und Jenes gekommen sind, wo sie
sodann erst die Rechte Gottes erkennen lernten. Aus diesem
ist also klar, daß Gott den demüthigen Grund erkannte und
den wählte, weil der seines Herzens Wohlgefallen ist. Denn
der im allerheiligsten Heiligthum reinster innerster Gottesoffenbarung wohnende Jehova ist in dem gedemüthigten
Seelengrunde am herzlichsten, innigsten nahe, sintemal er

dem Ersinken in's ewige Liebeserbarmen am nächsten ist; so wäre also klar, warum Gott solche Art Opfer am allerwenigsten verachten werde und warum er so groß Wohlgefallen an Erbarmen hat, und diesemnach würde also bei den Auserwählten nicht auf Verhalten sowohl, als auf Seelenstimmung und Herzensstellung geblickt. III. Eph. 80 ff.

Wer demnach wissen will, ob er ein Auserwählter Gottes und also wiedergeboren und Gotteskind sei, der muß es nur daran erkennen: es muß sich in ihm regen Willen und Lust, Trieb und Kraft zum Guten, ein Gelüsten des Geistes und Geistlebens, Liebe zu Gott über Alles, Liebe zu Christo und seiner Kreuzeslehre, Liebe zu aller Wahrheit und allem Licht, Haß gegen Sünde und Finsterniß und allen natürlichen Regungen. III. Eph. 79.

Licht läßt er durch seine Versöhnungsboten antragen; aber wie Wenige lieben das Licht mehr, als die Finsterniß! Wie Viele mehr die Finsterniß, als das Licht! Daraus erkennt man die Auserwählten des HErrn, denen das Licht des Lebens in ein unverdorbenes Wahrheitsgefühl strahlen kann. Diese sind es, in denen sich auch des HErrn Klarheit mit aufgedecktem Angesicht kann spiegeln und diese Wahrheitsliebhaber werden in das Bild des verherrlichten Gottmenschen wieder verklärt oder verwandelt. III. Kor. 73.

§ 320.

Diese Auswahl ist daher keine willkührliche; vielmehr beruht sie auf der göttlichen Vorerkenntniß in Christo, vermöge deren Gott das zukünftige Verhalten der Auserwählten vorausgesehen hat im Spiegel der Weisheit.

„„Nicht willkührlich und nicht parteiisch wählte Gott, als spräche er trotzig zur nicht gewählten Creatur: so und so habe ich gewollt und gewählt, aus keiner andern Ursache, als weil ich also wollte, indem ich ja die Wahl habe. Nein, solche Gedanken sind nicht Gott geziemend; so trotzig handelt er nicht. Es ist nicht bei ihm so, daß ihm das Unedelste am besten gefallen hätte. Hierin ist Isak kein Vorbild auf Gott, denn Isak liebte den rohen Esau mehr, als die edlere Seele Jakobs. Hingegen Gott sagte von diesen

Kindern, da sie noch in dem mütterlichen Leibe waren: Jakob habe ich geliebt und gewählet, und Esau gehasset. Ich wußte aber besser, was ich that, als Isak; denn ich erkannte beide zuvor: Jakob als einen religiösen Gottsucher, und Esau als einen rohen, eitlen und weltliebigen, nieder=sinnlichen Menschen. Die Willenswahl des Wohlgefallens Gottes gründet sich auf Vorerkenntniß, und religiöse gott=suchende Seelen sind sein Wohlgefallen. III. Eph. 91.

Auf was gründet sich denn die Auswahl Gottes bei Erwählung seiner Erstlinge, die er vor Grundlegung der Welt erwählt hat? Antwort: Nicht auf Parteilichkeit und unbedachtsame Willkühr, sondern auf seinen allerhöchsten Verstand, auf seine Alles vorhersehende und Alles durch=schauende Erkenntniß und Weisheit. Welche er zum Vor=aus ersehen hat in dem Spiegel der Weisheit, daß sie sich würden seine Weisheits= und Kreuzeswege gefallen lassen, seinem Worte glauben und die Universalmittel benutzen und in ihnen wirken lassen, daß sie Nachbilder seines Urbildes würden; die, eben die hat er auch vorsätzlich berufen und als vorsätzlich Berufene und Auserwählte seinen Beruf und ihre Erwählung erkennen lassen. XI. II. 363.

Gott hat gewiß seine Auserwählten zuvor erblickt und erkannt; er muß gesehen haben die, welche sich werden den Kreuzesweg zur Herrlichkeit gefallen lassen. Und wo sollt' er sie anders gesehen haben, als in Christo, seiner ein= und erstgeborenen Herrlichkeit, ihrem Herzog und Führer? Sollte sich nun die Wahl seines Wohlgefallens nicht auf Vorerkennt=niß gründen nach Röm. 8, 28.? III. Eph. 199 f.

Wenn Einer ein Auserwählter Gottes ist, so ist er zu=vor erkannt; der aber, welcher zuvor erkannte, sahe auch, zu was für einer Stufe er zu wählen sei; denn er hatte ja auch zuvor erkannt, wie er und zu was er sich würde aus=erwählt machen lassen, sintemal sich die Wahl des Wählenden auf Vorerkenntniß gründet. II. Petr. 212.

Gott sieht vorher, wer sich ganz oder halb ergiebt, wer ihn ganz oder halb oder auch gar nicht erwählen wird; der könnte nicht zuvor erwählen, der keine Vorerkenntniß in seiner Weisheit hätte. Aber da die ganze Menschheit nicht vorgebildet, sondern dem Samen nach idealisch in Christo war, konnte er im Kern den Baum mit allen seinen Früchten sehen und Jeden besonders beobachten, wenn er nur wollte. II. Jak. 269 f.

Wenn die himmlische Menschheit ist Ursprung aller Dinge, und Anfang der Creatur Gottes, auch das geist- und lebensvolle Sambild aller Kräfte und Eigenschaften Gottes, das Leibhafte des Lebenswortes, oder das Leidende, Anziehende desselben, ey so dächte ich, es sollte dem Geist nicht so unbegreiflich seyn, wie wir Erwählte in Christo haben erwählt werden können schon vor Gründung dieser äußeren, sichtbaren Welt. III. Eph. 77.

Wenn Gott Etwas wollen und wählen will, und ihm dasselbe wohlgefallen soll, so muß er es ja auch kennen. Und wenn dasselbe Ding nicht ist im Wesen, so muß es doch in den Kräften der Allmöglichkeit essentialiter vorhanden seyn. Darum muß es in einem Sam- und Kernbild können zuvor erkannt und erblickt werden. III. Eph. 80.

Wie hat man denn in Christo erwählt werden können vor Grundlegung der Welt, da man doch noch nicht war, nicht einmal präformirt und vorgebildet, wie Einige meinen? Antwort: Gott hat in dem Wunderspiegel seiner Weisheit Alles erblickt, und in dem Original seiner vorweltlichen, himmlischen Menschheit bestund Alles zusammen. VI. Pf. 1204.

Gott siehet in eines jeden Principii Anfang das Ende; also ist er allwissend. Er hat in jedem das Vergangene, Gegenwärtige und Zukünftige immer vor Augen; er siehet Alles auf Einmal und immer, aber eine jede Sache in seinem Principio für sich. Wenn er nun die Stärke des Lebens einer Magia weiß, so weiß er auch deren Ausdehnungsmöglichkeit und blicket in der creatürlichen Tinktur an das Ziel von deren Anfang; er weiß also zum Voraus die lichtswidrigen Möglichkeiten — er siehet aber auch den in's Licht eindringenden Geist schon eindringen, ehe er dringet. VI. Pf. 1443 f.

§ 321.

Eben deßhalb hebt die Auswahl die Freiheit des Menschen nicht auf, sondern wird vielmehr durch diese in der Zeit realisirt, oder auch wieder aufgehoben.

„„Ich kann in Ewigkeit nicht zugeben, daß ein Mensch sich nicht sollte bekehren können, wenn er nur will; es wäre denn, daß er zu der Zeit nicht hätte wollen, da er hätte können. Aber das gebe ich auch nicht zu, daß ein Mensch nicht dabei seyn und mitwirken müsse durch die Gnade und deren Anfang, wie klein und schwach er auch immer seyn mag. XI. II. 368.

Wenn uns Etwas daran liegt, zu wissen, ob wir erwählt seien zu Erstlingen der Herrlichkeit, so dürfen wir nur den Willen Gottes prüfen und wenn wir den erwählen, so erwählet uns Gott, und hat's zuvor gesehen, daß wir ihn erwählen werden. Darum hat er uns vor Grundlegung der Welt schon in Christo, dem Anfang der Schöpfung, erwählt. Es soll uns billig Alles daran gelegen seyn, Gottes Willen zu erkennen, weil unsere Auswahl daran hangt. Je mehr wir den erwählen, je mehr werden wir erwählt und zu höherer Herrlichkeit gelangen. XI. II. 372.

Der Erwählungsgrund liegt in dem Erwähler, der das wählt, was mit ihm wählt, d. i. mit Gott; liegt aber auch in dem, welcher wählt, welches Gott zuvor erkennt und siehet. Wo willst du nun diese beiden Wähler in dir finden, Menschenseele, wenn du sie suchst? Eines muß da das Andere wählen; Jedes hat das Wahlrecht, Keines kann und will das Andere zwingen. Solches sollte aber das Alles durchschauende Auge nicht sehen? ihm sollte das verdeckt seyn? sollte nicht erkennen, zuvor erkennen, was Licht oder Finsterniß wählen wird, was aus einem Centralquell von Kräften auf die rechte oder linke Seite sich wenden wird? Und so liegt denn also die Wahl in der Seele, wie in Gott, und das Wahlrecht ist ihr freigegeben; nur kann sie nicht machen, daß Gott wählen muß das, was er nicht will, gleichwie denn auch Gott zu nahe nicht treten will, daß die Seele müßte wählen, was sie nicht will, denn sonst wäre mir das keine freie Wahl mehr. III. Theff. 165.

Woran kann ich wissen, daß ich erwählet bin, oder wie können wir es an einem Andern und von einem Andern wissen? Darauf dient zur Antwort: die geistliche Geburt, wenn diese sich an uns zeigt und offenbart, ist es, die uns die Auswahl offenbart; wir können vorher nicht wissen, ob

Einer erwählt ist. Das wissen wir wohl, daß er berufen ist mit Allen; aber die Wahl zeigt sich und offenbart sich mit der Wiedergeburt. Da nun aber ein Jeder in die Wiedergeburt gerufen wird, und in dieselbe durch den Zug des Vaters eingehen kann, so kann also auch Jeder erwählt werden. Denn Alle sind erwählt. In welchem Weltalter oder in welcher Weltewigkeit aber sich an ihm die Wahl mit der Wiedergeburt herausstellen und offenbaren wird, das ist Gott bekannt. — Regt sich nun in dir schon das Verlangen und der Wunsch erwählt zu seyn, so gehe nur in die Wiedergeburt ein, so wird sich die Wahl an dir offenbaren. Und mache dir nicht lange sorgliche Gedanken, ob du erwählt seyn werdest; denn das ist gewiß, daß du erwählt bist. Aber das konnte man dir nicht sagen, wann sich die Wahl offenbaren werde; aber jetzt kann man sagen, sie will sich wirklich offenbaren und eben jetzo ist der Zug des Vaters an dir. VI. Pf. 1207 f.

Niemand trotze aber auch auf seine Auswahl; denn er kann auch wieder darum kommen! Es darf Einer nur Etwas erwählen, das Gott nicht will, dann fängt er schon an, sich aus der Wahl zu wenden. Und wenn er fortfährt, anders zu wollen, als Gott will, so fällt er aus der Gnade und aus der seligen Gnadenwahl, und Gott ist doch nicht betrogen, weil er ihn erwählte; denn er erkannte auch zuvor, daß er wieder aus der Wahl fallen würde. XI. II. 373.

§ 322.

Gleichwohl ist es eine vollkommene Gnadenwahl aus Erbarmen, nicht aus Verdienst, weil auch die Glaubenswilligkeit des Auserwählten selbst ein Gnadengeschenk Gottes ist.

„„Nicht um unseres Wohlverhaltens willen hat uns Gott mit einem Gnadenruf in seine Gnadengemeinschaft gerufen, sondern nach dem Wohlgefallen seines Liebeswillens, aus dem Grunde ewiger Erbarmungen. Denn in Christo hatte er uns vor ewigen Zeiten zuvor erkannt und die Gnade, die er uns durch den göttlich-menschlichen Geist Jesu Christi gegeben, schon damals zugedacht. IV. Tim. 144.

Welche Gnade ist es doch, daß wir Begnadigte und

Erwählte sind! Kann denn dieses auch ein armes Menschenkind im Erdenleben hoch und theuer genug schätzen? Was
dünket Euch doch? Kann ein Menschenkind diese Gnade
verdienen? Oder hat denn etwa Einer oder der Andere dem
Erwähler Etwas zuvor gegeben, und ihn also gegen sich
verbindlich gemacht? Ich denke: Nein! und darum hat es
dabei sein Verbleiben: es ist Gnade, die uns Unwürdigen
widerfahren ist. Wir können keinen Grund angeben, warum?
Denn unser Wohlverhalten konnte Gott nicht bewegen. Ich
weiß Nichts zu sagen, als daß er zuvor erkannte, wer das
theure Gnadengeschenk annehmen würde; wer sich dasselbe
mit Bitten und Beten würde aufdringen lassen und auch
den Willen, der geneigt war, es anzunehmen. Sein Gnadengeschenk gab er selber, indem er uns unruhig machte und
zu sich zog. Und wenn nun dieß Alles nicht Gnade ist, so
weiß ich nicht, was dann? kann auch gar nicht begreifen,
wie sich Jemand sollte rühmen können, als hätte er zum
Seligwerden, ohne was Gnade gethan, Etwas beigetragen.
III. Eph. 142 f.

Gewiß nicht aus Wohlgefallen bewogen, hat Gott zuvor
an euch gedacht, sondern aus Gnaden, aus ewigem Liebeserbarmen seid ihr erweckt und selig gemacht worden. Freilich eurerseits durch den Glauben, der die Gnade und das
Geistesleben angenommen; aber auch dieses, nämlich den
Glauben, habt ihr nicht aus euch selbst, noch von euch selbst;
denn auch der ist Gottes Geschenk und Gottes Gnadenwirkung.
Wir haben auch dieses Gnadengeschenk nicht aus den Werken oder um der Werke willen erhalten, denn sonst wäre es
ja ein Lohn, und es wäre thöricht, wenn man es Geschenk
nennete. Wenn demnach auch der Glaube ein freies Gottes-
geschenk ist, der die Glaubensgerechtigkeit annehmen kann,
so ist es ja noch mehr das, was geschenkt wird der magischen Kraft, daß sie es wollen und nehmen kann. III.
Eph. 143 f.

Lasset euch diese Gnade groß und wichtig seyn; denn
welche Seele kann die Einbildung hegen, daß in Ansehung
ihrer Gott Etwas bewogen habe zu dieser Gnadenwahl?
Ich sage: wer kann so Etwas vermuthen, und doch bei ge-
sundem Verstand seyn wollen, habe ich doch schon bewiesen,

daß es Gnade sei, und schon das Wort Gnadenwahl zeugt, daß es nicht Verdienste oder Werke oder Vorzugswahl, sondern freie Gnadenerwählung Gottes sei, die uns zu Theil geworden. III. Eph. 159 f.

bb. Braut und Weib Christi.

§ 323.

Die Bestimmung dieser Erstlingsgemeinde ist, das Weib Christi zu seyn, welcher in der Ehe mit ihr, als seiner Mittelsubstanz (cfr. Eph. 5, 32.), die übrige Menschheit neugebären und auch auf die Engel erhöhend wirken will.

„„Da die sichtbare Welt aus den beiden unsichtbaren Welten, der Licht- und finstern Welt, geschaffen ist, so will sich auch eine jede in dieser Welt mit ihren Wundern offenbaren, weßhalb auch eine jede Werkzeuge sucht und zu finden trachtet. Da nun diesem zufolge die Lichtwelt sich auch offenbaren soll und will, suchet sie auch Mittelsubstanzen und Werkzeuge dazu auf. Da ist denn nun leicht begreiflich, wen die ursprüngliche Quelle der Lichtwelt, nämlich die Weisheit Gottes, sucht und wen sie finden kann: begreiflich gottesfürchtige, Gott und Wahrheit liebende Seelen. Hat sie diese nun einmal gefunden, und bleiben sie ihr getreu, ey nun, so sind sie freilich ihre erwählten Lieblinge und eben die sind dann in dem großen Schöpfungsbuche mehr oder weniger, je nachdem sie sich hergeben, bedeutende Lichtscharaktere, welche Etwas sind und werden zum Lob der Herrlichkeit Gottes. Diese sind dann die Mittelsubstanzen, durch welche sich das Licht des Lebens immer mehr verbreiten und offenbaren will und kann. III. Eph. 92.

So wie Eva aus Adam nach seinem vierzigstündigen Schlafe genommen, sein Fleisch und Gebein war, also ist die Gemeine aus Christo genommen nach seinem vierzigstündigen Todesschlaf. Und just so, wie dieselben zwei Personen, zu Einem Fleische verbunden das ganze Menschengeschlecht natürlicher Art und Eigenschaft fortpflanzten bis auf diesen Tag: ebenso sind die wahren Jesusglieder aus Christo genommen, und vermittelst dieser verbundenen Gei-

stesgemeine vermehrt sich der Stammvater des geistlichen
Lebens, der andere Adam, geistlich und geistleiblich und das
so fort in diesem und allen folgenden Zeitläufen der künftigen Ewigkeiten, bis Gott Alles in Allen, bis er in seinen
Creaturen ist, was er in seinen verborgenen Gottestiefen
von Ewigkeit im Ungrunde war.   Denn so ist es das Wohlgefallen Gottes gewesen, und darum wohnet in Christo alle
Fülle, und darum soll dieselbe durch die Gemeine in's All
ergossen werden. III. Eph. 128.

O ihr Lieben, möchtet ihr doch die Bestimmung und das
Vorhaben Gottes mit der ganzen leidenden Creatur ein
wenig einsehen, so würdet ihr verstehen, wie ihr in Christo,
als dem Haupt der Gemeine, zu der ihr gehöret, erwählt
seid, nicht nach einer Willkühr Gottes, sondern nach seinem
Vorerkennen, indem er zuvor sah, wen er durch's Leiden
dem Herrn und Haupt würde ähnlich machen können.   Wir
Erstlinge waren also schon in Christo, ehe noch der Welt
Grund gelegt worden; wir waren so zu sagen, nur Ein
Bild mit ihm und doch zwei Personen, gleichwie hernach
Adam und Eva.   Gott vertrauete uns schon mit Christo,
ehe er sich selbst offenbarte, nämlich vorsatzweise.   Er sah
uns schon in einander und mit einander als Eins, als Ein
Ehepaar, durch welches er Alles mittelbar zur höchsten Glück-
seligkeit bringen wollte.   VII. Petr. 231.

Die lebendige Gemeine ist sein Leib, und er ist das
Haupt des Leibes, nämlich eben seiner Gemeine, die seinen
Leib ausmacht.   Diese Gemeine ist auch sein Weib, sowie
sie als Erstling der Herrlichkeit zuerst aus ihm genommen
ist, und macht eigentlich Einen Leib mit ihm aus, wie der
erste Mann, der Stammvater aller seelischen natürlichen
Menschen und sein aus ihm genommenes Mutterweib.   Denn
aus Christo wird sie nach seiner Auferweckung zuerst genommen, und sie ist von seinem verklärten Kraft- und Geist-
wesen gezeugt und geboren, und ganz nach seinem Sinn
durch seinen göttlich-menschlichen Geist gebildet, und sie ist
seine Herrlichkeit, die den Reichthum seiner Herrlichkeit von
ihm fassen kann und soll, so wie er selbst Gottes Herrlichkeit ist und alle Fülle Gottes fasset und damit erfüllt wird.
III. Kol. 130.

Die wahre Geistesgemeinde Jesu ist beider Tinkturen theilhaftig, wie ihre väterliche Mutter; sonst könnte sie sich nicht verbreiten und Jesus könnte sein Lichtsgeschlecht nicht fortpflanzen. Denn er kann nicht auf alle Seelen unmittelbar wirken; er bedarf Werkzeuge, auf die er aber unmittelbar wirken kann. V. Off. 413.

Schon hier in der äußeren Welt werden die wahren Melchisedeke geistlich geboren, und hier in diesem Erdenleben werden sie zubereitet. Hier müssen sie als Erstlinge der Herrlichkeit Gottes das üben lernen, was sie dereinst dort ewig treiben und fortsetzen werden. IV. Hebr. 341.

Es hat der HErr Jesus seiner Gemeine so viele und mannigfaltige Weisheit mitgetheilet, daß es auch die Engel gelüstet, an derselben zu lernen. Ja, durch die Gemeine des HErrn wird auch den Engelfürsten und den überhimmlischen Wesen Manches von den Geheimnissen Gottes klar, indem ja die Gemeine als Herrlichkeit Christi in viel genauerer Verbindung steht mit ihrem HErrn und Haupt, als die englischen Wesen. Paulus schreibt sogar, daß diese edlen Geister sich gar bereitwillig erzeigen, ausgesendet zu werden zum Dienste der Auserwählten des HErrn, bei welcher Gelegenheit sie dann, allem Vermuthen nach, auch ihren seligen Vortheil haben. III. Eph. 177.

§ 324.

Diese Brautgemeine Jesu besteht aus der Lea, d. h. den Gläubigen alten Testamentes,. welche bei der Höllenfahrt Christi in's Paradies zur Auferstehung geführt wurden, (§ 157.) und aus der Rahel, d. h. den neutestamentlichen Gläubigen aus Juden und Heiden. Beide zusammen sind Eine Gemeine.

„„Als nun der Sieger vierzig Stunden im Bette, d. h. im Grabe, dem Leibe nach schlief, fand er als Geist eine ruhige Stätte, wo ihm die Herrlichkeit Gottes was schuf; Etwas, das ihm aus der Seite gekommen, wurde ihm zu einem Brautschatz genommen. Das waren Seelen vom älteren Bunde, die zogen Leiber der Herrlichkeit an mit einem offenen Herzen und Munde, wie es des Glaubens Tinktur-

kraft nur kann. Lange war freilich ihr sehnliches Warten
in einem Eden fast ähnlichen Garten. Doch das war Lea, die
ält're Gemeinde; freilich sie hatte ein blödes Gesicht, nicht
wie die jüngere, so edel und feine, nein! an Vollkommenheit gleicht sie der nicht. Doch auch Vollkommenheit wird
sie erlangen, ehe noch Alles vollendet wird prangen. Rahel,
die Mutter vollkomm'ner Gerechten, Rahel, das Weib mit
der Sonne bekleidt, die ist die Mutter der Gottesgeschlechten,
die sich an ihrem Mann billig erfreut. Doch dieß sind
Bilder, das Wesen zu malen; kommt und faßt die Voll-
kommenheitsstrahlen. I. 297, 7—10.

Betrachtet seine Gemeine aus Juden und Heiden, so
stehet man, was das Vorbild in Lea und Rahel bedütten
hat mit Jacob. Denn in dem Todesschlaf Christi ist die
Lea, d. i. die Glaubigen alten Testaments zuerst aus seiner
Seite genommen; dann hernach erst Rahel, die edlere Gemeine aus Juden und Heiden zusammen, und sind doch
nicht zwei Gemeinen des Herrn, sondern Eine, und nur zusammen Ein Leib des alleinigen Haupts. III. Kol. 179.

cc. Erstlingsherrlichkeit.

§ 325.

Die Erstlingsgemeinde ist vermöge ihrer Bestimmung
(§ 323.) zu einer alle Nachgeborenen übertreffenden vorzüglichen Herrlichkeit berufen.

„„Die Auserwählten neuen Bundes sind eigentlich aus
allen Geschlechtern der Erde herauserwählet zu einem königs-
lichen priesterlichen Geschlechte, zu Kindern des Lichts. Diese
sollten hie auf Erden schon heilig und unsträflich vor ihm,
dem Erwähler, seyn in dem Trieb reiner Gottesliebe. Sie
sollen seyn ohne Tadel und sollen sich der Vollkommenheit
und Volljährigkeit in wahrer Jesus-ähnlichkeit befleißen,
daß sie bald als Vollendete ihn, als ihre liebe Mutter,
sehen und ihr gleich seien in den überhimmlischen Lichtswohnungen. Denn Ausgeburt und volle Jesusähnlichkeit im
Auferstehungsgeistleibe ist das Ziel wahrer Christen. Selig,
wer in einem reinen Geistestreiben immerhin darnach strebt!
III. Eph. 78.

Jesus ist die geistväterliche, jungfräuliche Mutter, die die Himmelreichskinder magisch erzeugt und gebieret, sowie sie in dem Urbild der himmlischen Menschheit erblickt, erkannt und erwählt und zuvor verordnet sind als schöne männliche Jungfrauenkinder, die genennet sind Erstlinge der Herrlichkeit. Denn alle nachberigen Geburten in den folgenden Ewigkeiten können nicht Erstlinge genannt werden. III. Eph. 78.

Soviel ist gewiß, daß wenn ein Mann sieben Söhne hat, so kann keiner der Eingeborene seyn, weil mehrere da sind; es können auch nicht alle die Erstgeborenen seyn, sondern nur Einer ist der Erste; und daß die Erstgeburt Vorzüge hat und genießt, das ist wahr. VI. Pf. 1207.

§ 326.

Diese Erstlingsherrlichkeit wird durch die zweite Zukunft Christi in der ersten Auferstehung und in der Hochzeit des Lammes offenbar und vollendet werden.

α. Die zweite Zukunft Jesu.

§ 327.

Die Zeit der zweiten Zukunft Jesu, welche in einem anhaltenden Blitz geschehen wird, kann nicht bestimmt werden, sondern ist Gegenstand des Wartens und Wachens.

„„Jesus kommt in einem langanhaltenden Blitz, weil er gesagt hat: Gleichwie der Blitz leuchtet vom Aufgang bis zum Niedergang, also wird auch seyn die Zukunft des Menschensohnes. Denket ein wenig nach, wo er ist, ehe er kommt! In der heiligen Zehnzahl. Und wo ist seine Braut? Im Paradies, in der neunten Zahl, in der Tinktur- und Lichtwelt, mit den edelsten Auferstehungs- und jesusähnlichen Geistleibern. Also beide offenbaren sich in der achten Zahl, d. i. im elektrischen Feuerlicht, im Licht des ersten Tages. Dieß ist das Feuerlager um die Paradies- und Lichtwelt. Dieß ist das Feuerlicht, das in Blitzen gesehen wird, wenn es sich mit centralischem und astralischem Feuer conjungirt.

Schreckliche Erscheinung für die Feinde Jesu, aber höchst erfreulich für seine Freunde! V. Off. 591.

Wann wird der HErr denn fertig werden mit der Einnahme jener Welt, daß er dann wieder komm auf Erden, wie er die Sache hat bestellt? Kein Mensch kann uns das Wann? nicht sagen, und ob wir Alle möchten fragen; er sagt es Niemand ganz vorher. Die Knechte sollen eben wachen, und ihre Sache also machen nach ihres HErren Wort und Lehr! — Auf Zeichen dieser Zeiten merken und seinen Glauben damit stärken, des geht wohl an und ist gerecht; die Sache aber so ergründen, und Zeit und Stunde wollen finden: das ist Etwas, das ich nicht möcht'. I. 273. 10. 11.

§ 328.

Dieselbe wird aber dann eintreten, wenn die gegenwärtige Weltzeit in ihrer christlichen und antichristlichen Entwicklung für das unmittelbare, richtende und erneuernde Eingreifen des HErrn in die Weltgeschichte zur Erfüllung der Verheißungen reif geworden ist. Dazu gehört die Einnahme der Himmel und die völlige Bereitschaft der Braut.

„„Unter der Zeit seiner sichtbaren Abwesenheit und unsichtbaren Anwesenheit wird seine Braut, das Weib des Lammes, zubereitet und ausgeboren, so daß just zu der Zeit, da er mit der Einnahme der Himmel fertig seyn wird, die Anzahl der Glieder seiner Braut auch gesammelt und zur Lammeshochzeit angethan seyn wird. Syst. 482.

Christus hat Ursach zu seinem Verziehen: seine Brautglieder sind noch nicht bereit; doch sieht man solche sich ernstlich bemühen, immer bemerken sie: kurz ist die Zeit. I. 282. 16. Denn erst, das hat man ja erwogen, wenn alle völlig angezogen, kommt unser Haupt vom Himmel her. I. 273. 44.

Jesus der HErr begehrt ernstlich das Wachsthum seines Leibes, indem er erst alsdann, so dieser seine Mannesgröße und Vollkommenheit erreicht und mit seiner ganzen Fülle erfüllt ist, mit seiner Braut Hochzeit machen und nach derselben die himmlische Haushaltung anfangen kann. III. Eph. 232.

Bis auf den Tag Jesu Christi werden alle Glieder seiner Braut, alle Glieder seiner lebendigen Gemeine vollendet seyn und das Werk der Gnade wird an allen bis dahin ausgeführt werden. Ihr sollt aber nicht verstehen, daß alle bis dorthin in allen Stücken unvollendet seyn werden. III. Phil. 17.

§ 329.

Ebenso wird Satan die Bekämpfung des Reiches Gottes in der Welt vorher auf's Aeußerste treiben durch eine der göttlichen in Christo entgegengesetzte, teuflische Menschwerdung im Antichrist und durch dessen Regiment, welchem aber durch die Erscheinung Christi ein schnelles Ende gemacht werden wird.

„„Der abgefallene Engel, d. i. der Teufel hat von Anfang an sein Höllenwesen getrieben, und durch böse Menschen und finstere Seelen, als durch seine Werkzeuge und Höllencharaktere gewirkt, und das Reich Gottes zu hindern und zu vertilgen getrachtet. Aber da es ihm immer nicht nach Wunsch geht, wird er auch zuletzt Mensch werden, und dieser menschgewordene Teufel, also eingefleischter Teufel, ist alsdann der Widerchrist, der zuvor als ein solcher erkannt, gesehen und beschrieben ist. Satan wird klug und denkt: durch die Menschwerdung ist es Gott bisher so gelungen, auch das will ich nachthun und diesen Versuch machen, ob es mir nicht etwa völlig gelingen wird auf Erden, die doch größtentheils mein ist; das wenige Gute, das darauf und darinnen ist, werde ich schon alsdann vollends gänzlich verderben und verdrängen; dann will ich die Erde zum Offenbarungssitz meines finsteren Reiches machen. V. Off. 368.

So wie es dem Geiste Gottes möglich war, in einem jungfräulichen Leibe den gesegneten Weibssamen fruchtbar zu machen, ebenso vermuthe ich sei es dem alten Drachen mit sieben Häuptern oder sieben verkehrten Grundkräften seiner von Gott abgekehrten Seele möglich, sein förmliches Ebenbild in einer von ihm besessenen, weiblichen Person zu er-

zeugen, so daß also dieser vom Satan erzeugte Verderbens-
mensch keinen menschlichen Vater auf Erden und keine eigentliche
Mutter in der eigentlichen Hölle hat. Solchergestalt wäre also
der siebenköpfige Drache der Vater des Antichristen. V. Off. 371.

So wie in Christo alle Fülle der Gottheit leibhaft wohnte,
also wird im Antichristen alle Fülle der Hölle und aller
Teufelei leibhaft seyn. ibid. 372.

Drei und ein halbes Jahr wird das Kind des Verderbens seine Sache treiben, gerade solang, als Jesus sein öf-
fentliches Amt trieb; aber in den vierthalb Jahren wird es
der Antichrist so arg treiben, daß er sein Sündenmaß erfüllen wird, daß er noch früher, als sein Vater, in den
Feuersee muß. ibid. 375.

Satans stolzer Sohn, der Antichrist, nimmt die Ehre
an und läßt sich anbeten; denn er glaubt, er sei selber Alles, Gott und Teufel, denn er glaubt selber Beides nicht
und ist doch selber Satan und eingefleischter Teufel, er ist
Teufelmensch, ein schreckliches Genie, ein Charakter der Hölle,
ein Offenbarer des höllischen Reichs und aller Satansge-
sinnungen; er ist die zweite Substanz der Offenbarung des
Zorns Gottes auf der Stufenleiter der Abgrunds-Offenbarun-
gen und ach! ein armes, bedaurungswürdiges Geschöpf!
ibid. 376.

Seelen, die nicht aus der Wahrheit sind, die also keine
reine Wahrheitsliebe haben, kein lauteres Gottgesuch, werden es gar bald erfahren, daß auch der Antichrist eine magische Zauberkraft besitzt, und daß viele Kräfte einer hin-
reißenden und in's Böse verwandelnden Tinktur der Finsterniß in ihm wirken. Er wird die Großen dieser Welt, die
das Unglück haben, mit ihm in Unterredung zu kommen,
grausam schnell einnehmen und in seine Gesinnung hineinziehen. Man wird aber sein einnehmendes Wesen nicht für
Sache der Finsterniß halten, und eben deßhalb leicht betrogen werden können. Die Verführung wird so groß seyn,
daß es beinahe auch Auserwählte anwandeln wird. Denn
die finstere Tinktur gibt auch Wesen: aber was ist es anders als Höllengift? Und da die Tinkturen gerne mit Wesen sich bekleiden, so bedarf's nur Sympathie und Homo-
genität, alsdann ist es bald geschehen. Darum wird die

Sache des Verführers keine oberflächliche seyn und er wird von Vielen willige Anbetung erlangen und Vielen wird sein Bild schon Anbetung abzwingen; Viele aber werden sich leicht dazu zwingen lassen, um leben zu können. V. Off. 377 f.

Daß die größten Christenverfolgungen noch bevorstehen, ist bekannt. Durch den Erzfeind Christi werden sie bewirkt werden; ihn nennt die Schrift das Kind des Verderbens und den Menschen der Sünde, als ob er die Quelle aller Sünde und aus lauter Sünde zusammengesetzt wäre. Wo werden aber — das möchte man fragen — die Leute seyn, die in solchen Verfolgungen bestehen werden? Auf Erden werden sie seyn, das ist wahr; aber woher werden sie kommen und wo stecken sie? II. Act. 242 f. Die meisten Glieder der Braut werden zu dieser Zeit in die Wüste ausgezogen seyn, um daselbst viertehalb Jahr genährt zu werden. Dort wird das Geschrei „der Bräutigam kommt“ am stärksten seyn. III. Theff. 102. Zu dieser Zeit gehet der Zug, die wahre sogenannte Auswanderung an und gehet meines Erachtens dem Bräutigam entgegen, geht also dorthin, wo er herkommt nach der Schrift, nach Palästina, weil allda der Bräutigam ankommen soll und wird. II. Act. 247.

Die heilige Gemeine des HErrn wird die völlige Verfolgungszeit meines Erachtens nicht ausharren müssen. Sie wird, weil sie die Geburtsschmerzen ziemlich ausgestanden hat, fliehen an den ihr bereiteten Ort. Auf der Flucht wird ihr der Drache mit einer Verfolgung, als mit einem Strome nachsetzen, sie aber nicht erreichen; aber ihren zurückbleibenden Samen, der nicht mitfliehen wird noch soll, wird des Drachen und Antichrists Grimm treffen, er soll und wird unter den Verfolgungen vollendet und ausgeboren werden. Hingegen das alsdann geflohene Weib soll ein heiliger Süßtaig zum tausendjährigen Reich unter Juden und Heiden werden, indem sie schon ein langwieriges Marterthum unter allerlei Geburtsschmerzen ausgestanden hat, ehe sie noch geflohen ist. Ob nun die Glieder dieser Gemeine nach und nach durch ein Sterben in's Unsichtbare zur Hochzeit des Lammes übergehen, oder ob es, wie bei Enoch, durch eine Art Verwandlung geschieht, kann ich nicht bestimmt sagen, wiewohl ich das Letztere vermuthe. (cfr. § 263.) XIII. I. 117.

Endlich kommt der Bräutigam und seine Geliebte mit
ihm in Herrlichkeit. Blitze verzehren seine Feinde, auf welche
erderschütternde Donnerschläge erfolgen, und verkündigen statt
des Kanonendonners seine Ankunft. Den Seinen also zur
tiefsten Freude und seinen Feinden zum Gericht und Schrecken erscheint Jesus wirklich auf der Erde, auf der er sein
Blut vergossen. Denn da, wo er und seine Geliebten gelitten und gestritten haben, da soll das Freuden- und Ehren-
fest seyn. Jesus kommt aber nicht als Bräutigam, und
seine Geliebten nicht als Bräute. Sie kommen ja kriege-
risch! Er erscheint als Kriegsheld und Heerführer und hat
die Kennzeichen eines Helden, der schon bei vielen Schlachten gewesen und der bei allen gesiegt hat. Die Braut, die
als ein Heldenheer ihm folgt, hat nur zuzuschauen, wie er
siegt: Denn Heerschaaren von Geistern und Engeln sind mitgekommen, wo Einer allein im Stande ist, 185,000 Mann
zu erschlagen, und alle Rachecreaturen stehen ihm, dem Helden,
zu Gebot. Allgewalt habend ist er im Himmel und auf
Erden; wegschaffen und vertilgen wird er seine Feinde: Babel, die uralte Hure, und den Widerchristen, seinen Erzfeind;
wegschaffen Alle, welche ihm seine Erde und seine Creaturen
verderbt haben. Hauptsächlich wird er wegschaffen den Erz-
sünder, den Erfinder alles Sündengräuls. Und erst, wenn
alle diese Feinde weggeschafft sind, wird er die Hochzeit halten. Da wird es eine andere Gestalt gewinnen auf Erden,
als es wirklich eine hat. Wer sich auf diese Zeit nicht freut,
der ist freilich kein Christ. V. Off. 609 f.

Was der HErr bei seiner Ankunft reif findet im Bösen,
das sind die Beeren, die er bei der letzten Schlacht sammeln
und keltern wird. Hingegen, was im Bösen nicht soweit gekommen ist, das wird der Zorn Gottes auch nicht hinzu-
treiben bei Harmageddon. Dieses sind dann die übrig ge-
lassenen Nationen, die der HErr waiden wird im tausendjährigen Reich und die er mit dem Schlachtschwerdt seines
Mundes schlagen und zahm machen wird. V. Off. 596.

β. Die erste Auferstehung.

§ 330.

Mit dieser Zukunft Jesu schließt sich die Auferstehung der Erstlinge als die erste Auferstehung (§ 261.) ab, indem die Märtyrer unter dem Thier auferstehen und die Ueberlebenden verwandelt werden, also daß die ganze Brautgemeinde in vollendeter Geistleiblichkeit bei Jesu versammelt ist.

„„Ich glaube, daß die Märtyrer, welche unter den Verfolgungen des Thiers ihr Leben lassen, noch gehören zu den Erstlingen der Herrlichkeit, zur Braut des Lämmleins und also auch zur ersten Auferstehung, mithin zum ersten Erstling. V. Off. 618.

Ich vermuthe nicht, daß nur die Märtyrer der ersten Auferstehung theilhaftig werden, sondern auch die 144,000 sind auferstandene Erstlinge, und die am gläsernen Meer deßgleichen. Denn eben diese sind ja die nämlichen Märtyrer, die am Thier den Sieg behalten haben. V. Off. 626.

Zu derselben Zeit werden viele edle, ausgeborene Kinder Gottes vor dem Wider- oder Antichristen geflohen seyn nach Jerusalem und der dortigen Gegend. Diese Fliehenden, die Alles so ziemlich durchgemacht haben, sind das fliehende Weib, welches Off. 12. beschrieben ist. Dieses Weib, aus vollendeten Seelen bestehend, gehört als die sichtbare Gemeine der Heiligen, als Erstling der Herrlichkeit Jesu zu den Auferstandenen, die mit Jesu kommen. Und weil nun das enochäische Leben seinen Anfang nehmen könnte, so könnten diese ziemlich Vollendeten nun unter dem unsichtbaren Krafteinfluß Jesu und seiner auserwählten heiligen Braut vollends schnell ganz vollendet, schnell verwandelt und dem HErrn entgegengerückt werden in der Luft, wo er ist an seiner großen Hochzeitstafel, also an die Brauttafel, daß sie also bei dem HErrn seyn werden mit den andern Brautgliedern allezeit und immerdar. (cfr. § 263.) Syst. 483.

§ 331.

Indem nun die auferstandenen Erstlinge von dem HErrn den Lohn ihrer Treue bekommen, geschieht zugleich eine Auferstehung der Erstlinge des Satans zum Gericht — beides im Unterschied von der allgemeinen Auferstehung zum allgemeinen Weltgericht.

„„Jesus wird Todte und Lebendige richten, wenn er zu seinem Königreich erscheinen wird. Daß aber Todte nicht gerichtet werden können als todt, daß sie mithin vorher lebendig gemacht werden, ist Jedem begreiflich. Soll aber dieß geschehen bei der Erscheinung seines Reichs und seiner Erscheinung zu seinem Reich, so müssen ja nach dem Propheten Daniel 12. Viele, so unter der Erde schlafen liegen, auferweckt werden, etliche als Erstlinge des Lichts zum ewigen Leben, und etliche als Erstlinge des Satans und finsteren Reichs zur ewigen Schmach und Schande. Ist's also eine Erweckung der beiderseitigen Erstlinge, so ist nicht die allgemeine Auferstehung verstanden, folglich auch nicht das allgemeine Weltgericht. IV. Tim. 197.

Mancher Erdverderber und Gräuelmensch erlebt nicht das letzte Gericht; mancher widerchristliche Mensch ist gestorben, aber nicht dem Gericht entgangen. Denn ehe das tausendjährige Reich seinen Anfang nimmt, wird eine Auferstehung der Erstlinge des Lichts und eine der Erstlinge der Finsterniß seyn nach dem, was der Prophet Daniel schreibt. Also wird auch ein Gericht seyn. Da kommt dann die Zeit, wo Gott seinen Kindern und Knechten alles Gute vergilt, Alles, was sie um seinetwillen gethan und gelitten haben. Denn Einige haben im Glauben viel gethan und gestritten, Andere in ebendemselben Glauben viel erduldet und gelitten. Kleine und Große gehen nicht leer aus; Alle haben einen Gnadenlohn zu gewarten. V. Off. 316.

γ. Die Hochzeit des Lammes.

§ 332.

Auf die erste Auferstehung folgt die Hochzeit des Lammes mit seiner Brautgemeine. Dieselbe findet in der oberen Luftregion statt und dauert tausend Jahre.

„„Jesus kommt und hält tausend Jahre in der oberen Luftregion Hochzeit mit seiner Braut. Syst. 482.

Christus und seine Braut werden in der oberen Luft, meines Erachtens, Hochzeit machen, just über dem durch ein Erdbeben zum Vorschein gekommenen Berg Sion, auf welchem das Jerusalem, das Ezechiel und andere Propheten beschreiben, stehen wird, wie auch der herrliche Tempel, welchen ebenfalls nach allen Theilen Ezechiel beschreibt, wie er ihn gesehen hat. Syst. 500.

Wenn die Braut ihn empfangen, ja gegrüßet haben wird, zieht er sich in die obere Luftregion allem Vermuthen nach zurück, und mit ihm alle Auserwählte, Berufene und Gläubige, die mit ihm gekommen sind. III. Theff. 102.

<h3 style="text-align:center">§ 333.</h3>

In dieser Hochzeit empfängt die Brautgemeine besondere Herrlichkeitsmittheilungen und wird dadurch zum Weibe Christi, mit welchem er nun die Haushaltung beginnt. (§ 323.)

„„Das große Buch in seinen Händen, das Schöpfungswerk, ist eigen sein. Er kann es drehen, lenken, wenden und Alles dirigiren sein. Er kann nach freiem Wohlgefallen ihm eine liebe Braut aus Allen erlesen in der ganzen Welt. Und wann dann diese ausgeboren und so ist, wie er sie erkoren, ist's, daß er Hochzeit mit ihr hält. Dann wird er dieser Lichtsgemeine, ich meine, wenn sie angethan, sie ist ja doch die liebe Seine, das halten, was er gar wohl kann; er wird sie zur Regierung bringen, zur Erbin von den Schöpfungsdingen, wie er schon lang verheißen hat; und wann der Hochzeitstag vergangen, so wird sie erben nach Verlangen die schöne neue Mutterstadt. I. 273. 40 f.

Alle wiedergeborenen Seelen, die zur Jesusähnlichkeit ausgeboren werden und zur ersten Auferstehung gelangen, sind, zusammengenommen, die Braut des Lämmleins, und sowie die tausendjährige Hochzeit des Lämmleins zu Ende ist, und die Haushaltung des HErrn auf der neuen Erde angeht, sind sie das Weib des Lämmleins, das architekturische, originalische Jerusalem, die Mutter aller Gottes-Kinder, die alsdann auf der neuen Erde sichtbare Gemeine. III. Kor. 228.

c. Die Wiederbringung des Uebrigen und Ganzen.

aa.   Das tausendjährige Reich.

§ 334.

Der tausendjährigen Hochzeit des Lammes mit seiner Brautgemeinde entspricht als deren Wirkung auf Erden das tausendjährige Reich als eine geistliche und leibliche Blüthezeit auf Erden, weil alle Elemente und Geschöpfe dem Einfluß Satans entnommen und der segensreichen Einwirkung und Regierung Christi und seiner Braut geöffnet seyn werden.

„„Das Kommen Jesu zum Gerichte des Antichrists ist zugleich ein Kommen zu seinem tausendjährigen Reich und zur tausendjährigen Lämmleins-Hochzeit. Jenes Reich ist alsdann sichtbar auf Erden und dieses, die Hochzeit, ist im oberen Luftkreis, gleichsam ebenso unsichtbar, als jetzo das Reich der Finsterniß in der Luftregion auch ist. So aber, wie jetzo Satan viel Einfluß auf Natur und Creatur hat, wird zu derselben Zeit Jesus und seine Geliebte ihn haben in Elemente und Naturen, ja in die Seelen derer alsdann lebenden, glaubigen Menschen. Das wird dann freilich eine äußerst glückliche Regierung und ein gesegneter Einfluß seyn; daher dann die goldene Zeit und das lange glückselige Leben dependiren wird, wie die Schrift deutlich schreibt und lehrt. III. Theß. 101.

Der Satan, der in der Luft herrscht und von da auf die Erde wirkt, wird sammt allen den Seinen von Luft und Erde nach den Rechten der Gerechtigkeit verdrungen, und wird gefangen und gefesselt und in den Abgrund tausend Jahre, solang die Lammeshochzeit währt, verschlossen und versiegelt. Und nun ist der HErr mit seiner in Auferstehungsleibern prangenden Braut in der oberen Luft; und darum genießen die Elemente und Naturen sammt allen Creaturen den milden, gütigen, segenbringenden Einfluß Jesu und seiner Braut. Deßhalb wird zugleich das tausendjährige Reich des HErrn auf dieser sichtbaren Erde seyn, das Reich, wovon die Propheten soviel geweissagt haben. Syst. 482.

Daß die Kette, mit welcher Satan gebunden worden, keine eiserne Kette gewesen sei, werdet ihr leicht begreifen. Ich erachte, es seien wider ihn gesammelte, in einander eingreifende und zusammenhängende Rechte aus seinen Verschuldungen; denn diese Sache geht geistlich-natürlich zu, wie jeder Vernünftige einsehen kann. V. Off. 619.

Gewiß steht unserer Erde und sonderheitlich dem Lande, das ehemals Israel inne hatte, ein Feier- und Jubeljahr von tausendjähriger Zeit bevor, da in demselben der Zustand des Garten Edens wieder seyn wird. Denn wie in demselben das Paradies Gottes blühete und grünete, also wird es auch tausend Jahre lang grünen und blühen auf der Erde und doch vor der Umschmelzung derselben nicht ganz zum Vorschein kommen. Denn das reife, fruchtvolle, eigentliche Paradies wird in seiner völligen Ausgeburt erst auf der neuen Erde offenbar seyn. In diesem tausendjährigen Sabbath aber wird es grünen und blühen. Denn Satan, der allen Jammer in Natur und Creatur, in allen Elementen verursacht, wird die tausend Jahre hindurch aus der Luft und von der Erde weggethan und in den Abgrund gebannet seyn. Darum wird das Band des Fluchs in allen Elementen und elementischen Naturen und Creaturen zerreißen und der paradiesische Segen wird sich offenbaren, zumalen da Jesus selbst mit seiner Braut im Unsichtbaren seinen Lebenseinfluß in Alles haben wird. O wie sehnlich und krächzend wartet die ganze Natur und alle Creatur auf diesen Tag der tausend Jahre! Syst. 496 f.

Wenn nun also der HErr und seine geliebte Braut einen so kraft- und segensvollen Einfluß auf die Erde und Elemente, ja in die Naturen und Creaturen hat, so wird freilich die goldene Zeit eintreten. Da wird dann auch freilich das Paradies Gottes in Natur und Creatur blühen und nicht mehr vom Fluch verdrungen werden; da wird die Luft rein seyn von allem Gift, und die Elemente werden nicht wider einander toben. Alle Thiere werden die Wildheit ihrer Natureigenschaften ablegen. Syst. 484.

Zu der Zeit der Lämmleinshochzeit wird, weil sie tausend Jahre währen soll, Alles eine solche Gestalt haben, wie im Garten Eden vor dem Fall. Alle Elemente werden in Har-

monie und Ordnung seyn und nicht im Grimm wider einander streiten, daß es bald zu naß, bald zu trocken, bald
zu kalt, bald zu heiß wird. Nicht so vieles Ungeziefer wird
erzeugt werden, auch nicht so viele Krankheiten. Eine reine
Luft wird seyn, denn das ist begreiflich: wenn jetzt Jesus
in der Luft unsichtbar gegenwärtig mit seiner geliebten Braut
ist, wo vorher Satan und sein Anhang war und einen Tod
und Verderben erzeugenden Einfluß in die Naturen und
Elemente der Weltdinge hatte, — wenn nun im Gegentheil
Jesus und seine Geliebten einen segensvollen paradiesischen
Einfluß haben: da wird dann freilich ein merklicher Unterschied stattfinden in der ganzen Elementenwelt, weil begreiflich das Reinelement nicht so zurückgehalten und zurückgetrieben
wird vom Zorn und Fluch Gottes. Da wird man freilich
— es ist sehr begreiflich — älter werden können; denn Alles
wird gesegneter seyn. Der unsichtbare Einfluß Jesu wird
mit dem der Seinigen bei allen reinbegierigen Lehrenden
und Lernenden zu spüren seyn. Alle Haushaltungen und
Gesellschaften werden davon zeugen, daß etwas Anderes in
der Luftregion wirkt und herrscht. V. Off. 610.

§ 335.

Insbesondere ist das tausendjährige Reich eine gesegnete
Bekehrungszeit für die Menschheit, aus welcher durch reiche
Ausgießung des Geistes und herrliche Kirchenanstalten der
erste Sohn Christi und seiner Braut wird geboren werden.

„„Da der Satan überhaupt zu der Zeit keinen Einfluß
mehr in die Menschenseelen hat und die edelsten Anstalten
in geistlichen Sachen getroffen sind, ja sogar der HErr selbst
mit seiner Braut kräftiger als nie in die Seelen hernieder-
wirket und wirken wird, o wie schnell wird da die Erkenntniß Gottes und Jesu Christi wachsen! Die Seelen, die da
in diesem Reiche geboren werden (verstehet geistlich geboren),
sind sodann der erste Sohn und Erstling Jesu und seiner
Braut. Und da werden dem HErrn und dem Zion seiner
Braut die geistlichen Kinder so häufig und so rein erzeugt
und geboren werden, wie die Thautropfen aus der Mor-

genröthe.   Da wird es eigentlich erfüllt werden, was dort
der Prophet davon schreibet (Pf. 110, 3.). Da aber die Seelen,
die im tausendjährigen Reich geistlich geboren werden, der erste
Sohn Christi und seiner Braut seyn werden, so hat der HErr
mit seiner Braut noch sechs Söhne meines Erachtens zu erwarten, denn ich vermuthe sieben Ewigkeiten und glaube, daß
in jeder dem HErrn besonders wieder geistliche Kinder geboren
werden.   Zwar kann es täglich geschehen, auch dort auf der
neuen Erde; aber ich glaube eben, daß sie in sieben Classen
eingetheilt werden.   Syst. 484 f.

Wenn denn nun Jesus der HErr mit seiner Geliebten
tausend Jahre Hochzeit auf der nämlichen Erde gehalten hat,
auf welcher er und sie gelitten und gestritten hat; wenn in
diesen tausendjährigen Hochzeittagen er und sie auf der
Erde in die alsdann lebenden Seelen Einfluß gehabt und
mithin sie durch dieselben regiert haben, werden nach Verfluß der tausend Jahre die Guten alle hinscheiden in's Unsichtbare und werden der erste Erstlingssohn seyn. III. Theff. 103.

Die Feuertaufe und der große Feuertag kommen noch
nicht; es muß vorher noch eine Universal-Geistestaufe über
die Menschheit kommen nach der prophetischen Verheißung.
(Joel 3. II. Act. 54.) Gott wird seinen Geist noch vorher
auf alles Fleisch ausgießen, und dieß wird im tausendjährigen Reich geschehen.   II. Petr. 244.

Wenn freilich alles das, was sich Christ nennen läßt,
auch wirklich wahrer, ächter Christ wäre, wie es Jeder billig
seyn sollte, so würde es besser aussehen in der Welt. Aber
das steht nicht zu erwarten auf der Erde, ehe der HErr
selber kommt, ehe sein Reich offenbar wird.   Auch alsdann
wird noch hie und da Etwas von dem Unkraut seyn, freilich
so rar, als jetzt die gute Frucht.   Denn die sichtbare Welt
ist der Offenbarungsschauplatz zweier unsichtbarer Welten,
da jede sich durch Werkzeuge und Mittelsubstanzen offenbaren
will.   Wenn denn nun tausend Jahre lang die erste Mittelsubstanz des Zorns Gottes, der Satan, und sein Anhang
in den Abgrund verschlossen seyn werden, und dagegen Christus,
die erste Mittelsubstanz der Lichts- und Liebe-Offenbarung,
mit seinem Gefolge von auserwählten Gläubigen und Berufenen erscheinen wird, wird es tausend Jahre lang herr-

lich seyn auf Erden, denn das Böse wird sich, wie billig,
zurückziehen, fliehen und verbergen müssen. IV. Tit. 220 f.

Ob wir werden die glückseligen tausend Jahre erleben,
die in allen Propheten verheißen sind, wo die allerbesten
Anstalten in Kirche und Staat floriren werden, können wir
zum Theil vermuthen, aber nicht gewiß wissen. Aber das
wissen wir gewiß, daß wir deren Genuß werden haben, so
wir von denen sind, die bis in den Tod werden getreu
bleiben, es sei nun, wo es wolle. VI. Pf. 1293.

§ 336.

Dieser Erstlingssohn besteht zuerst aus dem Volke Israel,
welches in sein Land zurückkehren, den Tempel bauen und
durch einen Gottesdienst bekehrt werden wird, der im Gegen-
satz zu dem vorbildlichen Gottesdienst des alten Testaments
durch Nachbildung das Heil in Christo verkündigen und durch
reiche Geistesausgießung bekräftigt werden wird.

„„Die Juden werden ihren Vorzug erhalten in den tausend Jahren des Reiches Christi auf Erden, da er und seine
Braut im Unsichtbaren regieren und priesterlich wirken werden. Da werden alle Juden zum Glauben an Christum
und zum neuen Leben kommen, und der erstgeborene Sohn
des Bräutigams und der Braut oder der zweite Erstling
Gottes seyn. VII. I. 6.

Daß die Verheißung Hebr. 8, 10. 11. noch nicht in
volle Erfüllung gegangen ist, wissen wir Alle. Sie wurde
erfüllt von der Zeit an, da Christus sein Lehramt angetreten,
bald an Diesem, bald an Jenem. Am Pfingsttag wurde
sie reichlicher erfüllt, als bisher nie, und doch ist sie von
dort an auch je und je erfüllt worden, und ist, Gott sei
Dank, auch im Kleinen an uns erfüllt worden. Aber die
eigentliche Haupterfüllung steht ja noch bevor und wird erst
in den Tagen des tausendjährigen Reichs geschehen, wenn
sich ganz Israel in seinem Erblande aus aller Zerstreuung
sammeln wird, und auf diese Zeit harren wir auch sehnlich,
glauben auch, daß sie nicht mehr gar zu ferne sei; jedoch
können wir keine Zeit bestimmen. Das Kläglichste ist, daß
man nicht auch einmal eine Bewegung unter den Juden
wahrnehmen kann. IV. Hebr. 399 f.

Als wahre Bibelverehrer und Bibelchristen müssen wir gestehen, daß das jüdische Volk sehr viele Vorzüge hatte vor anderen Völkern der Erde. Die ganze heilige Schrift alten Testaments ist voll davon. Ja, von der Geschichte dieses jetzt wohl noch verstoßenen Volks Gottes her haben wir die alttestamentlichen Bücher und Schriften. In diesen findet man deutlich, was im neuen Testament genug angemerket ist, daß dieß Volk Gottes nicht auf immer verstoßen ist und bleibt, und daß es einst wiederbracht werden wird in sein Land und also auch zu seinem HErrn, dem Universaljuden, um dessen willen die Juden gewiß Juden sind, dieweil er als die Verheißung von ihnen abstammen sollte und wollte, sintemal er durch das Judenthum eine Zurüstung und Vorbereitung auf das Christenthum machen wollte. III. Eph. 153.

Die Lichtsboten aus Israel wendeten sich zu den Nationen, und Gott wollte es also, denn eine bestimmte Fülle und Anzahl aus den Heiden gehört zu der auserwählten Jesusbraut und ihren Gespielen, ja sogar zu den Gästen der Lämmleins-Hochzeit. Laßt also diese Fülle oder volle Zahl eingegangen seyn, dann werdet ihr sehen, was mit Israel geschehen wird. Auf einmal wird sich das Licht der Wahrheit von der geistlosen Christenheit wegwenden und zu dem verstoßenen Volk kehren, und da wird es mit seiner Bekehrung zum HErrn ein Stück geben. III. Eph. 157.

Die wieder in ihr Erbland zurückkehrenden Juden werden den Tempel bauen oder auf ihre Kosten erbauen lassen, und also nicht für andere Völker und Nationen, sondern für sie selber wird er erbaut werden. Denn sie werden sich nicht als wahre Christen in das Erbland ihrer Väter zurückbegeben, obgleich welche unter ihnen seyn werden; sondern als gottesfürchtige, religiöse Juden werden sie sich dort sammeln und den Messias erwarten. Ihre gottesdienstliche Weise werden sie da noch geraume Zeit haben und halten und erst nach und nach zur Erkenntniß Gottes und Jesu kommen. Und wann dann nachher in den Tempel, den sie erbaut haben, allerlei Art des Opfers gebracht wird, so wird es nicht mehr heißen: so wird sich das Lamm Gottes schlachten lassen, was wahrer Judensinn ist, sondern es wird heißen: so hat sich das Lamm Gottes ehemals schlachten laffen, was dann wahrer eigentlicher Christenfinn ist. Also der zukünftige Tempel wird zu Jerusalem für die Juden, welche Christen werden sollen, erbaut. V. Off. 294 f.

Die Propheten weissagten unter dem jüdischen Volk auf die Verheißung und das wahre Körperwesen, welches dann nun auch eingetroffen hat, weßhalb zwar nicht alle den Juden gegebenen Verheißungen, aber doch die gottesdienstlichen Weisen des schattenartigen Wesens aufgehöret haben in Ansehung ihrer Vorzüglichkeit. Denn obschon nach der Beschreibung Ezechiels in seinen letzten Kapiteln die Opferweisen wieder sollen eingeführt werden unter den sich wieder sammelnden Juden im tausendjährigen Reiche, so wird solche gottesdienstliche Weise nicht mehr vor-, sondern nachbildlich seyn, und es wird nicht heißen: so wird sich einst das Opferlamm für unsere Sünden schlachten laffen, sondern es wird heißen: so hat sich der gekommene Messias zum Sünder und Sühnopfer für uns dahingegeben, und das und das hat dieß bedeuten. Darum wird dieselbe Weise sollen belehrend und überzeugend seyn und sich nach und nach aufheben, wie nämlich das jüdische Volk nach und nach zur wahren Erkenntniß Gottes und Jesu Christi kommen wird. III. Eph. 154.

§ 337.

Von Zion aus aber wird sodann die Erkenntniß des HErrn unter die Nationen kommen, und Jerusalem wird die Mutter der Juden und Heiden seyn.

„„Gott wird seines Bundes, mit Abraham, Isak und Jakob gemacht, noch einmal gedenken und wird dem Samen derselben, nämlich dem natürlichen Israel, noch einmal auf der Welt besondere Vorzüge angedeihen laffen. Aber daran wird wieder alle Welt Theil nehmen können, und nur der Glaube wird abermals gerecht und selig machen. V. Off. 811.

Ganz Israel wird sich herbeimachen und durch die Einwirkung des königlich-priesterlichen Geistes Jesu und seiner Braut zum Glauben, zum Leben und zur Herrlichkeit kommen. Ja, auch Heiden werden durch das Judenheil und durch

die ihnen zu Theil gewordene Herrlichkeit gereizet und her-
beigezogen werden, daß sie zum Glauben, zum Leben und
zur Herrlichkeit Gottes kommen. Und werden der Braut
Jesu, der in neu auferstandenen Lichtsleibern vollendeten
Jesusgemeine, die ihren Einfluß in Natur und Creatur haben
wird, Kinder geboren werden, wie der Thau oder wie die
Thautropfen aus der Morgenröthe. Syst. 497 f.

Es war die Stadt Jerusalem mit ihrem Tempel ein
Vorbild eines noch höheren und edleren Vorbildes, das
nach dem Propheten Ezechiel in der letzten Zeit erscheinen
wird. Ein Jerusalem und ein Gottestempel wird da wieder
gebaut werden, noch herrlicher als das erste war. Gleichwie
aber das erste Jerusalem die Mutterkirche war, also wird
diese seyn die Mutter der Juden und Heiden. VI. Psf. 943.

§ 338.

Gegen das Ende der tausend Jahre wird der HErr mit
seiner Braut den Segenseinfluß von der Erde zurückziehen
und Satan wieder los werden, worauf das Verderben überhand nehmen und die gegenwärtige Welt durch endgerichtlichen Proceß abgeschlossen werden wird.

„„Wenn das tausendjährige Reich nun ein Ende hat,
so wird der Satan wieder eine kleine Zeit los. Denn er
wird protestiren, als wäre er zu früh oder zu lang eingesperrt worden. Der HErr wird ihn also loslassen, daß er
sein Sündenmaß voll mache. Und es wird auf Erden ärger
werden, als nie zuvor. Und der HErr wird sich mit seiner
Braut und all den Seinen alsdann zurückziehen in's über-
himmlische Wesen. Da wird er seyn, bis das neue Jerusalem, die Braut des HErrn, herniederfahren wird. Syst. 485.

Nach diesem wird Satan wieder los und macht's arg
auf Erden. Jesus und seine Braut gehen zwar nicht wieder, sondern bleiben, ohne zu gehen, in reiner Luftregion,
und ist also von seinem Kommen zur Hochzeit kein eigentlich Wiedergehen und abermaliges Kommen. Sondern er
kann und wird nun bleiben, wo er ist; nur wird sein Einfluß mit Fleiß eine kleine Zeit aufhören, daß Satan sein
Sündenmaß erfülle und es alsdann auf immer mit ihm ab-

getheilt werde. Denn während dem, daß Satan es so arg
macht, gehen die siebentausend Jahre der Weltwährung zu
Ende und der letzte Tag naht sich. III. Theff. 103.

Wenn Satan nach den tausend Jahren wieder losgelassen
wird, so wird er, da er sich in seiner Gefangenschaft nicht
gebessert haben, sondern sich in eine Rechthaberei hinein-
arbeiten und meinen wird, ihm sei Unrecht geschehen, es
ärger machen, als zuvor. Er wird einen Grimm auf die
Heiligen in Palästina und Jerusalem und überhaupt auf
das Reich Christi haben, und wird ausgehen und Gog und
Magog verführen und ihnen einblasen: „Was habt ihr nöthig,
der jüdischen fünften Monarchie Tribut zu zahlen? Ziehet
aus wider sie und vertilget sie auf Erden! Damit ihr sie
aber ganz gewiß dämpfen möget, machet euch recht stark
und ziehet wider sie mit großen Schaaren, Wagen und
Rossen." Dieß ist — in der Offenbarung Johannis 20, 7 ff.
geschehen, denn eine Menge umgab Jerusalem, daß man
glaubte, die Erde habe sich aufgethan. Und insofern gelang
also dem Satan sein Vorschlag. Aber was geschah? Die
zahlreichen Heere der Feinde wurden geschlagen; denn Gott
der HErr stritt selber für sein Volk. Mit Feuer vom Himmel vernichtete er die Feinde, und man hatte sieben Monate
an den Todten zu begraben und viele Jahre an ihrem Kriegs-
geräthe zu brennen. V. Off. 628 f.

bb. Der jüngste Tag.

§ 339.

Zum endgerichtlichen Abschluß dieser Welt wird der HErr
wieder persönlich eingreifen und mit seinen Heiligen in feuer-
lichter Wolke, wie er gen Himmel gefahren, erscheinen.

„„Jesus, der HErr, kommt in seiner Herrlichkeit zum
allgemeinen Weltgerichte, und alle heiligen Engel als Ge-
richtsdiener kommen mit ihm, wie er Matth. 25. vorherge-
sagt hat. In einer Wolke ist er gen Himmel gefahren, und
so kommt er wieder zum letzten Weltgerichte. Sein Herr-
lichkeits-Thron ist eine weiße Wolke, voll elektrischen Feuer-
lichts des ersten Tages. Eine solche war auch der königliche

Prachtwagen, da er hinging. Was sollte aber schicklicher seyn für den Schöpfer aller Dinge und für den Richter alles Fleisches, wenn er aus der heiligen Kronenzahl, aus seiner majestätischen Verborgenheit hervortritt und im Sichtbaren erscheinen will? Denn in einer elektrisch-feuerlichten Wolke ist offenbar das reine obere Feuerwasser, das nicht schwer zur Erde stukt. Es ist das wahre Schamajim; darin ist offenbar die achte Zahl, und in derselben kann sich die neunte und zehnte offenbaren. Die ist also das Aeußere des weißen Königsthrones; dessen Inneres sind die Eigenschaften und Kräfte des Geistes der Ewigkeit und Jesus selbst ist die Herrlichkeit. V. Off. 632.

Ja, viele tausende herrliche Schaaren kommen mit ihme, dem Richter, einst an, werden in lichtweißen Wolken herfahren, daß man die Pracht jetzt beschreiben nicht kann. So wie er, Jesus, von hinnen gegangen, wird er als Richter der Welt angelangen. l. 283. 8.

§ 340.

Damit beginnt der jüngste Tag, als ein tausendjähriger Scheidungs-, Gerichts- und Neuschöpfungstag, an welchem die allgemeine Auferstehung der Todten, der Erdenbrand und das jüngste Gericht stattfindet.

„„Der Gerichtstag heißt auch der letzte Tag. Da nun also dieser Tag keinem andern Platz machen muß, kann er vielleicht kein gemeiner Tag von 24 Stunden seyn, vielleicht dauert er tausend unserer Erdenjahre. Syst. 444.

An dem letzten Feuertage wird Alles im Feuer bleiben, was nicht aus Gott geflossen und nicht durch seine Herrlichkeit neu geschaffen. Derselbe Feuertag kann ebensowohl, als der vorhergegangene tausendjährige Hochzeittag, auch tausend Jahre währen. In diesem Feuertag wird das Lämmlein mit seiner Braut das Haus, auf dem oder in dem die neue Haushaltung Ewigkeiten lang beginnen soll, ausreinigen und es neu als ein neues All darstellen. II. Petr. 239.

Zu derselben Zeit wird der Geist der Ewigkeit Himmel und Erde, d. i. alle Elemente, Naturen und Creaturen bewegen; die Aktions- und Reaktionskraft wird in voller Be-

35 *

wegung seyn, mit der Kraft der Ausdehnung verbunden, wie in der Schöpfung aller Dinge. Und dann wird nicht allein eine schnelle Verwandlung, sondern auch eine schnelle Scheidung des Guten und Bösen erfolgen, und in voller Bewegung der Kräfte und Wirkungen des ewigen Geistes wird die Natur und Creatur das ausstoßen und von sich treiben, was ihr nicht conform ist und nicht zu ihrem Wesen gehört, und hingegen das anziehen, was demselben conform und passend ist. Und das wird geschehen, wie schon gesagt, durch den unvergänglichen ewigen Geist, der in Allem höchst wirksam ist. Jetzt wird das Verwesliche anziehen kraft der Anziehungskraft Gottes die Unverweslichkeit, und das Sterbliche wird anziehen die Unsterblichkeit; dieß aber nur bei dem, was erneuert werden soll und bereits den Anfang dazu gemacht hat. Das Gegentheil wird von sich stoßen Alles, was noch Licht und Erquickung war, und wird schnell anziehen Todes- und Verwesungsstoff zu einem finstern Leibe, der ewiger Verwesung und Verbrennung fähig seyn wird. Zu diesem großen wichtigen Ereigniß und Vorgang wird der Engelfürst ein Zeichen geben mit der großen Gerichtstrompete; just dann, wann er zum Trompeten aufgerufen und angetrieben ist, wird die große Bewegung des ewigen Geistes erfolgen. Da wird dann also die allgemeine Auferstehung der Todten seyn und also auch die große und schnelle Verwandlung. Und während dem Allem geräth die Erde in Brand und der HErr hält Gericht in der oberen Luftregion. Syst. 438 f.

α. Allgemeine Auferstehung.

§ 341.

Die allgemeine Auferstehung geschieht durch den Geist der Herrlichkeit zum Licht und Leben bei denen, die den Lebensamen des Geistes Jesu haben, und wo dieser fehlt, durch den Geist der Ewigkeit zum Gericht.

„„Die Auferstehung zum Licht und Leben wird durch den Geist der Herrlichkeit bewirkt, und ist diese Auferweckung eigentlich der geistliche Geburtstag. Wer den Geist und

Sinn Jesu nicht hat, nicht wahrhaftig durch den Geist Jesu neugeboren wird, kann auch nicht durch ihn auferweckt werden. Denn wo der Same des Lebensgeistes Jesu nicht ist, da ist kein Lebenskeim möglich. Also ist die Auferweckung anderer Art: nämlich die Seele hängt am Lebensband des Geistes der Ewigkeit, also geschiehet durch ihn die Auferweckung schrecklich und gewaltig zum Gericht. Syst. 431 f.

Der Geist der Herrlichkeit, die Herrlichkeit des Vaters, hat Jesum von den Todten auferwecket, und diese wird uns auch erwecken mit Gotteskraft. Jesus, der HErr vom Himmel, ist der himmlische, göttliche Originalmensch, ist selbst die Herrlichkeit des Vaters. Wer durch ihn erweckt werden soll, muß von dem Geist der Herrlichkeit neugeboren, folglich von Gott gezeuget seyn. Ist aber das nicht, so ist der Mensch nicht geistlicher Mensch, hat keinen Lebenssamen in sich, kann also nicht erweckt werden. Er wird aber doch auferweckt. Darum muß diese Erweckung durch den ewigen Geist geschehen, in welchem seine Seele auch im Tode ein Leben behält, aber ein Leben ohne Licht, ohne Gottesherrlichkeit, also ein Leben, das gewiß eine wahre Qual, eine Hölle ist. Syst. 429.

Die aus Zeit und Ewigkeit zusammengesetzte Seele hat wohl ewige Kräfte, auch ewige Essenz, da sie ja sonst auch keinen verdammnißfähigen Leib anziehen könnte. Sie hat ein Lebenswurzelwesen im Geiste der Ewigkeit; dieser wird sie wider allen ihren Willen erwecken, daß sie ihr Daseyn empfinde, in einer ihrer finstern feurigen Seele passenden Leiblichkeit. Solche Seelen werden am allgemeinen Auferweckungstage erfunden werden wie die stinkenden Eier, wo die brütende Henne nichts Lebendiges herausbringen konnte, weil kein Samen zum Keimen darinnen war, also ja nicht erweckt werden konnte. Sie werden also, wenn die Centralkräfte des ewigen Geistes sich bewegen und Himmel und Erde in Bewegung setzen, gewaltig herausgeschüttelt werden aus Meer und Erde und in solcher Beschaffenheit seyn, welche gräßlich ist. IV. Hebr. 578 f.

Nun, wenn Todte und Lebendige vor dem Richter erscheinen sollen, so müssen die Lebendigen schnell verwandelt werden und die Todten müssen aus den Todtenbehältnissen

hervor. Tod und Hölle müssen die Todten, die darinnen
sind, herausgeben; denn das sind eigentliche Behältnisse auf
den Gerichtstag. Dieß ist es, was Apoc. 20, 13. vorkommt,
da es heißt: weil nun die Todten auch sollten gerichtet werden, so gaben alle Behältnisse ihre Todten her. Und also
das Meer, in welchem seit der Sündfluth sehr viele Menschen
begraben liegen, gab her die Todten, die noch darinnen
waren, die nicht waren zur Erstlingsschaft gekommen, und
der Tod, nämlich das Grab, der Geist der Auflösung in
der Erde, gab auch seine Todten. Und so auch der Todtenschlund, der diejenigen hält, die ihm in dem Kragen stecken
bleiben, die er nicht verschlucken, fressen, auflösen und auseinandersetzen kann, weil Seele und Körper nicht auseinander will --- auch dieser Todtenschlund, tiefer als das Grab,
gab seine Todten heraus. Denn die Bewegung des Geistes
der Ewigkeit schüttelte und bewegte Alles am Bande des
Lebens, was je ein Leben hatte und bekam. Denn der Tod
kann Nichts von diesem ewigen Bande abtrennen, daß es
ganz abgetrennt wäre. In dieser Geistesbewegung muß das
Sterbliche Unsterblichkeit und das Verwesliche Unverweslichkeit anziehen, und zwar, durch die Centralkräfte der Aktion
und Reaktion bewegt und in Bewegung gesetzt, zieht Jedes
seines Gleichen an und stößt das Ungleiche von sich aus,
daß also selige Leiber sowie unselige Magnete ähnliche
Dinge anziehen, dadurch sie dann fähig werden, Qualen zu
leiden oder Freude zu genießen. V. Off. 635 f.

§ 342.

**Vermöge der Magia zieht jede Seele auf unterschöpferische
Weise je nach ihrer herrschenden Eigenschaft einen finstern
oder Lichtsleib an.**

„„Finstere Verwandlungsleiber ziehen alle die an, die
kein geistlich Leben und also keine Lichts- und Glaubensmagia haben; denn der ewige Geist bringt die Reaktionskraft in Bewegung, nach der vorzüglichen Eigenschaft und
Art jeden Dinges. Syst. 441.

Es mögen die menschlichen Leiber noch so lange verfault
seyn, als sie wollen, das hat nichts zu sagen. Gott wird

fie mit seiner allmächtigen Beweglichkeit wieder rufen, und
die nämliche Seele, die mitgewirket hat als unterschöpferische, werkzeugliche Kraft zum ersten Seyn, wird wieder
werkzeuglich mitwirken. Und wie Adams Seele zur seelischen
Bestimmung mitgewirkt, wird jede Seele, von innen heraus
beseelt und bewegt, mitwirken zur Auferstehung. Wie sie
ist, so ist das, was sie entweder ursprünglich oder mittelbar
bewegt: sie ist aber wie der Geist ist, mit dem ihre Tinktur zusammenfloß im Leibesleben. **VI.** Pf. 984.

§ 343.

Der Zustand der im finstern Leibe Auferstandenen ist
ein ewiges Seyn mit immerwährendem Sterben.

„„Gott! welch ein Entsetzen der Seele wird dieß seyn
Denn sie wird in's Seyn gerufen und möchte doch lieber!
nicht seyn. Allein sie ist. Und nach der Auferstehung kann
sie mit Leib und Seele leiden. Syst. 431.

Es gibt ungläubige, sinnlichseelische Menschen, die keine
Auferstehung des Leibes und kein ewiges Leben glauben,
auch sogar es bekennen, daß deren keines sei; denn sie wünschen es so, suchen es also auch nicht, und begreiflich ist's,
daß sie es nicht haben. Aber eine unsterbliche Seele haben
sie, die sich regte; von dieser ihren geistlichen Theilen haben
sie sich weggewendet und sind fleischlich und ganz ungeistlich
worden, gehen hin wie die Thiere, ohne an die Bestimmung
des Menschen jemals zu denken. Solche werden freilich ein
ewiges Seyn in einem immersterbenden Zustand haben.
IV. Hebr. 580.

β. **Erdenbrand.**

§. 344.

Da nunmehr der Zeitpunkt gekommen seyn wird, in welchem nach dem Wohlgefallen Gottes die bestimmte Anzahl
Menschen geboren und die natürliche Grundlage für das
Himmelreich gegeben ist; da andererseits nach der Gerechtigkeit Gottes dem Satan gegeben war, Alles gegen das Gute
zu versuchen, und derselbe nunmehr zum Endgerichte reif ge-

worden, so geschieht jetzt die völlige Scheidung des Guten und Bösen im ganzen Umfang und es wird mit dem Satan abgetheilt.

„„Es wird Manchem ein wunderlich Ding zu seyn dünken, daß Gott verlangt und will, daß Satan Alles versuchen, anwenden und anstrengen soll, um dem Lichtreich Jesu zu widerstehen, solches — seiner Meinung nach — zu vertilgen oder wenigstens aufzuhalten. Es soll aber Niemand wundern, denn mit allem Wohlbedacht hat Gott die Scheidung und Auseinandersetzung des Guten nicht eher gewollt und begonnen, als bis seine Erstlinge ausgeboren und überhaupt die ihm allein bekannte Anzahl von Menschen geboren seyn wird. Denn so lange das nicht ist, kann die Scheidung nicht geschehen oder dem Plan und den Absichten Gottes gemäß stattfinden, weil immerdar das Böse das Gute in seinem Wachsthum treiben muß, obschon das Böse diese Absicht nicht hat. Das ist's also, warum die Scheidung verschoben ist, bis der rechtliche Sieg des Lichtreiches über das finstere Reich offenbar wird bei dem Kommen des HErrn. Erstlich kommt er also zur Hochzeit mit seiner Braut. Da geschieht eine merkliche Scheidung. Kommt er aber zweitens zum allgemeinen Weltgerichte, so wird alsdann die Scheidung und Auseinandersetzung des Guten und Bösen erst völlig und ganz. Wäre das also früher und gleich nach dem Falle geschehen, so wäre Vieles einst nicht, wie es seyn wird. Es wäre im Himmelreiche einst zwar ein seliges, aber höchst einfaches, ewiges Einerlei, und das ist nicht Gottes Liebes-Vorsatz, also auch nicht der Plan seines Wohlgefallens. Denn wenn vorzügliche Erstlinge seyn sollen, Könige und Priester in Gottes Reich, ei, dann müssen auch Ursachen der Besiegung und des Widerstandes vorhanden seyn, daß sie es rechtlich werden können. Ja noch mehr: soll einst die arme gefallene Menschheit alle die Himmel, die Jesus der HErr für die gefallenen Menschen eingenommen hat, daß sie dieselben ewig besitzen und bewohnen, wenn sie sich haben wiederbringen lassen — soll diese Menschheit die Himmel bewohnen, die der abgefallene Engelfürst mit seinem Anhang verlassen und räumen mußte, ei, so muß Gott, da er nicht

willkührlich, sondern rechtlich handelt und handeln will, zugeben, daß Satan seine Macht und Kraft kriegend und
streitend anwenden darf gegen die Menschheit auf Erden,
die aus einer wunderbaren Mischung zusammengesetzt ist.
V. Off. 235 f.

Seit der HErr das Schöpfungsbuch aufsiegelte, weiß er,
hineinsehend in die Urkräfte des Lichts und der Finsterniß,
wie stark jedes Theils Vermögenheit sei, wie und was also
das Reich der Finsterniß versuchen werde, auch wie und
mit welcherlei Lichtskraft er es besiegen kann. Und so weislich weiß er Alles einzuleiten und einzurichten, daß zu einer
ihm bekannten Zeit Alles wird zur Reife gediehen seyn, sowohl in's Reich der Finsterniß, als in's Reich des Lichts.
Ist's aber nun dahin gekommen, so hat das Reich der Hölle
seine Wunder geoffenbart, sein Aeußerstes auf's Höchste
versucht und somit sich zum Gerichte reif gemacht, und der
Naturbaum des menschlichen Lebens hat sich in allen Zwei-
gen geoffenbart und also das Fortpflanzungsvermögen sich
zum Ziele getrieben, und darum wird die große Scheidung
vorgenommen werden, und der HErr wird seine Tenne fegen,
alle Kräfte des ewigen Geistes werden in Bewegung seyn,
darum auch die Reaktionskraft in allen Magneten ihre Aehnlichkeit anziehen, und alles Andere wird durch die Aktionskraft ausgetrieben werden; das Sterbliche wird Unsterblichkeit und das Verwesliche Unverweslichkeit anziehen, und
dann wird Licht und Finsterniß geschieden seyn und das
Leben den Tod und Licht die Finsterniß besiegen. IV. Hebr. 105.

Der HErr wird mit dem Satan abtheilen, daß das
böse verdorbene Wesen in allen Naturen und Elementen,
Creaturen und Welten dem Satan zum Eigenthum gegeben
wird, als der solches hervorgebracht und geursacht hat.
Syst. 459.

§ 345.

Bei dieser Abtheilung wird der Feuersee Satans und der
Seinigen Theil seyn, der HErr aber mit seiner Braut das
neue All bewohnen.   (cfr. § 310.)

„„An diesem Tag wird mit dem Erzfeind ganz abge-

theilt werden. Der Feuersee wird sein und der Seinigen
Theil seyn, weil sie das Böse erweckten und hervorbrachten.
Das neue All wird das Haus des Lämmleins und seiner
Braut seyn und diese werden es nach dem Gerichtstage be-
wohnen. II. Petr. 239 f.

Der letzte Tag wird lang genug seyn, weil er keinem
andern mehr Platz machen muß und meines Erachtens die
Erde stille stehen muß und sich nicht mehr um ihre Achse
wenden darf, daß es gleichsam sei, wie vor dem ersten
Schöpfungstag, und also die Elemente, Natur und was zum
ganzen Sonnensystem gehört, wie in einen chaotischen Zustand versetzt werden. Nun, denke ich, geht die große Scheidung an; jetzt wird der HErr seine Tenne fegen; jetzt wird
er den großen Feuerbesen aller astralischen, centralischen und
elektrischen Feuer zusammennehmen und zusammenwirken
machen, und sagen zu seiner Geliebten: nun wollen wir
das Haus dieser Welt, das wir bewohnen wollen, auspu̇tzen
und auskehren, und mit dem Satan theilen: der Wust ist
sein, ich habe ihn nun lange geduldet; er soll zum Feuersee, Feuerbad und Wohnung ihm bereitet werden, wo denn
Alle mit ihm essen und genießen sollen, die mit ihm einge-
brocket haben und seines Theiles sind. Denn jetzt, da sich
die Erde nimmer dreht, weil sie das ewige Wort nicht mehr
zum Umlauf bewegt, ist es dort ewige Nacht. Und auf
der neuen Erde, die aus der alten nebst einem neuen Planetensystem zum Vorschein kommt, ist immerwährender Tag.
III. Theff. 103 f.

Durch Auflösung und Auseinandersetzung, durch Feuer-
scheidung und Zersetzung wird Gott mit dem Satan theilen.
Was er siebentausend Jahre hindurch bös und gut untereinander geduldet hatte, duldet er dann nimmer länger also.
Denn aus dem Guten macht er neue Himmel und eine
neue Erde und aus dem bösen Alten einen Feuersee. Dieser kann dann die halbe Erdkugel in den ersten Ewigkeiten
einnehmen, darin sind gesammelt alle bösen Leben und Wesen. Hingegen die neue, gereinigte Erde und die neuen
Himmel sind eine Sammlung reines Lebens und Wesens.
V. Off. 637.

Der erste Himmel und die erste Erde ist ihrer Gestalt

und Wesenheit nach vergangen; es ist zum Neuen nur das gekommen, was dazu gehört, nämlich das Gute, das noch wie verborgen darin steckte, aber mit seiner Qualität unterdrückt war und nicht in's Herrschen kommen konnte, weil es von Fluch, Tod und Gift unterdrückt war. Alles dieses ist durch die Kraftbewegung Gottes und seines ewigen Geistes weggeschafft und ausgetrieben, und darum ist Alles so schön und neu. V. Off. 651.

§ 346.

Der Feuersee ist das Putrefactionsfaß, in welches zum Zweck der Auseinandersetzung Alles geworfen wird, was bis zum jüngsten Tag widerstanden hat, auch der Tod und die Hölle. Dieß ist der andere Tod.

„„Ist Etwas nicht geschieden und aufgelöst worden am langen letzten Feuertage, so ist das dasselbe Ding, das in das Putrefactions- oder Fäulungsfaß, d. i. in den andern Tod geworfen wird; da wird es aufgelöst und auseinandergesetzt werden. Denn wenn der Schöpfer sagt: Siehe, ich mache Alles neu! so wird er hoffentlich nirgends etwas Altes mehr lassen. V. Off. 648.

Fleisch und Blut, d. i. seelische irdische Menschen können das Reich Gottes nicht ererben, sintemal dieselben in das tinkturialische Lichtreich der Herrlichkeit nicht taugen; haben sie doch keine Geistleiber, folglich sind sie auch nicht für das Lichtreich organisirt und gebildet. Und wie sollten sie denn an Gott und mit Christo erben, da sie noch gar nicht einmal seine Kinder, also nicht von ihm geboren sind? Wohl sind sie Alle seine Geschöpfe, im natürlichen Leibesleben; aber ohne Wiedergeburt sind sie eben, was die Spreu ist ohne Kern, was das lautere Ei ist ohne Samen. Säet also diese Spreu, dieses Ei im Tod in das Grab, was wird da herauskommen? Antwort: Nichts als eine verfaulte Spreu, ein stinkend Ei! Was ist aber mit diesem zu machen im Reich des Lichts? Antwort: Nichts. Wo taugt es hin, als in das Putrefactionsfaß, in den Feuersee, daß es allda auseinandergesetzt werde, den Lebenssamen empfange, und erst in's Lichtreich geboren werde. Syst. 435 f.

Schon bei dem allgemeinen Weltgericht und der großen Gottes- und Schöpfersbewegung wird der Tod, nämlich der natürliche

Tod in den Sieg, nämlich in die siegende Lebenskraft ver=
schlungen; Tod und Hölle wird in den Feuersee geworfen;
denn wenn der Tod nicht verschlungen würde von dem Sieger=
leben, könnte auch keine Verwandlung stattfinden, das natür=
liche Sterben hörte nicht auf und vermuthlich auch das Ge=
bären nicht. Wenn aber der natürliche Tod verschlungen
wird von dem Leben, so ist dieß nur also bei denen, die
in den ewigen Tod nicht gehören. Der ewige Tod ist der
allerletzte Feind, der endlich nach dem Ablauf aller Ewig=
keiten aufgehoben und vom siegenden Leben verschlungen
werden wird. Aber bis dahin steht es, wie schon gesagt, viel
Ewigkeiten an. Wenn aber der natürliche Tod am letzten
Tage, am Tage des allgemeinen Weltgerichts verschlungen
wird, so hört auch das Gebären und überhaupt das natür=
liche Leben auf. Denn in solcher Auflösung und Scheidung
aller Dinge muß der Naturlauf aufhören, nicht allein bei
denen, die in's Licht verwandelt werden, sondern auch bei
denen, die die finsteren Verwandlungsleiber anziehen müssen.
Syst. 440 f.

Und der Tod, nämlich der in der Erde steckende Auflösungs=
und Verwesungsgeist, und der tiefer steckende Todtenschlund,
wo die Seelen hangen und stecken bleiben, welches sonst auch
Todesthal oder Todtenbehältniß heißt (auch der Scheol ist
davon nicht ganz frei zu sprechen), kurz alle diese Todtenbe=
hälter werden zusammen in Einen Ort verwandelt, der heißt
dann Feuersee, Ort der Verdammten. Dieß ist dann mit
andern Worten der andere Tod, und heißt Feuersee, oder
See des gesammelten astralischen und centralischen Feuers.
V. Off. 637 f.

§ 347.

Diese große Umwandlung der Erde geschieht durch das
Zusammenwirken des astralischen und centralischen Feuers, als
durch die Feuertaufe der Erde.   (cfr. § 335.)

„„Wenn der letzte Feuertag angehet, wird es meines
Erachtens also seyn. Jesus ist das ewige Wort, das Fleisch
worden ist, das Wort, welches Alles hält und trägt. Wenn
es nun die Erde nicht mehr zum Umlauf bewegt, so brennt

der Zorn des Lämmleins und das im Feuer des ewigen
Geistes an; darum werden alle Feuer in Bewegung gesetzt
und daher die große Bewegung und der Alles auseinander-
setzende und reinigende Feuerbrand. Denn wenn Alles wird
gereinigt und neugemacht seyn, geht die himmlische Haus-
und Hofhaltung auf der neuen Erde mit Jesu Braut an.
III. Theff. 104.

Was denn das für ein Feuer seyn werde, das in Allem
brennet und nicht ausgelöscht werden kann? — Vermuthlich
ist es ein Feuer, wie Elias eines erbetete, da er um den Altar
des HErrn her viel Wasser gegossen hatte, und das Feuer,
das vom Himmel fiel, verzehrte Alles ganz und gar. Vermuthlich kommt zu diesem Feuer auch noch ein unterirdisches
centralisches Feuer, wie es aus den feuerspeienden Bergen
hervorbricht und zuweilen abscheulich und schrecklich wüthet.
Die Erde ist in der Sündfluth mit Wasser getauft worden,
wie Petrus schreibt; es steht ihr also noch eine Feuertaufe
bevor. Die große Wiedergeburt aller Dinge steht noch bevor. Dieß wird also die Feuertaufe seyn, die am letzten
Tage zu erwarten ist. Vor dem Angesichte des Richters
werden Himmel und Erde fliehen wollen und nicht können.
Meines Erachtens ziehen sie sich durch den erstaunlichen
Luftdruck im Centro zusammen. Durch einen solchen Luftdruck zog sich meines Erachtens Meer und Erde zusammen,
daß das Wasser überall heraus und herein drang und sich
über die ganze Erde ergoß. Ein schrecklicher Luftdruck kann
die Feuer über der Erde und in der Erde entzünden, daß
sie zusammenwirken und sich dann in Allem entzünden, so
daß es mit Recht unauslöschlich Feuer genannt werden kann.
Denn dieses Feuer weiß keine Gränzen, als da, wo nichts
Verbrennliches ist. Es wird Alles verzehren, aber auch
reinigen, und nachdem es Alles aufgelöst und verzehrt hat,
was es sollte, wird ein neuer Himmel und eine neue Erde
erscheinen, wie es Johannes in seiner Offenbarung beschrieben hat. Syst. 445 f.

Electrisches Blitzenfeuer ist im Himmel als obere Was-
fer und centralisch Feuer in der Erde. Diese beiden Feuer
werden durch das Schöpfungswort aufgespart zum letzten
Gerichte am großen Feuertag, wo beide Feuer zusammenwir-

ken und fallen werden und wo dann Alles aufgelöst wird, was Feuerprobe nicht hält. II. Petr. 243.

Himmel und Erde enthalten schon in sich die Dinge, durch welche sie aufgelöst werden, wie der Geist der Auflösung schon im Leib der Sterblichkeit wirkt. Vielleicht ist durch einen gewaltigen Luftdruck die Sündfluth entstanden, wenn die Waffer in die Enge getrieben, über sich gestiegen und in die Erde gedrungen und wie aus einem Schwamme ausgepreßt worden. Der Himmel heißt im Hebräischen Schamajim und das ist lichtfeurig Waffer. Electrisch und astralisch Feuer ist genug in dem obern Waffer; hingegen in der Erde sehr vieles unterirdisches und centralisches Feuer. Alle diese Feuer werden durchs Verbum fiat vom Verbum Dei gespart und in Ordnung gehalten bis zum großen Feuer- und Gerichtstag, sowie ehedessen auch die Waffer, daraus die Erde worden, erhalten worden sind in schönster Ordnung, bis sie ausbrechen sollten zum Gericht. Dieß war die Waffertaufe der Erde bei der Sündfluth, und die Feuertaufe zu ihrer Wiedergeburt steht noch hervor. II. Petr. 243.

§ 348.

Himmel und Erde werden Geburtsschmerzen bekommen und die ewige Magia wird das Reine von dem Unreinen scheiden, indem sie im Lichtsreich und in der Hölle das Gleichartige anziehen wird.

„„Himmel und zu unserem Sonnensystem gehörige Himmelskörper wollen fliehen sammt der Erde, und im ganzen Schöpfungsraum ist kein Ort für sie; denn es kann Keines dem Andern weichen. Nur eines Zolles Verrückung brächte im ganzen Schöpfungsreiche Unordnung und Disharmonie. Wohin wollen also die Erde und der Himmel fliehen, als näher ihrem eigenen Centro zu in ihrer Angstbewegung, als nähmen sie zuviel Raum ein im Schöpfungsreiche, als wollte sie der Schöpfer und Richter zusammenpreffen und treiben? Kurz, sie bekamen Geburtsschmerzen; denn die Zeit der Wiedergeburt und Neugeburt war vorhanden. Daher die angstvolle Bewegung in den Körpern der Natureigenschaften durch die Eigenschaften der ewigen Natur. Sie können also nicht auf oder ab, sondern nur ihrem eigenen Centro zu fliehen und sich bewegen in ihren Luftkreisen. V. Off. 633.

Durch die Feuertaufe wird die Erde gereinigt und erneuert werden; denn electrisch, astralisch und centralisch Feuer werden zusammenwirken, und dann wird sie gereinigt und wiedergeboren werden; was verbrennlich ist, wird verbrennen; was beweglich und veränderlich ist, wird verändert werden; was aber edler ist, nämlich Geist, Tinktur, Reinelement und paradiesische Erde, das wird bleiben. Sowie sich das Wasser über der Veste, das reine Oberwasser, auf Gottes sprechendes Bewegen oder bewegendes Sprechen von den untern gröbern Elementarwassern schied, und sowie das electrische Feuerlicht des ersten Tages von der grobsinnlichen, dicken Finsterniß sich schied, ebenso wird sich durch Gottes schöpferisches Bewegen im ewigen Geiste das Reine vom Unreinen trennen und scheiden. So zieht denn nun die Kraft der Anziehung an dem Orte an, wie der Geist der Ewigkeit in Liebe oder Zorn anziehen will, und ist also der Wille dieselbe magische Anziehungskraft. Wie will sie aber offenbar seyn? Anders nicht, als wie sie an demselben Orte Mittelsubstanzen findet, durch die sie sich offenbaren kann. Demnach zieht die ewige Magia in der Hölle, im Feuersee alles Finstere an, und es wird derselbe eine Sammlung aller bösen Wesen; da hingegen das Lichtreich offenbar wird und herausbricht, wo Gott in Licht und Liebe offenbar seyn will. Und wo will er das anders, als wo Christus lebt und regiert? V. Off. 643 f.

Himmel und Erde müssen sich in ihren Luftkreisen selber entzünden durch den Druck der schweren Luft, daß das centralische Feuer aus jedem ausbreche und das electrische ergrimme, daß also Alles in Natur und Creatur, was zu unserem Sonnensystem gehört, im Feuer sei und sich auflöse und scheide, was keinen Paradies- und Tinkturleib angezogen hat, und daß alsdann ein jeder Magnet das von sich stoße, was ihm nicht gleichartig ist, und das anziehe, was seiner Art und Natur ist, beides im Guten und Bösen. V. Off. 967. Weil denn vermuthlich alle Welten und Himmelskörper auch ein organisches und organisirtes und so zu sagen thierförmiges Leben haben, werden auch diese anziehen und von sich treiben: das anziehen, was ihrem Magnet gleichartig ist, und das von sich treiben mit antipathetischer Kraft, was ihnen nicht conform und gleichartig ist. Es wird also Böses und Gutes von einander geschieden werden und diese Scheidung wird von Innen heraus anfangen und ein jedes Ding in seiner Geburt und in seinem Princip offenbaren und sichtlich darstellen. V. Off. 977.

γ. Gericht.

§ 349.

Während des Erdenbrandes wird der HErr mit den Heiligen in der obern Luft das Gericht halten.

„„Wo wird der Herrlichkeits- und Richterthron seyn, wenn Himmels- und Erdenkörper fliehen? Antwort: Nicht auf einem Erd- oder Planeten-Himmelskörper, sondern wo weiße Wolken sind, in der oberen reinen Himmelsluft. V. Off. 633.

Die Gläubigen oder Heiligen werden auch über die bösen Engel richten und an sich selber das Richten gelernt haben, wenn sie nicht hier durch unbefugtes Gericht über Andere sich zu frühzeitig in die Ehre des Richteramtes gesetzt und vor der Zeit gerichtet haben. Ob aber gleich die Heiligen die Welt und über die bösen Engel richten werden, so heißt es doch nirgends, daß Heilige die Heiligen richten werden. XI. I. 329.

Der große, weiße Richterthron wird im obern reinen Luftkreis seyn, in welchem freilich um seiner Leichtigkeit und Dünnheit willen kein Sterblicher sein Leben behalten könnte. Vor diesem Thron und dem, der darauf sitzt, wird sich versammeln Alles, was je lebte, alle Auferweckten und Verwandelten. Denn da wird Raum genug für Alle seyn. Da werden dann die Gewissensbücher aufgeschlossen werden, und endlich wird das Buch des Lebens die Entscheidung geben. Was in demselben seinen Namen nicht eingeschrieben findet, kann nicht selig werden, noch im Lichte bestehen. Das Gericht wird gut entscheiden können; denn wer will läugnen, da, wo Alles offenbaret ist? Es scheint, daß Alles, was das Gewissen im ganzen Menschenleben je geahndet und be-

straft habe, sei in dasselbe unauslöschlich eingeschrieben. Ob
es schon das Gedächtniß des Menschen vergessen hat, so ist
es doch in dem Gewissen nicht ausgelöscht; sondern wenn
die Gewissensbücher aufgethan werden, bleibt auch nicht Eine
Handlung, keine jemals gehabte Ahndung und Bestrafung,
auch die kleinste und stillste nicht verborgen. Gott! welch
ein Buch wird Mancher voll haben von lauter Gedanken,
die ihn verklagten! Wehe da Allen, deren Herz und Gewissen nicht im Blut Jesu gereinigt und die ihre Kleider in
demselben nicht gewaschen haben! Syst. 443 f.

<h3 style="text-align:center">§ 350.</h3>

In Folge dieses Gerichts werden sowohl die Verdammten
im Feuersee, als die Seligen auf der neuen Erde verschiedene
Stufen und Stätten erhalten.

„„Wir betrachten jetzt den leidigen Feuersee, in welchem
auch verschiedene Strafen nach verschiedenen Gerichten, die
aus verschiedenen Werken und Handlungen hergeleitet werden, stattfinden. Je nachdem Einer vorzüglich böse gewesen,
ist er dem Satan näher, welcher vermuthlich seinen Sitz im
untern Mittelpunkt des Feuersee's haben wird; sowie die
Höherseligen der Stadt Gottes und Gott, unserm HErrn,
näher seyn werden. Je näher also bei dem Herrn, desto
seliger; je näher dem Satan, desto verdammter. Es wird
Alles gerecht und weislich aus- und eingetheilt seyn und
wird im Ganzen um kein Haar fehlen. Deß mag sich ein
Jeder versichert halten und sich darnach richten. V. Off. 637.

In den Feuersee kommen alle Verdammten und leiden da
nach Leib und Seele, nur daß welche tiefer und welche nicht so
tief hineinkommen. Wenn Jemand nicht beim Richter ist
im Buch des Lebens funden worden, so ist er in den Feuersee
geworfen worden nach Off. 20, 15. Denn Manche wurden
noch im Lebensbuch eingeschrieben gefunden, die hatten ein
schwachgeistliches Leben; diese kommen gerade nicht in den
Feuersee, aber an die Gränzen desselben als Kranke hinaus
an die Gränzen der neuen Erde, wo also beide sich scheiden.
Da bekommen sie Lebensblätter zur Genesung — worauf
aber wir es nicht wollen ankommen lassen. V. Off. 638.

Wer Alles überwindet, der wird Alles ererben; wer demnach Viel überwindet, der wird Viel ererben; wer gar Nichts überwindet, der wird auch gar Nichts ererben. Es können aber dorten sehr viele Seelen und Geister seyn, die nicht überwunden haben, und doch ein schwachgeistliches Leben haben, doch nein! ich will lieber sagen: die ein ganzes, redliches und reines Verlangen nach Gott haben, wie wird es denn diesen lieben Armen ergehen, wenn sie dort Nichts erben, Nichts verdienen und Nichts kaufen können, also gar kein Eigenthum haben? Werden sie etwa in Lichts-wohnungen aufgenommen und allda genährt und gepflegt? — Ja, das kann gar wohl seyn. Syst. 490 f.

Den Verzagten aber und Unglaubigen und Gräulichen und Todtschlägern und Hurern und Zauberern und Abgötti-schen und allen Lügnern — derer Theil wird seyn im Feuersee. Da, wohin sie gesäet haben, sollen sie siebenfältig ernten; mit dem sie eingebrockt haben, mit dem sollen sie essen; dort soll sie der Tod nagen, weil sie das Leben nicht woll-ten; dort sollen die niedrigsten Natur- und Elementarkräfte sie peinigen und plagen, dort sollen sie alles Todesgift der Natur vorher genießen; dort soll sie der Wurm der Ver-wesung durchfressen, und ihr eigen Feuer turbiren und ver-zehren; und wenn alle Bilder, Gestalten und Wesen der Finsterniß ausgebrannt sind, dann erst, wenn sie nach Gott werden dürsten, soll ihnen zur Genesung das wieder ge-reicht werden, was sie hier nicht angenommen haben. V. Off. 986.

cc. Die neue Erde.

§ 351.

Die neue Erde und der neue Himmel ist keine unmittel-bare neue Schöpfung; sie wird vielmehr aus allen durch Luci-fers Fall verunreinigten Räumen dadurch gebildet, daß aus den durchs Feuer gereinigten Tinkturwesen des alten Son-nensystems unter Beimischung unverweslicher Lichts- und Tinkturwesen der unsichtbaren Welt eine neue Welt geschaffen wird.

„„Durch starkes Bewegen der Urquelle aller Schöpfungs-kräfte des ewigen Geistes wird eine radikale Auflösung und

Scheidung geschehen, und hiedurch alles Todes- und Verderbenswesen weggeschafft werden. Alles wird an einen besondern Ort in Kraft der Anziehung zusammengezogen und gesammelt, was durch den Fall entstanden ist und durch höllische Tinktur in die Wesen der Eitelkeit sich eingemengt hat. Nämlich alles Todes- und Sündengift wird ausgestoßen und ausgetrieben und der Neuschaffer aller Dinge bringt eigentlich keine neue Erde aus den Verborgenheiten überhimmlischer Wesen hervor, sondern aus den guten und nun gereinigten Tinkturwesen der Planetenhimmel und der alten Erde schafft er eine neue Erde und einen neuen Himmel, freilich mit Beimischung und Beifügung der reinelementischen, tinkturialischen Wesenheiten im Reiche der Unsichtbarkeit. Denn das Böse darf nur durch schöpferischsprechendes Gottesbewegen fließend gemacht werden, so dringt durch solches Bewegen das Gute heraus und hervor. Denn was unter Reinelement und Paradieswelt verstanden wird, ist innig im Elementischen unsichtbar gegenwärtig, nur daß es in veränderlichen, nicht geistleiblichen Dingen nicht gehalten werden und bestehend bleiben kann. Wie weit sich die Neuschaffung aller Himmel mit der Erde erstrecken wird, wissen wir nicht; doch vermuthe ich, es gehe das ganze Schöpfungsreich an, d. h. soweit und wieweit Etwas durch den Fall verdorben worden. Alle durch Lucifer's Fall verunreinigten Reviere und Orte, kurz Alles, was in der siebenten Zahl offenbar worden, was in der achten die Probe nicht hält, kann in der neunten nicht bestehen. Soll es bestehen, so muß es das Feuergericht durchmachen, und damit es dieß kann, muß Etwas seyn, wodurch es gehalten wird; denn es flöhe vor dem Richter. Himmel und Erde wollten nach Off. 20, 11. fliehen, da der Weltenrichter erschien. Denn das Feuer der Wiedergebärungskraft machte ihnen Geburtsschmerzen, und der Geist der Ewigkeit hielt sie am Bande der Entstehungswurzel im ewigen Worte. Was in der Kraftbewegung des ewigen Geistes, in ewigen Natureigenschaften bewegt, Umgebärung nöthig hatte, waren also die Dinge, die sich außer den reinen Schamajim's oder lichtfeurigen oberen Wassern befanden, nicht bestandhaltend waren in reiner jungfräulicher Erde, welche ist tinkturialische, reine Geistleiblichkeit. V. Off. 646 f.

Was nicht in dem kraftvollen Blutbade des Blutes des Lämmleins, welches sieben Augen und sieben Hörner hat, gereinigt wird uud werden kann, daß es dadurch neugeboren, geistleiblich gemacht und also umgewandelt wird, das kommt in das Feuerbad, wo auch die sieben Hörner des Lämmleins mitwirken; denn es sind die sieben Grundkräfte des Geistes der Ewigkeit, die Alles zerstören, was nicht in Gott Anfang hat. Wenn also nicht auch Etwas von der Tinkturkraft des Blutes Jesu, vom Geiste der Herrlichkeit, von den sieben Augen des Lämmleins mit einflöße und dreinwirkte, wie könnte Alles neugeschaffen und geistleiblich gemacht werden oder in Herrlichkeit erscheinen? Demnach verstehet die Bewegung des neuschaffenden Geistes nur recht! Er verdrängt durch Auflösung und Feuerauseinandersetzung Höllentinktur und Höllenwesen, und dagegen führt er ein als Geist der Herrlichkeit Lichts- und Tinkturwesen der Unsterblichkeit und Unverweslichkeit. V. Off. 647 f.

§ 352.

Die Beschaffenheit der neuen Erde verhält sich zu der im tausendjährigen Reiche, wie die volle geistleibliche Frucht zur paradiesischen Blüthe.

„„Freilich war es im tausendjährigen Reiche noch kein tinkturialisch, geistleiblich, verherrlicht Wesen. Was im tausendjährigen Reich paradiesisch blühend war, das ist auf der neuen Erde paradiesisch reif, mithin geistleiblich. V. Off. 644.

Der Zustand des tausendjährigen Reichs wird nur ein blühender Zustand seyn: die neue Erde wird erst die vollkommene Frucht des Segens Gottes zeigen. VI. Ps. 723.

§ 353.

Sonne und Erde, welche durch den Fall getrennt wurden, werden wieder vereinigt, so daß zuerst der Berg Zion auf der Erde und endlich diese selbst ganz in den Sonnenpunkt erhöht und lauter Licht und Sonne werden wird.

„„Vielleicht war einst Erde und Sonne Eins, sowie vor der Vergehung Adams er und seine Frau nur Eine Person waren; vielleicht kommen sie wieder zusammen. Oder doch, wenn nur einst ihre Tinkturen zusammenfließen, wie lieblich wird es da schon seyn! Vielleicht ist im Fall der Engel und Geister die Erde an der Sonne zur Ehebrecherin oder Hure worden; vielleicht wird sie beim Erdenbrand rein und in der Neuschaffung aller Dinge gut hergestellt zum Zusammenfluß mit dem rechten Gemahl, bis auch der Feuersee, der die Halbkugel einnehmen mag, krystallend, durchsichtig, lichtfassend und lichtausstrahlend hergestellt ist, daß alsdann das ganze Sonnensystem eitel Sonne und die Erde also in das Centrum der Sonne versetzt ist.   Syst. 447 f.

Wenn der Fall nicht geschehen wäre, so wären Sonne und Sion Ein System und gehörten in Eins zusammen. Wenn Adam nicht heraus in das Sinnliche gekehrt wäre, so wären Mann und Weib Ein Gottesbild.   Aber nun ist es, wie es ist, wird aber nicht also bleiben, sondern Sion wird einst in den Mittelpunkt der Sonne reichen und endlich wird die Erde in's Centrum der Sonne versetzt werden.   V. Off. 410.

Wenn er alles Irdische neugemacht, wird auch die Sonne und Erde wahrscheinlich ein einiger krystallener Globus werden, wie Mann und Weib nur Eines gewesen sind und ein jedes es wieder werden soll.   Nicht werden Sonne und Erde zusammenrücken, sondern das ganze System wird lauter Lichtwelt, lauter Sonnen werden und wird also unsere Erde der Mittelpunkt seyn, in's Centrum der Sonne versetzt; dieß wird nach und nach geschehen.   V. Off. 991.

Gottes Kinder sollen ein unbewegliches Reich, eine neue, unveränderliche, unzerstörliche, fixe, herrliche Erde zum Erbtheil empfahen, die sich nimmer, wie diese alte, wird umdrehen dürfen, welche wird fix gegen der Sonne stehen, auf der der Berg Zion wird in den Mittelpunkt der Sonne hinreichen.   Auf welcher neuen Erde Alles wachsen wird, schneller als hier zu zwölfmalen, da man keine Nächte und Tage, aber noch Monden zählen wird; da der untere Theil der Erde die Schlackenkammer, der Ort voll Jammer, der Ort der Verdammten seyn wird.   Syst. 253.

Durch den Fall der Engel ist das System verdorben, Sonne und Erde geschieden! Vermuthlich wird in der neuen Schöpfung Sonne und Sion herrlich vereinigt seyn und

lieblich tinkturialisch zusammenfließen und wirken. **IV.**
Hebr. 713.

Johannes sieht das reine, erneuerte Planetensystem in
reinerer Luft die neue krystallene, durchsichtige Erde umgeben; sie müssen in dem reinen Luftkreise wie Brillanten
leuchten und die Erde, als offenbarer Schauplatz der Herrlichkeit Gottes, muß wie ein Licht ausstrahlender Karfunkel
im Mittelpunkte der Planeten seyn. Der große hohe Berg,
auf dem die Stadt Gottes seyn wird, ist der Berg Zion;
er reicht in den Mittelpunkt der Sonne, denn Sion und
Sonne gehören zusammen, wie Mann und Weib in gedoppelter Tinktur. Und es wird geschehen; die Erde wird in
ihr Centrum versetzt, wenn der letzte Feind, der andere Tod,
nicht mehr seyn wird. Denn sie ist offener Punkt der
Lichtwelt. Die Sonne und die Lichtwelt wird den erneuerten Erdball umgeben, wenn kein Feuersee mehr seyn wird;
dann wird aber auch das Weib den Mann völlig umgeben.
V. Off. 650.

Die ganze Natur wird eitel Licht und Sonne werden,
endlich lauter Paradies und Lichtwelt seyn, wenn das Unreine vom Reinen geschieden seyn wird. **V.** Off. 852.

§ 354.

Auch das Thier- und Pflanzenreich wird auf der neuen
Erde zur Geistnatur erhöhet seyn.

„„Wenn Gott Himmel und Erde neuschafft, wird er die
Thiere, die doch edler sind, nicht im alten Zustand lassen.
Oder denkt man denn, sie werden in ein Nichtseyn zurückkehren? Das hieße auch nicht gottgeziemend gedacht; denn
er hat Nichts gemacht, das nicht sollte im Wesen seyn und
bleiben. **V.** Off. 645 f.

Und du arme Thierwelt! Du hast auch Nichts zu klagen; dir wird auch Alles ersetzt. Dir hat Adam geraubt den
Lebens- und Lichtseinfluß seiner Tinktur zur Erhöhung und
deine ihm entgegenfließenden Essentien, daraus sein Leib
thierisch und grob wurde. Aber Christus, da er mit dem
Tode rang, hat eben so viele Schweißlöcher eröffnet an seinem heiligen Leibe, als Adam Thiergeschlechtern geraubt

hat, und er schwitzte mit Schmerzen das Blut von sich, das Adam geraubt hat mit Lust. Und du Animalienleben, du wirst auch durch das Blut Jesu erhöhet; denn du bist dadurch Gott versöhnt, Gott geopfert und zu Gott geführt in einem entfernteren Kreise, als Engel und Menschen; du wirst in Tinkturleibern einst auf der neuen Erde zu schauen und anzutreffen seyn. Syst. 272.

Die neue Erde und der neue Himmel sind vermuthlich genau mit einander verbunden und es ist zu vermuthen, daß alle Creaturen in Tinkturleibern werden zum Vorschein kommen. Die neue Erde wird alle Pflanzen und Gewächse hervorbringen in solchen reinen Tinkturgestalten, die mit ihrem Charakter übereinkommen. V. Off. 980.

§ 355.

Auf der neuen Erde gegen Mittag liegt der reinelementische Berg Zion; auf diesem das neue Jerusalem, als die königliche Residenz; in dieser das Paradies, und in der Mitte des Gottesparadieses der Thron Gottes und des Lammes.

„„Aus dem Alten wird das Neue kommen in der Auflösung; das Böse wird dem Satan werden als Feuersee, und das Gute ist des HErrn, ist neuer Himmel und neue Erde, in welchen alsdann Gerechtigkeit wohnhaft seyn wird. Gleichsam am Mittagspole, auf dem Berge Sion, wird die Residenz des HErrn und seiner Braut seyn, und mitten unbeweglich in die Sonne reichen. Unten wird Lucifer's Residenz seyn ohne alles Licht. II. Petr. 247.

Es ist nicht nur die kranke Natur der vier Elemente, was dich nährt und woraus ein Ding besteht; nein, der Berg Sion, im reinen Fünftelelement, ist wie ein schönes neugewachsenes Zweiglein. Er ist die allerschönste Anhöhe auf der neuen Erde, deren sich das ganze Land, ja alles Volk auf der neuen Erde tröstet. Gerade oben gegen der Sonne, und gleichsam in die Sonne hineinreichend, auf der Ebene des Berges Sion, liegt die Stadt des Königs aller Könige, nämlich Neujerusalem. Just wie dieses Neujerusalem am Südpol gleichsam zu sagen, Mittags zu gebaut ist, eben also ist gerade am Nordpol, Mitternacht zu die Spitze der untern Hälfte der Erdkugel, die finstere Residenz und der tiefste Qualort Lucifers. VI. Pf. 579.

Zion war ein Berg, darauf die Stiftshütte gebaut war; der Berg selbst war ein Vorbild auf den himmlischen Zionsberg, und die Stiftshütte ein Vorbild auf Christum. Der Berg Zion ist im Reineelement, in der stillen Temperatur- und Tinkturwelt. VI. Pf. 724.

Das neue Jerusalem ist nicht allein die Residenz des Königs aller Könige, sondern auch die Residenz der Könige der neuen Erde. Kurz die ganze heilige Stadt hat lauter Residenzen und lauter königlich-priesterliche Wohnungen. Von dem Berge Zion an sind die Königreiche der Könige der neuen Erde und reichen hinaus bis an den Feuersee, werden also immer größer und breiter. Ihre besten, edelsten Unterthanen sind der Stadt am nächsten und am Zionsberge selbst ist ihr königlicher Lustgarten, ihr Paradies. Das Paradies Gottes und unseres Heilandes, des Königs aller Könige, ist mitten in der königlich-priesterlichen Residenzstadt selbst. Der Thron Gottes und des Lammes ist in der Mitte des Gottesparadieses. Syst. 485 f.

§ 356.

Das neue Jerusalem ist die Gemeine, das Weib des Lammes, selbst und zugleich ihre unverwesliche, herrliche Lichtswohnung; sie bildet den Tempel Gottes, welcher als eine lebendige Wohnung aus lauter lebendigen Steinen besteht, die jeder auf dem Grundstein Christo ruhen und jeder im Kleinen das große Ganze darstellen.

„„Das Neujerusalem hat zwölf Thore und zwölf Perlen; dieß ist die schöne Mutterstadt, welche die Herrlichkeit Gottes hat. Sollten nicht die geistlichen Geschlechter, welche mit den zwölf Gemeinen Aehnlichkeit haben, zwölf ähnliche Eingänge finden? Die zwölf Erzväternamen werden gesehen und die zwölf Apostel; sollten diese nicht geistliche Ur- und Stammväter seyn, betrachtet als zwölf Gründe auf Einem Grund, welches ist der andere Adam und Stammvater des geistlichen Lebens? Ist nicht eben dieser, der im Fleisch geoffenbarte Gott, nun gerechtfertigt im Geistleib? Ich sage:

ist's nicht er, aus deffen offener Seite sein Weib genommen, seine Braut? Ift nicht eben diese die dem Johannes
mehrmals Gezeigte? Sahe er sie doch als Braut, und dann
erst als Weib im Bild einer Stadt! Nicht sollen wir denken, daß keine eigentliche Stadt und Residenz der königlichen
Priester aus den reinen Wesen und Stoffen der geistleiblichen Tinkturialität auch sei! Nur muß man sich kein
todtes Wesen vorstellen; denn der lebendige Gott, der in
Mitten des neuen Jerusalems seinen Thron und Offenbarungsquell hat, kann nichts Todtes bewohnen. Selbst
sein Tempel wird aus lauter lebendigen Steinen bestehen,
welche alle von dem lebendigen Grundstein dependiren. III.
Theff. 47.

Ift das obere, himmlische Jerusalem die wahre eigentliche Mutter aller wahren Gotteskinder, so find wir, wenn
wir anders Gotteskinder find, freilich zu dieser Mutter gekommen, da wir aus Gott gezeuget worden. Ja, wir find
nicht nur zu ihr, sondern in sie gekommen, sonst könnten
wir nicht in ihr ausgebildet und ausgeboren werden. Er-
rathet nun selbst, wer diese jungfräuliche Mutterweisheit,
Sophia, sei im überfinnlichen Wesen der Majestät Gottes?
Alle ihre in Lichtleibern vollkommen ausgeborenen Kinder
haben ihre Aehnlichkeit und Herrlichkeit und alle zusammen
machen Christi Braut, das heiligste Weib des Lämmleins
aus und find lauter lebendige Steine; ja sie find das schöne
geistleibliche Neujerusalem, wohnend in einer Stadt aus
reinelementischen Kraftwesen, die durch sie im Trieb des Gei-
ftes Jesu erhöht worden find. — Gott ift ein lebendiger
Gott. Jerusalem ift die Stadt des lebendigen Gottes. Sie
ift urmütterlich, denn sie ift Herrlichkeit Gottes, fintemalen
in Christo, der Herrlichkeit Gottes, Alles zusammenbestanden
und unter ein Haupt verfaffet war. Sie ift aber auch ur-
bildlich und Alles wird ihre Aehnlichkeit erlangen. Christus
ift HErr und Geist. Er ift der Erstling aus den Todten.
Er ift geoffenbart im Fleisch, aber gerechtfertigt ift er im
Geiftleib. Er ift der lebendige Grundstein an der geistleiblichen Geistesbehausung Gottes und hat die sieben Geister
Gottes. Durch sein Einfließen verwandelt er Alles in seine
Lichts- und Geistesnatur, und wen er verwandelt, den macht

er zum lebendigen Stein, ganz ihm ähnlich. Auf diese Art und Weise besteht der lebendige Tempel der Gottheit aus lauter lebendigen, geistleiblichen Steinen, und somit also die heilige Stadt Neu=Jerusalem und Braut und Weib des Lämmleins, da jedes Steinlein im Kleinen das große Ganze vorstellet. IV. Hebr. 713 f.

Warum gleicht das Lämmleinsweib einer Stadt? Das versteht also: Gott wohnet im Licht, und Licht ist sein Kleid, das er anhat. Die Braut, das Weib des Lämmleins bewohnt Gott und das Lamm in ihrer Geistleiblichkeit, und die Braut ist mit aller Herrlichkeit Gottes bekleidet und alle unvergänglichen Wesen und Kostbarkeiten sind ihr, als dem Lammesweib, gegeben in Form einer Stadt, zur ewigen Wohnung und königlich=priesterlichen Residenz. Aller Urstoff reiner unvergänglicher Wesen, aus den lichtfeurigen Oberwassern erzeugt, gehört zu dieser Stadt und den Lichtswohnungen. Alles rein aufgestiegene Wesen, das die königlich=priesterliche Braut Gott im Geist geweiht, geheiligt und vom Fluch entfesselt hat, gehört auch dazu. Denn Alles, was nicht zu den neuen Lichtsleibern gehört oder zu denselben kommt, das kommt zu den Lichtswohnungen, und Gott baut immerfort an der Stadt durch seine Weisheit, die in dem Wald des Schöpfungsreiches sieben Säulen gehauen, ihr Haus darauf zu gründen und zu stellen, als die sieben Geister zur Neuschaffung aller Dinge in das Blut Jesu sich einhüllten. V. Off. 660.

Was für eine Materie es sei, woraus diese Stadt gebaut ist, würde ein Mancher zu wissen verlangen; aber Alles weiß man nicht und das, was man weiß, läßt sich auch nicht alles sagen, noch weniger schreiben. Doch weil sie von dem Himmel hernieder kam und der Residenzort Gottes ist, der einen Tempel und Geistesbehausung aus lauter lebendigen Steinen baut, läßt sich nicht ohne Grund vermuthen, daß die Stadt lebendig und etwas Organischlebendes sei. Und wer weiß, ob die Materie nicht lauter reines Tinkturwesen der Creaturen und Elemente sei, die im Licht gestanden haben, so lange sie lebten? Denn das Auf= und Absteigen und der tägliche Lauf der verschiedenen Kräfte ist ein stetes Zeugen und Gebären, ein Sterben und doch kein Tod, sondern eine Gestalt-Veränderung und Verneurung. Genug, Gott ist der Werkmeister dieser Stadt, und diese hat zwölf Gründe. Demnach kann die Stadt selbst die Braut des Lämmleins seyn und doch auch eine Mutter derselben. Wenn wir Menschen Alles, was wir genießen, erhöhen und zu Gott führen, so können ja solche Gott geopferte Wesen zu dieser Stadt taugen, und wenn das Menschenfleisch, in den Geist erhöht, zur Offenbarung der Herrlichkeit Gottes taugt, warum nicht auch das niedere Fleisch zur Offenbarung der Herrlichkeit der Erstlinge? Aber man verstehe nur das tinkturialische! Freilich werden Wesen der neuen Erde auch zu dieser Stadt kommen, oder schon alsdann dabei seyn, wenn sie zum Vorschein kommen wird. Jaspis, Sardis, Sapphir, u. dgl. Edelsteinarten werden da genug seyn, auch Gold und Perlen, aber um so viel höher als die Erde, um so viel auch jene Erde höher ist, als die unsere. In dem gläsernen Crystallmeer sind schon genug solche reine Wesen zu der herrlichen Stadt, worin die Braut des Lammes eingebürgert seyn wird. V. Off. 981 f.

Die Stadt war wie ein Cubus oder würfelförmig, gleich hoch, lang und breit und stellte einen einzigen lebendigen Stein vor, und jedes kleine Steinlein war wie der große: Gottes Klarheits- und Dreiheits-Gestalt spielte in alle und aus allen hervor. Der Mittelpunkt war ein ganzer Cubikstein und in allen Steinlein ganz innig gegenwärtig, lauter Gottheit und Gottesoffenbarung in allen. V. Off. 661.

Die Rede ist von dem geistleiblichen Tempel der Herrlichkeit Gottes, von der Behausung Gottes im Geistleib. Diesen Tempel sah ich einstens. Ich sah, er war aus lauter lebendigen Steinen erbaut, wie Petrus sagt: Erbauet euch selbst durch reinen Trieb des Gottmenschen, seines Blutes und Geistes als lebendige Steine auf den allerheiligsten Tempel der Herrlichkeit Gottes in Geistleiblichkeit, als wollte er sagen: Lasset euch von dem lebendigen Grundstein mit sieben Augen, welches sind die sieben Geister Gottes, berühren, tingiren, verwandeln, erhöhen, geistlich und geistleiblich machen und auf ihn euch auferbauen; denn er ist der Zämach, der den eigentlichen Tempel der Herrlichkeit Gottes baut. Aus ihm und durch ihn und unter ihm und

feinem Einfluß wächst er. Da ich nun diesen Tempel im
Geist zum Voraus also sah, wie er aus lauter lebendigen
Steinen erbauet war und erbauet werden wird als Tempel
der Offenbarung göttlicher Herrlichkeit in lauter Geistleibern
fix und unzerstörlich, wie die Edelsteine, so merkte ich gar
genau und sah, daß der ganze Tempel einen einzigen lebendigen Stein vorstellte in der schönsten Quadratur der ganz
gleichen Höhe, Tiefe, Breite und Länge. Ich sah auch, daß
der Mittelpunkt in diesem lebendigen Herrlichkeitstempel und
Cubusstein überall gegenwärtig war; sah auch, daß dieser
Mittelpunkt war die anbetungswürdige Gottmenschheit, die
Herrlichkeit Gottes, also die Einheit der Gottheit, die das
All zum Etwas macht. Und was mir noch mehr zum Ver-
wundern war, das kleinste Steinlein an diesem Tempel war
sehr passend und stellte, so klein es auch immer war, den
ganzen Tempel vor, und Alles war in dem Kleinsten, was
in dem ganzen Tempel war, nämlich die heilige Dreiheit
in Einheit der Herrlichkeit. Ich erstaunte; es lief sogar ein
heiliger Schauer durch mein ganzes Wesen, und beinahe
wäre ich entzückt und aus dem Leibe weggerückt worden.
Mir war in diesem Centralschauen klar und hell vor Augen,
wie der wiedergeborene Mensch wieder ein kleines Ganzes,
vom großen Ganzen zusammengesetzt, ist; wie er seyn sollte
vor dem Fall das Ziel der Schöpfung, also die Ruhe der
Herrlichkeit Gottes. Ich erkannte auch, warum jeder Einzelne ein Tempel des heiligen Geistes und eine Wohnung
des lebendigen Gottes ist; denn so klein auch ein Steinlein
seyn mag, dennoch ist es ähnlich dem Ganzen. Ferner erkannte ich in diesem Centralschauen, wie die erste Schöpfung
durch die zweite in Geistleiblichkeit und Gottähnlichkeit vollendet wird, wie einst der geoffenbarte Gott in seinen Geschöpfen innig nahe und ganz offenbar in allen, also selber
Alles in Allen seyn werde, aber freilich dann erst, wenn
Alles in den Geist erhöht und zu lebendigen Steinen gemacht ist. V. Off. 297 f.

§ 357.

Gleichwie die verklärte Menschheit Jesu der Hauptgrund
des Tempels ist, so bilden die Apostel mit ihrer Lehre die

zwölf Gründe, auf welche alle Seelen, je nach ihrer Gemüthseigenschaft, erbaut und zu dem dieser Gemüthseigenschaft entsprechenden Thore der Stadt Gottes eingeführt werden.

„„Wie der Grundstein lebendig ist, so werden an diesem
Tempel alle Pfeiler, Altäre und Steine lebendig seyn und
ein jeder Stein wird den ganzen Tempel vorstellen können.
Zu diesem Tempel ist die menschliche Seele Jesu, der Seelengeist Jesu, das Gemüth Christi und alle desselben Kräfte
der Grundstein. Dieser Stein ist zuerst gelegt worden, da
er, der Erlöser, am Kreuz den Geist in die Hände des Vaters
befahl. VII. Petr. 166.

Ich kann nichts Anderes wahrscheinlicher finden, als daß
die zwölf Gründe die zwölf Apostel des HErrn selbst sind,
und daß die natürliche Verschiedenheit der Edelsteine ihre
zwölf verschiedenen Natureigenschaften, Temperamente und
Gemüthsarten andeuten müsse, welche durch die heiligende
Gnade geheiligt worden, daß sie nun ganz edel sind. Auf
diese Art wäre es dann allen Arten von Menschen, in allen
Arten von Naturen, durch die Lehre Jesu und seiner Gesandten
möglich, zu diesem oder jenem Thore einzugehen und ebensowohl geheiligt zu werden durch die Gnade des HErrn.
Es sind also zwölf Gründe auf Einem Hauptgrunde, und
man fehlt, wenn man Alles bei Allen einerlei haben will.
Die Gründe sind also Apostellehren, und die Perlen geheiligte Apostelnaturen, und doch ist Alles Eine aus reinem
Wesen erbaute Stadt und Mauer, und der innere Platz
reines, unverbrennliches, durchsichtiges Glasgold. V. Off. 664:

Es sind zwölf Thore des neuen Jerusalems und sind
zwölf Perlen, so sind auch zwölferlei Gemüthseigenschaften.
Zu dem Thor am neuen Jerusalem wird Jeder eingehen,
mit dessen Edelsteinsnatur und Eigenschaft sein Gemüthscharakter am meisten übereinkommt, und es wird Jeder einen
neuen Geschlechtsnamen bekommen, nachdem der Stammvater
heißt, der am meisten zu seiner Wiederherstellung beiträgt.
Dieser ist einer von den Aposteln und zwölf kostbaren Perlen der zwölf Stadtthore des neuen Jerusalems. Syst. 506.

§ 358.

Auf der neuen Erde beginnt die Haushaltung des HErrn mit der Gemeinde, als seinem Weibe, und diese Haushaltung ist ganz auf die Wiederbringung aller Dinge eingerichtet und abzielend.

„„Wenn das neue Jerusalem, die Braut des HErrn, herniederfahren wird auf den neuen Sionsberg, so wird des HErrn Haushaltung mit seiner Geliebten angehen. Bei der herrlichen und gnädigen Einrichtung in der höchst weisen Gnadenhaushaltung unseres königlichen Oberpriesters, des Königs aller Könige auf der neuen Erde, ist es ganz auf die Wiederbringung aller Dinge eingerichtet und abgesehen. Syst. 485.

Apoc. 21. wird beschrieben die Wohnung des Weibs des Lämmleins, ihre Hauseinrichtung, der Haushaltungsplan ihres Geliebten und was die Geliebte als königliche Priesterin zu verrichten hat. Wir müssen nicht denken, daß die Braut, die nun das Herrlichkeitsweib des Lämmleins ist, im neuen Jerusalem und auf der neuen Erde allein sei. Sie hatte bei ihrer Hochzeit auch Gespielinnen, Gäste und Zuschauer; solche sind nun nicht alle zur Volljährigkeit kommen; auch dort sind solche auf der neuen Erde. Und wenn die königlich-priesterliche Herrlichkeit und Hausehre des Lämmleins ihre schöne Wohnung in der Stadt Gottes hat und selbst die Stadt ist, so hat sie ihre noch nicht ganz ausgeborenen Kinder auf der neuen Erde um sich wohnend, mit denen sie sich göttlich beschäftigt in vollem Geistesvergnügen. Denn wenn Gott und der Gottmensch Jesus spricht: Siehe, ich mache Alles neu! so muß man nicht denken, daß solches Alles auf Einen Tag geschehe, sondern Ewigkeiten gehören dazu. Aber die ausgeborene Braut hat neue Himmel, neue Erde, neues Haus. Das ist ihr und ihres Mannes, des HErrn. Er ist Erbherr vom All und sie ist Miterbin. V. Off. 649.

Es ist noch ein ganz höheres und edleres Jerusalem — als das irdische — das ist die Mutter der wahren Gottes-kinder droben im Unsichtbaren. Dieß ist das Originalbild, das archetypische Jerusalem. Alle, die es zu Erstlingen hat, werden in dem Jerusalem, das Gott baut, eingebürgert seyn: in diesem werden endlich alle Nationen, und keine Seele ausgenommen, ihre Mutterschaft finden. VI. Pf. 943.

§ 359.

In Folge dieser priesterlichen Wirksamkeit wird ein beständiges Hereinrücken der Unvollendeten von außen in die Stadt Gottes geschehen, bis der Feuersee leer, die ganze Erde licht seyn und auch Satan, der dann keinen Raum mehr haben wird, sich ergeben wird.

„„Die Stadt wird eine Residenz aller Könige der neuen Erde seyn. Lauter Könige werden Bürger darinnen seyn, und ihre Königreiche werden von der Stadt an bis an die Gränzen der neuen Erde hinausreichen und je weiter hinaus, desto mehr Bürger haben, die aber auch je entfernter, desto gemeiner selig sind, und der Raum weiter hinaus wird größer, bis an den Feuersee. Es werden aber die Könige Ordnungen von geringeren Obrigkeiten unter sich haben, und diese werden alle priesterlich und königlich zugleich seyn, wie ihr Oberkönig, und alle diese Könige in der Stadt haben den König aller Könige zum König und Priester. Am weitesten von der Stadt entfernt werden auch Kranke seyn, denen Lebensblätter zur Gesundheit gereicht werden, und wer weiß, ob der Unterschied so gar groß unter den Entferntesten auf der neuen Erde und unter denen in der letzten oder geringsten Finsternißstufe der Unseligen seyn wird? Die am weitesten von der Stadt Gottes entfernt sind, werden den Lichtsglanz Gottes nur ganz sparsam haben, aber auch nicht weiter ertragen können; je mehr sie aber zunehmen, je näher werden sie der Stadt kommen. Und solchergestalt werden nach und nach alle herbeikommen, und die Könige der neuen Erde werden Alles, was unter ihrer priesterlichen und königlichen Verwaltung aufwächst, da hinein bringen. V. Off. 982 f.

Die königlichen Priester werden alle Gnaden- und Heilsmittel, Alles, was erbauen und belehren, ermuntern, erfreuen, Gottes- und Jesus-Erkenntniß verbreiten und beför-

dern, also Seligkeit vermehren und Gottes- und Jesusähnlichkeit je bälder je lieber herstellen kann, hinzuschaffen
und senden. Denn das Alles, was durch sie aufwächst und
zur Vollkommenheit kommt, also die durch Adam verlorene
Herrlichkeit wieder erlangt, bringen sie in die Stadt Gottes,
zum Herzenswohlgefallen Gottes und des Lammes. Solchergestalt ist ein beständiges Hereinrücken und Heranwachsen
nicht allein möglich, sondern auch wirklich und in der That
vorhanden. Und so mag es ja fortgehen, bis daß alle hinan-
kommen zu einerlei Glauben und Erkenntniß des Sohnes
Gottes, und endlich ein Jeder ein vollkommener Mann
werde nach dem Maß des Urbildes selbst. Wenn denn
also ein beständiges Nachrücken stattfindet, und die Könige
der neuen Erde bringen Alles, was zu der höchsten Vollkommenheit kommen ist, in die Stadt Gottes — so ist die
Frage: Wird alsdann die Stadt Gottes immer größer, oder
kommen die heiligen Bewohner des neuen Jerusalems in die
Himmelswohnungen der andern erneuerten Welten, oder aber,
da die königlich-priesterlichen Wohnungen wachsthümliche Art
haben, werden diese vielleicht immer größer, daß Stadt und
Wohnungen wachsen, sich immer weiter ausdehnen und endlich die ganze neue Erde einnehmen? Oder wie wird das
Alles seyn? möchte man fragen. Antwort: Wie das Alles
gewiß seyn wird, wissen wir nicht, und was wir vermuthen,
können wir nicht als bestimmt angeben. So viel ist gewiß,
daß die Könige der neuen Erde alle ihre Herrlichkeit in die
Stadt Gottes bringen, Manches bälder, Manches später.
Und wahrscheinlich ist's, daß ein Heran- und weiter Hereinrücken stattfindet. Daß aber die neue Erde nicht endlich leer
und die Stadt Gottes nicht zu voll werden wird, glaube
ich auch gewiß. Am wahrscheinlichsten ist mir, daß endlich
die neue Erde sich immer mehr verfeinern werde, so daß
es werden möchte, wie in der Stadt selbst, oder daß die
Stadt sich ausdehnen und erweitern möchte. So wie ich
ein Heranwachsen und Heranrücken vermuthe, so ist mir auch
sehr wahrscheinlich, daß sie endlich von der untern Halbkugel
nachkommen werden, denn dorthinein ist den Königen der
neuen Erde der Einfluß nicht versperrt. Jesus hat ja die
Schlüssel der Hölle und des Todes. Also kann er durch

seine königlichen Priester dahineinwirken, und diese sind ja barmherzig, wie ihr himmlischer Vater, und werden es gar gerne thun. Solchergestalt aber müßte zuletzt der Feuersee leer werden! Oder muß die ganze Erde (verstehet die neue Erdkugel) ganz neu, ganz rein und durchsichtig werden? Und das ist es auch, was ich vermuthe. Denn wenn der Jehova-Jesus sagt: Siehe, ich mache Alles neu! so ist ja ganz und gar Nichts ausgenommen. Und wenn Gott will Alles in Allen seyn, so kann ja kein Tod und keine Hölle mehr seyn. Syst. 486 f.

Nein, es wird endlich kein Tod, keine Hölle, kein Feuersee, kein Satan und Belial mehr seyn; denn so lange Das alles ist, kann Gott nicht selbst Alles in Allem seyn. Wenn aber Tod, Teufel und Hölle und also alles Böse nicht mehr ist, wo ist es denn hingekommen? ist es dann vernichtet und so aufgelöst und aufgehaben, daß es gar nicht mehr existirt und ist? — Nein! so nicht. Sondern es ist durch den Wiederbringer und die Wiederbringungs-Anstalten herwiederbracht. Das Kranke ist gesund und geheilt, das Todte lebendig gemacht worden; der Rebellen sind nun keine mehr; selbst der allerärgste, also der letzte Feind ist aufgehaben, es ist ihm etwas ganz Naturwidriges beigebracht und eingegeben worden, er hat Leben und Lebenskraft, Leben und unvergängliches Wesen erwischt; das ist ihm wie ein Gift, so schnell hat es ihn durchdrungen. Er konnte nicht mehr als Tod existiren. Und so gieng es auch der Hölle. Der sanfte und kraftvolle Wind, die Wirkung und Bewegung des göttlichmenschlichen Geistes Jesu und die Einflüsse und Einwirkungen seiner Braut, seiner königlichen Priester in die Hölle sind alsdann derselben zu einer schnell sich verbreitenden Pestilenz worden. Sie kann als Hölle nicht mehr bestehen, sie muß sich, sie wird sich verändern. Wenn dann diese Feinde sich ganz umgewandelt haben und einer ganz andern Natur theilhaftig worden sind, also auch ganz anderer Eigenschaften, Kräfte, Arten und Wesen; wie sollte dann der, welcher Tod und Hölle geursacht, gleichsam hervorgebracht und erweckt hat, der die Ursache ist, daß sie zur Offenbarung und zum Vorschein gekommen sind, wie sollte, sage ich, dieser als Rebelle länger existiren können? und

wo sollte er im ganzen Schöpfungsreiche sich als Feind aufhalten? — Also auch er muß sich ergeben und in Gottes
Erbarmen erſinken, nachdem er das Gericht lange und endlich
allein noch lange getragen hat. (cfr. § 53.) Denn es kann
nicht anders ſeyn; Alles wird erneuert. Das kraftvolle Weſen
der Alles reinigenden Tinktur dringt durch und verwandelt
Alles in ſeine Natur. Und darum ſage ich noch einmal:
Es wird kein Tod, kein Teufel mehr ſeyn noch ſeyn können,
und das darum, weil Gott ſelber in allen ſeinen Geſchöpfen
das ſeyn wird, was er, ehe er ſich offenbarte, in Naturen
und Creaturen ſeyn wollte und zu ſeyn verlangte. Hier
aber halte inne, mein ſchwacher, menſchlicher Sinn! Weiter
ſoll ſich Keiner wagen! Syſt. 488 ff.

dd. Gott Alles in Allem.

§ 360.

Das Ziel des königlichen Hohepriesterthums Jeſu iſt erreicht, wenn Alles ſo wiedergebracht iſt, daß Gott keiner
Vermittlung zwiſchen ſich und ſeiner Creatur mehr bedarf,
ſondern unmittelbar ſelber Alles in Allen iſt.

„„Alles Fleiſch ſoll in den Geiſt erhöht und in Geiſtleiblichkeit vollkommen dargeſtellt werden, auf daß Gott die
allerinnerſte, vollkommenſte Lichts- und Lebensquelle ſeyn
möge in dem Alleräußerſten, was er iſt im Allerinnerſten,
nämlich Alles in Allem. II. Jak. 325.

Die neue Schöpfung ſoll mit Jeſu Einen Leib, Eine
Geiſtesbehauſung Gottes ausmachen, worin Gott Alles ſeyn
will und wird, was er in ſeinen unergründlichen Verborgen-
heits-Tiefen war. III. Kol. 131.

Noch lange iſt Gott nicht Alles in Allen, ob er ſchon
durch Alles und in Allem iſt. Noch weit iſt es alſo bis
dahin, wo Gott nicht mehr wird nöthig haben Königreich
und Prieſterthum und königlich-prieſterliche Einrichtungen
und Verfaſſungen, nicht um ſein ſelbſt, ſondern um der Creatürlichkeit willen, ſintemalen die Zerſchiedenheit der Glied-
lichkeit noch nicht ſo unter Ein Haupt verfaſſet iſt, daß ſie
Eine Seele nach Einem Sinn und Willen beſeelen kann.

Dieß ist erst dann, wenn Gott nicht nur in Vielen Vieles und in Andern wohl auch Etwas, sondern Alles und zwar in Allen seyn wird. **IV. Tit. 276 f.**

Das Priesterthum Jesu ist ewig, weil er unsterblich ist und von einer Ewigkeit zur andern, ja in's Unendliche hinein lebt; er darf nicht einem Andern Platz machen; auch wird sein Priesterthum auf keine andere Dynastie übergehen. Denn sein Priestergeschlecht wird priesterlich bleiben, bis Gott selber Alles in Allen wird seyn, bis es also keines Königreichs und keines Priesterthums mehr bedarf im ganzen Schöpfungsraum; denn solange es dieß noch bedarf, ist Gott noch nicht selber Alles in Allen, und ist also nicht in dem Letzten derselbe Geistleibliche, der er doch in dem Ersten ist und will es doch in dem Letzten, wie in dem Ersten werden, damit das Ende in seinen allerheiligsten Anfang laufe, und Gott in seinen Geschöpfen geoffenbart der sei und das sei, was er in seinen verborgenen Gottestiefen war. **IV. Hebr. 348 f.**

Dann wird die Alles erfüllende Gottheit Alles in Allen unmittelbar seyn können. Dann wird die Gottheit nicht mehr nöthig haben, sich durch die Menschheit Jesu zu mildern, und sich der Creatur erträglich zu machen. Gott wird alsdann der Creatur kein verzehrend Feuer mehr seyn; denn alle Creaturen werden dann seyn, wie und was er selbst ist — lauter vollkommene Ebenbilder Gottes; ja alle werden dann seyn aus Gnaden, was er von Natur ist. Da wird er sich in Alle ganz einführen, und sich Allen ganz mittheilen können; da wird er sich ganz in Alle ergießen können, wie jetzt in Christo mit seiner ganzen Gottesfülle, mit allem Reichthum seiner Herrlichkeit. Da wird die ganze Fülle der Gottheit in Allen wesentlich und leibhaftig wohnen und wirken in verklärter Geistleiblichkeit. **VIII. I. 340 f.**

§ 361.

Diese vollkommene Vereinigung der Creatur mit Gott besteht nicht in einem Verschlungen-werden der creatürlichen Persönlichkeit und Individualität in Gott, sondern darin, daß Gottes und aller Creatur Wille nur Einer, und darum

Gottes Offenbarung in der Creatur und der Creatur Herr=
lichkeit in Gott vollkommen ist, in der allerseligsten Liebes=
vereinigung mit Gott, und in Gott mit einander durch
Christum.

„„Wenn einst, nach Aufhebung des Königreichs und
Priesterthums, wenn Alles völlig wiederbracht ist, Gott sel=
ber Alles in Allen ist, dann hat der Anfang sein Ende ge=
funden; mithin ist nicht jetzt, da Alles untereinander liegt,
sondern alsdann Gott selbsten Alles und Alles Gott! Nicht
als ob alle Creatur in Gott und von Gott verschlungen
würde, sondern Alle sind in Gott, was Gott ist, und er,
Gott, ist in Allen, was er ist, und ist Alles lauter Gott und
Gottesoffenbarung in lauter Herrlichkeit und Geistleiblichkeit.
Syst. 320 f.

Wenn es heißt: „Einst werde der Sohn selbst unterthan
seyn dem, der ihm Alles unterthan hat, und es werde als=
dann Königreich und Priesterthum nicht mehr nothwendig
seyn", so ist darum nicht gesagt, daß der Sohn nicht mehr
werde seyn, oder die ganze wiederbrachte Creatur. Es heißt
nicht: es werde Alles wieder in ein unanfänglich Nichts
eingehen, und also alle Creatürlichkeit und Persönlichkeit auf=
hören. Nein! Alles wird seyn, creatürlich und persönlich
und obendazu geistleiblich, unzerstörlich und unsterblich, und
Gott wird selber in allen seinen Geschöpfen leben und sich
bewegen und selber Alles in Allen seyn. Syst. 357.

Wenn der Plan Gottes ausgeführt und der Zweck Gottes
mit der ganzen Creatur erreicht seyn wird, wird Königreich
und Priesterthum aufhören nothwendig zu seyn. Gott wird
in aller Creatur nur wollen und aller Creaturen Wille wird,
im Wollen Gottes bewegt, nur wollen, wie Gott in ihr und
durch sie will. So das nicht wäre, so wäre er ja nicht
Alles in Allen. Syst. 356.

O wie herrlich wird es einst seyn, wenn einst deine
Menschenseele ein centralischer Thron und Quellbrunnen seyn
und in alle Menschenseelen fließen wird! wenn einst Gottes
Gedanke, wie er in deinem Herzen entspringt, in eben
demselben rund in alle Herzen ergossen seyn wird! wenn alle
Willen von Einem Willen gelenkt, mit Einem Willen ver=

eint seyn werden! wenn Eine Harmonie seyn und Gott das
All als ein lebendiges Instrument bewegen wird zum Lobe
seiner Herrlichkeit, die in dem All hergestellt seyn wird zum
Wohlempfinden des lebendigen Alls! VI. Pf. 1019.

Alle Creaturen werden lauter in die allerreinste Gottesnatur verklärte, mit der Gottheit erfüllte Substanzen seyn
in unzerstörlicher Geistleiblichkeit, und Nichts wird in sein
erstes Nichtseyn zurückkehren können; denn sonst müßte der
in seiner ganzen Geschöpflichkeit geoffenbarte Gott auch wieder der ungeoffenbarte Gott werden. Das aber kann nicht
seyn. Gott wird in seinen geoffenbarten Eigenschaften offenbar bleiben; er wird in allen seinen aus sich, durch sich
und zu sich selbst geoffenbarten Geschöpfen, die alsdann alle
wieder mit ihm, dem ewigen Liebelicht, vereinigt sind, nur
sich selber sehen und hören, schmecken und riechen, und im
ganzen großen Leib seiner geoffenbarten Creatur sich selber
fühlen, weil er alsdann das Haupt und die ganze Creatur
der Leib und nur er allein Alles selber seyn und heißen
wird, wie er von Ewigkeit in Offenbarung seiner Eigenschaften Alles war. Ja! alsdann wird eine lautere, ewige
Wonne, Liebe und Freude seyn! Alle werden in Gott und
Gott in ihnen, in der allerseligsten Liebesvereinigung, sich
einander lieben, herzen und in Gott, der alleinigen Allgenugsamkeit, sich vergnügen in der unaufhörlichen Offenbarung
seiner Wunder. VIII. I. 341 f.

Das ist gewiß, der Anfang und das Ende, die Dreiheit
mit und in der Einheit der Gottmenschheit wird endlich in
Allen gleich dargestellt seyn; das A und das O war als
das große Leben in Allen und wird auch in Allen Anfang
und Ende und in Allen Gottmensch Jesus Christus seyn,
männlich und weiblich; Gott und Christus wird aus Allen
herausleuchten. Und so wird Christus in Allen seyn mit
Gott, als der Dreiheit, als dessen Herrlichkeit und Einheit
und wird also Christus das Leidende in Allen seyn, darin
Gott wirket; und so wird Christus auch seinen Vorzug behalten in Allen. Alles wird Gott in Allen seyn, aber in
und mit Christo; das muß man bedenken, denn darauf war's
im A und O angesehen vor dem Anfang aller Dinge. IX.
I. 773.

§ 362.

Aller Unterschied der Creaturen, alle Ueber- und Unter-
ordnung wird aufhören in einer Gottgleichheit, vermöge der
Gott Alles in Allen ist.

„„Dann wird es soweit kommen, daß kein Unterschied
mehr unter den Creaturen ist. Die Gottheit wird mit Allen vereinigt seyn und Alle werden Ein Geist in und mit
Gott seyn und mit der Gottheit im Geiste zusammenfließen,
wie Jesus schon (Joh. 17, 20 f.) betete, „auf daß sie Alle
Eines seien!" Alle werden alsdann durch die Menschheit
Jesu und in ihm mit der Gottheit vereinigt seyn. Alles in
Allen wird Gott seyn, und Alle werden seyn in Gott. Alle
werden alsdann gleich seyn in vollkommener Gottgleichheit.
Gott allein wird in Allen leben und wirken. Kein Regi-
ment, kein Stand, keine Rangordnung, kein Name, keine
Zeit wird mehr seyn, weil der Anfang sein Ende gefunden
hat. Alles wird dann voll Gottes, voll Ruhe in Gottes
Herrlichkeit, Alles voll Licht und Leben seyn. VIII. I. 341.

Man muß aber nicht meinen, daß das neue Jerusalem
der höchste Zubereitungsort sey — nein, dieser wirds seyn,
wo das neue Jerusalem hergekommen ist, als es Johannes
im Gesicht herabfahren sah auf die erneuerte Erde. Darum
glauben wir, daß es Seelen geben werde, die dahin schon
bestimmt seyn werden als Erstlinge, und da an selbigem
Ort wird's erst so weit kommen, wie wir bisher gesagt haben.
VIII. I. 342.

§ 363.

Ob dann Gott eine neue Offenbarung oder Schöpfung
vornehmen werde, wissen wir nicht; unser Sinn soll auf die
Vollendung dieser Schöpfung gerichtet seyn.

„„Es wäre dumm und unsinnig geträumt, wenn man
glaubete oder schlöße: Gott würde endlich alles Geistleibliche wieder in sein Nichts eingehen lassen und dann ein
Anderes schaffen. Wie sollte doch das Gott thun wollen!
Das hieße recht umsonst gearbeitet. Und noch mehr: wie
sollte Gott das thun können! Denn er hat geistleibliche Substanzen gemacht, die er selber nicht mehr in ihr Nichts brin-

gen könnte. Denn wenn das Feuer des ewigen Geistes Etwas unverbrennlich macht als das A und O, wer soll's zerstören? das unanfänglich Feuerleben des ewigen Geistes kann's nicht thun; wer soll's denn thun? denn da wird es dahin gekommen seyn, daß das Lichtswesen des Lebens nicht mehr von dem Lebensfeuer zerstört werden kann, es müßte nur seyn, daß die geoffenbarte Dreiheit sich sammt der Einheit der Gottmenschheit könnte unsichtbar und zunichte machen, Gott müßte selber ein Nichts werden, und das kann er selber nicht und will auch nicht. IX. I. 772.

Wer weiß, was nach dem Ablauf aller Ewigkeiten geschehen wird? ob Gott nicht neue Schöpfungen durch die Ebenbilder seines Wortes vornehmen möchte? — Doch genug! Es gibt sogar Vieles zu thun, bis alle in's Wesen getretenen Dinge wiederbracht sind und ihre Vollkommenheit erreicht haben. Wer die Stadt Gottes einmal nur von Weitem sehen kann und darf, wird froh seyn; wer aber gar darin wohnen darf, wird ein hochseliger Geist seyn. Wen es gelüstet, dahin zu kommen, der werde gesinnet, wie Jesus Christus auch war, und ziehe an herzliches Erbarmen, den ganzen königlich-priesterlichen Sinn Jesu; er lerne von Jesu denken, wie Gott selber von Allem denkt. V. Off. 983.

Inhaltsverzeichniß.

___

Inhaltsverzeichniß.

Ausgaben der angezogenen Schriften Hahn's.

I.	Band;	Tübingen 1819.
II.	"	Tübingen 1820.
III.	"	Tübingen 1820.
IV.	"	Tübingen 1820.
V.	"	Stuttgart 1846.
VI.	"	Hanau 1820.
VII.	"	Stuttgart 1849.
VIII.	"	Stuttgart 1849.
IX.	"	Tübingen 1826.
XI.	"	Tübingen 1828.
XII.	"	Tübingen 1830.
XIII.	"	Tübingen 1841.
System oder Briefe von der ersten Offenbarung Gottes.		Tübingen 1839.

Alphabetisches Sachregister.

Gediegene Bücher aus dem Verlage von J. F. Steinkopf in Stuttgart:

Arnd, Johann, Sechs Bücher vom wahren Christenthum, nebst Paradies=Gärtlein. Mit Lebensbeschreibung u. 58 Bildern. Großer Druck. 1 fl. 36 kr. od. 1 thlr.

— — Vier Bücher vom wahren Christenthum, nebst Paradiesgärt=lein. Mit 2 Bildern. Großer Druck. 1 fl. 6 kr. od. 20 fgr.

— — Paradies=Gärtlein. Großer Druck. 20 kr. od. 6 fgr.

Arnold, Gottfried, Sämmtliche geistliche Lieder, mit e. Auswahl a. d. freieren Dichtungen und Lebensabriß, herausg. von K. C. E. Ehmann. 22 Bogen 8. geh. 1 fl. 36 kr. od. 1 thlr.

— — Geistliche Minne=Lieder. Herausgegeben von K. C. E. Eh=mann. 2 Bogen 8. geh. 12 kr. od. 4 fgr.

Beck, Dr. J. T., Christliche Reden zur Erbauung auf alle Sonn= und Festtage des ganzen Jahres. Erste Sammlung. 2. Auflage. 2 fl. 24 kr. od. 1½ thlr.

— — Christliche Reden. Vierte Sammlung. (52 Predigten ent=haltend.) 2 fl. 42 kr. od. 1⅔ thlr.

— — Christliche Reden. Fünfte Sammlung. Erstes und zweites Heft, je 12 Predigten enthaltend. à 40 kr. od. 12 fgr.

Bernieres Louvigni, Verborgenes Leben mit Christo in Gott. In's Deutsche übertragen und kurz zusammengezogen von Gerhard Tersteegen und Andern. Mit einem Anhang von Liedern. Min.=Ausg. 17 Bogen. geh. 12 kr. od. 4 fgr.

Beutelspacher, Fr., Biblisches Gebetbüchlein auf alle Tage des Jahres. 366 kurze Gebete nebst Liedern a. den Schriften der ge=salbtesten Beter. 24 Bogen 8. geh. 45 kr. od. 14 fgr.

Brastberger, M. J. G., Evangelische Zeugnisse der Wahrheit über die Sonn=, Fest= und Feiertags=Evangelien und die Passions=geschichte, in einem vollständigen Predigt=Jahrgang. Neu durchge=sehen von Prälat Dr. Kapff. Mit Lebenslauf und Bildniß. 52 Bogen gr. 8. geh. 1 fl. 30 kr. od 1 thlr.

Hamberger, Dr. J., Stimmen aus dem Heiligthum der christli=chen Mystik und Theosophie. Für Freunde des innern Lebens und der tiefern Erkenntniß der göttlichen Dinge gesammelt und heraus=gegeben. 2 Bde. 4 fl. 48 kr. od. 2 thlr. 27 fgr.

Hofacker, M. Ludw., Predigten für alle Sonn=, Fest= und Feier=tage, nebst einigen Bußtags=Predigten, Grabreden u. einem Anhang. 22. Aufl. 2 fl. 24 kr. od. 1½ thlr.

Hofacker, Wilh., Predigten für alle Sonn= und Festtage. 2. Aufl. 1 fl. 48 kr. od. 1 thlr. 4 fgr.

Kapff, Dr. S. C., Achtzig Predigten über die alten Episteln aller Sonn=, Fest= und Feiertage. 3. Aufl. 1 fl. 48 kr. od. 1 thlr. 4 fgr.

Kapff, Dr. S. C., 25 Passions-, Oster-, Buß- und Bettags-Predigten. 4. Aufl. 15 Bogen gr. 8. kart. 36 kr. od. 12 sgr.

— — Der religiöse Zustand des evangelischen Deutschlands. geh. 36 kr. oder 12 sgr.

— — Warnung eines Jugendfreundes vor dem gefährlichsten Jugendfeind, oder Belehrung über geheime Sünden. 7. vermehrte Aufl. geh. 12 kr. oder 4 sgr.

— — Gewünschtes und Geschmähtes. 12 Predigten.
(Unter der Presse.)

Kempis, Thomas von, Vier Bücher von der Nachfolge Christi. Im Jahr 1617 aus dem Lateinischen von Joh. Arnd. Neue Stereotyp-Ausg. 19 Bog. Min.-Form. 12 kr. od. 4 sgr.

— — Velin-Ausg. Fein geb. in engl. Leinw. 48 kr. od. 15 sgr.

Oetinger, Fr. Chr., des württ. Prälaten, Biblisches Wörterbuch. Herausg. von Dr. J. Hamberger. geh. 3 fl. 48 kr. od. 2½ thlr.

— — Die Theologie aus der Idee des Lebens abgeleitet und auf sechs Hauptstücke zurückgeführt; herausg. von Dr. J. Hamberger. 2 fl. 42 kr. oder 1 thlr. 6 sgr.

— — Sämmtliche Schriften. Erste Abtheilung: Homiletische Schriften. Band I. Die Epistel-Predigten. Band II. Das Herrenberger Predigtbuch. Band III. Das Murrhardter Predigtbuch. Band IV. Das Weinsberger Predigtbuch. Band V. Nachlese: Kurze Betrachtungen über alle Evangelien und Episteln des Kirchenjahres. Themata und Predigt-Dispositionen. Nebst Anhang: Oetingers Gebete. Jeder Band 2 fl. od. 1 thlr. 6 sgr.

— — Sämmtliche Schriften. Zweite Abtheilung: Theosophische Schriften. Band I. Kabbalistische Lehrtafel der Prinzessin Antonia. mit einer Steintafel. Hal. Irenäi aufmunternde Gründe. Auflösung der 177 theosophischen Fragen J. Böhme's. Inbegriff der Grundweisheit J. Böhme's. 1 fl. 48 kr. od. 1 thlr. 4 sgr.

— — — Band II. Swedenborgs und anderer irdische und himmlische Philosophie. 1 fl. 45 kr. od. 1 thlr.

— — Inbegriff der Grundweisheit, oder kurzer Auszug aus den Schriften der deutschen Philosophen. 21 kr. od. 6 sgr.

— — Abhandlung, wie man die heilige Schrift lesen und die Thorheit Gottes weiser halten solle, als aller Menschen Witz. 21 kr. oder 6 sgr.

Außer den vorstehenden sollen auch die übrigen Werke des großen Gottesgelehrten unter dem Titel: „Oetinger's sämmtliche Werke," von Pfarrer Ehmann in angemessener Folge herausgegeben werden; es wird indeß jeder Theil dieser sämmtlichen Werke auch einzeln abgegeben.

Alle Freunde der Sache wollen durch ihre Theilnahme sie helfen möglich machen.

Tersteegen, Gerh., Geistliches Blumengärtlein, nebst der Frommen Lotterie. 24 kr. od. 8 sgr.

— — Velin-Ausg. Schön geb. mit Goldschn. 1 fl. 24 kr. od. 25 sgr.

———————

This book should be returned to the Library on or before the last date stamped below.

A fine is incurred by retaining it beyond the specified time.

Please return promptly.

Check Out More Titles From HardPress Classics Series In this collection we are offering thousands of classic and hard to find books. This series spans a vast array of subjects – so you are bound to find something of interest to enjoy reading and learning about.

Subjects:
Architecture
Art
Biography & Autobiography
Body, Mind &Spirit
Children & Young Adult
Dramas
Education
Fiction
History
Language Arts & Disciplines
Law
Literary Collections
Music
Poetry
Psychology
Science
…and many more.

Visit us at www.hardpress.net

Im The Story
personalised classic books

"Beautiful gift, lovely finish.
My Niece loves it, so precious!"

Helen R Brumfield-on

★★★★★

UNIQUE GIFT

FOR KIDS, PARTNERS
AND FRIENDS

Timeless books such as:

Alice in Wonderland · The Jungle Book · The Wonderful Wizard of Oz
Peter and Wendy · Robin Hood · The Prince and The Pauper
The Railway Children · Treasure Island · A Christmas Carol

Romeo and Juliet · Dracula

Highly Customizable · **Change** Books Title · **Replace** Characters Names with yours · **Upload** Photo into inside page! · **Add** Inscriptions

Visit
Im The Story .com
and order yours today!

CPSIA information can be obtained
at www.ICGtesting.com
Printed in the USA
BVHW081029130819
555775BV00019B/1212/P

9 781318 679553